KV-383-039

LA PLUME, LA FAUCILLE
ET LE MARTEAU

LA PLUME, LA FAUCILLE ET LE MARTEAU

Institutions et Société

en France du Moyen Age à la Révolution

PAR ROLAND MOUSNIER

PROFESSEUR A LA SORBONNE

« COLLECTION HIER »

PRESSES UNIVERSITAIRES DE FRANCE

108, BOULEVARD SAINT-GERMAIN, PARIS

1970

Dépôt légal. — 1re édition : 1er trimestre 1970

INTRODUCTION

Objectifs et méthodes

Nous comprenons mal les institutions de l'ancienne France parce que nous ne discernons pas nettement leurs liens avec les structures de la société. L'inverse est d'ailleurs aussi vrai. Ce sont ces rapports qui ont été l'objet des différentes études rassemblées ici. Il s'agit d'une série d'attaques du problème sous différents angles, par lesquelles on s'est efforcé d'approcher de plus en plus la vérité[1].

Institutions et société

Les historiens entre eux savent parfaitement de quoi ils parlent quand ils traitent d'institutions. Pour la France d'autrefois, il s'agit de la Maison du Roi, du Conseil du Roi, des Parlements, des corporations, des seigneuries, etc. Mais le mot a été employé dans tant de sens différents par les sociologues que le philosophe et sociologue Georges Gurvitch ne pouvait plus l'entendre et voulait absolument le proscrire. Il serait, cependant, dommage de s'en priver, mais il est nécessaire de préciser en quelle acception le mot est pris dans ce livre.

Une institution, c'est d'abord une idée directrice, l'idée d'une fin déterminée de bien public à atteindre, par des procédures prévues et imposées, selon un comportement obligatoire. Cette idée a été acceptée par un groupe d'hommes qui se sont chargés de mettre en

1. Ce livre est constitué par le regroupement d'un certain nombre d'articles et de mémoires parus, à diverses époques, dans des recueils et des revues, les uns quasi confidentiels, les autres souvent difficiles à consulter en raison des lacunes des bibliothèques. Le nombre des lettres reçues, tant de différentes provinces françaises que de l'étranger, et même de l'étranger d'outre-mer, demandant communication de tel ou tel de ces écrits, souvent de plusieurs d'entre eux, a fait penser qu'il était bon de réunir les principaux en volume.

œuvre ces procédures et d'atteindre cette fin. C'est l'idée directrice et les procédures qui font de ce groupe d'hommes une institution. Elles la font différer du tout au tout d'un simple rassemblement accidentel ou d'un ensemble d'individus possédant fortuitement des caractères communs. L'idée directrice et les procédures s'imposent aux hommes qui entrent dans le groupe, elles les façonnent dans une certaine mesure, leur donnent des comportements communs, des attitudes semblables. Elles font du groupe une unité. Les individus sortent du groupe par la mort, par la retraite, par la démission, par la révocation, par la promotion, mais ils sont remplacés par d'autres individus et le groupe persiste. Il dure comme un organisme, avec ses caractères propres et sa vie particulière. Par l'idée directrice et les procédures, il y a une institution et non pas seulement un groupe d'hommes, un Conseil d'Etat et pas seulement des conseillers d'Etat, une Justice et pas seulement des magistrats, une propriété et pas seulement des propriétaires. Il est donc inutile de se demander si la durée est nécessaire pour qu'une institution existe. Quelques jours, quelques heures suffisent, pourvu que soient apparues l'idée directrice et quelques procédures et qu'un groupe d'hommes s'en soit chargé.

Mais le groupe d'hommes est partie intégrante de l'institution. En simplifiant et en forçant les termes, l'on pourrait presque dire qu'une institution, c'est un groupe d'hommes. Il n'y a institution que si l'idée et les procédures se sont incarnées dans des hommes qui les mettent en œuvre, leur donnent force contraignante et imposent ainsi des actions à d'autres hommes. Le groupe institutionnel est donc en même temps un groupe social. Il faudrait donc bien connaître l'idée directrice de l'institution et les procédures, ce qui est possible d'une part au moyen des coutumes, édits, ordonnances, règlements divers, d'autre part au moyen des correspondances administratives, registres officiels et actes de toutes sortes de la pratique. Idée, règles et procédures fixent à l'avance gestes à faire, paroles à dire, façons d'aborder les problèmes, tout cela imposé par la société et l'Etat au groupe institutionnel et par le groupe institutionnel aux individus qui y entrent. Idée, règles, procédures façonnent en quelque manière les individus, leur créent un esprit et un comportement communs, des façons de voir les choses, une échelle des valeurs, même des réactions de sensibilité, sans annihiler leur personnalité, leur caractère et leurs réactions individuelles. Pour préciser tout cela, il nous faudrait étudier l'activité quotidienne des membres du groupe institutionnel, leurs relations quotidiennes et leurs comportements de chaque jour entre eux, à l'intérieur du groupe institutionnel, à l'extérieur du groupe avec des hommes faisant partie d'autres groupes institutionnels d'une part et d'autre part avec le public, en général, dans ses différents groupes sociaux. Autrement dit, une étude institutionnelle ne peut jamais s'arrêter à l'examen des lois et des règlements, mais doit s'étendre à tout ce qui permet d'atteindre les relations effectives des hommes entre eux au jour le jour.

Mais ces hommes, en même temps qu'ils font partie de ce groupe social, le groupe institutionnel, appartiennent à d'autres groupes sociaux, famille, groupe d'existence, strate social, paroisse, ville, seigneurie, province, etc. De ces groupes, ils ont accepté, plus ou moins, les idées, les jugements de valeur, les attitudes et les comportements. Et tout cet ensemble n'est pas sans influer sur la poursuite de la fin de bien public par le groupe institutionnel. L'application des lois, des règlements, des coutumes et des usages s'en trouve infléchie. Dans la pratique, tout le fonctionnement de l'institution peut s'en trouver modifié. Aussi est-il indispensable de se livrer à toute une étude sociale des membres du groupe institutionnel.

L'on souhaiterait d'abord connaître pour tous ces individus et pour tous ces groupes sociaux leur psychologie collective ou structures mentales, c'est-à-dire d'abord la façon dont ils conduisaient leur esprit, constataient, inféraient, établissaient des faits, en tiraient des conclusions générales, donc leur éducation, leur logique, l'influence sur eux du mouvement scientifique de leur temps, ce qu'ils considéraient comme établi, assuré, ce qui faisait preuve sur eux. Il serait bon de connaître leurs opinions et idées sur l'homme, leur conception de la place et du rôle de l'homme dans l'Univers, des fins et de la destinée de l'homme, donc leur religion, leurs connaissances générales, leur pratique religieuse, leur spiritualité, leur morale. Il faudrait savoir leurs idées et opinions politiques et sociales, ce qu'ils pensaient de la structure sociale de leur époque, de la monarchie et du gouvernement monarchique. Il nous faudrait discerner ces postulats inavoués, souvent inconscients, ces jugements de valeur inexprimés qui sont la racine de tout un ensemble d'opinions, d'idées, de jugements, de raisonnements. Remontant aux sources de ces postulats, comme l'homme est plus guidé encore dans les situations graves et les moments de crise par des réactions venues du plus profond de lui-même que par les idées, les réflexions et la raison, il nous faudrait atteindre leur sensibilité, leurs émotions, leurs désirs, leurs satisfactions et insatisfactions, leurs attitudes, c'est-à-dire leurs dispositions à réagir d'une certaine façon aux stimulations extérieures ou à adopter un certain comportement ; discerner les valeurs, les images, les symboles, les mythes, qui déclenchent en eux l'émotion, le mouvement intérieur, fixant l'idée et imposant l'action.

Ensuite, pour tous ces individus et tous ces groupes sociaux, leur statut social, c'est-à-dire l'estime sociale, l'honneur, la dignité, le rang, le prestige dont ils jouissaient. Ces indications sont révélées par les fonctions sociales, professions, carrières, métiers, par les associations, dont la principale est le mariage; donc avec qui les membres des divers groupes sociaux se mariaient, quels étaient leurs parents, leur famille, leur type de famille, leurs relations familiales; leurs amis; leurs relations de fidélité et de clientèles; leurs coteries; leur appartenance à des confréries religieuses, à des sociétés savantes, à des groupes politiques, à des factions, à des sectes; le comportement social de leur groupe, ses valeurs, ses cérémonies, son étiquette, sa politesse, son rôle ou ce qu'on y devait faire dans toutes les circonstances de la vie; le modèle de conduite prescrit pour tous les membres du groupe, ses symboles sociaux, style de vie, distractions, éducation, langage, manières, étiquette, comportement du lever au coucher et de la naissance à la mort; le passage de l'individu, de la famille ou du groupe social à des strates sociaux supérieurs ou inférieurs, autrement dit la mobilité sociale ascendante ou descendante. Les mythes sociaux du groupe, enfin, et pour chacun de ces points la valeur consciente qu'y attachaient les contemporains et la valeur réelle, dénoncée par les comportements effectifs.

De tous ces individus et de tous ces groupes sociaux, il nous faudrait connaître la situation économique. D'abord la nature des ressources, plus importante que le niveau. La part des traitements, des indemnités, des pensions, celle des ressources tirées d'épices ou de taxations, ou de participation à des activités de banquier, de partisan ou de munitionnaire; celle des rentes, foncières ou seigneuriales, éventuellement celle des profits. Ensuite leur fortune, dans ses catégories, plus importantes que son niveau : la part de leurs offices publics, celle de leurs propriétés foncières, selon leur situation juridique, alleux, seigneuries, fiefs, censives, ou en tant qu'unités d'exploitation, faire-valoir direct, métairies, fermes ; la façon dont ils les exploitaient, et les placements qu'ils y faisaient : la part des rentes de diverses sortes; celle des créances, lettres de change, billets à ordre, dépôts bancaires; la part des bijoux, argenterie, monnaies, meubles, œuvres d'art, bibliothèque. Eventuellement, la part des entreprises industrielles, commerciales ou artisanales avec leur matériel, leur outillage, leurs réserves de matières premières et de produits fabriqués ou la proportion dans leur fortune de leur participation à de telles entreprises. C'est ensuite le montant, le niveau des fortunes, qu'il ne faut tout de même pas négliger, avec la proportion de ce qui reste fortune ou moyen de consommation et de ce qui devient capital, ou moyen de production. C'est la tendance, l'histoire des ressources, de la fortune et du capital. Enfin, la valeur sociale qu'attachaient les contemporains à tel ou tel type de ressources et de fortune, indépendamment de leur montant.

Enfin, il nous faudrait préciser le pouvoir de ces individus et de ces groupes institutionnels, c'est-à-dire tous les moyens qu'un homme ou un groupe d'hommes peut avoir d'incliner les volontés des autres hommes pour les obliger à aller dans son sens. Donc, outre le pouvoir qui résulte de la fonction dans l'institution, il conviendrait de chercher quelle influence les membres du groupe institutionnel pouvaient en tirer dans la vie quotidienne, dans leurs relations courantes avec d'autres individus ou d'autres groupes sociaux, comment et dans quelle mesure leurs fonctions ou leurs associations leur permettaient d'influencer l'opinion; comment et dans quelle mesure leurs ressources et leur fortune leur permettaient de se constituer des clientèles de débiteurs, de salariés, d'employés, de fournisseurs, d'acheteurs, et de vendeurs de diverses sortes.

Toute étude d'institutions doit inclure les institutions politiques, administratives et sociales. L'Etat ne peut se séparer de la société dont il est le produit, mais qu'en retour il informe et façonne. L'Etat est un organisme naturel et spontané, produit des besoins inhérents aux sociétés à un certain degré de leur développement. Dans les milieux sociaux parvenus à un certain degré de civilisation, un grand nombre de besoins et d'intérêts collectifs ne peuvent être pourvus que par l'Etat. A ce moment-là les hommes créent l'Etat par leurs actes sans qu'ils s'en rendent bien compte et l'Etat existe depuis longtemps lorsque les hommes prennent conscience de son existence. Des groupes sociaux constituant la société, sort une corporation ou collectivité publique avec des organes voulant et agissant pour le compte de la société et en son nom. Cette corporation publique, cette personne morale et juridique, c'est l'Etat, organisation qui réalise l'unité d'une pluralité d'individus. L'Etat, érigé par la société au-dessus d'elle, pour gérer ses affaires et ses intérêts communs, façonne par là même en retour à chaque instant la société tout entière, les groupes sociaux et leurs relations entre eux, c'est-à-dire les structures sociales. Ainsi, il y a une relation réciproque constante Etat-société, dont l'étude est inséparable et indispensable, celle des relations multiples et enchevêtrées entre les conseils, les bureaux, leurs idéologues et leurs propagandistes d'une part, les différents groupes sociaux et leurs interprètes de toutes natures d'autre part, la recherche des rapports entre la plume, la faucille et le marteau.

Problèmes de méthode dans l'étude des structures sociales des XVIe, XVIIe, XVIIIe siècles[1]

Je suis historien. Il est donc évident que je n'ai pas ici l'idée d'apprendre quoi que ce soit à qui que ce soit, sur les sciences sociales. Je ne viens pas, non plus, apporter du nouveau sur l'histoire. Je voudrais simplement proposer quelques doutes sur l'application de certaines méthodes à l'histoire. Je viens pour poser des questions et j'espère m'instruire par des réponses. Je vais être obligé d'avouer mon désaccord, provisoire, avec certains savants. Je serais désolé que l'on y vît une agression à l'égard de personnes que j'estime profondément ou que j'admire. Mais je crois nécessaire, dans un travail de recherches, d'avouer librement les doutes pour provoquer l'explication.

Un intérêt grandissant porte les historiens vers l'histoire sociale. Non pas seulement vers l'étude de la répartition des richesses de la société entre les individus, vers les questions de revenus, de profits, de salaires. Non pas seulement vers l'examen des problèmes posés par le niveau de vie et le genre de vie : pouvoir d'achat, assistance, hygiène, enseignement, éducation physique, culture, loisirs. Tout ce que l'on place volontiers aujourd'hui sous la rubrique des questions sociales. Mais, de plus en plus, les historiens s'intéressent à la constitution de la société elle-même, à la distribution des individus en groupes, aux relations de ces groupes entre eux. Le développement des études historiques y a poussé irrésistiblement. Quelle que soit la branche de l'histoire cultivée, politique, économique, intellectuelle, artistique, religieuse, l'historien a senti qu'il manquait un élément important à ses études, peut-être au fond l'essentiel, s'il ne pouvait rapporter le phénomène qu'il étudiait non seulement à des individus déterminés, mais à des groupes dans la société. Par exemple, l'historien des idées politiques a senti profondément tout ce qui manquait à ses analyses, s'il ne pouvait déterminer d'une part les attaches sociales des théoriciens dont il avait scruté la pensée, le rôle de leur groupe et de leur milieu dans la formation de leurs idées fondamentales, d'autre part, la propagation des idées émises, quels individus, mais aussi

1. Publié dans *Spiegel der Geschichte. Festgabe für Max Braubach. Zum 10. April 1964*, Münster Westf., Verlag Aschendorff, 1964. Trad. espagnole, *Revista de Estudios Politicos*, Madrid, 1964.

quels corps, quels groupes sociaux les avaient reçues, dans quelle mesure ils les avaient assimilées, jusqu'à quel point ils avaient été poussés par elles à agir, modifiés dans leur comportement, enfin le rapport de ces phénomènes au nombre d'hommes, aux activités, à la mentalité, à la fortune, au revenu de ces groupes et de ces corps. Or, il apparaît vite, lorsqu'on procède ainsi, que c'est peut-être ici la question essentielle, que les groupes dont se compose la société, leurs activités diverses, leurs états, et leurs relations sont le fonds de toute l'histoire, la base sans laquelle tout le reste n'est pas largement intelligible, et qui peut-être détermine, dans une certaine mesure, tout le reste, même l'économie. Mais, en même temps, il apparaît que c'est là peut-être la partie la moins avancée de l'histoire. Tout en ayant parfaitement conscience de tout ce qui manque à nos connaissances dans les différentes branches de l'histoire, on ne peut s'empêcher d'être sensible au retard de l'histoire sociale. Nous avons beaucoup d'excellents livres sur l'histoire politique, l'histoire religieuse, l'histoire économique, l'histoire de l'art. Nous disposons d'un nombre infiniment moindre sur l'histoire sociale. Il est frappant de constater que dans bien des bibliographies historiques générales, il n'y a pas même de rubrique consacrée à l'histoire sociale. Il nous semble donc qu'aujourd'hui un effort particulier doit être porté sur cette histoire fondamentale, ce qui est vraiment vouloir faire l'histoire intégrale, considérer la société dans son ensemble, tout rapporter toujours à l'ensemble et dans cet ensemble distinguer les différents groupes sociaux, dans la totalité de leurs états et de leurs actions, étudier la fonction sociale de leurs membres, c'est-à-dire, le plus souvent, le métier ou la profession, les parentés, les alliances, la fortune, les revenus, la psychologie collective, la mobilité sociale; enfin les relations de tous ces groupes entre eux, c'est-à-dire la structure sociale.

Le premier point, c'est de discerner et de décrire les différents groupes sociaux. L'on remarquera que j'emploie à dessein le terme le plus général et le plus vague, que j'évite celui de classes sociales, la classe sociale étant au XIXe siècle un groupe assez bien défini, mais qui n'a pas existé dans tous les types de société et dont l'existence dans les trois siècles dont je traite, les « Temps Modernes » des historiens français, fait problème. Mais qu'est-ce qu'un « groupe social » ? Il est certain qu'il en existe de diverses sortes et que le même individu appartient à plusieurs. Un examen, même sommaire, des sociétés européennes de nos trois siècles y fait apparaître tout de suite un groupe social que nous pourrions appeler primaire, la famille qui, à cette époque, prend souvent l'aspect du lignage; ensuite des groupes secondaires, les professions diverses, qui forment souvent corps et compagnies; au-delà, des groupements flottants de gens qui professent des opinions voisines et se sentent des intérêts communs, tels des partis politiques non organisés ou des tendances politiques et religieuses : naturellement, il ne faudrait pas oublier les Ordres, communs à tout un royaume (noblesse, clergé, tiers état), ni les groupes géographiques : villages, villes, « pays », provinces. Mais le groupe par excellence, peut-être le plus important après la famille, ne serait-il pas un groupe tertiaire, composé de gens qui exercent des professions diverses et qui peuvent être semés sur tout le territoire d'une province ou d'un royaume, mais qui sont unis par plusieurs caractères : un idéal social commun; une estime sociale, qui est à double aspect : intérieure au groupe, la conscience que le groupe a de lui-même, de son rôle, de son importance, de ses particularités dans la société d'ensemble; estime extérieure au groupe : l'image que la société d'ensemble ou d'autres groupes sociaux se font du groupe considéré et le jugement de valeur qu'ils portent sur lui; autres caractères : des activités de même nature; des ressources de nature semblable, ce qui est plus important peut-être que leur niveau; des genres de vie semblables (comportement dans les relations, agencement des journées, des loisirs, des locaux); une psychologie collective (sensibilité, réactions émotionnelles, façons de conduire son esprit, images, mythes, symboles, opinions, idées); des intérêts communs, des opinions et idées voisines. La marque extérieure du groupe, ce serait le mariage de ses membres entre eux. « L'intermariage », comme disent les sociologues. L'on pourrait presque dire : le groupe social, ce sont les gens qui se marient entre eux.

Plusieurs groupes de même espèce, voisins, semblables, constitueraient la classe sociale, là où il y en a.

C'est ce groupe tertiaire qu'il s'agirait de discerner et de délimiter. En vue d'atteindre cet objectif, l'éminent professeur Ernest Labrousse proposait une méthode au Xe Congrès international des Sciences historiques. Ses élèves ont publié divers articles théoriques. Enfin, les premiers résultats ont été livrés au public, en 1961, en un petit livre intitulé : *Structures et relations sociales à Paris au XVIIIe siècle* (il s'agit en réalité de la seule année 1749). Nous pouvons bien connaître les différents aspects de cette méthode. Or, elle me paraît insuffisante et même dangereuse. Nous allons donc l'examiner point par point, et, chemin faisant, j'exprimerai des réserves et ferai des propositions.

Tout d'abord, nous constatons une divergence fondamentale sur les critères de distinction du groupe social. Pour le groupe de travail, ils sont avant tout économiques. M. Labrousse écrit : « Je pense que le facteur dominant de la formation des classes est la répartition des moyens de production et d'échange et des rapports de production qui s'ensuivent entre les hommes »[1]. Et il propose, pour distinguer les groupes sociaux, de considérer d'abord « la profession, combinée avec le niveau social ». Le contexte montre que, pour lui, le niveau social, c'est la fortune et les moyens d'existence, l'échelle sociale, c'est la hiérarchie des moyens d'existence[2]. Ses élèves ont la même conception. Le niveau de fortune est le niveau social. Il faut considérer la profession et le niveau de fortune. Toutefois ils ajoutent la qualité, car ils ont rencontré cette encombrante noblesse, qui vient tout compliquer. Ils nous disent : « Profession, qualité, niveau de fortune sont les trois éléments de base pour décrire les structures sociales »[3]. Ce serait sans doute à peine forcer les termes si l'on disait que pour eux le niveau de fortune engendre le groupe social. Ces propositions ne me paraissent pas soutenables pour la plupart des sociétés européennes des XVIe, XVIIe et XVIIIe siècles. Le niveau de fortune est certes important, et l'on voit de grands seigneurs épouser des filles roturières ou de mince noblesse parce qu'elles apportent une grosse dot. Des financiers sont reçus à la Cour ou à la ville, dans des milieux de noblesse, à cause de leur fortune. Mais ces cas, qui favorisaient la mobilité sociale et contribuaient à empêcher la formation de castes, apparaissent tout de même comme relativement peu nombreux. Ces nouveaux venus étaient-ils d'ailleurs bien intégrés par tel ou tel groupe social ? L'on faisait volontiers sentir aux épouses la bassesse de leurs origines. Les financiers étaient, quoi qu'ils fissent, regardés avec mépris par les gens de qualité. En réalité, les critères de différenciation des groupes sociaux dans ces sociétés sont autres. Ils sont dans la « dignité », « l'honneur », l'estime sociale attachée à telle ou telle situation. La pratique des armes, le service du prince classent plus que l'argent, et peuvent d'ailleurs procurer plus d'argent que le négoce, la banque, le commerce, les professions productives. C'est un défaut de la méthode proposée que de ne pas distinguer ces

1. Ernest LABROUSSE, Voies nouvelles vers une histoire de la bourgeoisie occidentale aux XVIIIe et XIXe siècles (1700-1850), *Decimo Congresso internazionale di Scienze Storiche (1955)*, *Relazioni*, IV, *Storia moderna*, p. 365-369, et discussion de cette communication, *Atti del Decimo Congresso internazionale*, p. 514-530. Adeline DAUMARD et François FURET, Méthodes de l'histoire sociale. Les archives notariales et la mécanographie, *Annales*, 1959, p. 676-693. Adeline DAUMARD, Structure sociale et classement socio-professionnel. L'apport des archives notariales au XVIIIe siècle et au XIXe, *Revue historique*, 227 (1962), p. 139-154. Adeline DAUMARD et François FURET, Structures et relations sociales à Paris au XVIIIe siècle, *Cahiers des Annales*, n° 18, Paris, 1961, 97 p.

2. LABROUSSE, Réponse, *Atti*, p. 530.

3. LABROUSSE, Communication, p. 369. DAUMARD-FURET, Structures, p. 57.

sociétés, où c'est souvent l'appartenance à un groupe social, indépendamment de toute activité productrice de biens matériels, qui attire l'argent et cause la différenciation des fortunes, et les sociétés européennes de l'Europe du Nord-Ouest du XIXe et du XXe siècle, où c'est souvent l'activité productrice de biens matériels et la différenciation des fortunes qui déterminent l'appartenance à un groupe social, souvent, mais pas toujours. C'est un défaut de la méthode de ne pas distinguer les sociétés dont l'idéal est la noblesse, le service militaire, la gloire des armes, l'honneur, et celles dont l'idéal est la bourgeoisie, le commerce et l'industrie, l'argent, le confort. L'erreur de l'école me paraît être de ne pas vouloir tenir assez compte de la façon dont on se procure l'argent, de vouloir appliquer la même méthode à des sociétés fermées d'ordres et de corps, hiérarchisées selon la dignité attachée à leur genre de vie, par exemple la France avant sa Révolution, et à des sociétés de classes ouvertes, où les individus se répartissent en classes sociales et en groupes sociaux, selon leur fortune qui dépend, en principe, de leurs talents, exercés surtout dans les professions productives de biens matériels, ou des talents de leurs ancêtres, comme, par exemple, la France après sa Révolution. Pour les sociétés des trois siècles précédant la Révolution, l'accent devra être mis sur d'autres critères que les biens.

La marche du travail appelle d'autres réserves. Le groupe se propose non seulement de discerner des groupes sociaux, leur place dans la hiérarchie sociale, et leurs relations, mais d'en faire une étude statistique, de compter les effectifs de ces groupes et d'établir des rapports et des proportions. Nous sommes d'accord. C'est très souhaitable. Le groupe veut donc commencer par dénombrer la population. Très bien. C'est ensuite que les difficultés commencent. On nous propose une approche progressive. D'abord, classer les individus par profession. Ensuite les hiérarchiser dans la profession. En effet, une profession donnée est socialement très diverse. Soit le monde judiciaire. Que de différences entre le juge, le procureur ou l'avocat du Roi, les avocats des parties, les procureurs des parties, les huissiers, les sergents. Si nous considérons la profession des marchands de vin, il faut distinguer les marchands de vin en gros, les débitants au détail, les hôteliers et taverniers, et peut-être faudrait-il inclure dans la profession, en les distinguant, des auxiliaires indispensables comme les tonneliers. Dans la profession, il faut donc hiérarchiser selon le niveau de vie. L'on obtient ainsi une série de groupes, qui ont deux inconvénients pour l'école statistique : ils émiettent la population de la ville ou du pays dont on cherche la structure sociale en de nombreux groupes numériquement trop faibles pour avoir une valeur statistique. D'autre part ils sont trop loin de la réalité sociale : « Les échelons supérieurs des maîtres-menuisiers... sont plus proches des mêmes niveaux des autres maîtres que des compagnons »[1].

Donc il faut comparer de profession à profession, rompre les cadres professionnels, rapprocher les uns des autres les mêmes niveaux de fortune dans des professions différentes, aboutir ainsi par des « regroupements horizontaux », à des groupes « socio-professionnels », pour « donner l'ensemble de la population... en un nombre restreint de grandes catégories présentant chacune une certaine homogénéité sociale »[2]. « Ces cadres socio-professionnels sont bien connus. Toutes les statistiques nationales les utilisent. Ils répondent, au fond, au double critère de la profession et du niveau économique de l'intéressé »[3]. Ils sont fondés sur la nature aussi bien que sur le niveau des ressources, et donc sur des réalités économiques peut-être encore plus que sociales. L'école distingue ainsi une douzaine de groupes socio-professionnels : salariés, artisans, maîtres de métiers et marchands, négociants et manufacturiers, domestiques, employés de personnes privées, bourgeois de Paris, professions libérales, employés au service du Roi, officiers civils, officiers militaires, noblesse.

Mais ce stade du travail à son tour doit être dépassé. Le groupe Labrousse se rend compte qu'il faut aller plus loin. Il propose de recomposer ensuite les éléments socio-professionnels, préalablement établis, en « classes » ou « groupes », car les classes comprennent de multiples compartiments où s'exerce l'influence du métier, de l'origine sociale, des alliances, du milieu géographique, du fait démographique, de combien d'autres facteurs, variables selon les temps et les lieux[4]. Outre profession, qualité, niveaux de fortune, « d'autres données, comme l'âge, l'état civil, le placement des capitaux, les genres de vie, seraient souhaitables, mais seulement pour préciser et nuancer... Pour définir ce qui plus profondément fait l'unité de certains milieux », il faut connaître « origines géographiques et familiales, mobilité sociale, contacts sociaux »[5]. Donc, en complétant l'information, on va se servir des groupes socio-professionnels, pour recomposer les véritables « classes » et les véritables « groupes » sociaux. Avant de jouer

1. DAUMARD-FURET, p. 16-17.
2. DAUMARD-FURET, Structures, p. 16-17, citant une formule de l'Institut National de la Statistique et des Etudes Economiques, *Code des Catégories professionnelles*, 3e éd., 1954.
3. LABROUSSE, Réponse, *Atti*, p. 529.
4. *Ibid.*, p. 530.
5. DAUMARD-FURET, Structures, p. 57.

au jeu de cubes, dit Labrousse[1], il faut constituer les cubes. Les cubes, ce sont les groupes socio-professionnels. En jouant de ces cubes, l'on obtient classes sociales et groupes sociaux.

Un quatrième stade, le dernier, sera d'établir la psychologie collective de chaque classe et de chaque groupe.

Eh bien, si nous suivions cette belle progression, je crois qu'elle serait ruineuse pour l'histoire sociale des XVIe, XVIIe et XVIIIe siècles, et que nous n'atteindrions jamais les groupes sociaux réels. Soyons mis d'abord en défiance par la métaphore de M. Labrousse. Les groupes sociaux, quels qu'ils soient, ne sont pas des cubes, et la société n'est pas un jeu de cubes, mort, inerte, docile aux manipulations savantes de l'historien. Une société est un organisme et des groupes sociaux sont des organes, du vivant, que l'on peut étudier, explorer, reconnaître, décrire, à condition de le respecter. Toute cette progression est inspirée par l'idée que toute distinction de groupes sociaux, toute hiérarchisation réelle dans la société vient du niveau des ressources et de la quantité des biens. Or, cette idée peut être exacte pour certaines sociétés. Elle l'est probablement dans une large mesure pour les principales nations européennes du XIXe siècle. Elle a de grandes chances d'être fausse pour les sociétés des XVIe, XVIIe, XVIIIe siècles, et, si elle l'est, la progression ne vaut plus rien. Ce qu'il faut, c'est aller chercher directement le groupe social lui-même, tel qu'il a existé, et tel que nous pouvons le discerner par l'analyse de plusieurs types de documents.

Le découpage du groupe Labrousse, en effet, nous fait courir un grand risque d'arbitraire. Au fond, ses groupes socio-professionnels, principale partie de son travail, l'école les apporte du dehors, des statistiques nationales du XIXe et du XXe siècle et particulièrement du *Code des catégories professionnelles* dressé en France par l'Institut National de la Statistique et des Etudes Economiques. L'adaptation des cadres socio-professionnels du XXe siècle aux réalités du XVIIIe siècle n'est bien souvent qu'une violence pour forcer ces réalités anciennes dans des cadres correspondant à des réalités plus récentes, et fort différentes. Le résultat n'échappe pas aux reproches d'arbitraire, d'anachronisme, d'analyse insuffisante et d'illusion. L'école classe les « gagne-deniers » parmi les salariés avec les compagnons, les journaliers et les ouvriers. Or, certains gagne-deniers sont bien des salariés, des porteurs de grains ou de charbon de bois au service d'officiers ou d'entrepreneurs. Mais d'autres sont des entrepreneurs de portage et de transports. D'autres sont des officiers, des officiers domaniaux.

1. Réponse, *Atti*, p. 529.

D'autres, des travailleurs occasionnels. Il ne semble pas que ces diverses catégories aient été distinguées[1]. N'est-ce pas se moquer que de classer dans « les professions libérales », à côté du médecin et de l'avocat, le maître d'armes et le maître à danser[2] ? De déclarer que « l'immense majorité » des gens qualifiés « bourgeois de Paris » « vivent sans travailler du revenu de leurs rentes sur l'Etat ou sur des particuliers », alors que le terme de bourgeois désigne un statut juridique que possèdent, aussi souvent et plus souvent que les rentiers, des marchands ou des maîtres de métier ? Placer dans un seul groupe prétendu socio-professionnel tous les « officiers civils », depuis le sergent jusqu'au premier président du Parlement de Paris, est insoutenable. Prendre en bloc la noblesse en se refusant à distinguer d'abord entre noble et gentilhomme, puis à faire d'autres distinctions nécessaires, ne semble pas raisonnable. En somme, le défaut, ici, c'est l'insuffisante analyse, le refus d'étudier les professions et les situations en elles-mêmes et de tenir compte des différences et des diversités. Parfois, c'est l'ignorance qui est cause des confusions. Mais celles-ci résultent aussi d'une volonté de ne garder qu'un petit nombre de grandes catégories afin de permettre des évaluations statistiques et l'emploi de la mécanographie. La statistique devient impossible avec des catégories trop nombreuses, ne comprenant chacune que quelques cas. Les possibilités de la mécanographie sont limitées par le nombre d'indications codées que peut porter une fiche mécanographique. Or, parvenir à une histoire sociale « nombrée », quantitative, est infiniment souhaitable, à condition de ne pas violer la réalité. Je me rappelle une scène caractéristique. Un maître de recherches avait trouvé une hiérarchie de dix-huit catégories de salaire à Paris. Mais, sur la fiche mécanographique, il ne disposait plus que de dix emplacements. Alors, le directeur de recherches fit réduire les dix-huit catégories à dix. Inutile de souligner l'arbitraire du procédé. Si les dix-huit catégories existaient réellement, il fallait les conserver, et renoncer à l'emploi de la mécanographie, jusqu'à ce que l'historien dispose d'un outillage mécanographique suffisant pour ses besoins. De même pour la statistique. Si une société est réellement fragmentée en un nombre très grand de catégories très petites, et ce peut être un caractère distinctif, un caractère essentiel de cette société, alors il faut respecter ces catégories, même si l'on aggrave ainsi l'effort statistique, même si l'on doit renoncer provisoirement à la statistique. Statistique et mécanographie doivent être au service de l'historien, non l'historien

1. DAUMARD-FURET, p. 26.
2. *Ibid.*, p. 36.

être esclave de la mécanographie et de la statistique. Il faut commencer par une analyse approfondie de la réalité sociale, bien distinguer les groupes sociaux dans leur être réel, et ensuite on pourra dénombrer les effectifs de chacun de ces êtres. Mais il ne faut compter que ce qui existe.

Nous ne sommes pas d'accord avec la progression proposée par M. Labrousse. Nous croyons à la possibilité d'atteindre directement les groupes sociaux réels. Nous pensons pouvoir le faire par le mariage. Un caractère essentiel du groupe social dans les sociétés européennes des XVIe, XVIIe, XVIIIe siècles, c'est « l'intermariage » de ses membres. D'innombrables documents, chroniques contemporaines, mémoires, correspondances, livres de raison, manuels de confesseurs, livres de spiritualité, sermon, romans, comédies, satires et pamphlets, nous révèlent ce fait : on se marie, le plus souvent, dans son groupe social. Certes, il y a des exceptions, puisque ces mêmes documents nous révèlent la mésalliance et l'ascension sociale par le mariage. Bien des facteurs, passion amoureuse, entraînement des sens, coups de tête, concours de circonstances, calculs d'intérêt, prévisions sur la carrière d'un jeune homme bien doué, sont cause d'exceptions. Mais, si nous opérons sur un grand nombre de cas, les exceptions s'éliminent d'elles-mêmes, et d'ailleurs diverses sources nous permettent de discerner les cas aberrants. C'est donc le mariage qui va devenir le moyen de délimiter le groupe social. Les sources essentielles vont donc devenir les minutes notariales et, parmi elles, la source privilégiée c'est le contrat de mariage. Le contrat de mariage nous apporte les noms, qualités, professions et demeures des conjoints; les mêmes renseignements pour leurs parents; les noms et qualités des témoins, parents (frères, sœurs, oncles, tantes, cousins germains, cousines germaines, cousins et cousines), les noms et qualités des témoins et amis (amis, mais aussi protecteurs, patrons, ou bien fidèles et même fournisseurs). Enfin, dans le contrat, nous trouvons des renseignements sur la dot et souvent sur les apports du mari.

Le contrat de mariage est donc une source capitale de notre recherche. Le groupe Labrousse l'a bien vu, et il a voulu en faire la source unique d'une recherche des groupes socio-professionnels à Paris, en 1749. Il a cru pouvoir retrouver la structure socio-professionnelle de toute la population au début de la carrière des hommes jeunes, à leur entrée en ménage, à la fondation du foyer, unité de consommation et parfois de production, puisque le contrat de mariage lui donnait profession, qualité, et, croyait-il, fortune du jeune couple, donc, pensait-il, niveau de vie, niveau social, au début de la vie conjugale. Le groupe a commencé par procéder correctement. Il a d'abord déterminé la valeur représentative de la source dont il disposait. Une statistique officielle lui procurait le nombre total des mariages célébrés dans l'année. Les répertoires des notaires lui permettaient de calculer le nombre total des mariages qui avaient donné lieu à un contrat : 75 % environ du nombre des mariages célébrés. Les contrats nous laissent donc dans l'ignorance sur 25 % de la population, vraisemblablement les plus pauvres, bien que des mariages riches aient pu donner lieu à de simples actes sous seing privé. Toutes les minutes établies par les notaires et révélées par les répertoires n'ont pas été conservées : il en reste assez pour atteindre 60 % des mariages célébrés, proportion satisfaisante. Nous ne pouvons qu'approuver cette opération préalable, par laquelle il faut toujours commencer, si l'on en a les moyens, c'est-à-dire des registres paroissiaux ou des décomptes civils.

C'est ensuite que les choses se gâtent. L'école était préoccupée d'aller vite pour dresser une statistique d'ensemble. Elle n'a donc pas procédé à une analyse assez poussée. Il faut d'abord être sûr des professions et qualités du marié et de la mariée. Or, le contrat de mariage ne nous fixe pas toujours sur ce point, car l'un ou l'autre des conjoints usurpe parfois telle ou telle qualité, par simple vanité, pour se faire valoir, ou pour justifier des prétentions financières plus élevées. Voici un cas extrême. Un de mes élèves trouve, dans un contrat de mariage du Minutier central des Archives Nationales de Paris, un marié qui se qualifiait « gendarme de la Reine ». Bien, c'est un officier militaire d'une Maison Royale. Mais, travaillant aux Archives Nationales, dans le fonds de la Cour des Aides, série Z^1 A, les pièces d'un procès apprennent à mon jeune historien que le soi-disant gendarme de la Reine était en réalité un marchand de grains; un marchand de grains, qui, pour se faire pimpant ou obtenir une dot plus élevée, avait acheté un office de gendarme de la Reine, mais dont la véritable profession était celle de marchand. Or, nous ne pouvons savoir *a priori* combien de cas semblables vont se présenter. Nous ne pouvons donc pas nous contenter des contrats de mariage, il faut les confronter avec d'autres documents pour savoir exactement à qui nous avons affaire.

Nous ne pouvons pas nous contenter de vouloir établir une structure sociale à l'entrée en ménage. Ceci peut-être ne signifie rien. Voici deux avocats qui se marient. Mais l'un, d'origine modeste, est destiné à rester avocat toute sa vie. L'autre, fils de conseiller d'Etat, entre dans la carrière du Conseil d'Etat. Il n'est avocat que temporairement, pour six ans, en vue de devenir conseiller au Parlement, puis maître de requêtes, enfin conseiller d'Etat, ce qui est le *cursus honorum* normal. Ne serait-ce pas une illusion que de le classer dans la même catégorie que l'autre ? Ne faut-il pas le mettre dans le groupe correspondant à la fonction la plus haute qu'il a atteinte dans le *cursus honorum* ?

Imaginer que le mariage indique un début dans la vie n'est pas exact dans l'état de la mortalité de nos sociétés. On meurt dru. Fréquents sont les remariages, et parfois l'on est marié trois ou quatre fois. Il ne s'agit plus alors de personnes jeunes, à l'entrée de la vie, et au début de leur fortune. Ces cas sont assez nombreux pour qu'il faille les prendre en considération.

Autrement dit, si le contrat de mariage est indispensable, nous ne pouvons nous en contenter pour isoler un instant de la vie, la situation au moment du mariage. Pour connaître la situation exacte d'un homme, il faut reconstituer sa carrière et suivre sa vie. Pour cela, il nous faut d'autres documents que son contrat de mariage. Il nous faut des contrats de mariage de ses frères et sœurs, de ses fils et filles. Il nous faut son inventaire après décès, où la liste de ses papiers va nous donner les différentes fonctions exercées et l'indication des différents contrats qu'il a passés dans sa vie, moyen de retrouver ses titres et situations successifs. Il nous faut, si possible, les procès qu'il a plaidés, surtout en contentieux fiscal ou professionnel, les plus instructifs. Il serait bon d'avoir des registres paroissiaux où l'indication des baptêmes, mariages et décès permet de reconstituer les familles. Je reconnais que tout cela est long, surtout pour un statisticien pressé de compter. Mais l'essentiel n'est pas d'aller vite : c'est de faire du travail solide.

Précisons bien que ce qui importe, c'est l'alliance des deux mariés. C'est sur la situation des deux mariés qu'il faut faire porter l'effort. En effet, quelle que soit l'importance du lignage, il peut arriver, il arrive assez fréquemment, que les parents, ou les frères, ou les cousins, ne soient pas du même groupe social que les mariés. Ce sont les mariés qui définissent le groupe social. Parmi les deux, le plus important, et celui qui fournit le terme de référence, par sa profession ou sa qualité, c'est le marié. Car l'homme est le chef de famille, et la descendance s'établit avant tout par les mâles. La mariée, d'ailleurs, n'a souvent ni profession, ni qualité; elle est fille d'un tel, qui a telle profession et telle qualité, et c'est la profession et la qualité du père que l'on épouse.

Remarquons encore que notre groupe social va être constitué seulement par des professions et qualités qui donnent réellement lieu à des alliances entre elles. Si nous trouvons, en un lieu donné, le jeu d'alliances suivant : avocats-filles de négociants, négociants-filles de petits juges, petits juges-filles d'avocats, négociants-filles d'avocats, avocats, négociants forment un groupe social. La chose serait plus douteuse si nous avions seulement négociants-filles d'avocats, négociants-filles de petits juges, car la difficulté de placer les filles entraîne parfois à les marier dans un groupe social inférieur, de même que le désir d'ascension sociale pousse les hommes à se marier dans une catégorie supérieure. Quant à la série avocats-filles de négociants, négociants-filles de petits juges, petits juges-filles d'avocats, nous n'en pouvons tirer qu'une présomption, et une hypothèse de recherche, même si les dots sont du même ordre de grandeur, car nous n'avons pas ici, dans la rigueur des termes, intermariage.

Pour distinguer les cas aberrants de mésalliance, ascension sociale ou déclin, nous avons invoqué la fréquence des unions d'un certain type qui précise le cas normal. Mais souvent les stipulations financières du contrat de mariage mettent sur la voie de tels cas aberrants. Par exemple, à Paris, au XVIIe siècle, les deux parties cherchaient à équilibrer dot de la femme et apports du mari. Des apports du mari supérieurs à la dot sont une présomption que le mari vient d'un groupe social inférieur à celui de la femme.

Une autre remarque peut aider. A Paris, à l'époque indiquée, le douaire, c'est-à-dire la pension qui sera due à la veuve si le mari décède le premier, s'élève normalement au tiers du revenu de la dot. Un douaire plus élevé est une présomption que le mari est d'un groupe social inférieur à celui de l'épouse et que son mariage constitue pour lui une ascension sociale.

Le groupe social se définit d'abord par l'union des qualités et professions réelles obtenues par la reconstitution des carrières et par la biographie. C'est une notion purement qualitative et qui pourrait se passer d'éléments numériques. Mais il est certain que pour avoir une connaissance complète du groupe social il faut étudier les activités de ses membres, leurs ressources, leur psychologie collective. Il est nécessaire aussi d'examiner comment il se renouvelle par des membres venus d'autres groupes sociaux et comment il perd de ses membres : ceux qui passent à d'autres groupes sociaux par ascension ou par déclin, et ceux qui disparaissent, par extinction. Ce sont les problèmes de la mobilité sociale et de la durée des familles. Et nous remettrons ici en honneur, à côté de la biographie, d'autres disciplines, longtemps méprisées en France, la généalogie et l'histoire des familles, considérées désormais d'un point de vue social.

Les ressources du nouveau ménage, jeune ou moins jeune, ont beaucoup préoccupé les membres de l'école statistique, puisqu'ils confondent le niveau des ressources avec le niveau social et que le niveau des ressources est pour eux l'élément formateur du groupe social. Ici encore nous avons bien des réserves à faire et bien des avertissements à donner. Si l'on veut déterminer les ressources exactes d'un jeune ménage, l'on ne peut se passer d'une analyse approfondie des contrats de mariage, ni d'une connaissance des familles. Il faut d'abord savoir si le père de la mariée a plusieurs filles, car, dans ce cas, la dot est généralement plus faible pour la même catégorie sociale, et parfois de beaucoup. Si l'on n'y fait pas attention, l'on peut fausser complètement l'échelle des fortunes à l'entrée en ménage et placer un couple et une catégorie à un niveau qui n'est pas le leur. Le nombre des filles ne peut être connu que par une étude complète de la famille. Et ceci souligne une fois de plus l'illusion d'effectuer un travail valable à l'aide d'une seule catégorie de documents.

Ensuite, il est nécessaire de regarder de près le contrat pour distinguer si la dot constitue toute la part de succession qui doit revenir à la fille, ou si celle-ci doit au décès de ses parents et de ses oncles et tantes recevoir encore des parts. Si la fille a des « espérances », la dot est plus faible. Elle peut l'être beaucoup plus.

Il faut bien remarquer la part de la dot qui doit rester propre à la fille et, au cas où il n'y aurait pas d'enfants du mariage, revenir à son « côté et ligne », à ses frères et sœurs, ou neveux et nièces. Ce qui est propre à la femme, le mari ne peut en utiliser que le revenu. Pour vendre le bien, il lui faut l'autorisation de l'épouse et il doit remployer le capital ou en rentes ou en « héritage », c'est-à-dire en terres, ce qui limite les possibilités de remploi. De deux dots égales en montant, celle dont 60 % restent propres à l'épouse est nettement inférieure, en fait, en possibilités d'investissement, à celle dont 30 % restent propres à la femme.

Il faut discerner la nature et les proportions des composants de la dot. Qu'est-ce qui l'emporte, les immeubles, les effets, les bijoux, c'est-à-dire des « capitaux visqueux », ou les rentes et l'argent comptant, c'est-à-dire les « capitaux fluides », utilisables dans des offices ou dans des entreprises économiques ? Deux dots de montant égal peuvent se trouver en fait très inégales selon leur composition, car bien des gens ne veulent pas ou ne peuvent pas vendre, engager, hypothéquer des immeubles ou des bijoux de famille.

Il ne faut pas négliger les stipulations accessoires, comme le logement et la nourriture chez les parents, pendant un an ou deux. Parfois la somme à laquelle équivalent ces prestations est calculée et indiquée. D'autres fois, non. Il faut essayer alors une évaluation, car cette somme n'est pas négligeable. Mais, en outre, l'aide occasionnelle des parents pendant les premières années donne-t-elle toujours lieu à des écrits ? Comment l'évaluer ? Les veuves remariées peuvent fausser les évaluations, car leur dot est souvent la totalité de leur fortune.

Toutes ces précautions, le groupe de travail les néglige. C'est peut-être satisfaisant pour la statistique, ce ne l'est pas pour l'histoire. Il n'est pas facile d'utiliser rapidement les contrats de mariage. D'autre part, si la fortune au mariage est importante, il serait non moins important de connaître la fortune à son apogée, et la fortune au décès, après que fils et filles ont été établis et mariés. Inventaire après décès et partages de succession le permettent. Mais il n'est pas aisé non plus de s'en servir vite, il faut les analyser soigneusement, patiemment, et en prenant bien des précautions, s'assurer d'abord qu'ils sont un inventaire de toute la fortune, et non pas seulement de ce qui se trouve dans la maison du décédé, si l'on est à Paris vérifier que les propres n'ont pas été omis pour ne comprendre que les meubles et les conquêts immeubles, qui eux tombaient en communauté. Mais il n'est pas possible d'entrer dans le détail.

L'on comprendra que nous attachions moins d'importance que le groupe Labrousse aux sources fiscales : rôles de tailles, de capitation, de vingtième, même sextiers de gabelles, bien que ceux-ci fournissent la composition des familles et non seulement le montant mais aussi la nature, si importante, des ressources. Les sources fiscales, même si les cotes d'imposition correspondaient bien aux fortunes réelles, ne nous fourniraient jamais qu'une insuffisante décomposition de la société, tant les professions et qualités restent le plus souvent vagues, et elles ne peuvent jamais nous donner, même les capitations, qu'une échelle de revenus, non une échelle sociale. Elles nous offrent un moyen de contrôler d'autres sources et une possibilité d'évaluer statistiquement les effectifs de groupes sociaux, délimités à l'aide d'autres sources. Elles sont un complément, ou un pis-aller pour un premier aperçu de l'ensemble de la société, si nous ne disposons pas d'autres sources. Mais elles ne permettent pas de discerner les groupes sociaux ni de découvrir la structure sociale.

Ainsi, nous pensons que la structure sociale d'une unité géographique déterminée c'est la hiérarchie et les relations de groupes sociaux. Ces groupes sociaux sont discernables, dans la continuité d'une population donnée, avant tout par l'estime sociale et par l'intermariage. Il est donc possible de les isoler mentalement en recourant à des documents juridiques, administratifs, littéraires, religieux. Les documents juridiques sont essentiels. Il ne faut jamais essayer de les utiliser sans une étude préalable du droit du royaume, de la coutume locale, de la procédure. Parmi les documents juridiques, l'indispensable, c'est le contrat de mariage. Mais il ne peut être utilisé seul, car la situation sociale exacte des époux ne peut ressortir que d'une étude biographique et généalogique. C'est par le recensement des unions équilibrées que les groupes sociaux vont apparaître et par l'examen des mésalliances que va ressortir la mobilité sociale. Fortune et ressources annuelles ne doivent jamais être négligées, leur connaissance est indispensable, plus encore dans leur nature que dans leur montant, mais il s'agit cependant d'abord, avant tout, d'une étude qualitative, poursuivie au moyen d'une analyse approfondie des documents, en comptant pour rien le temps passé à l'ouvrage. Le résultat va être un certain nombre de noyaux de groupes sociaux, entourés chacun d'un halo progressivement plus flou au fur et à mesure qu'on s'écarte des noyaux, de gens de situation moins nette, puis d'amis, de patrons, de fidèles et de clients, car l'on passe par transitions insensibles d'un groupe social à un autre. C'est seulement lorsque nous aurons discerné, par une analyse avant tout qualitative, les groupes sociaux réels que nous pourrons utilement dénombrer leurs effectifs et établir entre eux des rapports et des proportions. Autrement dit la statistique doit succéder à l'analyse qualitative. Elle ne peut la remplacer. Mais elle est indispensable, elle aussi, à son tour, pour achever notre connaissance, rendre nos résultats tout à fait comparables, et ouvrir la voie à l'histoire comparative, d'où peuvent peut-être sortir des types, des genres et des espèces, des constantes et des lois[1].

1. Pour une application de la méthode préconisée ici, voir Roland MOUSNIER, *Lettres et mémoires adressés au chancelier Séguier*, Introduction. Le chancelier et les maîtres de requêtes (Publications de la Faculté des Lettres et Sciences humaines de Paris, 1964).

PREMIÈRE PARTIE

Valeurs de la société

SAINT BERNARD ET LUTHER

Après saint Augustin, il est possible que saint Bernard soit le docteur qui ait eu le plus d'influence sur Luther. Le grand hérésiarque le cite à plusieurs reprises et sa pensée a pu paraître à certains comme imprégnée de celle de l'abbé de Clairvaux. A. V. Müller attribue à saint Bernard un rôle de consolateur, de guide spirituel, de maître en théologie de Luther, qui aurait de bonne heure assimilé ses sermons et les aurait transformés en son sang spirituel (!)[1]. O. Scheel estime que nous ne pouvons en savoir autant, mais ne nie pas une influence plus limitée de saint Bernard[2]. En tout cas, jusqu'à la fin de sa vie, Luther témoigna de son estime et de son admiration pour le saint, bien que l'admiration eût progressivement diminué. Vers 1513-1515, il l'appelle « pulchre Bernhardus » *(sic)*, « le glorieux Bernard »[3]. En 1521, il écrit : « Dieu non seulement a élevé saint Bernard... au commandement sur les autres, mais l'a rendu illustre et l'a glorifié... par d'éclatants miracles »[4]. Plus tard : « Saint Bernard vit comme un moine pieux ; comme un moine, mais il est quand même dans sa foi un vrai et sérieux chrétien qui ne se fie pas à sa calotte et à sa congrégation comme la grande masse des autres et ne s'y appuie pas mordicus, mais se fie uniquement à la grâce de Jésus-Christ, comme il en témoigne souvent lui-même »[5]. Enfin, en 1542 : « De nombreux bons moines ont vécu, comme Bernard et Bonaventure, qui sont sauvés »[6]. De tels sentiments,

Publié dans *Témoignages. Cahiers de La Pierre-qui-Vire*, Desclée de Brouwer, 1953.

1. Alfons Victor Müller, *Luthers Werdegang bis zum Turmerlebnis*, Gotha, P. A. Perthes Verlag, 1920, p. 83-86.
2. Otto Scheel, *Martin Luther*, Tubingen, Mohr Verlag, 2e éd., 1930, II, p. 192, 245, 379, 399, 478.
3. Otto Scheel, *Dokumente zu Luthers Entwicklung*, Tubingen, Mohr Verlag, 2e éd., 1929, texte no 611.
4. *Luthers Werke*, éd. de Weimar, 8, 332/21. Nous aurions souhaité mettre chaque fois en note le texte latin lui-même pour permettre au lecteur la vérification immédiate de nos traductions. A notre grand regret, nous avons dû y renoncer, le nombre de pages nous étant strictement limité.
5. Ed. Weimar, 54, 85.
6. Ed. Weimar, 39, 2, 168/5.

une première raison est peut-être que saint Bernard et Luther sont des hommes d'action qui pensent leur vie et pensent pour vivre. Saint Bernard écrit et prêche pour interpréter et justifier la vie intérieure. Il tire sa doctrine de son expérience pour que cette doctrine, à son tour, informe et nourrisse la vie du chrétien[1]. De son côté, Luther tire de son expérience quotidienne la doctrine qui lui est nécessaire pour vivre[2]. Ni l'un ni l'autre ne sont des théoriciens rationalistes opérant sur des concepts abstraits, encore que l'un et l'autre, nous aurons à le montrer, aient un sentiment tout différent en matière de philosophie[3].

Il serait tentant et facile aussi, pour autant du moins que l'on s'en tiendrait à des généralités, de comparer l'œuvre de ces deux grands réformateurs, ainsi que les raisons et les attitudes diverses qui donnèrent à leur action un sens si opposé : Bernard réparant l'unité et la sainteté d'une Eglise dangereusement menacée par le schisme et par de graves abus : nomination des évêques, chanoines, curés et abbés par les féodaux, trafic des bénéfices, mariage ou concubinat des clercs, mœurs féodales et mondaines des chanoines, culte superstitieux des reliques; tandis que Luther, heurté par des abus semblables, et protestant contre eux, divisait la chrétienté par la plus grave des hérésies dont elle ait eu à souffrir.

Sur ce dernier point, cependant, un doute subsiste : le parallélisme entre saint Bernard et Luther a pu paraître si prolongé, en effet, que certains théologiens semblent parfois suspecter saint Bernard d'une sorte de luthéranisme avant la lettre; aussi paraît-il plus profitable de s'y attarder que de reprendre une comparaison devenue banale entre les deux « réformes » et leurs effets respectifs.

En réalité, Luther lui-même ne se faisait pas d'illusion sur le fossé qui le séparait de saint Bernard aux points cruciaux : « Bernard est d'or, dit-il, quand il enseigne et prêche; au contraire, lorsqu'il discute, il attaque ce qu'il a admirablement prêché. Bernard est au-dessus de tous les docteurs de l'Eglise quand il prêche, mais, dans les contro-

1. E. GILSON, La théologie mystique de saint Bernard, *Etudes de philosophie médiévale* t. XX, J. Vrin, 1934, p. 64.

2. H. STROHL, L'épanouissement de la pensée religieuse de Luther de 1515 à 1520, *Etudes d'histoire et de philosophie religieuse*, p. p. la Faculté de Théologie protestante de l'Université de Strasbourg, 1924, p. 57.

3. C'est pour avoir ainsi puisé en pleine vie, utilisant l'expérience et cherchant à dégager les lois, que saint Bernard a exercé de l'influence sur des hommes très divers : FÉNELON, dont les quiétistes *Maximes des saints* s'abritent plusieurs fois, au prix de sophismes est-il besoin de le dire, sous l'autorité du saint; Auguste COMTE qui, dans le *Catéchisme positiviste*, place le *Traité sur l'Amour de Dieu* dans la « Bibliothèque du prolétaire » (éd. PÉCAUT, Garnier édit., 1931, p. 36).

verses, il devient un tout autre homme. Alors, il accorde trop au précepte et au libre arbitre »[1]. Et encore : « Bernard, dans ses sermons, l'emporte sur tous les autres docteurs, et même sur Augustin, parce qu'il a excellemment prêché le Christ; dans ses discussions il est tout à fait différent de lui-même et contraire à ses sermons... A Bernard, Jésus est très cher, il n'y a que Jésus avec lui; mais, dans les controverses comme sur le libre arbitre, il n'y a plus de Jésus »[2]. Aussi Luther trouve-t-il saint Bernard double : quand il est sur la foi, il enseigne parfaitement le Christ, quand il dispute sur la loi, il ne le fait pas autrement qu'un Turc ou un Juif[3].

Il y aurait contradiction entre ce que saint Bernard écrit de la foi et de Jésus-Christ, donc de la grâce et de la justification, et ce qu'il écrit du précepte et du libre arbitre, c'est-à-dire de la volonté de l'homme, de ses œuvres et de ses mérites. Luther approuve saint Bernard sur le premier groupe de questions mais estime qu'il s'exprime comme un infidèle sur le second. Or la contradiction en saint Bernard se trouverait répartie entre deux espèces de ses écrits : d'une part les sermons, qui seraient tous chrétiens (et donc luthériens, au moins de tendance), d'autre part les traités, qui seraient entachés d'un esprit antichrétien (et donc antiluthérien). Par conséquent, nous avons à examiner d'abord si réellement il y a dans les sermons de saint Bernard ce parallélisme que Luther y trouvait avec sa propre doctrine; ensuite si réellement il n'y a rien dans les sermons qui soit en accord avec les traités du saint, sur les points mêmes où ceux-ci s'opposent fondamentalement à Luther, quitte à chercher enfin d'où vient ce désaccord.

Pour Luther, la nature est corruption. « La nature est cependant naturellement et inévitablement mauvaise et viciée »[4]. Pour saint Bernard de même : « De la plante des pieds jusqu'au sommet de la tête, il n'y a rien de sain en nous »[5]. Luther est persuadé de la prédestination : « La préparation la meilleure et infaillible, et l'unique dispo-

1. Ed. Weimar, I, 272/4 et 335/23.
2. O. SCHEEL, *Dokumente*, n° 288 et n° 467, nov. 1533.
3. Ed. Weimar, 40/3, 354/17, texte de 1532. Dans le même sens, 14, 667/16, texte de 1525.
4. *Disputatio contra scholasticam theologiam*, n° 9, éd. Weimar, I, 224/22, année 1517.
5. *De Diversis*, sermo XLII, 2; *Patrologie latine*, 183, 662. Nous citerons les sermons d'après la *Patrologie latine* et en même temps, chaque fois qu'il sera possible, d'après E. GILSON, *Saint Bernard, textes choisis*, « Bibliothèque spirituelle du chrétien lettré », Plon, 1949, parce que le livre est facilement accessible au lecteur et que la traduction du XVIIe siècle due au P. Antoine de Saint-Gabriel est généralement correcte.

sition à la grâce, est l'éternelle élection et prédestination de Dieu »[1]. Saint Bernard ne lui cède en rien : « La génération céleste n'est autre que la prédestination céleste, par laquelle Dieu a aimé et gratifié ses élus en son Fils bien-aimé avant la création du monde »[2].

Saint Bernard et Luther ont encore en commun la vue fondamentale sur la justification et la rémission des péchés, au point que Luther, enthousiasmé par « le bienheureux Bernard » plein de l'Esprit-Saint, a cité et commenté le premier des sermons pour l'Annonciation de la Sainte Vierge[3] et y est revenu si souvent, comme à une confirmation de sa propre interprétation de la rémission des péchés, que son disciple Mélanchthon reprenait encore le texte au nom du Maître en 1546, dans sa préface au second volume des œuvres de Luther, publiées à Wittemberg, et Mathesius de même, en 1566, dans son premier sermon sur la vie de Luther[4].

Pour saint Bernard comme pour Luther, c'est le Saint-Esprit qui témoigne à la conscience de chacun de la gloire que Dieu lui a attribuée. Ce témoignage consiste en trois points. Voici d'ailleurs le passage essentiel reproduit mot pour mot par Luther : « Il est nécessaire avant tout de croire que tu ne peux avoir la rémission des péchés, sinon par la miséricorde de Dieu; ensuite que tu n'es pas en état d'accomplir de bout en bout rien d'une bonne œuvre, si Dieu lui-même ne l'a donné; enfin que tu ne peux mériter par les œuvres la vie éternelle, si celle-ci ne t'est donnée gratuitement »[5]. Donc, la rémission des péchés est un pur acte de bonté, une pure grâce; la grâce de Dieu est nécessaire non seulement au début pour inciter l'homme à bien agir, mais tout le long de l'action jusqu'à son accomplissement; la vie éternelle est donnée gratuitement. Le vouloir est radicalement pervers et débile et la grâce, nécessaire absolument, à tout instant.

De ces dons gratuits il faut, pour se savoir sauvé, que chacun ait personnellement le témoignage du Saint-Esprit et qu'il croie que c'est à soi personnellement qu'ils ont été accordés. Ainsi saint Bernard : « Ce

1. *Disp. cont. Schol. Théol.*, n° 29, éd. Weimar, I, 225/17.

2. *In Cant. Canticorum*, sermo XXIII; *P.L.*, CLXXXIII, 892, 15, et Rec. Gilson, p. 238. Voir, dans le même sens, *P.L.*, *op. cit.*, 890, 12, et Rec. Gilson, p. 235.

3. O. Scheel, *Dokumente*, n° 718 (1515-1516). Dans le même sens, n° 611 (1513-1515). Le sermon de saint Bernard dans *P.L.*, CLXXXIII, 383-384, n°s 1, 2, 3. Dans le même sens *In cant.*, sermo XXII; *P.L.*, *ibid.*, 880-882, 6-9, sermo XXIII, *ibid.*, 892-893, 15-16; Rec. Gilson, p. 24-26, 220-223, 237-238.

4. O. Scheel, *Dokumente*, textes n°s 532 et 538.

5. La traduction de Dom Antoine de Saint-Gabriel (Rec. Gilson, p. 23-24) est une interprétation destinée à laisser plus de jeu à la liberté et à la volonté humaine. Elle fausse le sens de saint Bernard.

que nous venons de dire ne suffit pas du tout, mais on doit plutôt le considérer comme un certain commencement et fondement de notre foi... Ajoute encore et crois que c'est par Lui (Jésus-Christ) que les péchés te sont pardonnés. Voilà le témoignage qu'apporte en ton cœur le Saint-Esprit, disant : Tes péchés te sont remis. Ainsi, en effet, le croit l'Apôtre : L'homme est justifié gratuitement par la foi (Rom. XIV, 28). En outre, si tu crois ne pas pouvoir obtenir de mérite que par lui, ce n'est pas suffisant jusqu'à ce que l'Esprit de Vérité te rende témoignage que tu le tiens effectivement de lui. Pour la vie éternelle, il est encore nécessaire que tu aies le témoignage de l'Esprit que tu y parviendras grâce au bienfait divin. »

Luther reprend les expressions du saint et il y intercale des commentaires pour y insister sur le rôle de l'Esprit : « Ajoute encore et crois que tu ne peux croire, mais qu'il est nécessaire que l'Esprit te fasse croire que par lui-même tes péchés te sont remis. » L'Esprit de Vérité t'apporte le témoignage « quand tu as le ferme espoir que les œuvres que tu fais sont acceptées par Dieu et agréables à Dieu, *quelles qu'elles soient enfin.* Tu as le ferme espoir qu'elles sont agréables à Dieu quand tu sens que par ces œuvres tu n'es rien devant Dieu *même si elles sont bonnes et faites par obéissance, parce que ce n'est pas toi qui fais celles qui sont mauvaises* ».

Ainsi Luther et saint Bernard sont également persuadés de la justification par la foi en Jésus-Christ, de la nécessité d'une relation directe de chaque personne avec Dieu, de Dieu parlant au cœur de l'homme. Saint Bernard va presque aussi loin que Luther lorsqu'il dit : « Les mérites de l'homme ne sont pas tels qu'à cause d'eux la vie éternelle soit due de droit ou que Dieu ferait une injustice s'il ne la donnait pas. Car, sans parler de ce que tous les mérites sont des dons de Dieu et qu'ainsi l'homme est plutôt débiteur de Dieu pour eux que Dieu de l'homme, que sont tous les mérites en face d'une telle gloire ? » Mais enfin saint Bernard parle à trois reprises de mérites tandis que Luther considère comme indifférente la qualité des œuvres, et anéantit l'homme impuissant devant Dieu qui fait tout. Il dépasse le sens de saint Bernard sur la foi et les mérites et tire saint Bernard à lui. Nous saisissons ici sur le vif la méthode d'exégèse de saint Bernard par Luther et cette méthode n'est manifestement pas bonne.

Poursuivons le parallèle : Pour saint Bernard comme pour Luther, Dieu, par pure charité, n'impute pas le péché. Il ne le pardonne pas, car il ne veut pas être juge, il ne veut être qu'Amour. L'on pourrait même tirer d'une lecture trop rapide des sermons que, comme Luther, saint Bernard pensait que le péché subsistait, simplement recouvert par la grâce de Dieu : « Ce qui a été fait ne peut pas n'avoir été fait;

mais il sera comme s'il n'avait jamais été, si Dieu ne l'impute point au pécheur... » « Je les ai donc considérés comme s'ils n'avaient jamais péché... parce que la charité de leur Père couvre la multitude de leurs péchés, et j'ai appelé bienheureux ceux dont les iniquités ont été pardonnées et les péchés couverts » (Psalm. 31)[1]. Luther, bien entendu, se réfère à ce passage et l'approuve[2].

Pour saint Bernard comme pour Luther la justification est progressive, le péché cohabite toujours sur cette Terre avec la grâce : « Blessés nous entrons dans le monde, vivons dans le monde, sortons du monde » dit saint Bernard[3]. Toute la vie sera une lutte contre la convoitise et le péché invincible : « Ne faut-il pas encore tous les jours que ceux qui font état de vivre saintement dans l'Esprit de Jésus-Christ aient incessamment à combattre contre la chair, le monde et le Diable »[4].

Dans cette lutte, l'on ne peut espérer s'élever dans l'amour divin et la patrie céleste que par l'humanité du Christ : « L'humilité du Christ qui est l'échelle de Jacob par laquelle il faut monter », dit Luther, se souvenant du *De gradibus humilitatis*, et faisant écho à saint Bernard, qui montre dans l'exemple de la vie du Christ « le vrai chemin qu'il te faut tenir pour retourner dans ta patrie »[5]. Mais surtout les témoignages d'amour du Christ éveilleront l'amour de l'homme et provoqueront le progrès de la vie chrétienne : « Jésus-Christ, dit saint Bernard, a chassé les ténèbres de ton ignorance par la lumière de sa sagesse, ensuite, par la justice qui vient de la foi, il a brisé les liens des péchés en justifiant le pécheur gratuitement... Enfin, pour comble de bonté, il s'est livré à la mort et a tiré de son propre côté le prix de la satisfaction dont il a apaisé la colère de son père »[6]. Et Luther de même : « En méditant la passion du Sauveur, il faut faire effort pour découvrir et contempler son cœur, plein d'amour pour toi... Ensuite remonte du cœur du Christ au cœur de Dieu et dis-toi que le Christ ne t'aurait pas témoigné cet amour si Dieu ne l'avait voulu auquel le Christ a été obéissant en t'aimant. Tu découvriras ainsi le cœur divinement bon du Père »[7]. L'expérience de l'amour

1. *In Cant. Canticorum*, sermo XXIII; *P.L.*, CLXXXIII, 892, 15; Rec. GILSON, p. 237-238.
2. O. SCHEEL, *Dokumente*, texte 611 (1513-1515).
3. *De Diversis*, sermo XLII, 2; *P.L.*, CLXXXIII, 662.
4. *In Cant. Canticorum*, sermo I; *P.L.*, CLXXXIII, 788, 9; Rec. GILSON, p. 206. Cf. sur Luther : H. STROHL, *Epanouissement*, p. 46, p. 80 et suiv.
5. H. STROHL, *Epanouissement*, p. 63; *In Cant. Canticorum*, sermo XXII; *P.L.*, *op. cit.*, 881, 7, et Rec. GILSON, p. 220.
6. *In cant. Canticorum*, sermo XXII; *P.L.*, CLXXXIII, 880-881, 7; Rec. GILSON, p. 220.
7. LUTHER, *Serm. de Carême*, 1519, cité par H. STROHL, *Epanouissement*, p. 64.

de Dieu provoquera l'éclosion et le progrès de la vie chrétienne. « Il nous aime et nous aimons. »

L'on pourrait facilement multiplier ces rapprochements tant les ressemblances abondent entre les sermons de saint Bernard et les écrits de Luther, entre le théocentrisme et le christocentrisme du saint et ceux du Réformateur. Mais l'on ne peut pousser ces ressemblances jusqu'à l'identité qu'à condition de solliciter les textes de saint Bernard ou de faire abstraction du contexte.

Luther le déclarait lui-même : la doctrine exposée par saint Bernard dans ses traités différait profondément de la sienne sur des points aussi importants que le libre arbitre, la volonté humaine, les œuvres, les mérites. Il accusait saint Bernard d'exalter l'homme au point de faire disparaître le rôle de Jésus-Christ et d'amoindrir celui du Père. Précisons ces différences telles que nous les voyons d'après les traités de saint Bernard et nous chercherons ensuite si elles se retrouvent dans ses sermons et dans ceux-là mêmes que Luther a utilisés.

Pour Luther, la nature humaine est irrémédiablement viciée. Le péché originel est un péché actuel car il pénètre notre nature d'une convoitise permanente et invincible. Le baptême nous délivre de la culpabilité du genre humain, non de la convoitise. La grâce justifie le pécheur sans le guérir. La justice du Christ devient nôtre, mais en nous la justice de Dieu reste sienne, sans quoi elle perdrait son efficace. En « magnifiant le péché », Luther magnifie la grâce et Jésus-Christ à qui tout est dû[1]. Pour saint Bernard au contraire, la grâce est une qualité qui, une fois conférée par Dieu à l'âme, devient sienne. La nature de l'âme est guérie, partiellement mais réellement[2].

Pour saint Bernard, en effet, l'homme est une « noble créature », créée à l'image et à la ressemblance de Dieu. Le péché originel l'a défiguré, lui a fait perdre la ressemblance, mais l'homme conserve l'image de Dieu qui est dans son libre arbitre indestructible, inamissible. La grâce vient sauver le libre arbitre, rendre à la volonté le goût du bien. Désormais l'homme coopère avec Dieu, librement, volontairement : « Ainsi ce qui est commencé par la seule grâce est mené à bonne fin également par chacun d'eux » (grâce et libre arbitre). De cette coopération active, naissent les mérites de l'homme : « Oui, comme il est certain que ces trois marques de rénovation (rectitude

1. H. Strohl, *Epanouissement*, p. 77-78. Cf. E. Gilson, Moyen Age et naturalisme antique, dans *Héloïse et Abélard*, J. Vrin, 1938, p. 198-200 et 203, n. 1.

2. *De gratia et libero arbitrio*, VIII, 26; *P.L.*, CLXXXII, 1015 et 1023; E. Gilson, *op. cit.*

d'intention, pureté d'affection, souvenir du bien) sont traitées en nous par le Saint-Esprit, elles sont des dons de Dieu, mais d'autre part, parce qu'elles ont le consentement de notre volonté, elles nous sont des mérites »[1]. Dans la mesure où Dieu a décidé de justifier l'homme, une certaine relation de justice et de mérite peut se rétablir entre l'homme et Dieu. C'est Dieu qui a donné à l'homme la force de bien agir, mais c'est l'homme qui agit bien et qui, par de bonnes actions accomplies librement, mérite la grâce de Dieu et la récompense divine[2].

Pour Luther, au contraire, Dieu est le seul auteur du salut. L'homme peut seulement ne pas entraver l'action divine. La coopération est toute passive. Certes, la grâce enflamme la volonté par l'amour et la fait vouloir : « Voilà à quoi Dieu amène tous ses saints, qu'ils veulent avec la dernière énergie ce qu'auparavant ils ne voulaient à aucun prix. » Il les amène ainsi à la lutte perpétuelle contre leurs mauvais penchants car « leur vie n'est pas un repos mais un progrès du bien à mieux. Voilà pourquoi saint Bernard a dit : « Dès que tu cesses de vouloir devenir meilleur, tu cesses « d'être bon. » Mais cette volonté de l'homme n'est que la traduction de l'action permanente de Dieu : ceux qui attaquent virilement leurs mauvais penchants sont ceux qui se laissent faire par Dieu »[3]. Contre l'idée d'une collaboration vraiment active Luther s'insurge : Que dirais-tu si à l'aide de tes paroles qui soutiennent le libre arbitre, je prouve qu'il n'y a pas de libre arbitre ? Tu accordes au libre arbitre une force mesquine et telle que, sans la grâce de Dieu, il serait tout à fait inefficace. Car... si la grâce de Dieu manque ou est séparée de cette médiocre force, que fera celle-ci ? Tu dis : elle est inefficace et ne fait rien de bon. Donc, elle ne fera pas ce que Dieu ou sa grâce veut... Ce que la grâce de Dieu ne fait pas n'est pas bon. D'où il suit que le libre arbitre sans la grâce de Dieu n'est pas du tout libre, mais immuablement captif et serf du mal puisqu'il ne peut pas se tourner seul vers le bien... Qu'est-ce qu'une force inefficace, si ce n'est pas une force nulle ? C'est pourquoi dire que le libre arbitre existe et a une force, mais inefficace, c'est... comme si tu disais : le libre arbitre existe puisqu'il n'existe pas. Comme si tu avais dit : le feu froid »[4]. Dieu fait tout, donc l'homme n'a aucun mérite.

Enfin Luther s'oppose à saint Bernard sur la question du pur amour. Pour Luther, l'homme au début ne recherche Dieu que

1. *De gratia et libero arbitrio*, I, 2; *P.L.*, CLXXXII, 1002; XIV, 47-50, 1026.
2. Gilson, *op. cit.*, p. 203, n. 1.
3. H. Strohl, *Epanouissement*, p. 40-41, 57-59, 34-37, d'après le *Commentaire de l'Epître aux Romains*. Vers 1515-1516, Luther cite souvent ce passage de saint Bernard.
4. *De servo arbitrio*, 1525, Weimar, 18, 635/23, 636/13.

pour soi, pour en obtenir les meilleurs dons, matériels et spirituels. Peu à peu, il s'élève, sous l'infusion de la grâce, jusqu'à un pur amour de Dieu. Il aime Dieu pour lui-même, sans rechercher aucune récompense. Il accepterait même l'enfer : « Personne ne sait qu'il n'aime réellement que Dieu, s'il n'a éprouvé en lui-même qu'il renoncerait à être sauvé et ne refuserait pas d'être damné, s'il plaisait ainsi à Dieu. » Le véritable amour est entièrement désintéressé. C'est la prétention quiétiste, celle d'Abélard, de Mme Guyon, de Fénelon[1]. Saint Bernard dans le *De diligendo Deo* nie ce désintéressement. Au premier degré d'amour, l'homme s'aime soi-même pour soi-même. Au second degré, il aime Dieu, mais dans son propre intérêt d'homme. Au troisième degré, il aime Dieu pour Dieu lui-même et tout ce qui appartient à Dieu, le prochain, la loi, la justice. Il y a un quatrième degré, où l'homme, enivré de l'amour divin, s'oublie lui-même et n'a plus de pensée que pour être tout à Dieu, ce qui, en ce monde, ne peut être qu'en passant et pour un moment. Mais jamais l'amour n'est désintéressé, car le véritable amour est à lui-même sa propre récompense, et ce qu'il recherche c'est Dieu, c'est-à-dire le Souverain Bien et la Béatitude suprême[2].

Or, les sermons contiennent la même doctrine que les traités, la même opposition à Luther sur les mêmes points. Il suffit, pour s'en convaincre, de laisser parler le saint. Dans ce fameux premier sermon pour le jour de l'Annonciation de la Sainte Vierge, où Luther retrouve sa propre doctrine de la justification par la foi, il y a toute la doctrine du *De gratia et libero arbitrio* sur la nature de l'homme et son libre arbitre : « Je crois que c'est l'image de Dieu, qui n'est point attachée seulement, mais imprimée si avant et si intimement dans la nature même, qu'elle ne peut être ni divisée, ni rompue... C'est pourquoi l'homme a été fait à l'image et à la ressemblance de Dieu : à l'image, par la liberté de son franc arbitre, et à la ressemblance, par les vertus qui lui furent communiquées. Il est vrai que la ressemblance périt par le péché; mais l'image ne passe point avec la vie de l'homme; cette image pourra bien être brûlée dans l'enfer, mais elle ne sera jamais consumée; elle pourra être tout embrasée, mais jamais elle ne sera effacée... Elle accompagnera toujours l'âme partout où elle se trouvera »[3].

1. H. STROHL, *Epanouissement*, p. 52-53, 89-92 d'après le *Commentaire de l'Epître aux Romains*, II, 217/29, 218/10-15.
2. *De diligendo Deo*, chap. VII-X; *P.L.*, CLXXXII, 984-993; Rec. GILSON, p. 174-188.
3. *P.L.*, CLXXXIII, 386, 7; Rec. GILSON, p. 28. Je reproduis la traduction de Dom Antoine de Saint-Gabriel, qui est ici suffisamment exacte et d'une élégance que je ne saurais atteindre.

Saint Bernard insiste également dans ses sermons sur la noblesse de l'homme et sur le respect de Dieu pour sa liberté et sa volonté : « Voulant recouvrer une créature aussi noble qu'était l'homme; si je le contrains par la violence, dit-il (Dieu), c'est le traiter comme un âne plutôt qu'en homme; *il ne viendra pas de son bon gré, ni de son propre consentement*, et ainsi il ne pourra pas dire : c'est volontairement que je vous sacrifierai (Psalm. 53). Quoi ! donnerai-je mon royaume à des bêtes ? Et Dieu se met-il en peine de ce qui regarde les bœufs (II Cor. 9) dit l'apôtre saint-Paul ? Afin donc qu'il vienne de *sa bonne volonté*, je l'épouvanterai, et peut-être qu'il se convertira et qu'il vivra. De sorte que Dieu le menaça des choses les plus terribles... des ténèbres éternelles, des vers qui ne mourront jamais et d'un feu qui durera éternellement. Mais l'homme n'étant point encore rentré en lui-même par un si puissant moyen, Dieu dit : Je sais qu'il se laisse aisément gagner par la cupidité : il faut donc que je lui promette ce qui peut être l'objet de ses plus grands désirs... une vie douce, agréable, éternelle et bienheureuse... Néanmoins, voyant encore ce moyen inutile : il m'en reste, dit-il, un troisième, qui le gagnera infailliblement. L'homme... est encore sensible à l'amour, et il n'y a rien en lui de plus puissant pour le gagner. C'est ce qui *a obligé Dieu* de venir lui-même dans la chair et il s'est rendu si aimable dans cet état qu'il ne pouvait pas nous témoigner plus d'amour que de donner sa vie pour notre salut. Certainement, s'il y en a quelqu'un *qui ne veuille point* se convertir après un si grand témoignage de son amour, *il ne méritera point* d'entendre ces semonces amoureuses... »[1]. Et encore : « Mais il me vient à l'esprit une autre ressemblance que je ne dois pas passer sous silence parce qu'elle ne rend pas l'âme moins noble, ni moins semblable au Verbe que les autres, et peut-être encore davantage. C'est la liberté du franc arbitre, qui est don de Dieu qui brille dans l'âme, comme une pierre précieuse enchâssée dans de l'or... » De là viennent les mérites de l'homme : « car tout le bien et le mal que vous aurez fait et qu'il vous était libre de ne pas faire, vous sont, avec raison, imputés à mérite... Où il n'y a point de liberté, il n'y a point de mérite... »[2].

Donc, il est certain que Luther s'est trompé. Il n'y a aucune opposition entre les traités et sermons de saint Bernard. Les passages des sermons de saint Bernard sur la nature, le libre arbitre, les mérites donnent à ceux qui traitent de la justification et la rémission des

1. *De Diversis*, sermo XXIX; *P.L.*, CLXXXIII, 620, 2, 3; Rec. Gilson, p. 43-45.
2. *In Cant. Canticorum*, sermo LXXXI; *P.L.*, CLXXXIII, 1173, 6; Rec. Gilson, p. 307.

péchés une valeur différente de ce qu'estimait Luther. Saint Bernard ne confirme pas Luther, c'est trop évident.

L'erreur de Luther étant établie, reste à en trouver la cause. Il y a eu découpage dans les sermons de saint Bernard, mais l'idée d'une falsification doit être écarté : Luther était la sincérité même. Il se pourrait aussi que le Réformateur n'ait pas eu le texte complet de saint Bernard sous les yeux et qu'il eût connu les passages et les phrases du saint qu'il rappelle, soit par des anthologies « préluthériennes », soit par des citations apportées par ses amis. Nous ignorons, en effet, non seulement à quel moment exact de sa vie Luther a pris contact avec saint Bernard, mais encore ce qu'il a lu au juste du saint et comment il l'a lu. O. Scheel a bien montré la fragilité du témoignage de Mélanchton dès qu'on cherche à en tirer plus que la constatation du souvenir laissé à Luther par le passage du premier sermon pour le jour de l'Annonciation de la Sainte Vierge qu'il a utilisé[1]. Il se pourrait enfin que nous fussions en présence d'un cas de découpage mental inconscient pour des raisons psychologiques. Luther n'aurait fait attention dans les sermons de saint Bernard qu'à ce que sa sensibilité et ses modes de raisonnement pouvaient assimiler. Le reste aurait été éliminé comme par un refus de tout l'être chassant le corps étranger de la mémoire elle-même[2].

Si tel était le cas, il s'expliquerait sans trop de peine par des oppositions, philosophiques et spirituelles à la fois, créant le climat favorable à une telle transmutation. Car saint Bernard est, en philosophie, un réaliste, Luther, un nominaliste. D'autre part, saint Bernard est allé dans son expérience jusqu'à son quatrième degré d'amour; il n'est pas sûr que Luther ait pu dépasser le second. Examinons ces deux points.

La doctrine de saint Bernard sur la nature humaine et le libre arbitre implique, comme celle de saint Augustin et de saint Thomas, des natures stables et persistant sous l'action du péché comme sous celle de la grâce[3]. Voici comment s'exprime saint Bernard, répondant par avance, dans un sermon, au *De servo arbitrio* de Luther : « Mais... me dira quelqu'un, quoi ! appelez-vous volontaire ce qui est indubitablement devenu nécessaire ?... (Réponse)... Souvenez-vous bien que c'est la volonté que vous confessez être retenue (malgré elle). Vous

1. O. Scheel, *Martin Luther*, p. 192.
2. Voir l'opinion de H. Strohl, sur la façon dont lisait parfois Luther (*L'évolution religieuse de Luther jusqu'en 1515*, Strasbourg, 1922, p. 167).
3. E. Gilson, Moyen Age et naturalisme, *op. cit.*, p. 212, n. 1.

voulez donc que la volonté ne veuille pas ? Cependant la volonté n'est jamais retenue sans qu'elle le veuille. Car la volonté est une faculté qui veut et non qui ne veut pas. Que si elle est retenue en le voulant, c'est elle-même qui se retient... »[1]. Que voilà des expressions qui impliquent bien que, pour saint Bernard, la volonté est une sorte d'être qui ne peut jamais être annihilé, qui continue à vivre et à agir, dans l'état de grâce et dans l'état de péché; qu'à ce mot de volonté, il correspond bien dans l'esprit de l'homme une forme permanente, fixe, identique sous les modifications superficielles, un modèle idéal; qu'en un mot saint Bernard est un réaliste, et, malgré ses mépris, un élève des platoniciens, un disciple de la philosophie hellénique. Mais aussi, il n'a pas de peine à penser que la nature de l'homme subsiste après le péché, que le libre arbitre est indestructible, que, pour la grâce, il s'agit seulement de restaurer, guérir, orienter, ce qui n'a jamais cessé d'être. Il ne lui est que plus facile de saisir les Ecritures dans leur totalité et de faire sans peine cette synthèse où Luther ne voit que contradiction entre la nécessité de la grâce et le libre arbitre de l'homme. Pour ce dernier en effet, tout ceci est radicalement incompréhensible : des mots, du vent. Pour cet élève de l'occamiste Biel, pour ce disciple de Guillaume d'Occam, pour ce nominaliste qui avait emprunté la *via moderna*[2], les mots ne sont qu'un moyen commode de désigner des images mentales plus ou moins floues qui correspondent dans la nature à des groupes de phénomènes successifs, assez analogues, dans l'universel écoulement des choses, pour être saisis sous le même vocable. Dans ces conditions, s'il n'y a pas de nature stable, comment la nature humaine pourrait-elle subsister après le péché originel ? C'est impensable; elle devient toute corruption. Et qu'est-ce qu'un libre arbitre qui ne peut choisir, qu'une volonté impuissante ? Un bavardage. Et de même les spéculations de saint Bernard sur le domaine du surnaturel, l'essence divine, la grâce — possibles pour le saint persuadé qu'à chaque mot correspond une réalité invisible, une Idée, la vraie réalité — deviennent pour Luther un assemblage de mots vides de sens, dès qu'ils dépassent les données de la Révélation acceptées sans contrôle par la foi. S'il ne correspond, en effet, à nos mots et aux opérations de notre esprit qu'une mouvante réalité de phénomènes, notre raison ne peut étudier que ce qui est accessible à l'observation : le monde naturel et l'homme. Il n'y a de possible pour la raison que la science expérimentale. La

1. *In Cant. Canticorum*, sermo LXXXI; *P.L.*, CLXXXIII, 1174, nº 8; Rec. Gilson, p. 308-309.
2. H. Strohl, *Evolution*, p. 89-98.

pensée du réaliste saint Bernard ne pouvait donc être assimilée dans son ensemble par le nominaliste Luther. On touche ici du doigt l'extrême importance de la philosophie de base, même quand il s'agit d'esprits en apparence moins portés à la spéculation.

Mais Luther a toujours prétendu partir, pour édifier sa doctrine, de l'expérience personnelle qui lui était imposée[1]. La question du pur amour pourtant sùggère que cette expérience a été beaucoup plus courte que celle de saint Bernard. A comparer les descriptions de saint Bernard sur l'amour envers Dieu aux idées de Luther, on aboutirait à cette conclusion que Luther en est resté au second degré d'amour, celui où l'homme aime Dieu pour soi-même, car la supposition impossible que Dieu pourrait damner celui qui l'aime, l'idée que l'amour vrai doit être désintéressé, prouveraient pour saint Bernard que l'auteur de cette supposition n'aime pas assez Dieu. S'il avait l'expérience d'aimer Dieu pour lui-même, il saurait que l'amour pur n'imagine plus rien, qu'il jouit de ce qu'il a; que l'amour pur n'a plus l'idée du désintéressement, puisqu'il possède et qu'il a le bonheur par ce qu'il possède. Avoir l'idée que le véritable amour de Dieu, c'est de l'aimer sans espoir de récompense, c'est confondre l'amour pour Dieu qui est toujours récompensé, avec l'amour pour une créature, qui peut ne l'être pas; c'est, pour saint Bernard, aimer Dieu languissamment[2]. L'expérience religieuse personnelle de saint Bernard apparaît donc comme plus profonde et plus riche que celle de Luther.

D'autre part, Luther s'en tenait surtout à sa propre expérience et à son propre jugement. Pour saint Bernard, au contraire : « Quel plus grand orgueil, chez un homme, que de préférer son unique jugement à celui de toute une assemblée, comme s'il était seul à posséder l'Esprit de Dieu ? »[3]. Ainsi quand saint Bernard utilisait son expérience personnelle, il repensait du même coup l'expérience de tout l'Ordre de Cîteaux, l'expérience de saint Benoît et de tous les bénédictins, l'expérience des anciens moines, l'expérience de l'Eglise. Il vivait les Ecritures, pensait, agissait, en communion avec l'Eglise. Il renonçait à son sens propre et à sa volonté propre et trouvait par là des richesses et une puissance « catholique » à tout embrasser dans une synthèse féconde, qui échappèrent à Auguste Comte, à Fénelon et à Luther.

1. H. STROHL, *Epanouissement*, p. 57.
2. E. GILSON, *Théol. myst. de saint Bernard*, p. 159-174 et appendice II, p. 183-189.
3. *In Temp. Resurr.*, sermo III, 4; cité par E. GILSON, *op. cit.*, p. 75.

COMMENT LES FRANÇAIS DU XVIIe SIÈCLE VOYAIENT LA CONSTITUTION

Il y aurait un beau livre à écrire sur ce que les Français pensaient du régime politique de la France, de leur gouvernement, des améliorations à y apporter, et du meilleur régime possible. Philosophes, hommes d'Eglise, juristes, officiers, libertins, philanthropes, Loyseau et Le Bret, Richer, Santarelli, Bossuet et Fénelon, Turquet de Mayerne et Claude Joly, La Mothe Le Vayer, Naudé et Gassendi, Vauban et Boisguillebert, bien d'autres encore, sans oublier les grands corps du royaume, les cours souveraines, les moindres compagnies d'officiers, les universités, les villes, les communautés de métiers, les communautés de paroisses, dont les opinions jaillissent parfois au cours des troubles, seraient appelés à témoigner[1]. Il est impossible d'aborder un pareil sujet en ne disposant que du court espace d'un article. Mieux vaut se limiter et essayer d'éclaircir une question obscure : y avait-il une Constitution dans la France du XVIIe siècle ? Si oui, qu'en pensaient, au moins dans la première moitié du siècle, quelques-uns des Français ?

Des historiens, et même des historiens justement réputés, soutiennent que la France n'avait pas de Constitution politique sous la monarchie absolue. Pour eux, une Constitution n'existe que si elle répond aux deux conditions suivantes : être contenue dans une loi écrite, fondamentale et systématique; imposer certaines conditions précises aux relations entre les pouvoirs et à celles qui se forment entre le gouvernement et les citoyens. C'est cette dernière exigence que précise la Déclaration des Droits de l'Homme et du Citoyen (art. 16) : « Toute société, dans laquelle la garantie des Droits n'est pas assurée, ni la séparation des pouvoirs déterminée, n'a pas de

Publié dans *XVIIe siècle*, n°s 25-26, 1955.

1. Le livre de Henri Sée, *Les idées politiques en France au XVIIe siècle*, Paris, 1923, ne constitue qu'une première ébauche partielle.

Constitution. » Les premières Constitutions auraient donc été celles que se sont données plusieurs colonies anglaises d'Amérique en 1776, puis la Constitution des Etats-Unis en 1787, puis la Constitution française de 1791. Dans le dernier quart du XVIIIe siècle, le monde de civilisation européenne serait entré dans un « âge constitutionnel ».

Le malheur pour cette théorie, c'est que, d'après elle, le pays le plus constitutionnel du monde, l'Angleterre, n'aurait jamais eu de Constitution. La Constitution anglaise, en effet, n'est ni écrite, ni systématique. C'est un ensemble de coutumes, avec quelques lois écrites : Grande Charte, Pétition des Droits, Bill des Droits, etc. C'est une Constitution coutumière et, avant l'ère des Constitutions écrites, toutes les Constitutions furent coutumières. La France eut bien une Constitution mais du type coutumier. Ecoutons Guy Coquille : « Cette monarchie donc, establie par les anciens rois Français Saxons, a esté gouvernée par certaines lois qui, pour la plupart, n'ont esté écrites, pource que les Anciens Français, grands guerriers et bons politiques, s'adonnaient plus à faire et à bien faire, que à dyre ny à escrire. Aucunes desdictes lois se trouvent escrites ès constitutions anciennes de nos Roys. Les autres se trouvent aussy escrites ès livres coutumiers des provinces... »[1]. Ce juriste nous décrit incontestablement une Constitution coutumière.

Mais les historiens dont nous ne partageons pas l'opinion trouveront immédiatement une objection à présenter : dans le texte cité, le mot Constitution n'a pas le sens que nous lui donnons aujourd'hui; il signifie simplement loi, décret, règlement. C'est seulement avec Bossuet que l'on trouverait le mot Constitution employé au sens de « loi fondamentale qui détermine la forme du gouvernement »[2]. Avant Bossuet, il n'y avait pas le mot, donc il n'y avait pas la chose. Cette dernière affirmation apparaîtrait sans doute aujourd'hui d'une psychologie un peu courte. Peut-être Bossuet a-t-il été inspiré par l'exemple anglais. Mais l'emploi du mot Constitution dans le sens de « loi constitutive, qui établit la constitution d'un Etat », quoique rare, n'est pas sans exemple avant lui : von Wartburg l'a rencontré dans un texte de 1488. Et surtout, nos pères avaient l'équivalent exact, l'expression de « lois fondamentales ».

Seulement une Constitution coutumière est, sans doute, au fond plus compréhensive qu'une Constitution écrite et systématique. Lorsque les Français du XVIIe siècle pensaient à ce que nous appelons

1. *Institution au droit des Français*, 1607, chez Abel l'Angelier, p. 2.

2. Walther von WARTBURG, *Französisches Etymologisches Wörterbuch*, Leipzig, G. A. Teubner, 1940.

Constitution politique, ils songeaient à un ordre, à un arrangement, à une disposition des choses, à la manière dont un corps est composé, un peu comme lorsque nous disons : la constitution du ciel astronomique, ou : cet homme est bien constitué. Voici Loyseau : « Il faut qu'il y ait de l'Ordre en toutes choses, et pour la bienséance et pour la direction d'icelles. Le monde même est ainsi appelé en latin à cause de l'ornement et la grâce provenant de son admirable disposition. Les créatures inanimées y sont toutes placées selon leur haut ou bas degré de perfection; leur temps et saisons sont certaines, leurs propriétés sont réglées, leurs effets sont asseurez. Quant aux animées, les intelligences célestes ont leurs ordres hiérarchiques qui sont immuables. Et pour le regard des hommes qui sont ordonnez de Dieu... si est-ce qu'ils ne peuvent subsister sans ordre. Car nous ne pourrions pas vivre ensemble en égalité de condition, mais il faut par nécessité que les uns commandent et que les autres obéissent. Ceux qui commandent ont plusieurs Ordres, rangs ou degrés. Et le peuple qui obéit à tous ceux-là est encore séparé en plusieurs ordres et rangs, afin que sur chacun d'iceux il y ait des Supérieurs, qui rendent raison de tout leur ordre aux Magistrats et aux seigneurs Souverains. Ainsy, par le moyen de ces divisions et subdivisions multipliées il se fait de plusieurs Ordres un Ordre général et de plusieurs Etats un Etat bien réglé, auquel il y a une bonne harmonie et consonance et une correspondance et rapport du plus bas au plus haut : de sorte qu'enfin par l'Ordre un nombre innombrable aboutit à l'unité »[1].

Poisson de La Bodinière, conseiller du Roy au siège présidial d'Angers, exprime, en somme, la même idée lorsqu'il traite de la majesté royale en France : « Tout l'Univers a pris son origine d'un et est maintenu par un qui est un seul Dieu. Tous les Astres sont gouvernez par un Soleil comme le plus lumineux d'iceux. Tout ce qu'il y a de parties au corps humain sont maintenues, vivifiées et végétées par une âme. Nature a voulu en chacune espèce une prééminence, aux astres, le Soleil... entre les éléments, le feu; entre les métaux, l'or; entre les grains, le fourment; entre les choses liquides, le vin; entre les animaux à quatre pieds, le Lyon; entre les Oiseaux, l'Aigle »[2].

Guy Coquille pousse jusqu'à l'idée du corps mystique, sous-jacente d'ailleurs à tous les écrits des théoriciens; « le roy est le chef et le peuple des trois ordres sont les membres et tous ensemble font

1. *Traité des Ordres et simples dignitez*, Avant-Propos, 1609, dans *Œuvres*, Paris, 1610, in-folio.
2. *Traité de la Majesté Royale en France*, 1597, à Paris, chez Jamet Mettaier, p. 7.

le corps politique et mystique, dont la liaison et union est individue et inséparable et ne peut une partie souffrir mal que le reste ne s'en sente et souffre-douleur... »[1].

Ces textes montrent bien l'opposition entre les Français du XVIIe siècle et ceux du XXe. Les Français du XXe siècle déduisent en syllogismes à partir d'un principe. Ils enchaînent les concepts. Ils recherchent le fonctionnement de « mécanismes ». Ils parlent de « mécanismes constitutionnels ». Ils « planifient » aussi, terme où se sent l'influence des architectes et des constructeurs de machines. Leur pensée est dominée par les techniques scientifiques encore plus que par la science. Les hommes du XVIIe siècle, eux, pensaient la nature et le vivant, l'ordre des cieux, des espèces animales, des corps. Une constitution, pour eux, n'était pas un mécanisme, mais un organisme. Or, un organisme, d'une part, est réglé par des lois naturelles; d'autre part, les hommes de cette époque avaient peu de moyens de le modifier à volonté. D'où la démarche d'esprit de la plupart des théoriciens du temps : étudier le fonctionnement du corps social tel qu'il existait réellement, en dégager les lois et les principes. D'où aussi le fait que leur conception organique de la Constitution politique impliquait, enveloppait la conception du droit constitutionnel et de la Constitution qui triomphe plus tard, à « l'âge constitutionnel ». Et l'on retrouve chez les contemporains nos soucis constitutionnels, dans l'organisation de l'Etat et dans le gouvernement de la France les trois parties d'une Constitution : une forme d'Etat déterminée; une forme et des organes de gouvernement; des limites aux droits de l'Etat. Il n'y a plus de doute. Quoi qu'on en ait pu dire, la France du XVIIe siècle avait bien une Constitution. Nous pouvons examiner ce qu'en pensaient les contemporains.

Sur un certain nombre de points, la majorité des juristes, des officiers et des écrivains politiques issus des milieux de robe étaient d'accord.

Tout d'abord, la forme de l'Etat n'était pas pour eux objet de discussion. Ils avaient la notion la plus nette de l'Etat, personnification juridique de la nation, personne morale, titulaire idéal et permanent de la souveraineté. Par exemple, Loyseau s'exprime ainsi : « La Seigneurie ou terre seigneuriale, est celle qui est douée de Seigneurie publique, c'est-à-dire de puissance publique en propriété... » La seigneurie souveraine est celle qui a puissance souveraine. « Cette souve-

1. *Discours des Etats de France*, 1588, *Œuvres*, éd. de 1665, t. I, p. 332.

raineté est la propre seigneurie de l'Etat... La souveraineté est du tout inséparable de l'Etat, duquel si elle estait ostée, ce ne serait plus un Etat... La Souveraineté est la forme qui donne l'estre à l'Etat, mesme l'Etat et la Souveraineté prise *in concreto* sont synonymes, et l'Etat est ainsi appelé, pource que la Souveraineté est le comble et la période de la puissance, où il faut que l'Estat s'arrête et établisse... » La souveraineté... « consiste en puissance absolue, c'est-à-dire parfaite et entière de tout point... Et comme la Couronne ne peut être si son cercle n'est entier, aussi la Souveraineté n'est point, si quelque chose y défaut... »[1]. Il en résulte la puissance absolue de l'Etat. Le souverain a seul le pouvoir de légiférer, donner des privilèges, créer et établir des officiers, rendre la justice, forger des monnaies, « faire des levées de deniers sans le consentement des Etats... » car « ... la puissance publique du Prince s'étend aussi bien sur les biens que sur les personnes, il s'ensuit que comme il peut commander aux personnes, aussi peut-il user des biens de ses sujets », pour « la propre utilité et nécessité du peuple »[2]. Le Bret n'est pas moins affirmatif sur tous ces points[3].

La majorité s'entendait aussi sur la forme du gouvernement. L'Etat est une monarchie, où la succession est établie de mâle en mâle par ordre de primogéniture. Le Roi exerce toute la souveraineté, en lui sont concentrés tous les droits de l'Etat.

La majorité reconnaissait aux sujets des garanties, c'est-à-dire que les droits de l'Etat et du gouvernement avaient des limites. D'abord, le gouvernement ne pouvait changer de forme. La première loi fondamentale, c'était la loi salique, « gravée dans le cœur des Français ». « Ce n'est point une loi écrite, mais née avec nous, que nous n'avons point inventée, mais l'avons puisée de la nature même, qui le nous a ainsi appris et donné cet instinct... »[4]. Cette loi est le fondement qui assure l'éternité de l'Empire. Le royaume ne se confère ni par élection, ni par hérédité pure, mais par droit successif. Les théoriciens ne cessent de s'en féliciter. S'il y avait élection, ce serait des violences, des meurtres, des vengeances, des assassinats, car les lois seraient sans force pendant les opérations électorales. Si le Roi était libre de choisir entre ses enfants le plus capable, s'il avait le droit de déshériter ceux qui doivent lui succéder, que de parricides, de fratricides,

1. *Des Seigneuries*, chap. II, n°s 1 à 9.
2. *Des Seigneuries*, chap. III.
3. Cardin Le Bret, *De la souveraineté du Roy*, Paris, chez Toussaincts du Bray, 1632, t. I, chap. II, IX; t. II, chap. I, III, VI à X; t. III, chap. VII; t. IV, chap. II, III.
4. Jérôme Bignon, *De l'excellence des Roys et du Royaume de France*, Paris, chez Hiérosme Drouart, 1610, p. 254.

de sanglantes guerres civiles ! L'exclusion des filles et des mâles issus des filles est « conforme à la loy de nature, laquelle ayant créé la femme imparfaite, faible et débile, tant du corps que de l'esprit, l'a soubmise à la puissance de l'homme... »[1]. La loi salique est donc la meilleure des garanties pour le repos et le bien-être des régnicoles. Les mâles sont appelés indéfiniment à la succession du royaume, bien que régulièrement la consanguinité finisse au septième ou au dixième degré. Donc, il n'y a pas d'hérédité réelle. Cette loi s'impose au Roi, elle ne dépend pas de sa volonté. Bien plus, le droit royal dépend de l'autorité de la loi du royaume, qui en a disposé[2]. Donc, la loi salique suffit pour mettre l'Etat au-dessus du Roi. Sans la loi fondamentale il n'y aurait pas de Roi et le Roi ne peut toucher à cette loi. Nous trouvons ici une loi constitutionnelle antérieure et supérieure aux lois ordinaires, s'imposant au respect du pouvoir législatif qui ne peut ni l'abroger, ni la modifier. Ainsi, non seulement la France jouissait d'une Constitution, mais d'une Constitution de type rigide. Elle s'opposait à la Constitution anglaise, Constitution souple, où il n'y a pas de différence entre les lois constitutionnelles et les lois ordinaires. Sous condition de respecter la *common law* et les droits des Anglais, le Parlement, c'est-à-dire l'ensemble formé par la Couronne, les Lords et les Communes, peut légiférer sur la Constitution aussi bien que sur tout autre objet. Le Roi de France, non.

Enfin, la dernière garantie des droits des citoyens et la plus importante aux yeux des théoriciens, c'était le respect que devait porter le Prince aux commandements de Dieu. Le Roi, sacré, oint, représentait Dieu sur la Terre, ce qui lui conférait un immense prestige et renforçait son pouvoir. Mais, en contrepartie, il devait traiter ses sujets avec la bonté et la justice de Dieu. S'il se soustrayait à ce devoir, non seulement il aurait à en rendre compte à Dieu dans l'au-delà, mais encore, dans celui-ci, les contemporains étaient persuadés que l'ire de Dieu se manifestait par les inondations, les sécheresses, les mauvaises récoltes, les famines, le trouble des esprits, les entreprises des étrangers contre le royaume, les défaites, les deuils, la désolation. La bonne conduite du Roi, au contraire, serait récompensée par la paix et la prospérité.

A la Constitution, qui vient d'être sommairement décrite, donnaient leur adhésion sans réserves des avocats, des officiers seigneuriaux, de moyens officiers royaux, Guy Coquille, sieur de Romenay,

1. Le Bret, I, 4.
2. *Les seigneuries souveraines*, chap. II, n°s 57-58.

procureur fiscal de Nivernais pour Ludovic de Gonzague, duc de Nevers, et avocat des parties au bailliage de Nivernais[1]; Charles Loyseau, bailli du comté de Dunois pour la duchesse de Longueville, toute une moyenne bourgeoisie[2].

Mais d'autres, tout en admettant ses principes, différaient quant à la façon d'en concevoir l'application. Tels étaient les écrivains de ce qu'on pourrait appeler le « côté du Roi », gens chargés de fonctions officielles dans la Maison du Roi ou conseillers d'Etat, qui travaillaient à un dépassement de la Constitution dans le sens du despotisme.

Nous trouvons d'abord un certain nombre de « bourgeois à talents », « dévoués » du Roi, qui soignent leur carrière. Tels sont l'historien officiel André Duchesne[3], Jérôme Bignon, humaniste, enfant prodige, ami de Scaliger, Casaubon, Grotius, Pithou, enfant d'honneur du dauphin Louis XIII, qui se signala par ses écrits de propagande et devint haut fonctionnaire, avocat général au Grand Conseil en 1621, conseiller d'Etat, avocat général au Parlement de 1625 à 1642[4], d'autres encore.

Les écrivains de cette catégorie insistent sur le caractère religieux de la royauté. Ils transposent en termes chrétiens l'idée du héros, du demi-dieu, venue de la Renaissance, mais, d'autre part, ils mettent en forme, chrétienne et antique, un instinct populaire, une croyance spontanée à la sainteté de la royauté. Lisons Du Boys : les rois « ont été nomméz Dieux, d'autant qu'ils sont, en leur puissance, l'image de Dieu. Maistres, en l'obéissance que le subject leur doit. Seigneurs, comme propriétaires des biens et des vies des hommes. Souverains, n'ayans personne sur eux. Protecteurs, pour estre le bouclier et rempart... C'est une espreuve de Dieu, un chef-d'œuvre, pource que jamais que par miracles et non par la raison de nôtre humanité, il n'eust fait paraître ny donné sa semblance à l'homme, si avecques celà, il n'eust préordonné et estably les Rois, dont leurs commandements servent de témoins de sa prudence et leur prééminence de miroir de sa divinité. Il fallait que les Rois fussent puisque nous ne pouvions estre sans eux, et il fallait que nous les eussions, car, sans les Rois, la vie humaine ne serait que confusion et désordre. Ils ont esté relevez au dessus des hommes, de mesme que Dieu est par-dessus les Anges... Le Monde

2. Voir la Préface de ses *Œuvres*, éd. de 1665.

1. Jean Lelong, *La vie et les œuvres de Loyseau (1564-1627)*, Thèse de Droit de Paris, 1909.

Sur la place de ces avocats et officiers dans la hiérarchie sociale, voir R. Mousnier. *La vénalité des offices sous Henri IV et Louis XIII*, Rouen, 1945, in-8°, livre III, chap. 3,

3. *Les Antiquités et Recherches de la Grandeur et Majesté des Rois de France*, Paris, chez Jean Petit-Pas, 1609, in-8°.

4. *De l'excellence du Roi et du Royaume de France*, 1610, *op. cit.*

ne peut estre sans Rois. C'est comme une seconde âme de l'Univers, un arc-boutant qui soutient le Monde... »[1].

Du Chesne précise ces caractères : « Or les Roys de France sont Roys qui par le divin caractère que son doigt a imprimé sur leur face ont l'honneur d'estre à la teste des Roys de toute la chrestienté... d'estre des Soleils, non de basses étoiles..., d'estre des mers de Grandeur et des océans de toute dignité et amplitude. Ce sont leurs Vertus qui, comme beaux degrez, les ont portez à ce souverain Théâtre d'Honneur; et les Dons qu'en particulier Dieu leur y a départis et qui ne sont communs aux autres Rois, sont les Merveilles qui les rendent esmerveillables aux plus éloignez Roys du Monde... »[2]. Ici Du Chesne fait allusion à la guérison des écrouelles à laquelle il revient plus loin. En effet, pour lui : « Les Roys sont les vives images de Dieu... comme terrestre divinitez... nos grands Roys... n'ont jamais été tenus purs laïques, mais ornez du Sacerdoce et de la Royauté tout ensemble... » Les preuves en sont manifestes : onction du sacre, avec « une liqueur céleste apportée par un Ange, en la Sainte-Ampoule, au christianisme de Clovis », guérison des écrouelles et les malades viennent même d'Espagne; le capitaine, qui les conduisit en 1602, rapporta attestation des prélats d'Espagne « d'un grand nombre de guéris par l'attouchement de Sa Majesté »[3]. Ce point est un des rares où nous puissions saisir directement l'expression d'un sentiment populaire. La croyance au pouvoir miraculeux des Rois de France, seuls entre tous, de guérir par attouchement les adénites tuberculeuses était universelle. Aux grandes fêtes : Pâques, Pentecôte, Noël ou le jour de l'An, la Chandeleur, la Trinité, l'Assomption, la Toussaint, des malades s'empressaient de venir se faire toucher. Le jour de Pâque 1613, en une seule fois, Louis XIII en toucha mille soixante-dix ; dans toute l'année 1620, trois mille cent vingt-cinq. Ils appartenaient à toutes les catégories sociales, mais surtout aux classes populaires. Il en venait de toutes les provinces françaises, de toute l'Europe, Espagnols, nos ennemis héréditaires d'alors, Portugais, Italiens, Allemands, Suisses, Flamands, au point que ce rayonnement européen inquiétait les autres rois. L'on rejoignait là une des plus vieilles croyances de l'humanité, la persuasion que les rois ont un caractère religieux, sont doués héréditairement d'une vertu sacrée, qu'il est sain de les approcher, de les toucher[4].

1. H. du Boys, *De l'origine et autorité des Roys*, Paris, chez Robert Fouet, 1604, in-12, p. 14, 21-23.
2. A. Du Chesne, *Antiquitez*, p. 2-3.
3. *Ibid.*, 5-6, 164-167.
4. M. Bloch, *Les rois thaumaturges*, 1924, p. 360, 51-66.

Ici les théoriciens ne faisaient donc que traduire en clair et autoriser de l'antiquité chrétienne un instinct profond et presque universel. Et, le 13 novembre 1625, l'évêque de Chartres pouvait dire, au nom de l'Assemblée du clergé : « Il est donc à sçavoir, qu'outre l'universel consentement des peuples et des nations, les Prophètes annoncent, les Apôtres confirment et les Martyrs confessent que les Roys sont ordonnez de Dieu, et non seulement cela, mais qu'*eux-mêmes sont Dieux*. » Et, appuyé comme lui sur l'Ecriture sainte, Bossuet, le jour des Rameaux 1662 : « *Vous êtes des Dieux* »[1].

La conséquence, c'est un respect allant jusqu'à l'obéissance passive. L'on parle au Roi à genoux, on l'appelle Sire, c'est-à-dire, interprète Du Chesne, Kyrie, comme à la messe, Seigneur plein de certitude et de justice, tel le Christ; on donne au Roi le titre de Majesté, comme à Dieu, « la suprême et redoutable Majesté ». Et donc, non seulement on ne doit pas toucher aux rois, mais on ne doit même pas en médire[2]. La critique politique même peut être une iniquité. Ces conceptions devaient amener à interpréter la Constitution dans le sens du despotisme.

Du côté du Roi, l'on trouve aussi des conseillers d'Etat, dont le principal est Le Bret, l'auteur fameux du beau traité *De la souveraineté du Roy* (1632). Né en 1558, avocat général à la Cour des Aides puis au Parlement de Paris jusqu'en 1619, conseiller d'Etat par brevet en 1605, il vint effectivement siéger au Conseil en 1619, et mourut en 1655, doyen du Conseil du Roi. Tout en acceptant la Constitution décrite, il tire avec plus de rigueur les conséquences du principe de la souveraineté. Suivons-le sur le problème de l'obéissance. Il commence par poser en principe les droits de l'homme en face du pouvoir : « Les plus fameux Théologiens et politiques enseignent qu'on ne doit aucune obéissance aux Roys lorsqu'ils commandent quelque chose qui est contraire aux commandements de Dieu... L'on doit pratiquer le même quand le Prince commande de faire des poursuites et des exécutions unjustes contre les innocents; bien que par une légère apparence, elles semblent être fondées sur la justice... Je ne suis pas de l'advis de ceux qui rejettent toute la faute sur celui qui commande, et qui excusent ceux qui obéissent... car, quand il s'agit de choses graves et atroces, celuy qui se rend ministre de telles cruautés, est aussy punissable que celuy qui les commande. » Mais « autre cas », et il va conclure dans la pratique à l'obéissance presque passive dans la plupart des occasions : « sçavoir, s'il faut obéir aux commande-

1. M. Bloch, *op. cit.*, p. 351.
2. A. Du Chesne, *op. cit.*, p. 167, n° 558.

ments, qui bien qu'ils semblent injustes, ont toutefois pour objet le bien de l'Etat : comme si le prince souverain commandait de tuer quelqu'un qui fut notoirement rebelle, factieux et séditieux. Mon opinion est, qu'en telles occasions, l'on doit obéir, et sans scrupule... J'estime qu'on doit dire le même des commandements que fait le Prince d'envahir les Etats de l'ennemy public, pour prévenir les desseins qu'il a sur les nôtres; car toutes ces commissions se doivent juger justes ou injustes, selon l'utilité ou le dommage que l'Etat peut recevoir de leur exécution... Sçavoir si celuy qui ne trouve pas en sa conscience que le commandement que le Roy lui a fait soit juste, est tenu de luy obéir ? A quoi je dis, que s'il y a des raisons de part et d'autre, qu'il doit suivre la volonté du Roy et non pas la sienne... C'est la gloire d'un grand Roi d'estre secret en ses Conseils... On peut encore demander quelle obéissance les Cours souveraines doivent rendre aux Edits que le Roi leur envoye pour les registrer et publier ? Je n'entends pas parler de ceux qui sont justes, d'autant que chacun doit aller au-devant et les recevoir comme des Oracles : mais de ceux qu'on appelle bursaux : comme s'il voulait augmenter ses tributs, en establir de nouveaux, et créer des Officiers inutiles et superflus, pour en tirer de l'argent. Il me semble qu'il faut distinguer les temps, car, si c'est pour subvenir à une nécessité pressante pour le bien public, j'ose dire que la résistance qu'on ferait à les vérifier serait une pure désobéissance. *Necessitas... omnem legem frangit.* Mais, hors le cas de nécessité, j'estime qu'il y va de la réputation des Cours souveraines, de faire au Prince de sérieuses remontrances et de tascher par toutes sortes de moyens de le destourner de tels conseils... »[1]. Ainsi Le Bret étend fort loin le devoir d'obéissance. Toutefois, il distingue nettement la dictature de guerre du pouvoir plus tempéré des temps de paix. La Constitution offrait le moyen de répondre à ces circonstances différentes.

Au contraire, dans le sens d'une interprétation plus large de la Constitution, dont les principes n'étaient pas niés, allaient les Cours souveraines, en particulier les Parlements, dont les sentiments nous sont révélés surtout par l'arrêt du 21 mai 1615 et l'arrêt d'Union du 13 mai 1648. Nous pouvons être plus brefs sur cette matière que nous avons déjà traitée ailleurs[2]. *Les prétentions politiques du Parlement*

1. LE BRET, *Souveraineté*, II, 6.

2. Roland MOUSNIER, Quelques raisons de la Fronde. Les causes des journées révolutionnaires parisiennes de 1648, *Bull. de la Société d'Etude du XVIIe siècle*, n° 2, 1949, p. 33-78; Le Conseil du Roi de la mort de Henri IV au gouvernement personnel de Louis XIV, *Etudes d'histoire moderne et contemporaine*, p. p. la Société d'Histoire Moderne, I, 1947, p. 29-67.

naissaient de l'incertitude sur son être véritable. Il était issu de la vieille Cour le Roi. Pour le souverain, ce corps de fonctionnaires était une simple cour de justice. Mais le Parlement se prétendait la partie essentielle de la Cour le Roi. Il voulait donc prendre lui-même connaissance des affaires de l'Etat, alors qu'en vertu d'une vieille tradition, qui fut confirmée par l'édit du 21 février 1641, il ne le pouvait que si le Roi le lui ordonnait. Il avait l'ambition de convoquer à son gré les vassaux du Roi, princes du sang, pairs laïques et ecclésiastiques, grands officiers de la Couronne, conseillers d'Etat, de se les unir en une vaste assemblée, qui alors reconstituerait la Cour le Roi, représenterait les Ordres du royaume, et pourrait, en quelque manière, tenir lieu des Etats généraux, alors que normalement seul le Roi pouvait convoquer ses vassaux pour leur demander service de Conseil, quand il le jugeait bon. Le Parlement prétendait aussi, comme en 1648, assembler les autres officiers du Roi pour juger des affaires de l'Etat. Il s'efforçait d'examiner à nouveau, seul, sans le Roi, les édits vérifiés en lit de justice. Il modifiait ou révoquait par ses arrêts de tels édits. Il n'admettait le lit de justice que sous forme d'une visite du Roi, venant prendre les avis de ses conseillers au Parlement sur une question de politique générale. Lorsqu'il s'agissait de légiférer, le Parlement déclarait que la présence du Roi violait la liberté des suffrages, prétendait délibérer et voter les édits et ordonnances, seul, sans le Roi.

Convocation spontanée des représentants du royaume, connaissance de toutes affaires, lois votées sans le souverain, c'était ériger une assemblée distincte du Roi, avec le pouvoir législatif, le contrôle de l'exécutif, c'était une ébauche de séparation imparfaite des pouvoirs. Les prétentions du Parlement allaient à une monarchie tempérée et ouvraient la voie à une république. Elles étaient, malgré toutes les protestations des parlementaires, contraires aux lois fondamentales du royaume, à l'être même de la monarchie. Le Roi et le royaume constituaient en effet un tout, un seul être. La présence du Roi ne violait pas la liberté d'opinion des membres de la Cour le Roi, parce que la Cour, raccourci du royaume, n'était pas sans le Roi. En lit de justice, le Roi faisait prendre les avis par son chancelier, mais ensuite il dégageait lui-même la volonté profonde qui pouvait différer des volontés exprimées et le Roi décider contre la majorité des avis. Ainsi l'action du Parlement était révolutionnaire. Elle tendait à la séparation, d'abord par la pensée, de deux éléments en réalité unis, inséparables et indispensables, le Roi et le royaume, le souverain et la nation, un seul Etre. Elle était une négation de la monarchie.

Mais, d'autre part, cette révolution était rétrograde. Le Parlement, qui prétendait représenter le royaume, ne songeait à utiliser les pouvoirs qu'il réclamait qu'en vue de protéger ses intérêts de classe. Propriétaires d'offices, ses membres voulaient empêcher le Roi d'en diminuer la valeur par la création d'offices nouveaux, lui interdire de les obliger à contribuer aux dépenses publiques par des taxes spéciales, des emprunts forcés et l'aggravation des conditions mises pour jouir des avantages de la paulette. Propriétaires de fiefs, seigneurs, alliés par mariage à certains gentilshommes, leurs fils souvent militaires et vivant comme les jeunes nobles d'épée, ils étaient avant tout soucieux du maintien des privilèges et adversaires d'une autre révolution, la révolution centralisatrice et, dans une certaine mesure, égalitaire de la monarchie absolue. Mais ainsi ils représentaient un état de choses en voie de dépassement. Ils constituaient un corps qui avait atteint son apogée, qui allait peu à peu rendre de moins en moins de services effectifs au royaume. Peut-être est-ce pour cette raison qu'ils eurent peu de succès et que la Constitution tendit en fait à évoluer du « côté du Roi ».

Mais une difficulté a toujours troublé les historiens du XIXe et du XXe siècle : celle que présente le problème de la garantie des droits. La théorie reconnaît aux régnicoles, en face du pouvoir, la garantie d'un certain nombre de droits. Mais qui va empêcher le Roi de la violer ? Quels sont les hommes, quels sont les organismes politiques qui peuvent s'opposer à la volonté royale ? Il n'y en a pas. Les théoriciens donnent simplement au Roi des conseils. Le Roi ne doit pas aller jusqu'au bout de sa puissance. Il doit imiter la bénignité de Dieu. Et l'obstacle à son dérèglement est dans la simple menace de sanctions divines, en ce monde et dans l'autre. Voilà qui est déconcertant pour des Français du XIXe ou du XXe siècle, qui ont la méfiance du pouvoir exécutif, qui cherchent à l'affaiblir par un système de contrepoids et de freins, qui, s'ils admettent parfois la concentration du législatif et d'une partie de l'exécutif, ne la conçoivent que dans une assemblée élue. Dans la France du XVIIe, tous les pouvoirs, législatif, exécutif, judiciaire, étaient concentrés aux mains d'un seul homme. En fait, ce gouvernement n'avait-il pas un caractère dictatorial ?

Il ne le semble pas. Si la majorité des contemporains insiste sur la souveraineté du Roi, sur l'absolutisme royal, c'est qu'en fait à l'intérieur un désordre mortel est toujours sur le point de l'emporter, à l'extérieur, une agression de se préparer. D'abord, la France fait encore partie d'une Europe en principe organisée et hiérarchisée. En principe, pape et empereur peuvent prétendre à la direction d'une sorte de grande république européenne d'Etats chrétiens. En fait, les

Habsbourg se servent de ce qui reste de prestige au titre impérial pour soutenir leurs prétentions à l'hégémonie et l'on n'a pas oublié en France les tentatives théocratiques d'Innocent III et de Boniface VIII. Assurer la pleine indépendance de la nation à l'égard de l'empereur et du pape, garantir la liberté du royaume, la première liberté, sans laquelle les autres sont illusoires, voilà le premier devoir du Roi et le premier souci de ses sujets, prêts à sacrifier beaucoup à un pouvoir fort pour obtenir ces biens fondamentaux. Aussi, tous les écrits de nos politiques contiennent-ils de longs développements sur la parfaite souveraineté du Roi qui incarne la nation, donc sur l'indépendance totale des deux envers le pape et l'empereur. Le Roi de France n'a pas de supérieur. La France non plus.

D'autre part, à l'intérieur, ce que le gouvernement a en face de lui, ce qu'il s'agit d'unir, c'est une hiérarchie de seigneuries, d'ordres, de corps, religieux, universitaires, municipaux, de métiers, chacun avec ses droits et ses privilèges. Ces privilèges, les théoriciens du Roi cherchent à les définir des avantages donnés en contrepartie d'un service rendu à la société, et dont le Roi est seul dispensateur. Mais les intéressés cherchent tous à maintenir que leurs privilèges sont des droits, issus d'une concession royale irrévocable ou d'une possession immémoriale ou de la nature des choses. Seigneurs et corps prétendent au partage de la souveraineté. Les corps veulent édicter des règlements à caractère législatif, bien que, depuis le début du XVIe siècle, les Parlements luttent contre cette usurpation. Parmi les seigneurs, les princes du sang et certains grands prétendent siéger au Conseil du Roi et participer à la direction de l'Etat, comme si la Couronne était attribuée à une famille ou à un corps d'aristocrates. Ils prétendent obtenir des gouvernements de provinces, les tenir en hérédité, y exercer tous les droits du Roi, jouir de tous les attributs de la souveraineté. Leur but est un partage de la souveraineté, la transformation de la monarchie en aristocratie, un retour en arrière, et, comme on disait au temps de la Ligue, revenir aux institutions du temps de Hugues Capet et à de « meilleures encore s'il se pouvait ».

Or, il faut mesurer le particularisme des provinces, séparées par la langue, les coutumes, les civilisations différentes. Il faut éprouver la force des liens de fidélité qui unissent les princes du sang, les grands, aux plus simples gentilshommes, aux officiers du Roi, aux bourgeois, les seigneurs à leurs paysans, et qui facilitent tellement les révoltes. Il faut penser à la fragilité de cette société, toujours à la limite des subsistances, où deux mauvaises récoltes provoquent famine, crise économique, irritent les conflits sociaux, et jettent sur le chemin des milliers d'errants et de vagabonds qui bientôt se concentrent dans les villes, vont grossir les rangs des compagnons et des petits maîtres de métiers dans la détresse, masse prête à se mettre en mouvement aux premiers troubles causés par un grand, aux premières incitations d'un Parlement[1]. La révolte, la guerre civile sont toujours menaçantes, endémiques, dans cet état de société. Or, lorsque l'épidémie de troubles intérieurs se déclenche, lorsque les bandes courent les chemins, lorsque les barricades se dressent dans les villes, et que les factions aristocratiques se font la guerre entre elles et font la guerre au Roi, lorsque les maisons brûlent, lorsque bétail, moissons, réserves sont emportés, lorsque femmes et filles sont violées, lorsque le paysan est torturé par les gens de guerre pour qu'il livre son argent, que deviennent les droits des individus ? Ce n'est pas un hasard si les traités qui insistent sur les caractères de la Constitution paraissent aux époques où guerres étrangères et troubles intérieurs menacent ou ravagent : 1604, 1610, 1615, 1630-1632, 1648-1652, etc. Il n'était pas besoin d'insister sur la garantie des droits individuels. Les droits des forts étaient assez garantis par la nature des choses. Les droits des autres ne pouvaient être garantis que par le pouvoir du Roi. Il faut bien voir cette réalité : dans un tel état social, la vraie garantie des droits, c'était la souveraineté royale. De là l'insistance sur cette souveraineté et les efforts pour la rendre effectivement aussi parfaite que possible, qui semblent souvent aux hommes du XXe siècle une anomalie, et qui étaient une condition de vie.

Que d'opinions il nous a fallu laisser de côté ! Combien l'on aimerait maintenant parler des idées révolutionnaires de l'auteur inconnu des *Soupirs de la France esclave*, de celles de Jurieu, de Bayle, de Saint-Simon, de tant d'autres. Puisqu'il fallait se limiter à un court article, peut-être nous pardonnera-t-on d'être allé directement au point le plus obscur et au nœud le plus embrouillé.

1. Voir R. MOUSNIER, *Les XVIe et XVIIe siècles*, Les progrès de la civilisation européenne et le déclin de l'Orient, *Histoire générale des Civilisations*, t. IV, 1re partie, livre I, chap. IV; livre II, chap. Ier, 1, 2, 3, Presses Universitaires de France (ouvrage couronné par l'Académie des Sciences Morales et Politiques).

L'OPPOSITION POLITIQUE BOURGEOISE

à la fin du XVIe siècle et au début du XVIIe siècle

L'œuvre de Louis Turquet de Mayerne

Une des tâches les plus difficiles de l'historien n'est-elle pas de distinguer les époques les unes des autres, la *Periodisierung* ? Un moment l'on a fait commencer l'ère des lumières après 1715 ; puis, le début en fut reporté à 1685 ; aujourd'hui, l'on aurait tendance à la voir apparaître vers les « années 70 » du grand siècle. Voici que l'œuvre d'un écrivain protestant, Louis Turquet de Mayerne, qui publia en 1611 un traité de science politique rédigé vers 1591, *De la monarchie aristodémocratique*[1], nous pose cette question : n'avons-nous pas déjà affaire à un philosophe de l'ère des lumières ?

Il s'agit d'un auteur aujourd'hui peu connu[2]. Cependant, son livre avait produit un gros effet. Le Conseil du Roi en fit saisir les exemplaires encore en magasin et interdit la vente et la communication de l'ouvrage. Seule la crainte de mécontenter les huguenots protégea l'auteur[3]. Une controverse s'ensuivit. Attaqué par Louis d'Orléans

Publié dans la *Revue historique*, 79, CCXIII, 1955, p. 1-20.

1. Loys Turquet de Mayerne, *La Monarchie aristodémocratique ou le Gouvernement composé et meslé des trois formes de légitimes Républiques.* Dédié aux Etats généraux des Provinces confédérées des Pays-Bas, Paris, chez I. Barjon et chez J. Le Bouc, 1611. Avec privilège du Roy (du 14 May 1611).

2. G. Weill, dans sa thèse de lettres, *Les théories sur le pouvoir royal en France pendant les guerres de religion*, 1892, p. 269, ne lui consacre que quinze lignes en fin de volume et le considère comme un banal héritier des monarchomaques.

G. Lacour-Gayet, *Education politique de Louis XIV*, 1898, ne lui accorde que dix lignes (p. 392-393), tout en reconnaissant que les idées ne lui manquent pas.

Roger Soltau analyse de façon assez superficielle le principal livre de Turquet et les écrits de controverse auxquels il a donné lieu (*Revue du XVIe siècle*, 1926, 13, p. 78-94).

3. *Mercure français*, 1611, p. 87 v° : « Car, en ce même temps aussi Mayerne dit Turquet (de ladite religion), avait fait imprimer à Paris un livre assez gros où il faisait des discours

et J. Barricave, Mayerne riposta dans une apologie[1]. Les *Mémoires* de Pierre de L'Estoile montrent que les idées de Mayerne avaient rencontré bien des sympathies chez les Parisiens[2]. Le souvenir s'en conserva. Une trentaine d'années plus tard, les rédacteurs des *Mémoires* de Richelieu ne manquaient pas de consacrer un paragraphe à Mayerne. En 1645, Gui Patin en parlait dans une de ses lettres[3]. Gui Patin, ce frondeur, nous amène à Claude Joly[4]. Il y aurait lieu de rechercher si Mayerne n'a pas influencé les pamphlétaires et les théoriciens politiques de l'époque de la Fronde. Tout nous montre l'intérêt des idées de Mayerne.

Il est nécessaire de voir quel était l'auteur et quelle était sa famille : les idées politiques n'intéressent sans doute l'historien qu'autant qu'il peut les rattacher à un groupe ou à une classe sociale. Les documents n'abondent pas sur Mayerne et les siens : quelques renseignements sont épars dans les documents généalogiques de la Bibliothèque Nationale[5], dans les lettres du fils de Louis, Théodore[6], dans « l'interrogatoire fait par le lieutenant civil Le Jay du Sieur Mayerne-Turquet sur son livre intitulé *Monarchie aristodémocratique* »[7].

assez légers : que les enfants et les femmes ne devaient estre admis au gouvernement et en la Régence des Royaumes et beaucoup d'autres maximes, tirées mal à propos pour le temps, lequel livre fut saisi, confisqué et étroitement défendu; mais la Royne ne voulut par sa bonté que l'autheur en eust d'autre peine. »

RICHELIEU, *Mémoires S.H.F. année 1611*, p. 154 : « Mayerne fit imprimer un livre séditieux pour le temps, intitulé : *De la monarchie aristocratique*, par lequel il mettait en avant, entre autre chose, que les femmes ne devaient être admises en gouvernement de l'Etat. La Reine le fit supprimer et en confisquer tous les exemplaires; mais elle jugea à propos, pour n'offenser pas les huguenots, de pardonner à l'auteur. »

1. Louis d'ORLÉANS, *La plante humaine sur le trépas du roi Henri le Grand*, Paris, 1612, in-8° réédité en 1622 et 1632. — J. BARRICAVE, *Défense de la monarchie française*, Toulouse, 1614, in-4°. — L. TURQUET DE MAYERNE, *Apologie contre les détracteurs du livre de la monarchie aristodémocratique*, 1617, in-8°.

2. P. de L'ESTOILE, *Mémoires-Journaux*, éd. G. BRUNET, etc., 21 juillet 1611, p. 131 : « Acheté ledit jour 57 sols le livre de Turquet, livre d'estat très bon, judicieux et véritable, mais mal propre pour le temps et que l'auteur devrait faire imprimer en une cité libre et non à Paris, nonobstant son privilège de M. le Chancelier. Et a bien connu que ce qu'on lui en a dit; et moy entre autres, est vray; qu'il aurait un mauvais garant de ce costé là que M. le Chancelier »; 31 juillet, p. 133 : « Acheté 54 sols le livre de Turquet, qui s'estait excusé vers moy qu'il ne lui en estait demeuré aucun exemplaire pour en donner à ses amis. Tout avait été saisi, et le reste se vendant à discrétion, quatre francs, cent sols et deux escus. Je l'ay trouvé si beau que j'en ay extrait une grande partie nouvellement. »

3. Gui PATIN, *Lettres*, éd. J.-H. RÉVEILLÉ-PARISE, 1846, I, p. 367, 16 nov. 1645.

4. BAYLE, *Dictionnaire hist. et critique*, 4e éd. par M. des MAIZEAUX, Amsterdam, 1730, t. III, p. 613, note A.

5. Pièces originales 1903, 2900; Cabinet d'Hozier 232, 325; Carrés de d'Hozier 423 (importante lettre de Théodore Mayerne, de Londres, 18 sept. 1633).

6. Bibl. Nat., ms. fr. 17.934, f° 115 r° 122, r° 124; ms. fr. 18.767, qui contient aussi des ordonnances, des consultations, des formules médicales de Théodore.

7. Bibl. Nat., fonds Dupuy, 558, f° 40-66.

L'on peut dresser d'abord un tableau généalogique de la famille :

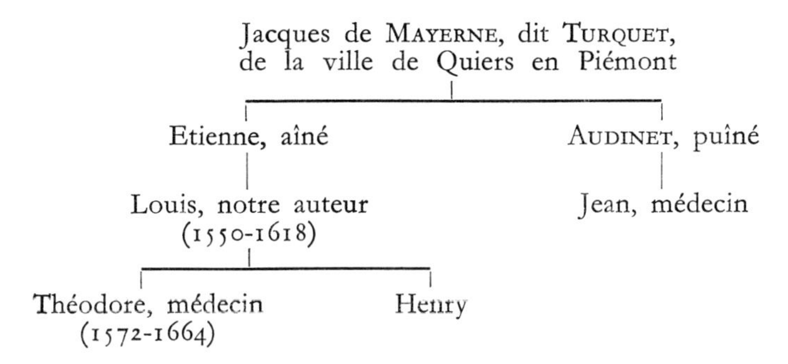

L'on peut ensuite dégager quelques traits principaux. Il s'agit d'une famille cosmopolite. Elle est d'origine italienne. Etienne ne serait-il pas le fameux Piémontais Etienne Turquet qui, de 1536 à 1540, eut à Lyon le monopole des soieries[4] ? Louis habita Lyon, s'y maria à une Française, devint Français, si son père n'avait pas déjà été naturalisé. Converti au protestantisme, il dut s'enfuir après la Saint-Barthélemy avec sa femme enceinte[5]. Il se réfugia à Genève, où naquit, le 28 septembre 1572, son fils Théodore, dont le parrain fut Théodore de Bèze. Louis devint propriétaire d'une terre dans la banlieue de Genève, à Aubonne. Plus tard, sans doute lorsque Henri IV fut roi, il rentra à Lyon et fit des voyages à Paris[6]. J'ignore quand il s'installa dans la capitale. Son fils, Théodore, après avoir étudié à Heidelberg, puis à Montpellier, et voyagé avec Rohan en Allemagne et en Italie, devint médecin ordinaire du Roi Henri IV. Il se brouilla avec la Faculté de Médecine de Paris en ouvrant, en 1603, un cours public pour les jeunes médecins et apothicaires, et surtout en faisant un grand usage des remèdes chimiques, spécialité des Allemands, dont il avait appris l'efficacité en Allemagne. La Faculté déclara ses innovations dangereuses et lança un décret contre lui. En 1611, il fut appelé par le Roi d'Angleterre Jacques Ier, devint son premier médecin et garda les mêmes fonctions sous Charles Ier. Il conserva d'ailleurs des clients en France et jusque parmi les membres

1. Roger DOUCET, *Lyon au XVIe siècle*, 1939.

2. Théodore de MAYERNE-TURQUET, *Sommaire description de la France, Allemagne, Italie et Espagne*, 1615, dédicace. Le fils de Louis parle de son inclination à voyager « jointes aux occasions que le temps où nous vivons produit (lesquelles m'ont contraint déjà de voyager, voire avant que d'estre nay). »

3. Bibl. Nat., pces or. 2900. Deux reçus datés du 7 août 1596 pour des rentes sur l'Hôtel de Ville de Paris.

du Conseil d'Etat, à qui il envoyait des consultations[1]. Louis et Théodore avaient une alliance de famille avec de Boetscher, baron de Langerac, ambassadeur ordinaire en France pour les Etats généraux des Provinces-Unies[2]. Louis, qui dédia son livre à ceux-ci, mettait son expérience des milieux parisiens à leur service. De concert avec Beringhem, il instruisait Langerac de la conduite à tenir selon les personnes[3]. Nous avons donc affaire à une famille qui a ses intérêts, ses alliances et ses amitiés sur ce grand axe de communications qui va des Alpes à l'Angleterre par les pays rhénans, dont Charles Quint avait rêvé de faire la partie vitale de son empire, et sur lequel commerce et industrie ont eu un précoce et ample développement, une famille qui y séjourna le plus souvent, « notre maison ayant été continuellement réfugiée en terres étrangères »[4], une famille française certes, mais non dépourvue d'un certain caractère européen, qui subit des influences multiples et diverses, sut les assimiler et Louis en féconder sa pensée. Les archives de Turin, de Lyon, de Genève, de La Haye, de Londres nous réservent encore sans doute bien des découvertes sur les Mayerne.

Cette famille exerça surtout des professions marchandes et libérales. L'activité exacte de Louis m'échappe. Il avait épousé, à Lyon, Louise Le Masson, fille d'Antoine, trésorier des troupes de François Ier et de Henri II au Piémont. La résidence lyonnaise de cet Italien d'origine, son mariage avec la fille d'un officier de finances, ses dithyrambes sur le commerce[5] donnent à penser qu'il a pu être lui-même marchand et banquier. Son frère, Jean de Mayerne-Turquet, médecin de l'Ecole de Paris, exerçait en 1582, à Avallon. Son fils, Théodore de Mayerne-Turquet, gagna une grosse fortune comme médecin.

La famille enfin est en ascension vers la noblesse de race, la « gentillesse ». Le 23 mars 1582, le lieutenant ordinaire au baillage d'Auxois, siège d'Avallon, reconnut la noblesse de Jean de Mayerne-

1. Bibl. Nat., ms. fr. 18.767, f° 160. Consultation datée de Hamptoncourt, 3 janvier 1626.

2. Dans sa lettre datée de Londres, du 19 juillet 1614, à Langerac, en résidence à Paris, Théodore l'appelle son « frère », lui parle de leur « alliance ». Dans celle du 28 avril 1615, il lui dit : « Si je ne vous étais pas ce que je suis, je ne vous parlerais pas si librement, mais cela m'oblige à être jaloux de l'honneur de la maison. » Bibl. Nat., ms. fr. 17.934, f° 115 r°, 124 r°.

3. Lettre de Théodore, 20 juin 1614, Bibl. Nat., ms. fr. 17.934, f° 122 r°.

4. Lettre de Théodore, de Londres, 18 septembre 1633. Bibl. Nat., Carrés d'Hozier, 423.

5. *Traité des Négoces et traffiques ou contrats qui se font en choses meubles. Règlement et administration du Bureau ou Chambre politique des Marchands.* Prins des Mémoires de L.D.M. dédiez et piéçà présentez au Roy de France Henri IV, 1599, par Jacques Chouet, in-12.

Turquet. Louis se disait en 1596 « escuyer ». Le 15 décembre 1609, la Cour des Aides proclama Théodore et Henry, les fils de Louis, extraits de noble race. Les Mayerne portaient « deux barres d'or en champ d'azur, l'écu my-partie ou chargé en chef d'un aigle de sable en champ d'or avec le heaulme ouvert et sur iceluy un bourrelet or et azur d'où sort un sauvage haussant des deux mains une masse comme pour frapper avec ce mot ou devise : *Audentes fortuna juvat* ». Théodore maria sa fille aînée au marquis de Cugnac et la cadette au marquis de Montpouillan. Les Mayerne étaient donc juridiquement nobles. Mais, comme ils continuèrent à amasser de grands biens par une activité « mercenaire », ils n'étaient pas gentilshommes « de nom et d'armes », ils n'avaient pas la « qualité ». Socialement, ils étaient dans la zone indécise qui séparait la bourgeoisie de la noblesse d'épée, mais en eux le caractère bourgeois prédominait.

Les idées de Mayerne furent sans doute repoussées par Henri IV en 1591 et Louis dut attendre la période de troubles de la Régence pour publier son livre. Louis Turquet de Mayerne voulait créer une science politique et croyait l'exposer dans son ouvrage. Il était imbu de la théorie rationaliste des lois naturelles. Le monde entier est soumis à des lois, imposées par Dieu. Les sociétés humaines sont régies par des lois naturelles analogues à celles du monde physique. L'homme parvient à les connaître par l'expérience. Cette théorie est immanente à tout son livre, mais il l'a exprimée, bien que confusément, dans son épître dédicatoire. Il déclare qu'il a toujours eu la « volonté à m'enquérir et apprendre, si la Faculté de régir et conduire les peuples associez en corps d'Etat... n'a pas *certains fondements immuables et une fin déterminée comme les autres belles sciences*... Dieu, qui est auteur de ces Sociétez humaines que nous appelons Etats, Citez ou Polices, a mis *en nature*, qui *nous environne*, dans laquelle nous sommes enclos et pource nous est familière, amples moyens et *évidents exemples* de tout bon régime et gouvernement; et y faict clairement reluyre les droits des légitimes commandements et de la due obéissance, d'où ils peuvent estre pris et imitez sans difficulté; d'autant qu'elle produit sans cesse et à notre vue ses *effets raisonnables et bien compassez*... » L'on arrive à la vérité « ... surtout en lisant dans ce grand livre non escrit ny imprimé qui s'appelle le Train du Monde... ».

Mayerne croit avoir découvert, par cette méthode, ce que doit être la Société conforme aux lois naturelles. Il propose une refonte totale de l'imparfaite Société actuelle par les lois positives, toutes-puissantes, si elles sont conformes aux lois naturelles, et il expose le plan d'une société nouvelle où domineraient la bourgeoisie et les activités bourgeoises.

Tout d'abord, il attaque constamment l'idée d'un classement dans la Société par *la race*, par la naissance, fondement de la noblesse, et il y substitue l'idée d'un classement par *les talents* et par les fonctions dans la Société. « Les races ne sont ny sources ny fondement de la noblesse »[1]. Il faut *l'égalité*, c'est-à-dire que les nobles n'aient pas en tout et partout l'avantage en raison de leur naissance[2], conception très bourgeoise de l'égalité.

A l'appui de son opinion, il apporte toute une série d'arguments. D'abord, il y a dans les familles, dans le privé, même ordre, même soin, mêmes désirs, même liberté, même autorité, chez les marchands, les artisans et les paysans que chez les gentilshommes[3]. Ainsi s'éclaire son idée de la nature. Le politique ne doit pas pour Mayerne examiner, comme le fait Loyseau, l'ensemble du corps social tel qu'il existe réellement, en dégager les rapports effectifs entre les groupes et les individus et les systématiser[4], mais il doit *abstraire* de cet ensemble la famille, la considérer à part, et transférer à tout le corps social les résultats de cette analyse. Le corps social nouveau, conçu par Mayerne, va donc être comme une projection de l'organisation familiale.

D'autres raisons contre l'idée de race suivent. Il est visible, dit Mayerne, que la noblesse de race s'assoupit aisément et souvent meurt tout à fait si la nature n'est pas excitée par l'art. Clair comme le jour, souvent les fils ne sont pas propres à la vocation des pères. « La noblesse pauvre est inutile à l'Etat »[5]. « Sans les richesses, et la Vertu et la Noblesse, qui en résulte, languissent trop souvent, tarissent et se perdent, dégénérantes en qualitéz du tout contraires, lesquelles troublent et perdent les maisons et aucunes fois tout un Estat »[6].

Enfin, il se voit bien que le peuple est la source de la noblesse. La noblesse, par suggestion du père des ténèbres, méprise l'Etat plébéien, mais « civilement l'Etat plébéien est la pépinière de la noblesse »[7]. « Le commun peuple est le séminaire de la

1. *Monarchie aristodémocratique*, p. 258.
2. *Op. cit.*, p. 80.
3. *Op. cit.*, p. 80, 251-252.
4. Charles Loyseau, *Traité des Ordres et simples dignitez ; traité des Seigneuries, traité des Offices*, 1610.
5. *Op. cit.*, p. 256.
6. *Op. cit.*, p. 255.
7. *Op. cit.*, p. 80.

Noblesse »[1]. « L'ordre roturier est la pépinière de la Noblesse »[2].

En effet, pour Mayerne, la noblesse n'est que la conséquence de la pratique des vertus privées et de l'exercice des fonctions publiques.

« Que la noblesse est faite de la Vertu comme de sa matière, qu'elle *a la Richesse comme cause*, sans laquelle elle ne peut consister ny se soutenir. Elle a l'honneur, le bien et l'heur de la République pour fin de ses actions... Mais l'Election que fait le Prince ou Magistrat souverain de l'homme vertueux et propre aux grandes affaires s'en peut dire la cause efficiente... La vraye noblesse n'a, en effet, son fondement, qu'ès bonnes actions, en l'œuvre, dis-je, des hommes bien méritans de la République »[3]. « Bons déportements de l'homme aux offices publics l'anoblissent »[4]. « Pour noblement vivre, il est certes nécessaire qu'il s'entretienne et s'exerce toujours parmi les offices et devoirs publics qui l'ont amené à ce degré... Quant aux autres qui sont nobles de race... ils sont aussi tenus d'y aspirer et essayer d'y parvenir par tous bons moyens... estant certain que l'institution de la Noblesse n'a eu autre fin que de dresser en la République un ordre de gents propre pour la régir et conduire sous le souverain »[5].

C'est le marchand qui est le plus apte à devenir noble. « Nature mettra une inclination véhémente en quelqu'un à la marchandise, lequel ayant le gain pour but deviendra un grand négociant et, par art et diligence, amassera ample richesse. Jusques là, il a fait progrès en certain espèce d'honneur que nous appelons privé et domestique, lequel ne passant point les commodités de sa maison et famille, ne le fera célébrer que pour un riche et accommodé marchand. Mais, si un tel homme par art réglé, à sçavoir par amour qu'il porte à la police et par la révérence de la justice, a procédé en son trafic loyalement et avec foy et vérité, alors l'on y adjoustera que c'est un marchand riche mais loyal, fidèle, et qui va rondement en besoingne. Si puis en conversant parmy les gens mieux qualifiez, voire pour le faict de sa marchandise et que là il se forme le jugement en sorte qu'il puisse concevoir une vertu solide, qui l'induise à user de ses richesses splendidement et libéralement, il se fera sans doute admirer, désirer et estimer digne estre advancé aux honneurs de la Police, qui sont ceux qui donnent degré et pied ferme à la Noblesse »[6]. Voilà le type de l'avancement social.

1. *Op. cit.*, p. 130.
2. *Op. cit.*, p. 252.
3. *Op. cit.*, p. 260.
4. *Op. cit.*, p. 239.
5. *Op. cit.*, p. 265.
6. *Op. cit.*, p. 86.

En effet, le marchand est l'essentiel de l'Etat. « Elle (la marchandise) est seule qui rend les villes et provinces riches et accommodées, celle qui y nourrit le menu peuple et donne, plus qu'autre exercice qui soit, certaine connaissance des affaires qui se démienent par le monde et seure adresse de s'y bien gouverner : principalement quand les négoces et trafiques se font aux pays eslongnez et par le moyen de la navigation... »[1]. « Il n'y a rien si naturel et ordinaire aux hommes que de contracter, marchander et traffiquer les uns avec les autres. Il n'est possible de voir trois personnes converser deux heures ensemble qu'elles ne tombent en propos de quelque vente, trocque, prest ou aultre espèce de contract. Les enfants, dez qu'ils ont la langue desliée, ont tous leurs jeux assaisonnez de quelque marchandise. Sont-ils à l'Eschole, ils ne font autre mestier que de changer, rechanger et marchander entre eux, de ce qu'ils apportent de leurs maisons. Le Prince avec ses subjects, le Maistre avec ses vallets, l'amy avec son amy, le Capitaine avec ses soldats, l'Espoux avec son Espouse, les femmes entre elles : en un mot tout le monde, court et forsenne après les marchez. Au demeurant, tout vient en commerce et passe en trafficque en tous temps et en tous lieux... »[2]. Donc la nature a fait du commerce le fondement des Etats.

Il en résulte que les nobles ont *le devoir* de pratiquer les professions des marchands et les professions libérales. En effet, « la plupart des vacations et possessions privées, conduites selon les inclinations naturelles, ne sont pas malséantes à la noblesse et ne dérogent aucunement à icelle », et l'oisiveté seule est un crime[3]. La noblesse doit s'instruire à la justice, à la police, aux finances, à l'agriculture, à l'architecture, à la médecine, à la chirurgie, au négoce[4]. La noblesse doit pratiquer les activités bourgeoises. Elle va devenir une noblesse embourgeoisée.

Il en résulte que les armes, le métier par excellence de la noblesse, la caractéristique du noble, sont une activité inférieure. Mayerne rejoint ici tous les théoriciens politiques bourgeois dans leur dénigrement du militaire. Les enfants des Roys, « estans bien enseignez, ils trouveront que le mestier des armes et de la guerre en soy n'a onques esté tenu pour une pratique désirable ny à priser, sinon pour quelqu'autre subject plus digne, excepté entre les Barbares, au rang desquels nous mettons hardiment les meilleurs de tous les Grecs, à savoir les Lacédémoniens ». « L'art de la guerre, prins pour une profession de conquérir & travailler le monde, estant sans contredit une

1. *Op. cit.*, p. 122.
2. MAYERNE, *Traité des négoces et traffiques*, p. 8.
3. *Monarchie aristodémocratique*, p. 114.
4. *Op. cit.*, p. 94.

maladie inique et détruisante, ne peut et ne doit estre tenu pour un exercice principal des sages Roys, n'estant en effet qu'un accessoire pour la nécessité »[1]. « Les armes et la guerre sont remèdes extrêmes et désespérés »[2]. Elles ne peuvent donc être une profession privée, réservée à une classe. Elles sont le privilège du souverain[3]. Les idées de Mayerne, sur ce point, conduisaient donc à la destruction de la classe noble comme classe militaire héréditaire, à l'anéantissement du gentilhomme, au remplacement du noble soldat par le noble de fonctions et, comme Mayerne prévoyait que tous les meilleurs et principaux négociants pourraient accéder aux fonctions publiques, source de la noblesse, l'idée de l'égale accession de tous les bourgeois à tous les emplois se dessinait.

Pour se conformer à ces conceptions, conformes, pensait Mayerne, à la nature des choses, l'Etat devait réorganiser la Société, de façon à ériger la bourgeoisie en classe dominante. La population sera partagée en cinq classes : 1, les « agripossesseurs »; 2, les gens de lettres gradués; 3, les gens d'affaires et de négoce; 4, les artisans; 5, les manœuvres.

Chacun, noble ou non, *sera tenu d'exercer une profession* et s'inscrira à l'âge de vingt ans dans une classe. Tous les nobles pourront s'inscrire dans une des trois premières classes. Ceux de la première pourront pratiquer les activités de la seconde et de la troisième, mais gratuitement, par charité. Ceux de la seconde et de la troisième pourront prendre « salaire mercenaire » sans blâme aucun et, s'ils sont nobles, sans déroger à noblesse[4]. Donc, les nobles et les roturiers seront confondus dans des classes distinguées l'une de l'autre, non plus par la naissance, mais seulement par la fonction dans la Société, par le mode de production et par les services. En fait, la vieille noblesse disparaît pour faire place à la bourgeoisie.

Les trois premières classes fourniront les fonctionnaires et, parmi les membres de la première, *nobles ou non*, seront recrutés les conseillers d'Etat, les gouverneurs de province, les capitaines et chefs de guerre, les ambassadeurs, les gens de justice et de police[5].

Chacun sera tenu toute sa vie dans sa classe, mais chacun *pourra avancer ses enfants*[6]. Tous nobles et plébéiens, riches et pauvres, feront donner à leurs enfants la même instruction jusqu'à quatorze ans et

1. *Op. cit.*, p. 513.
2. *Op. cit.*, p. 519.
3. *Op. cit.*, p. 94.
4. *Op. cit.*, p. 99.
5. *Op. cit.*, p. 121.
6. *Op. cit.*, p. 128.

plus pour juger de leur vocation. « Tout homme est capable des Lettres. » Les mieux doués pourront ensuite pousser jusqu'à dix-huit ans. Le manœuvre pourra pousser son fils aux arts, l'artisan, le sien au négoce[1]. D'ailleurs, tout le monde sera maintenu en médiocrité de fortune. Il ne faut pas de gens trop riches, ni de trop pauvres, c'est dangereux[2].

Ainsi sera constituée une Société où domineront les activités bourgeoises, l'esprit bourgeois et, sous le nom de noblesse, une haute bourgeoisie.

Mayerne décrit les institutions politiques qui permettront de fonder et de maintenir cette Société. La bourgeoisie trouvera la garantie de sa situation sociale dans un Etat bourgeois, chargé d'affaires de la classe bourgeoise.

Pour Mayerne, la souveraineté est détenue par « le peuple ». Le souverain Empire, « forme substantielle », « âme de tout l'Etat », est « toujours instillé par l'Eternel dans la multitude du peuple »[3]. Les royaumes sont des fiefs tenus de Dieu, mais par l'intermédiaire du « peuple ». « Tout Prince et potentat terrien prend bien sa Souveraineté et Majesté de Dieu, mais... c'est médiatement par le Corps universel de son peuple pour l'exercer à certaines conditions, restreintes dans les termes de ses lois naturelles qui reluysent en Nature. Et que, dans ce corps ou masse de peuple associé, lorsqu'il contracte avec le Prince qui le doit régir, est infus et vit un rayon de la Divinité, en sorte qu'alors et en tels actes, la voix du peuple est la voix de Dieu même »[4]. « Ce Corps (de l'Etat) retient toujours le droit de souveraineté en propriété et directe seigneurie »[5]. Mais ce « peuple », c'est la bourgeoisie. Mayerne n'a que mépris pour la démocratie et pour la multitude. Les « légèreté, impatience, envie, soudaines et inconsidérées rudesses du peuple envers les gens d'honneur, vices ordinaires et communs en la Démocratie ou Estat populaire, où l'on voit souvent et presque toujours ces deux extrémitez sans moyen : grand sçavoir et vertu exquise en une poignée de gens d'un côté et grande ignorance et stupidité de l'autre en la multitude maîtresse de l'Etat et abusante de sa liberté. Qui est la pire et plus dangereuse condition aux Républiques »[6]. « Laissons l'Estat populaire, car il ne mérite point proprement le nom de République; c'est plutôt un ébauchement d'icelle,

1. *Op. cit.*, p. 104. C'est l'idée fondamentale de Paul Bourget dans *L'Etape*.
2. *Op. cit.*, p. 252.
3. *Op. cit.*, p. 38.
4. *Op. cit.*, p. 52.
5. *Op. cit.*, p. 39.
6. *Op. cit.*, p. 172.

qui ne peut atteindre de soy à la vraye fin des Républiques... estant la souveraine puissance ès mains du général et, communément, des plus vils et corrompus ou moins vertueux d'entre les citoyens; qui n'ont but que la liberté insolente et le gain. » « La Royauté est la plus parfaite des polices; ou bien... (le) gouvernement de peu de gens vertueux qui en approche... »[1]. Le pouvoir doit être délégué à un Roi héréditaire et le gouvernement mêlé des trois formes, monarchie, aristocratie, démocratie.

Mayerne reprend la théorie du double contrat. La souveraineté instillée dans le « peuple » avec la volonté de s'associer et joindre en corps politique. Les individus passent entre eux, sous l'œil de Dieu, un premier contrat qui fonde la Société[2]. Ensuite, le Roi passe un contrat avec son « peuple ». Il en reçoit « faculté active et puissance de commander », mais prête serment à son couronnement de régner selon la justice et de maintenir chacun *en son degré et dignité et en ses biens*. Le Roi doit être avant tout le conservateur de l'ordre social bourgeois et de la propriété bourgeoise. *Son serment est un contrat.* Le Roi jure sans condition. Les magistrats et les Etats généraux, qui prêtent serment au Roi, jurent conditionnellement. Si le Roi ordonne aux magistrats quelque chose d'injuste, il y a cause d'appel aux Etats généraux. « Tout Magistrat et Officier est plutôt de la Couronne que du Roi. » « Les Roys sont magistrats. » Leur puissance est limitée par les lois de Dieu et de la nature, dont les Etats généraux sont les vrais conservateurs[3].

Mayerne prévoit la transition de l'Etat actuel à l'Etat futur. Le Roi, convaincu par son livre, nommera un Grand Conseil de 2 000 personnages riches, tous « agripossesseurs », sans distinction de nobles et de roturiers. Les membres de ce Grand Conseil prendront dans leur sein environ 200 députés, qui formeront les premiers Etats généraux, sorte d'assemblée constituante. Ces Etats réorganiseront la Société en cinq classes sur le modèle déjà présenté. Ils poseront les lois fondamentales, « dont l'usage et les motifs *ne sont pas proprement volontaires mais forcez* par certaine nécessité de procurer l'utilité et tranquillité publique »[4]. « Il y a des lois Saintes et vrayment fondamentales et générales qui doivent demeurer inviolables à toujours »[5].

Les Etats feront les lois ordinaires selon Dieu et selon les règles de la nature. Ils organiseront le gouvernement et l'administration.

1. *Op. cit.*, p. 328.
2. *Op. cit.*, p. 35, 52.
3. *Op. cit.*, p. 46.
4. *Op. cit.*, p. 323.
5. *Op. cit.*, p. 367.

Dans l'Etat définitif, le rôle essentiel sera joué par les Etats généraux. « Le Roy est... le cœur de l'Etat qui luy donne la vie et les Etats-Généraux en doivent être le cerveau »[1]. Les Etats généraux seront réunis tous les quatre ans. Ils se convoqueront eux-mêmes par leur président ou grand justicier du royaume. Ils seront élus selon un système à quatre degrés[2].

Au premier degré, les gens de tous états, sauf les officiers du Roi et les membres du Grand Conseil, réunis par paroisses, éliront un consul et deux syndics. Ils rédigeront un cahier de doléances.

Au second degré, les députés des paroisses se réuniront à la châtellenie. Ils éliront un consul, quatre syndics, un secrétaire et dresseront un cahier de la châtellenie.

Au troisième degré, les députés des châtellenies s'assembleront au siège présidial, éliront des représentants et confectionneront un cahier.

Enfin, au quatrième degré, les députés des présidiaux se grouperont au chef-lieu de la province. Il y aura dix provinces en France. Ils rédigeront le cahier provincial. Ils éliront leurs députés aux Etats généraux parmi les 200 membres du Grand Conseil, tous « agripossesseurs », ayant leur résidence dans la province. Vingt et un de ceux-ci seront élus : sept seigneurs, sept gradués en droit, sept administrateurs de robe courte. Les députés aux Etats généraux seront ainsi répartis en trois sections. Chacun fera son cahier à part. Les trois, représentant la province, se chargeront, en outre, du cahier des présidiaux. Elles iront présenter les quatre cahiers aux Etats généraux.

Les Etats généraux seront ainsi composés de 200 personnes; tous « agripossesseurs », tous anoblis du seul fait de leur séance aux Etats généraux. Le pouvoir législatif, l'administration, le contrôle de l'exécutif seront aux mains de la petite minorité des bourgeois les plus riches de France[3].

Les Etats généraux légiféreront, « Lois Générales doivent être faites et prendre force par les Etats Généraux »[4]. Le Roi exécutera les lois. Les Etats généraux en contrôleront l'exécution.

Les Etats généraux voteront les « levées extraordinaires », c'est-à-dire les impôts. Ils en contrôleront l'emploi. Il y aura une caisse pour les biens privés du Roi, une pour les deniers de l'Etat[5]. Les

1. *Op. cit.*, p. 16.
2. A comparer avec le système des notabilités imaginé par Sieyès pour la Constitution de l'an VIII.
3. Ceci n'est pas sans rappeler quelque peu le régime de la Constitution de 1791.
4. *Op. cit.*, p. 48.
5. *Op. cit.*, p. 370 et 488.

Etats généraux décideront de la guerre et de la paix et concluront les alliances.

Les Etats généraux contrôleront le fonctionnement du Conseil du Roi. Leur président ou grand justicier y siégera au-dessus des conseillers. Les Etats généraux pourront changer la moitié du Conseil du Roi, ils pourront le censurer[1]. Il y a donc une responsabilité des conseillers devant les Etats généraux et, comme le Roi ne peut dissoudre les Etats, peut-être une ébauche de gouvernement d'assemblée. Toutefois, il faut remarquer que le Roi n'est pas tenu de suivre l'avis de ses conseillers.

Les Etats généraux surveilleront l'administration. Ils enverront dans les provinces des commissaires réformateurs pris dans leur sein pour porter leurs actes et décrets et les faire exécuter. Ces commissaires auront tout pouvoir de justice pour juger et redresser, même sur les officiers royaux[2].

Les Etats généraux disposeront d'une force armée, les armées « populaires », c'est-à-dire bourgeoises. Elles seront constituées par les gens des trois premières classes, qui auront fait un an de service militaire dans des académies militaires après leurs études. Elles seront commandées par les recteurs des bureaux de police provinciaux. Ainsi une garde nationale bourgeoise, la bourgeoisie en armes, imposera le respect des décisions des Etats généraux.

La bourgeoisie engendrera elle-même les Etats généraux. Les membres du Grand Conseil de l'Etat, parmi lesquels seront élus obligatoirement les députés aux Etats généraux, seront nommés par les Chambres du Parlement et cours souveraines sur des listes que dresseront des censeurs réformateurs.

Il n'y aura pas de nomination royale[3].

Le Roi sera assisté, pour l'exercice du pouvoir exécutif, d'un Conseil ordinaire pris dans le Grand Conseil.

Le Conseil sera divisé en quatre sections : Police, Justice, Armées, Finances, qui porteront le nom de Bureaux de la Cour. Chacun comprendra des secrétaires. Ceux-ci seront spécialisés au lieu d'être chargés d'une zone géographique. Du Conseil ordinaire sera tiré un Conseil étroit et privé. Il comptera neuf membres : le grand justicier, les quatre grands officiers de la Couronne, quatre autres conseillers. Les grands officiers de la Couronne seront : le chancelier, le connétable, le trésorier, chacun dirigeant un bureau; le conservateur

1. *Op. cit.*, p. 387.
2. *Op. cit.*, p. 388.
3. *Op. cit.*, p. 392-393.

et général réformateur de la police qui dirigera le Bureau de Police subdivisé en quatre sous-bureaux : police, charité, marchands, domaine. Le Roi ne fera rien sans son Conseil ordinaire. Mais, après l'avoir consulté, il décidera seul[1]. Il sera tenu de justifier ses « procédures extraordinaires » quand il sera contraint de commettre pour le bien de l'Etat des violences qui auront l'apparence d'iniquité[2]. Sa vie privée sera surveillée par les Etats généraux. Une Cour souveraine, composée d'officiers amovibles, recevra les appels des Parlements provinciaux[3].

Le royaume sera divisé en dix sénéchaussées ou gouvernements ou provinces, aussi égaux que possible en étendue. Chacun aura son sénéchal ou gouverneur; chacun sa capitale : Paris, Rouen, Rennes, Poitiers, Bordeaux, Toulouse, Grenoble, Lyon, Dijon, Troyes; chacun ses quatre bureaux de police. Le recteur du Bureau de Police proprement dit veillera à l'instruction de la jeunesse et à sa formation militaire, inscrira les citoyens dans la classe de leur choix à l'âge de vingt ans, les incitera au travail, réprimera le luxe, formera les armées « populaires ». Le recteur du Bureau de Charité fera des prêts aux artisans et aux laboureurs, entretiendra les veuves, les orphelins et les invalides, poursuivra les mendiants, luttera contre les épidémies, les incendies, les inondations. Le recteur du Bureau des Marchands réglera les négoces, les trafics, les foires, les marchés, l'exercice des arts, le travail des artisans. Le recteur des Domaines surveillera les biens fonciers, les acquisitions, les aliénations, les héritages, les biens du Roi. L'administration économique et sociale deviendra la principale branche de l'administration.

Chaque sénéchaussée aura aussi un Bureau du Domaine et Finances avec quatre trésoriers généraux et un bureau provincial des guerres avec quatre commissaires des guerres commandant les compagnies d'ordonnance. Les quatre recteurs des bureaux de police, les quatre trésoriers généraux, les quatre commissaires des guerres, avec des juges amovibles, un procureur du Roi, des greffiers, des notaires, formeront le Parlement. Les officiers de police avec des juges constitueront des présidiaux et des châtellenies. Les justices subalternes seront supprimées.

Recteurs, trésoriers généraux, commissaires des guerres seront tous pris parmi les membres du Grand Conseil. Ils seront tous « agripossesseurs ». La grande bourgeoisie administrera donc la France,

1. *Op. cit.*, p. 477-482.
2. *Op. cit.*, p. 51.
3. *Op. cit.*, p. 29.

comme elle exercera le pouvoir législatif et contrôlera l'exécutif. L'Etat sera son instrument[1].

Tous les traits de ce plan social et politique font penser irrésistiblement à la philosophie des lumières, bien des traits évoquent l'œuvre des assemblées bourgeoises de la Révolution française. Cependant, il y a aussi en Mayerne du « monarchomaque ». Les monarchomaques, ces calvinistes français, ont formé leurs idées après la Saint-Barthélemy. Les huguenots français groupés autour du prince d'Orange professent leurs théories politiques avant la pacification de Gand (1576). Duplessis-Mornay, qui est sans doute l'auteur des *Vindiciae contra tyrannos*, est en relations constantes avec eux. Leurs grandes œuvres, la *Franco-Gallia* d'Hotman, les anonymes *Vindiciae contra tyrannos*, sont respectivement de 1573 et de 1579. Les ligueurs catholiques qui, contre Henri III et Henri IV, ont emprunté leurs idées politiques aux calvinistes et sont aussi des monarchomaques, écrivent jusqu'à une date avancée. Boucher publie le *De justa Henrici tertii abdicatione e francorum regno* en 1589; Rose son *De justa reipublicae christianae in reges impios et haereticos authoritate*, en 1592[2].

Or, les idées de Mayerne ont été conçues et mises en forme au temps des monarchomaques. Son *Epistre au Roy présentée à sa Majesté au mois d'Octobre* 1591 à Tours, chez Jamet Mettayer, imprimeur ordinaire du Roi, 1592, nous donne le sommaire d'un traité sur la « Réformation de la France... dont j'ay escrit trois livres assez amples ». Or, les idées exprimées dans la première partie de ce sommaire sont identiques à celles de la *Monarchie aristodémocratique* de 1611 qui devait avoir trois livres dont le premier seul parut. Les idées de la deuxième partie du sommaire sont celles du *Traité des Négoces et traffiques* publié en 1599 par un ami de Mayerne et que l'éditeur anonyme nous déclare être une partie d'un traité général rédigé par Mayerne « pendant les fureurs civiles », présenté au Roi en 1591, mais ensuite négligé par l'auteur. Enfin, la préface de l'*Histoire générale d'Espagne*, rédigée par Mayerne en 1586, nous montre qu'il avait, dès cette époque, ses idées fondamentales sur la noblesse, la bourgeoisie et les pouvoirs du

1. *Op. cit.*, p. 16-28, 184-207.

2. R. TRUMAN, *Die Monarchomachen*, Leipzig, 1895. — W. A. DUNNING, The monarchomachs, *Political Science Quarterly*, juin 1904. — A. ELKAN, *Die Publizistik des Bartolomaüs Nacht und Mornays « Vindiciae contra tyrannos »*, Heidelberg, 1905. — JANET, *Histoire de la science politique*, Paris, 1872. — G. WEILL, *Op. cit.* — Harold J. LASKI, *A defense of liberty against tyrants : a translation of the « Vindiciae contra tyrannos », by Junius Brutus*, with an historical introduction, Londres, 1924, in-8°, 229 p. — Ch. MERCIER, Les théories politiques des calvinistes en France au cours des guerres de religion, *Bull. de la Soc. de l'Hist. du prot. franç.*, LXXXIII, 1934, p. 225-260, 381-415.

Roi[1]. Les dates de conception de ses théories et de composition de ses ouvrages le ramènent donc au temps des monarchomaques.

De plus, un certain nombre de ses idées les plus importantes sont aussi celles des monarchomaques et allaient devenir le bien commun de John Locke et des Philosophes français. Les ressemblances sont particulièrement frappantes avec les *Vindiciae contra tyrannos*, et il y aurait lieu de rechercher les relations qui ont pu exister entre Mayerne, Duplessis-Mornay et les autres monarchomaques. Mayerne a une méthode semblable à celle de l'auteur des *Vindiciae* : des faits, dégager les lois naturelles des sociétés humaines, se fonder non seulement sur la Bible, mais sur l'expérience; connaître la loi de Dieu mais aussi la loi de nature. Mayerne partage avec l'auteur des *Vindiciae* et les autres monarchomaques la certitude de la souveraineté du peuple. Il professe, comme tous les monarchomaques, la théorie du double contrat, d'origine calviniste, tirée de l'Ancien Testament, l'idée du contrôle du Roi et de la résistance éventuelle par les magistrats choisis dans tous les ordres de la nation. Comme eux, il voit dans le Roi un simple exécutant des lois, un simple magistrat.

Mais, chez Mayerne, s'accusent des traits qui sont bien plutôt ceux de l'ère des lumières. L'on peut se demander si Mayerne, qui avait la volonté d'être chrétien, n'était pas atteint d'une forte tendance au déisme. Il est tout de même frappant qu'un homme qui parle de Dieu presque à toutes les pages ne parle des chrétiens que quelquefois, cite Jésus-Christ, sauf omission, *une seule fois*. Il cite à plusieurs reprises l'Ancien Testament, parle en différents endroits du Dieu des armées. Mais l'esprit de son livre est celui-ci : il y a un Dieu, il a posé des lois naturelles, nous devons les rechercher. N'est-ce pas plutôt du déisme ?

Mayerne prise les mathématiques autant que le XVIIIe siècle et leur assigne le même rôle que les philosophes et les Encyclopédistes. Certes, bien des auteurs contemporains se servent de comparaisons mathématiques. L'auteur des *Vindiciae* aussi. Il emploiera, dit-il, la méthode géométrique qui, du point, passe à la ligne, de la ligne à la surface, de la surface au corps; il ira du simple au composé, des degrés au faîte, des effets et des conséquences aux causes et aux lois[2]. Bien d'autres font de même au XVIe et au XVIIe siècle : Le Bret, qui, dans son traité *De la souveraineté du Roi* (1632), déclare que la souveraineté n'est non plus divisible que le point en la géométrie, Philippe

1. Loys Turquet de Mayerne, *Histoire Générale d'Espagne comprinse en XXVII livres*, par Jean de Tournes, Impr. du Roy, à Lyon, 1587, Epître au Roy de Navarre du 15 août 1586.

2. *Vindiciae contra tyrannos*, préface, éd. 1580.

de Béthune, qui, dans son *Conseiller d'Etat* (1632), proclame qu' « En l'imposition des charges onéreuses et nécessaires pour le soustènement de l'Etat, l'on y gardera la proportion géométrique »[1]... Mais ce sont là de simples souvenirs de collège chez des gens qui n'avaient pas complètement oublié leur deuxième année de philosophie où l'on étudiait la « sphère » et la géométrie, et ces réminiscences ne vont pas bien loin. Tandis que Mayerne considère les mathématiques comme la *méthode* par excellence de l'esprit humain pour atteindre la vérité et c'est bien là l'idée que les hommes de l'ère des lumières s'en sont faite[2].

Chez Mayerne s'amplifie aussi un caractère d'abstraction. La différence avec Loyseau, avec Le Bret, est frappante. Au lieu de considérer l'ensemble de la Société qu'il a sous les yeux dans sa vie réelle, Mayerne isole par la pensée un élément, ici la famille, en dégage des caractères, en forme un système coordonné et le transpose, l'étendant à toute la Société et à tout l'Etat. N'y a-t-il pas là un procédé favori des théoriciens de l'ère des lumières ?

Mais, surtout, ce qui paraîtra sans doute le plus proche de la pensée des philosophes, ce sont les conceptions de la bourgeoisie, classe dominante, du commerce et de l'industrie, bases de la société et de l'Etat bourgeois. Ici, par exemple, les textes de Voltaire seraient innombrables à rapprocher de ceux de Mayerne, et il est bien inutile d'effectuer cette opération : la mémoire de chacun en fournira aisément.

Notre auteur apparaîtra donc sans doute comme anachronique, déplacé en son temps, « en avance sur son époque ». Et ainsi se posera pour nous le problème de l'origine de ses idées. Revenons à sa conception des mathématiques : il n'a pas pu la prendre chez les savants du XVIIe siècle qui fondèrent la physique mathématique et créèrent le mécanisme. Le livre de Mayerne a été rédigé au plus tard en 1591. C'est en 1604 que Galilée trouve la loi de la chute des corps. En 1611, lorsque paraît la *Monarchie aristodémocratique*, Descartes n'est encore qu'un écolier. Alors Mayerne a-t-il été touché par ce grand mouvement néo-platonicien et néo-pythagoricien du XVIe siècle qui fit penser à Copernic et au jeune Galilée que l'univers devait être décrit en termes de relations mathématiques, mieux, que l'être de l'univers est mathématique ? Il est certain qu'un texte de Mayerne sur les mathématiques n'est pas sans un parfum platonicien : « Et pour ayder à s'eslever par degrés opportuns à cette sapience divine, sur laquelle doit être pris le patron de bien gouverner, il convient les

1. Edition de 1645, chez Michel Bobin, in-4°, p. 178.
2. Voir *Monarchie aristodémocratique*, introduction, p. 94, 150.

instruire [les enfants des princes et des nobles] aux disciplines mathématiques, non pas superficiellement pour les attacher à la terre et aux matières, mais pour les profonder jusque dans leurs intimes secrets qui sont grands. Parce qu'en la contemplation d'icelles se trouvent les fondements et racines de la justice et tempérance qui consistent, en nombre, mesure, proportion et harmonie, propres subjects de ces sciences nobles et libérales; accompagnans toujours, et même du commencement, la Théorie avec la Pratique »[1]. Evidemment, c'est du VIIe livre de la *République*. Mais tous les gens instruits l'avaient lu et il est tout de même curieux que Mayerne ne parle jamais, ni de Platon, ni de Pythagore, ni d'Archimède, dont le nom est toujours cité avec les épithètes les plus laudatives par les néo-pythagoriciens et par Galilée. J'accorde que Mayerne est un huguenot, pour qui le livre est la Bible. J'incline cependant à penser que Mayerne était resté à l'écart du mouvement scientifique néo-platonicien et néo-pythagoricien. Mais, alors, songeons à Werner-Sombart lisant les conseils pratiques de Léone Battista Alberti, bourgeois florentin du xve siècle, de Jean Savary, bourgeois français du xviie, de Daniel Defoe et de Benjamin Franklin, bourgeois anglais et bourgeois américain du xviiie siècle, trouvant chez tous les mêmes habitudes fondamentales et les mêmes tournures d'esprit essentielles qu'ils doivent à leur vie bourgeoise, et pouvant décrire le Bourgeois, ce bourgeois qui, notamment, traduit tout en chiffres et en relations numériques[2]. Songeons à la naissance de la science démographique au xviie siècle. Ce n'est pas en France, pays de Descartes, ni en Italie, pays de Galilée, que la science mécaniste aurait rendus aussi capables de cette découverte que le pays de Newton, qu'elle apparaît, mais en Hollande, en Angleterre, régions les plus capitalistes de l'époque, où, après 1660, de Witt, Halley, Petty, Davenant formulent la première loi démographique, la croissance de la population en raison géométrique, et où Mathieu Hales fixe la période de doublement à vingt-cinq ans. La science démographique sort de l'esprit capitaliste et des besoins des assurances sur la vie[3]. Rapprochons ces constatations du cas Mayerne. La conception que se fait Mayerne des mathématiques ne viendrait-elle pas de ses origines et des activités bourgeoises de sa famille ? Elargissons l'hypothèse. Toutes les idées de Mayerne ne lui auraient-elles pas été suggérées par les activités, le genre de vie, le rang social et l'élévation progressive de sa famille ? Il est curieux

1. *Op. cit.*, p. 510.
2. W. Sombart, *Le bourgeois*, trad. Jankélévitch, Paris, Payot, 1926.
3. R. Mousnier, Etudes sur la population de la France au xviie siècle, *XVIIe siècle, Bull. de la Soc. d'Etude du XVIIe siècle*, 1952, no 16, p. 527-543.

de constater que Mayerne se représente le type de l'ascension sociale d'une famille dans la société future, dans la société parfaite, comme un reflet de l'ascension sociale de sa propre famille, que, pour Mayerne, la classe dirigeante de la société idéale sera composée d'agripossesseurs comme le sont devenus les Mayerne. Les idées de Mayerne seraient une projection du genre de vie et du devenir d'une famille bourgeoise, beaucoup plus encore qu'une transcription des exemples fournis par les Sociétés et les Etats d'Italie, des Provinces-Unies et d'Angleterre. Et nous comprendrons alors comment il s'est trouvé si proche des écrivains bourgeois de l'ère des lumières sur des points essentiels : c'est que le bourgeois, du fait même de son mode de production, de son activité économique, de ses relations sociales, tendrait toujours à concevoir les mêmes idées fondamentales. Il n'y aurait plus de différence entre les époques des temps modernes, quant à leurs idées dominantes, que selon le nombre et la force des bourgeois.

Le livre de Mayerne n'a remporté qu'un succès d'estime. Les bourgeois étaient en France encore insuffisamment nombreux et insuffisamment riches. Leur idéal ne pouvait pas se répandre, s'imposer, devenir celui de la Société. En chacun d'eux, d'ailleurs, l'idéal bourgeois restait combattu par l'idéal du gentilhomme et subordonné à celui-ci qui restait l'idéal dominant de la Société tout entière. Des livres comme celui de Mayerne étaient, d'autre part, de nature à dresser le Roi contre les bourgeois. Peut-être, la croissance de la bourgeoisie au siècle précédent, les idées des monarchomaques et celles de Mayerne expliquent-elles au moins autant que le ralentissement de la hausse puis la baisse des prix, avec toutes leurs conséquences économiques, sociales et politiques, que la monarchie maintienne au XVIIe siècle un certain équilibre entre noblesse et bourgeoisie. Certes, le Roi continue à soutenir et à utiliser les bourgeois contre les nobles, mais, en réservant à la noblesse des fonctions et des honneurs, les plus grands honneurs, le Roi contribuait à maintenir la vie noble comme l'idéal de la Société, à détourner ainsi les capitaux et les efforts du commerce, des manufactures et de l'agriculture pratiquée en vue du commerce, à freiner ainsi l'évolution de la bourgeoisie et à entraver une évolution sociale qui, autrement, à ne considérer que ses conditions économiques, aurait dû être, peut-on croire, beaucoup plus rapide[1]. L'étude des idées politiques de Louis Turquet de Mayerne nous ouvre donc de vastes champs d'hypothèses et de recherches.

1. Sur tout ceci, voir R. MOUSNIER, *Les XVIe et XVIIe siècles, Histoire générale des civilisations*, t. IV, livre I, chap. 2 et 4, livre II, chap. 1 et 2.

LES IDÉES POLITIQUES DE FÉNELON

Fénelon a beaucoup écrit de politique[1]. Il fut lié jusqu'à leur mort avec de grands nobles qui jouèrent un rôle politique : le duc de Beauvilliers, chef du Conseil des Finances depuis 1685, ministre d'Etat depuis 1691 ; le duc de Chevreuse, qui, sans avoir d'autre titre officiel que celui de capitaine des chevau-légers du Roi, fut une sorte de ministre secret, que Louis XIV consultait en audiences particulières. Fénelon, en mission en Saintonge, avait été en relations avec Colbert de Seignelay, secrétaire d'Etat à la Marine, dont dépendait la province. Par lui et par M. Tronson, de Saint-Sulpice, il connut Mme de Beauvilliers, fille de Colbert, pour qui il écrivit, en 1685, *L'éducation des filles*. Il devint un intime du duc et de la duchesse et leur directeur de conscience. Chez eux il connut le duc de Chevreuse, qui avait épousé la sœur de Mme de Beauvilliers. « Les deux maris et les deux femmes étaient unis entre eux, et tous ensemble avec Mme de Maintenon, d'une amitié étroite. » Le 28 mai 1687, Fénelon devenait directeur de conscience du duc de Chevreuse. Lorsque Louis XIV choisit comme gouverneur du duc de Bourgogne, fils aîné du Dauphin, le duc de Beauvilliers, celui-ci fit agréer comme précepteur Fénelon et tous deux furent nommés le 16 août 1689. La disgrâce de Fénelon, après la publication du *Télémaque*, et son exil dans son archevêché de Cambrai en 1697, n'interrompirent pas ses relations avec ses amis qui, eux, conservaient leur situation auprès du Roi. Fénelon continua à correspondre avec eux, à les diriger, et à rencontrer de temps à autre le duc de Chevreuse, en Picardie, dans le petit bourg de Chaulnes, dont le duc était seigneur. Par eux, il suggéra ses idées au duc de Bourgogne, avec qui d'ailleurs il reprit des rapports suivis à partir

Publié dans *XVII*e *siècle*, numéro spécial sur Fénelon, 1951-1952, p. 190-206.

1. Il existe sur les idées politiques de Fénelon toute une littérature. Malheureusement elle est si superficielle qu'il vaut mieux aller directement aux textes. Qui voudra contrôler cette affirmation trouvera une bibliographie suffisante dans : E. CARCASSONNE, *Etat présent des travaux sur Fénelon*, Paris, 1939, in-8°, et, du même : *Fénelon*, Paris, 1946, in-16. Y ajouter : *Briefe an einem Stiftshauptmann*, éd. p. Carl MUTH et R .SCHERER, Freiburg, Herder, 1947, in-16.

de 1702, à Mme de Maintenon, à Louis XIV[1]. Précepteur d'un prince de sang royal, ami et directeur de conscience de deux hommes de gouvernement, Fénelon exprima ses idées politiques dans des écrits théoriques, des mémoires de circonstance, des plans de gouvernement[2].

Dans les écrits théoriques, nous classerons d'abord les *Aventures de Télémaque*, que Fénelon commença d'écrire en 1694 et qui furent publiées en 1699. Les éditeurs de Versailles, dans leur avertissement, s'efforcent de montrer que ce roman moral n'a aucune portée politique. La comparaison avec les plans du gouvernement fait ressortir au contraire que Fénelon a mis dans ce roman, destiné à instruire un prince royal de ses devoirs dans toutes les circonstances de sa vie, ses maximes politiques fondamentales. Il faut y joindre l'*Examen de conscience sur les devoirs de la royauté*, composé à Cambrai après sa retraite et déposé chez Beauvilliers où le duc de Bourgogne venait le lire fréquemment. C'est, sous forme d'un questionnaire en vue de la confession, un tableau complet des devoirs politiques d'un Roi, selon Fénelon. Nous y ajouterons la seconde addition à l'*Examen de conscience*, qui est un extrait de ses conversations avec Jacques III, prétendant à la couronne d'Angleterre, la lettre du 10 octobre 1701 au marquis de Louville, chef de la maison française de Philippe V d'Espagne, duc d'Anjou[3], et le *Discours pour le sacre de l'Electeur de Cologne du 1er mai 1707*. Mais nous laisserons de côté l'*Essai philosophique sur le gouvernement civil*. Le chevalier de Ramsai, qui en est l'auteur, déclare y avoir développé les principes posés par Fénelon dans ses conversations avec Jacques III, et insinue qu'en somme son livre est presque de Fénelon. Mais Ramsai a développé les principes de telle sorte qu'il laïcise Fénelon et en tire un Philosophe. Ceux qui ont fait un sort à cet ouvrage[4] ont donné du Ramsai pour du Fénelon.

Fénelon a cherché l'application de ses principes à un plan pratique de réforme du royaume, lorsque, après la mort du Dauphin, le duc

1. G. Tréca, *Les doctrines et les réformes de droit public en réaction contre l'absolutisme de Louis XIV dans l'entourage du duc de Bourgogne*, thèse de Droit, Lille, 1909, in-8°. — A. Cahen, *Introduction à l'édition des Aventures de Télémaque*, coll. « Les Grands Ecrivains de la France ». — G. Lizerand, *Le duc de Beauvilliers*, Paris, 1933, in-16.

2. Pour les *Aventures de Télémaque*, l'édition A. Cahen, déjà citée. Pour les autres œuvres de Fénelon, l' « édition de Versailles » (Gosselin et Caron), 1820-1830, 35 vol. in-8° : *Les écrits politiques* au tome XXII; *La correspondance avec Beauvilliers et Chevreuse* au tome XXIII. Sont utilisables, l'édition Périsse, 1843, 4 vol. in-4°, au tome III, qui reproduit l'édition de Versailles, mais avec des omissions dans la correspondance; et l'édition Gosselin, ou de Saint-Sulpice, 1848-1852, 10 vol. gr. in-8°, qui reproduit l'édition de Versailles.

3. P. p. Ch. Urbain, *Ecrits et lettres politiques de Fénelon*, Coll. des « Chefs-d'œuvre méconnus », 1920, in-16.

4. Henri Sée, Les idées politiques de Fénelon, *Rev. d'hist. mod. et cont.*, I, 1899-1901. *Les idées politiques en France au XVIIe siècle*, Paris, 1923, in-8°, G. Tréca, *op. cit.*

de Bourgogne devint l'héritier présomptif du royaume. Ce sont les fameux *Plans de gouvernement concertés avec le duc de Chevreuse pour être proposés au duc de Bourgogne*, de novembre 1711, ou, selon l'expression de Fénelon lui-même, les *Tables de Chaulnes*, lieu où elles furent rédigées. Elles sont à compléter par les *Mémoires sur les précautions et les mesures à prendre après la mort du duc de Bourgogne*, du 15 mars 1712, adressés à Chevreuse.

Restent onze mémoires sur la guerre de la Succession d'Espagne, échelonnés de 1701 à 1711, une lettre à Chevreuse du 4 août 1710, après la rupture des négociations de Gertruydemberg, sur la convocation d'une assemblée de notables, et le Mémoire sur la souveraineté de Cambrai. Ils portent sur ce que devrait faire le gouvernement dans tel concours de circonstances donné. Ils confirment que l'on doit prendre très au sérieux la politique étrangère du *Télémaque* et de l'*Examen*. Mais ils sont surtout importants pour jeter la lumière sur la psychologie de Fénelon, une source essentielle de ses idées politiques.

C'est aussi le cas de la fameuse lettre à Louis XIV, rédigée entre la mort de Louvois en 1691 et la mort de Harlai, archevêque de Paris, en 1695, pamphlet haineux, qui n'a certainement jamais été lu de Louis XIV, puisque son auteur n'a pas fini à la Bastille, probablement jamais lu du duc de Beauvilliers ni de Mme de Maintenon, fort malmenés, puisqu'ils n'ont pas rompu avec le précepteur, et qui n'est sans doute qu'un épanchement intime de Fénelon[1].

Nous pouvons utiliser tous ces textes sans souci de l'ordre chronologique. Il n'y a pas de progrès apparent de la pensée politique de Fénelon. Dès que nous en trouvons trace, elle est fixée.

Fénelon n'a pas de préférence pour une forme de gouvernement déterminée. En théorie, certaines formes paraissent meilleures que d'autres. En pratique, les passions des hommes exposent tous les Etats à des inconvénients à peu près égaux. Deux ou trois hommes entraînent presque toujours le monarque ou le Sénat. Donc, il vaut mieux souffrir, pour l'amour de l'ordre, des maux inévitables dans tous les Etats que de secouer le joug de toute autorité et de se livrer aux fureurs de la multitude qui agit sans règle et sans loi. Le bonheur de la société humaine n'est pas dans le changement et le bouleversement des formes établies, mais dans le dévouement du souverain, assemblée ou roi, et la subordination des peuples[2]. Les règles sont les

1. Edition de Versailles, t. XXIV, lettre 24, p. 333-345.
2. 2e additif à l'*Examen*.

mêmes pour toutes les formes de gouvernement, mais, préparant un prince à la monarchie, Fénelon parle des rois.

Le Roi trouve dans l'Evangile, dans la prière qui lui donne connaissance des volontés de Dieu, dans les lois naturelles, la règle selon laquelle il doit vivre et gouverner ses peuples. Il l'explique et l'applique par les lois civiles. La loi immuable et universelle des souverains, c'est la charité, l'amour du peuple, source de toutes les autres lois. Le Roi est « l'homme des peuples »[1]. Il est « père et pasteur des peuples »[2] et tient son pouvoir pour les servir, comme Jésus-Christ est venu pour servir les autres[3]. Il est « l'homme des lois et l'homme de Dieu » (4, p. 4). Son autorité est donc limitée : par Dieu, car « si les rois manquaient à le servir et à lui obéir, la puissance leur serait enlevée. Le Dieu des armées, sans qui on garderait en vain les villes, ne combattrait plus avec eux »[4]; par sa conscience; par l'Eglise, car les princes doivent montrer « la plus humble docilité et... la plus exacte obéissance aux pasteurs pour toutes les choses spirituelles »[5]; par la nation, car son assemblée ou Parlement doit pouvoir accorder ou refuser les fonds nécessaires pour les besoins extraordinaires de l'Etat, c'est-à-dire pour tout ce qui n'est pas l'entretien du Roi, de sa famille et de ses suivants. Ainsi est évité que « la trop grande autorité empoisonne les Rois »[6].

Mais le souverain conserve un grand pouvoir. « L'Eglise... » même « est dans l'Etat pour obéir au prince dans tout ce qui est temporel ». D'où l'importance de la forte éducation chrétienne du souverain, la nécessité d'un Mentor, pour affermir son courage dans cette lutte de tous les instants contre son orgueil, sa paresse et sa luxure, contre les tentations perpétuelles offertes par une femme qui veut être sa maîtresse ou par un ministre flatteur[7].

Le Roi a deux fonctions essentielles : choisir les hommes de gouvernement en cherchant les gens de mérite qui se cachent dans l'obscurité ; leur donner des plans pour accomplir les grands desseins qu'il a longuement médités. Il ne doit pas essayer de tout faire par lui-même, enfermé dans un bureau et perdu dans le détail[8]. Fénelon ne nous dit rien des institutions politiques et administratives qui doivent

1. *Examen de conscience*, p. 266-267; 2e add. à l'*Examen*.
2. Lettre au marquis de Louville, p. 164.
3. *Sacre de l'Electeur de Cologne*, éd. 1843, II, p. 526.
4. *Ibid.*, éd. 1843, II, p. 525.
5. *Ibid.*, éd. 1843, II, p. 524.
6. *Télémaque*, XVII, p. 466.
7. A Louville, éd. Ch. URBAIN, p. 167.
8. *Télémaque*, XVII, p. 472-476. *Examen*, nos XXIII-XXVIII, p. 295-305.

permettre la transmission et l'exécution des lois et des ordres, sans doute à cause de leur diversité selon les nations.

Le Roi doit gouverner une cité chrétienne, organisée un peu comme un grand monastère, puisque la vie monastique n'est pas une spécialité, mais la vie chrétienne elle-même, plus consciente et plus fervente. Nous trouvons les grandes lignes de son plan dans différents textes, mais surtout dans les fameux projets pour la Salente du *Télémaque*. L'idéal de Fénelon est la pauvreté, introduction nécessaire à la vie chrétienne. Tout luxe est banni. Le Roi doit donner l'exemple de la simplicité, éviter tout ce qui coûte beaucoup, n'avoir à la Cour que des femmes d'un âge mûr, juste en nombre suffisant pour le service des princesses, faire en sorte que ces dernières soient modestes et retirées, car l'exemple va du Roi à la lie du peuple par ses proches parents, les grands, les médiocres, les petits[1]. Le Roi doit régler par des lois somptuaires les habits, la nourriture, les meubles, la grandeur et l'ornement des maisons, retrancher la musique molle et efféminée, la musique bachique, les chansons à boire; ne tolérer les grands ornements d'architecture que pour les églises; interdire sur les personnes les ornements d'or et d'argent, les pierreries, les broderies d'un prix excessif; proscrire l'usage des liqueurs, des parfums; limiter la propriété, etc.[2].

L'idéal de Fénelon est l'humilité, première vertu dont le Christ a voulu donner l'exemple. La société idéale est hiérarchisée, condition d'un bon équilibre et d'un bon fonctionnement, mais hiérarchisée selon la naissance. Chacun appartient, de père en fils, à une classe sociale dont il ne peut sortir que très difficilement. Chacun passe sa vie dans la classe où il est né et y fait son salut. Il y a sept classes, dont la première est la noblesse ancienne et illustre, la seconde, les grands fonctionnaires dont les enfants, en cas de mérite éminent du père, peuvent recevoir un commencement de noblesse, etc. Chaque classe a son costume et ses ornements. La nature des étoffes et la forme des habits, préoccupations indignes d'un homme, ne changent jamais.

Par la réduction des appétits matériels, de l'ambition et de la vanité, le Roi éteint la passion d'acquérir du bien. Toute l'activité peut être alors détournée des industries de luxe, amollissantes pour les riches et ruineuses en fait pour les pauvres puisque leur production raréfie les biens de consommation courante, vers la multiplication des fruits de la terre qui sont la véritable richesse. Fénelon se sépare

1. *Télémaque*, XVII, p. 466-468. *Examen de conscience*, p. 271-274.
2. *Ibid.*, X, p. 90-108.

entièrement des mercantilistes. « C'est le nombre du peuple et l'abondance des aliments qui font la vraie force et la vraie richesse d'un royaume »[1]. La pensée de Fénelon se rapproche plutôt de celle des grands thomistes médiévaux, mais avec une tendance vers une espèce de socialisme agrarien.

Le capitalisme commercial et industriel est entravé. Les marchands sont étroitement surveillés, en vue de limiter leur activité et leurs bénéfices. Il leur est interdit d'importer les marchandises étrangères qui peuvent introduire le luxe et la mollesse. Il leur est interdit de pratiquer les commerces de luxe. Ils ne peuvent risquer le bien d'autrui, donc ils ne peuvent former ni sociétés par actions, ni sociétés en commandite. Ils ne peuvent même risquer que la moitié de leurs biens personnels. Ils doivent rendre compte au gouvernement de leurs entreprises, de leurs dépenses, de leurs profits. Les banqueroutes sont sévèrement punies. A part cela, la liberté du commerce est entière *(sic)*[2].

L'agriculture est, en effet, l'activité productrice essentielle. Pour exciter au travail, aussi bien que pour éviter la constitution d'une classe de grands propriétaires et d'une classe de prolétaires agricoles, qui compromettrait tout l'équilibre social, dans chacune des sept classes, chaque famille n'a que l'étendue des terres absolument indispensable pour nourrir le nombre de personnes dont la famille est composée. Ceci implique que le Roi redistribue les terres selon la composition de la famille et mènerait donc à un communisme agraire. Cependant, ce droit éminent de l'Etat laisse subsister une forme de propriété privée, puisqu'il est prévu que les nobles ne peuvent acheter de terre aux pauvres. Chacun ayant fort peu de terre est excité à la bien cultiver. D'ailleurs des taxes et des amendes frappent ceux qui négligent de cultiver leurs champs. Au contraire des grâces, des exemptions et des honneurs sont accordés aux familles qui accroissent la culture de leurs terres au fur et à mesure de l'augmentation du nombre de leurs membres[3]. Le problème de l'adaptation des artisans au sol est résolu : il leur est associé, à chacun sur son lot de terre, des immigrants qui font les plus gros travaux, et auront par la suite, à eux, une partie du lot. Les enfants des artisans, élevés à la campagne, deviendront des cultivateurs, ce que leurs parents n'auront pu être qu'à un faible degré[4].

Ces hommes se multiplient. Les laboureurs, peu chargés d'impôts,

1. *Ibid.*, X, p. 88-90 et p. 108.
2. *Ibid.*, X, p. 112; XVII, p. 462.
3. *Ibid.*, X, p. 117-121.
4. *Télémaque*, X, p. 112.

ont des enfants, car, pour eux, les enfants sont une main-d'œuvre. Si les terres manquent, des colonies sont fondées.

Cette nombreuse population est formée dans des écoles publiques à la crainte de Dieu, à l'amour de la patrie, au respect des lois, à préférer l'honneur au plaisir et à la vie même. Les jeunes gens pratiquent tous les exercices qui cultivent le corps. Les plus doués pour l'art vont dans des écoles de peinture et de sculpture et sont employés plus tard à conserver la mémoire des grands hommes et des grandes actions[1]. Mais aucune forme de religion n'est imposée. La tolérance évite l'hypocrisie. L'on n'impose point une croyance, on l'éveille par l'cxcmplc, la prédication, la douceur[2].

Des magistrats spéciaux, sorte de censeurs, veillent sur l'honneur des familles, sur les mœurs des particuliers, obligent au respect des lois somptuaires, surveillent les marchands. Les crimes sont punis sévèrement pour l'exemple. « Par un peu de sang répandu à propos, on en épargne beaucoup dans la suite »[3].

« Ces hommes, accoutumés au travail, à la peine et au mépris de la vie par l'amour des bonnes lois, sont tous prêts à combattre pour défendre ces terres cultivées de leurs propres mains »[4]. Il faut être armé pour ne pas laisser aux voisins « cette continuelle et violente tentation d'une supériorité trop déclarée ». Il faut être toujours prêt à faire la guerre, pour n'être jamais réduit au malheur de la faire[5]. « La guerre est le plus grand des maux »[6], même pour le vainqueur, si l'on compte les tués, les familles ruinées, les ravages, la licence, la désorganisation de l'Etat[7]. Elle est la « honte du genre humain ».

En effet, « tout le genre humain n'est qu'une famille... tous les peuples sont frères (Gcnèsc, X, 32, ct XI, 8 et 9) »[8]. « Toutes les nations de la terre ne sont que les différentes familles d'une même république dont Dieu est le père commun... »[9]. Ces nations « font un grand corps et une espèce de communauté... la chrétienté fait une espèce de république générale. Si le citoyen doit beaucoup à sa patrie dont il est membre, chaque nation doit, à plus forte raison, bien davantage au repos et au salut de la république universelle dont elle

1. *Télémaque*, X, p. 107 et 124.
2. 2e additif à l'*Examen*, éd. 1843, III, p. 627.
3. *Télémaque*, X, p. 88 et 124-125.
4. *Ibid.*, XVII, p. 464.
5. *Ibid.*, X, p. 110.
6. *Ibid.*, IX, p. 25.
7. *Examen*, p. 289.
8. *Télémaque*, IX, p. 48.
9. 2e additif à l'*Examen*, éd. 1843, t. III, p. 626.

est membre »[1]. Le Roi ne doit donc jamais guerroyer pour des conquêtes, ce qui est prendre le bien d'autrui; ni pour de la gloire, car la gloire est dans la justice, dans le bonheur des peuples et dans l'humanité; ni pour des prétentions personnelles sur une province, car il n'est pas roi pour lui mais pour son peuple. Il ne doit faire la guerre que si le royaume est attaqué, ou si la paix donnait « trop de prise et d'avantage à un ennemi injuste, artificieux et trop puissant »[2]. Pour éviter le conflit, il ne doit pas hésiter à restituer des conquêtes et à réparer les dommages causés aux voisins[3], à confier des points stratégiques menaçants à des troupes neutres, à donner des otages[4]. Si le Roi est forcé de combattre, il doit observer les lois de la guerre, se refuser aux trahisons, aux manquements à la parole donnée, ne pas rendre fraude pour fraude, ne pas causer de maux inutiles aux ennemis. « Les ennemis sont toujours hommes, toujours frères »[5]. Les traités de paix doivent être ponctuellement exécutés, les articles ambigus interprétés par la pratique qui les a suivis immédiatement[6]. Des ligues doivent être formées pour empêcher les infractions à la paix et bannir les puissances qui aspirent à la monarchie universelle[7]. Les nations doivent prévoir une assemblée générale de trois en trois ans. Les rois y renouvelleront l'alliance et y délibéreront sur tous les intérêts communs[8].

Ces principes, Fénelon en a prévu l'application au royaume de France, lorsque la mort du Dauphin fit du duc de Bourgogne l'héritier présomptif de la couronne. Le duc de Chevreuse vint rencontrer l'archevêque à Chaulnes en novembre 1711. Le résultat de chaque conversation fut mis par Fénelon « dans une espèce de table ». Les *Tables* devaient rappeler à Chevreuse les maximes arrêtées entre eux deux, et les maximes devaient permettre à Chevreuse de donner la clef des *Tables*[9]. Les *Tables de Chaulnes* sont donc des notes, qui ne nous sont pas entièrement intelligibles[10], mais dont se dégagent fort bien les grandes lignes d'une réforme du royaume. Elle est conforme aux principes de Fénelon. Mais, pour la pratique, le caractère aristocratique de la pensée de Fénelon s'accentue. La réforme devient une

1. 1er additif à l'*Examen*, éd. Versailles, XXII, p. 310.
2. *Examen*, p. 277; nº XXVIII, p. 289-290; nº XXVII, p. 288.
3. *Examen*, p. 285-286.
4. *Télémaque*, IX, p. 39.
5. *Examen*, nº XXIX, p. 292; nº XXVIII, p. 290-291, *Télémaque*, XV, p. 381-384.
6. *Examen*, p. 1293.
7. 1er additif à l'*Examen*, éd. 1843, p. 624-626.
8. *Télémaque*, IX, p. 48.
9. *Fénelon à Chevreuse, 9 juin et 27 juillet 1711*, éd. Versailles, XXIII, p. 458 et 471.
10. P. exemple, p. 576, art. I, nº 1, « Paix à faire », ce mot isolé : « Castille ».

réaction aristocratique contre l'absolutisme bourgeois de Louis XIV et même contre tout l'effort absolutiste de la monarchie, depuis la fin du XIe siècle, l'esquisse idéale d'un régime qui a failli se constituer aux XIVe et XVe siècles.

Fénelon organise la réaction contre le gallicanisme de Louis XIV. Il ne va peut-être pas jusqu'à revenir sur le Concordat de 1516. Mais il souligne combien les deux puissances, spirituelle et temporelle, sont indépendantes, distinctes et libres, chacune dans son ordre. Il en résulte que les pasteurs sont soumis au prince au temporel et que les ecclésiastiques doivent contribuer aux charges de l'Etat par leurs revenus, contrairement au principe de l'Eglise de France. Mais le prince est soumis aux pasteurs au spirituel. Il doit « recevoir » le Concile de Trente, c'est-à-dire donner force de loi aux décisions du Concile et en faire imposer l'observance par les tribunaux royaux. Il doit transmettre purement et simplement les bulles du pape, quand elles se bornent au spirituel. Il doit laisser les évêques correspondre librement avec le pape. Il doit mettre quelques évêques dans son Conseil d'Etat et avoir un Conseil de Conscience pour choisir des évêques pieux et capables. Il doit souffrir les conciles provinciaux, mais non les nationaux qui sont dangereux. Il doit laisser aux évêques toute liberté de juger eux-mêmes dans leurs officialités, de faire des procédures, visiter, interdire, corriger, destituer les curés et tous ecclésiastiques. Un bureau de magistrats laïques et pieux et de bons évêques, avec le nonce, doit fixer l'appel comme d'abus, qui avait permis au Parlement d'imposer l'absolutisme royal à l'Eglise. Les obscurités du texte ne permettent pas de décider si Fénelon a voulu le rétablissement des élections ecclésiastiques, auquel cas le Conseil de Conscience aurait seulement écarté les élus indignes, mais ce n'est pas impossible[1].

Le pouvoir du Roi va être limité par des Etats généraux, de nobles et de grands bourgeois, où domineront les nobles. Les Etats seront composés, par diocèse, de l'évêque, le plus souvent noble; d'un seigneur, d'ancienne et haute noblesse, élu par les nobles; d'un homme considérable du Tiers Etat, élu par le Tiers Etat.

Leur indépendance est assurée. La candidature officielle est interdite. Les députés sont élus à terme, pour trois ans, mais peuvent être renouvelés dans leur mandat. Aucun d'eux ne recevra un avancement du Roi qu'au moins trois ans après l'expiration de son mandat.

Les Etats s'assembleront tous les trois ans et continueront leurs délibérations aussi longtemps qu'ils le jugeront nécessaire. Ainsi,

1. *Tables de Chaulnes*, art. II, n° 4, éd. Versailles, XXII, p. 582-586.

ils pourraient devenir permanents. Leur fonction principale est de voter l'impôt et d'en surveiller la levée. Ils peuvent délibérer sur la guerre, la paix, la justice, les finances, la navigation, le commerce, les abus, tout. En fait, par le vote de l'impôt et ce contrôle, ils seraient les maîtres de la politique royale.

Pour les provinces, Fénelon s'inspire de l'organisation du Languedoc. Dans chacune, il y aura des Etats particuliers, recrutés comme les Etats généraux, et avec des pouvoirs analogues. Ces Etats particuliers seront soumis aux Etats généraux.

Chaque province se compose de diocèses. Dans chacun, il y aura une petite assemblée ou assiette, composée de l'évêque, des seigneurs du pays et du Tiers Etat, qui réglera la levée des impôts suivant un cadastre et qui sera subordonnée aux Etats de la province. L'impôt ne sera plus qu'une contribution foncière. Gabelles, aides, traites, capitation et dixième seront supprimés.

L'existence des Etats, la suppression de la plupart des impôts, le changement de politique religieuse simplifient beaucoup les institutions. Grand Conseil, Cour des Aides, trésoriers de France, élus, présidiaux disparaîtront. Il n'y aura plus ni vénalité des charges, ni survivances. Ces agents dévoués et directs du Roi, les maîtres des requêtes et les intendants, instruments essentiels de l'absolutisme, s'évanouiront. Par contre, l'importance et les fonctions des anciens officiers, amoindries par les intendants, seront rétablies. Le Roi ne gouvernera plus seul, le plus souvent avec un secrétaire d'Etat, mais selon l'ancienne maxime du royaume, en « grand conseil », avec un Conseil d'Etat, où il sera toujours présent, et six autres conseils pour toutes les affaires du royaume. C'est l'idée de la Polysynodie. La composition de ces six conseils est mal précisée. Est-ce le seul Conseil privé, régulateur de la justice, ou eux tous, qui devait être composé de gens choisis gratis dans tous les tribunaux du royaume ?

Au-dessous des conseils, il y aura dans les provinces les Parlements et, par province, un gouverneur, un lieutenant général, et un lieutenant du Roi.

Les provinces resteront divisées en bailliages, qui recevront les pouvoirs des présidiaux. Le bailli d'épée sera rétabli dans ses fonctions.

Les justices seigneuriales, onéreuses aux nobles, seront abolies. Leurs fonctions confiées aux bailliages voisins. Les seigneurs garderont la justice foncière, les honneurs de paroisse, les droits de chasse, certains droits sur leurs vassaux pour leurs fiefs, certains droits de service militaire sur leurs paysans.

Un bureau de jurisconsultes préparera un code civil.

De temps à autre des conseillers d'Etats, sorte de *missi domi-*

nici, seront envoyés dans les provinces pour réformer les abus[1].

Par conséquent les fonctions judiciaires et administratives seront confondues. C'est le juge qui administrera par ses sentences et ses arrêts de règlement. Ainsi la loi sera mise au-dessus de la volonté du prince.

La noblesse dominera dans les fonctions judiciaires et administratives comme dans les Etats généraux. La société française sera aristocratique, hiérarchisée et stabilisée, et le passage d'une classe à l'autre difficile. La noblesse sera fermée. Dans chaque province un nobiliaire sera dressé, et un registre général tenu à Paris. Chaque enfant noble sera enregistré. Les mésalliances seront interdites. Les anoblissements défendus, sauf services signalés rendus à l'Etat. Il sera impossible aux acquéreurs des terres des noms nobles de prendre ces noms. La noblesse sera forte par sa richesse. Dans toute maison, il y aura un majorat, comme en Espagne, pour éviter l'émiettement des fortunes par les partages des successions. Les nobles auront la liberté de commercer en gros sans déroger. Les fonctions civiles et militaires de la maison du Roi leur seront réservées. La vénalité des charges militaires sera abolie et les nobles préférés pour les grades. Non seulement les nobles auront le droit d'entrer dans la magistrature, mais ils seront préférés aux roturiers à mérite égal pour les places de président et de conseiller des Parlements, de lieutenant général et lieutenant criminel des bailliages. Or ces charges seront exercées à vie et les enfants dignes succéderont à leur père. Donc, on aura, assez vite, un corps héréditaire de « magistrats d'épée », une justice et une administration de nobles. Comme les officiers des régiments seront, autant que possible, recrutés parmi les parents et amis des colonels et des capitaines, comme les seigneurs pourront faire prendre les armes à leurs paysans, comme les conseillers d'Etat, *missi dominici*, seront recrutés parmi les magistrats, comme les nobles domineront les Etats généraux et particuliers, l'on aboutira ainsi à un gouvernement et à une administration aristocratiques, en fait peu centralisés, et avec un caractère fédératif, où le Roi aura peu de pouvoir réel; quelque chose d'analogue, sinon de semblable, au régime de l'Angleterre après la Révolution de 1688, mais avec plus d'influence encore de la noblesse terrienne, et peut-être encore moins de pouvoir du Roi[2].

Cette société, où l'ambition est peu stimulée, par un régime qui tend vers celui des castes, doit vivre dans la pauvreté. Le Roi s'entre-

1. Art. II, nº 3, « Administration du royaume », p. 579-582; nº 6 « Justice », p. 591-593.
2. *Tables de Chaulnes*, art. II, nº 5, « Noblesse », p. 589-591; nº 6, « Justice », p. 591-593.

tiendra uniquement avec le revenu de ses domaines comme un roi du Moyen Age. Il donnera l'exemple de la simplicité et l'imposera à tous. « Retranchement de toutes les pensions de Cour non nécessaires. Modération dans les meubles, équipages, habits, table. Exclusion de toutes les femmes inutiles. Lois somptuaires... »[1]. « Lois somptuaires pour chaque condition... Le luxe ruine les nobles et corrompt la nation pour enrichir les marchands... »[2].

Pour le commerce : « Liberté... »[3]. Les Etats généraux délibéreront s'il faut abandonner les droits d'entrée et de sortie du royaume. On laissera faire les Hollandais et les Anglais. La France s'enrichira en vendant bien ses blés, huiles, vins, toile, etc., car ce qu'elle achètera des Anglais et des Hollandais, ce sont « épiceries et curiosités », nullement comparables en valeur. Il y aurait ici, pour le commerce extérieur, une esquisse du libéralisme économique et de la division du travail entre nations.

Mais, d'autre part, tout sera réglé par le Conseil d'Etat, sur rapport du Conseil de Commerce et de Police du royaume, qui consultera un bureau de commerçants. Des censeurs connaîtront les moyens dont chacun s'enrichit. Un inventaire sera fait des fortunes des familles[4]. Les financiers seront supprimés. De leur côté les Etats généraux recevront, avec le dénombrement du peuple fait par les assiettes, la description de la fortune de chaque famille, de son accroissement ou de sa diminution et des dettes de la famille. Ils empêcheront toute spéculation, tout commerce d'argent, toute usure. Ils veilleront à ce qu'aucune terre ne soit laissée inculte, fixeront le nombre d'arpents des parcs, mettront fin aux abus des chasses[5].

Les *Tables de Chaulnes* correspondent donc aux écrits théoriques : elles établissent un socialisme d'Etat, agraire et chrétien. Mais elles accentuent la théorie : ce socialisme sera imposé par une aristocratie chrétienne, présidée par un roi.

La doctrine politique de Fénelon est conforme sur de nombreux points à celle que l'Eglise a trouvée dans l'Evangile : nécessité pour le souverain d'obéir à la loi de Dieu et de la faire respecter, indépendance des deux pouvoirs, spirituel et temporel, chacun dans sa sphère, et aide réciproque qu'ils doivent se donner, recherche des biens de

1. *Tables de Chaulnes*, art. II, nº 2, « Ordre de dépense à la Cour », p. 578.
2. *Ibid.*, art. II, nº 7, « Commerce », p. 595.
3. *Ibid.*, art. II, nº 7, p. 594.
4. *Ibid.*, art. II, nº 5, « Noblesse », p. 539.
5. *Tables de Chaulnes*, art. II, nº 3, « Admin. int. du royaume, p. 581 ; nº 7, « Commerce », p. 594-595.

ce monde dans la mesure où ils aident à la vie spirituelle et à l'œuvre de salut, recherche du salut, la grande affaire de ce monde, par chacun dans la classe sociale où il est né et sans essayer de s'élever dans la hiérarchie sociale, charité et justice en toutes choses et avant toute chose, esprit pacifique, bonne foi et loyauté dans les relations entre nations, tout cela quel chrétien n'y souscrirait pas ? Quel chrétien même ne souscrirait pas à un certain mépris, né du souci des commandements de Dieu, d'apparentes nécessités, à un certain abandon à Dieu ? Libérer les miliciens au terme fixé, délivrer les galériens à l'issue de leur peine, même si on craint de manquer de fantassins ou de rameurs : « Ne dites pas qu'on manquerait d'hommes pour la chiourme, si on observait cette justice; la justice est préférable à la chiourme. Il ne faut compter pour vraie et réelle puissance que celle que vous avez sans blesser la justice et sans prendre ce qui n'est pas à vous »[1]. Il ne faut pas craindre de s'affaiblir, Dieu combattra avec le juste[2]. L'homme politique criera peut-être à l'utopie. Le chrétien se rappellera que, devant le Christ, Ponce Pilate s'est conduit en bon politique.

Mais, bientôt, le chrétien lui-même trouvera dans cette pensée de Fénelon une incohérence interne et une inadaptation au réel qui l'empêcheront de suivre davantage le prélat.

Considérons les *Tables de Chaulnes* faites pour l'application intégrale dans un avenir proche. Comment cet amateur d'histoire n'a-t-il pas vu que les institutions qu'il préconisait ne correspondaient pas du tout au stade de l'évolution sociale où le royaume se trouvait ? Si nous entrons dans le détail, comment Fénelon a-t-il pu croire qu'un gouvernement, dont les moyens d'action allaient dépendre d'assemblées élues par les nobles et les bourgeois de ce temps, serait capable d'imposer définitivement et comme la norme de la vie un tel programme d'austérité chrétienne ? Comment a-t-il pu s'imaginer la noblesse, dans l'état où elle se trouvait, en mesure de jouer le rôle prépondérant qu'il lui attribuait ? Il y a dans son plan de véritables enfantillages. Ainsi, il veut établir des manufactures pour faire mieux que les étrangers, mais sans exclusion des ouvrages de ceux-ci, sans prohibitions, sans monopoles, probablement sans protection douanière[3]. Comment développer, en libre concurrence, avec des voisins redoutables, une industrie naissante ? Comment vendre « bien » les produits agricoles français, si on laisse aux Hollandais le rôle de

1. *Examen*, p. 284-285.
2. *Télémaque*, IX, p. 40; *Sacre de l'Electeur de Cologne*, éd. 1843, II, p. 525.
3. Art. II, nº 7, p. 594-595.

rouliers des mers, alors que l'intermédiaire est maître du prix du produit qu'il transporte ? Fénelon prévoit gravement la destruction de la plupart des places fortes parce que les ouvrages sont ruineux et que la supériorité d'armée fait tout[1]. Et il lance cette affirmation avec intrépidité, au moment même où, depuis plusieurs années, la « ceinture de fer » de Vauban sauvait la France de l'invasion et du coup de grâce, comme s'il n'avait rien vu.

La politique extérieure de Fénelon est un roman. Les mémoires sur la guerre de Succession d'Espagne montrent à quel point il faut prendre au sérieux ses théories, et d'ailleurs, il est visible dans l'*Examen de conscience* et dans le *Télémaque* qu'il pensait toujours à Louis XIV. Comment confier à des neutres, et même aux alliés de nos ennemis, les passages qui donnent accès d'un territoire dans l'autre, sous prétexte que les alliés des ennemis ont intérêt à tenir l'équilibre, à jouer le rôle de juges et de médiateurs ? Encore faudrait-il que les alliés des ennemis se rendissent compte de leur intérêt et fussent en état de jouer ce rôle. Voit-on Louis XIV confier Valenciennes, Douai, Bouchain, Cambrai, Namur, Charleroi, Luxembourg, aux Hollandais, si pleins de haine contre la France qu'ils sacrifièrent à ce sentiment, après 1688, leurs intérêts les plus évidents ? ou aux cantons suisses catholiques, incapables d'assurer la défense de ces places contre un agresseur éventuel ? Qui voudra comparer la politique de Fénelon à l'état des choses en cette deuxième partie du règne de Louis XIV la trouvera toujours une grande chimère.

Chimérique, Fénelon est de plus injuste. Sans cesse, il donne tous les torts à Louis XIV, tous les torts à la France que le roi incarne. Lettre à Louis XIV, mémoires sur la guerre de Succession d'Espagne sont un écho de la propagande ennemie. Pour Fénelon, Louis XIV est responsable de toutes les guerres, car l'origine de toutes est la guerre de Hollande, entreprise seulement par un motif de gloire et de vengeance. Des guerres sont injustes, donc les conquêtes sont injustes. D'ailleurs, elles n'étaient pas nécessaires. Donc, il faut tout restituer, Besançon, Strasbourg, Lille. La France ne fait que tromper depuis la paix des Pyrénées. Les droits de Philippe II à la couronne d'Espagne sont douteux. Louis XIV a fait falsifier le testament de Charles II d'Espagne. Les Espagnols ne veulent pas de Philippe V (1710). Les ennemis n'ont jamais voulu imposer à Louis XIV de détrôner son petit-fils, etc. Tous les mensonges et toutes les calomnies de l'ennemi se retrouvent chez Fénelon. Toutes ses défiances sont contre son roi, toute sa confiance va aux ennemis de la patrie. Pour

1. Art. II, nº 1, « Etat militaire », p. 577.

lui, Louis XIV doit faire enlever de force son petit-fils d'Espagne, céder aux ennemis les places qui ouvrent le royaume, mettre en dépôt Valenciennes, Douai, Bouchain, Cambrai, entre les mains des cantons catholiques suisses, « afin que ces cantons puissent ouvrir à nos ennemis cette porte de la France, si nous manquions de parole »[1]. Fénelon semble avoir écrit avec les pamphlets de l'ennemi.

Quant aux menaces qui pesaient sur la France, quant à la succession d'Espagne et au risque de reconstitution de l'Empire de Charles Quint, quant à l'essor redoutable des puissances anglaise et hollandaise, et à la nécessité, pour la sécurité de la France, de ne pas se laisser distancer, quant aux risques d'encerclement et d'écrasements, quant aux convoitises, aux fourberies, aux agressions des ennemis, Fénelon ne les voit pas. Il va jusqu'à considérer la Succession d'Espagne comme une affaire toute personnelle au Roi !

Cet aveuglement semble avoir une source d'abord dans le scrupule. Il semble que Fénelon appartienne à cette catégorie d'hommes si effrayés du risque de se laisser entraîner par l'esprit de patrie et celui de parti, tellement émus à la pensée de n'être pas rigoureusement justes, qu'ils se placent au point de vue de l'adversaire jusqu'à se pénétrer de sa vision des choses, à ne plus voir que cet aspect, à donner à l'adversaire raison en tout, et à choir tout de même dans l'erreur de l'injustice, mais à l'égard de leurs compatriotes ou de leurs camarades de combat. Les humanitaires pacifistes de tous les temps tombent facilement dans ce travers.

D'autre part, Fénelon juge Louis XIV en noble ulcéré par la politique bourgeoise du Grand Roi. « Ce fut un règne de vile bourgeoisie », a grondé Saint-Simon. Fénelon en souffrit et son ressentiment à l'égard de Louis XIV le porta à juger sévèrement toutes les actions du Roi, et à ériger en idéal le contraire de ce que faisait le Roi. Certains diraient que la pensée politique de Fénelon est le reflet d'une lutte de classes, et, en un sens, cela est vrai. Mais, dans ce ressentiment, il y a aussi de l'orgueil, un orgueil subtil, le péché dont on ne se défait pas, contre lequel laïque, évêque ou moine peuvent seulement lutter jusqu'à la mort, et Fénelon n'en fut pas exempt, c'est le moins sans doute qu'on puisse dire.

Enfin, une autre origine de sa pensée politique c'est une défaillance intime de l'énergie devant la représentation du danger. Fénelon est un « défaitiste ». Du fond de lui-même ne montent que des images de détresse, que des prévisions sinistres. Il nourrit ses mémoires de tous les bruits néfastes. S'il accueille une bonne nouvelle, il l'amenuise

1. *Mémoire sur la situation déplorable de la France en 1710*, éd. 1843, III, p. 692.

immédiatement par une restriction. Il ne parle jamais que de capituler : la paix, à n'importe quel prix. Il y revient sans cesse. « La France est une vieille machine délabrée, qui va encore de l'ancien branle qu'on lui a donné et qui achèvera de se briser au premier choc »[1]. Dans le mémoire sur la campagne de 1712, composé avant la victoire de Denain, il dénigre Villars, et écrit : « Il faut finir tout au plus tôt, *à quelque prix que ce soit* »[2], réflexion que l'on retrouve dans le *Mémoire sur la paix*, sans qu'il se demande d'ailleurs comment les ennemis utiliseraient une paix qui laisserait la France ouverte. Sans cesse, tout tremblant, il s'interroge anxieusement : « Que deviendrait-on si on perdait une bataille, une campagne ? »[3]. Il y a là un contraste violent avec la fermeté inébranlable du vieux roi dans les pires difficultés.

La pensée politique chez Fénelon semble donc naître du choc éprouvé au contact du réel par une vive sensibilité, qui a tout emporté. La politique de Fénelon est du romantisme. Si une des notes auxquelles se reconnaît le vrai mystique est le bon sens, il y aurait peut-être là une fiche à ajouter à un dossier sur le mysticisme de Fénelon. Ce grand écrivain fut un piètre politique.

Deux belles questions subsistent. De plus qualifiés chercheront les relations possibles entre la pensée politique de Fénelon et le quiétisme. D'autre part, il faudrait préciser l'influence réelle de Fénelon sur le gouvernement de Louis XIV, mais il est à craindre que les documents ne fassent défaut.

1. *Mémoire sur la situation déplorable de la France en 1710*, éd. 1843, III, p. 688.
2. Ed. 1843, III, p. 707.
3. *Mémoire sur la paix*, éd. 1843, III, XVIII, p. 709.

DEUXIÈME PARTIE

Le développement de l'Etat moderne

PARIS,
CAPITALE POLITIQUE
au Moyen Age et dans les Temps modernes (environ 1200 à 1789)

Le concept de Paris capitale

Nous entendons par capitale une ville qui joue dans un Etat le rôle du chef par rapport au corps, une ville qui est en principe le lieu de la conscience, de la pensée et de la raison politique, où sont les organismes qui règlent toute l'activité des habitants de l'Etat, leur assurent la justice, la sécurité, leur envoient les ordres, les décisions et les conseils à ces fins; donc une ville siège du gouvernement, de la justice, de l'administration centrale et exemple pour tout l'Etat. Cette notion, qui nous est familière, l'était également aux hommes d'avant 1789. Le *Dictionnaire* de Furetière, dans son édition de 1690, nous donne la définition suivante :

Capital, ale - adj. C'est une épithète qu'on donne à ce qui a quelque prééminence, qui est comme le chef et la source de quelque chose. Ainsi on dit la ville capitale d'une province[1]...

Les Français avaient nettement conscience de la fonction de capitale que remplissait Paris. Louis XIV commence ainsi l'édit de mars 1667 :

Notre bonne ville de Paris étant la capitale de nos Etats et le lieu de notre séjour ordinaire, qui doit servir d'exemple à toutes les autres villes de notre royaume, nous avons estimé que rien n'était plus digne de nos soins que d'y bien régler la justice et la police[2]...

La police signifiait ici toute l'administration. Le transfert de la Cour à Versailles, avec celui des Conseils royaux, et le développement

Publié dans *Colloques, Cahiers de Civilisation*, 1962.

1. Antoine Furetière, abbé de Chalivoy, *Dictionnaire universel*, 1690, à La Haye et Rotterdam, chez Arnout et Reynier, 3 vol. in-f°, art. « Capital ».
2. Delamare, *Traité de la Police*, I, p. 122.

des ministères auprès du Roi, ne changea rien à cette conception. Vauban écrivait toujours de Paris, vers 1680, que cette « ville capitale » était pour le royaume qu'elle animait « le principe de la vie » et il concluait : « c'est l'abrégé de la France »[1]. Le Roi lui-même, dans sa Déclaration du 27 août 1701, constatant que Paris était envahi de mendiants, fainéants, vagabonds, libertins, bannis de toutes les villes et provinces du royaume, déclarait :

... il n'est pas juste que ceux qui sont proscrits de leur patrie puissent demeurer impunément à notre suite, ni dans la capitale de notre royaume, que nous regardons comme la patrie commune de nos sujets[2]...

Paris restait, en principe, le siège de la Cour, il conservait les Cours souveraines et bien des organes judiciaires et administratifs. Au XVIIe siècle, d'ailleurs, il était considéré comme ne faisant qu'un avec Versailles. Du Séjour, le marquis de Condorcet et La Place écrivaient en 1783 :

Paris et Versailles ne doivent être considérés que comme ne formant qu'une seule et même ville, par la raison qu'un grand nombre de personnes les plus considérables de l'Etat et qui ont le plus de domestiques et de gens attachés à leur service, ont des établissements dans ces deux villes et y passent alternativement une grande partie de leur vie[3].

Le concept de Paris capitale était bien antérieur à l'époque de Louis XIV. Le Chancelier de L'Hospital, allant le 5 juillet 1560 au Parlement porter les ordres du Roi sur le bon ordre de Paris, rappelait « qu'elle était la capitale de l'Etat »[4]. De même pour son rôle exemplaire. Charles IX, dans son règlement général de police du 4 février 1567, déclarait entendre qu'il fût...

... inviolablement gardé et observé en cette ville de Paris et en toutes autres de ce royaume, en tant qu'elles se pourront au plus près conformer à l'exemple de ladite ville de Paris[5]...

Le gouvernement de Charles VI s'intéressait beaucoup, en 1415, à la police de Paris, parce que « notre dite ville est la souveraine et capitale de notre royaume »[6]. Et c'est bien la présence à Paris des

1. Cité par G. Dupont-Ferrier, *Bull. de la soc. de l'Histoire de Paris et de l'Ile-de-France*, t. 61, 1934, p. 15-16.
2. Delamare, *op. cit.*, I, p. 125.
3. Essai pour connaître la population du Royaume, dans *Mémoires de l'Académie royale des Sciences*, 1783, p. 708-709.
4. Delamare, *op. cit.*, I, p. 113.
5. *Ibid.*, II, p. 571.
6. Règlement général de police, février 1415, dans Isambert, *Recueil général des anciennes lois françaises*, VIII, p. 427.

organes de gouvernement, de justice et d'administration qui était la source de cette notion de capitale, comme le prouve l'ordonnance dite cabochienne, pour la police générale du royaume, rendue en conséquence de l'assemblée des notables, le 25 mai 1413. Il y est affirmé que :

> ... nostre dicte Cour de Parlement est la Cour capitale de notre royaume... la capitale et souveraine Cour de tout notre royaume...,

rappelé la nécessité

> que les présidents de notre Cour de Parlement soient souventes fois près de nous et facent résidence comme continuelle en nostre bonne ville de Paris[1].

Mais, dans une lettre du 3 mars 1403 (n.s.), Charles VI qualifie seulement Paris de...

> ... la principale ville de notre royaume et en laquelle nos prédécesseurs roys ont accoustumé de très long et ancien temps faire leur résidence et... (comme) y est le siège souverain de la justice de nostre dit royaume, ne doive estre aucune tache de repréhension, mais à la bonne police et au bon gouvernement d'icelle toutes les autres cités et villes de notre royaume doivent prendre bon exemple[2].

Les caractères de capitale sont nets dans l'esprit des gens de cour sans que le terme soit employé. Il y aurait lieu de chercher à quel moment et sous quelles influences l'expression de « capitale » est apparue, puis est devenue d'usage courant.

En tout cas, c'est beaucoup plus tôt, dès les environs de l'an 1200, qu'était répandue, tout au moins dans l'entourage du Roi et dans la région parisienne, l'idée que Paris était la ville exceptionnelle, résidence ordinaire du Roi, dans son Palais de la Cité, ville siège naturel de la Cour le Roi, où accouraient à l'appel du souverain, des fiefs les plus éloignés, les grands seigneurs et les hauts dignitaires d'Eglise, requis pour donner leurs conseils. « Al Parlement a Paris la Cité » Paris a la *Curia Regis*, organe essentiel du gouvernement et de la justice, conseil des grands, laïques et ecclésiastiques, dont le Roi s'entoure pour prendre les décisions importantes et pour exercer sa fonction de grand justicier. Paris, résidence royale, siège du gouvernement, est le lieu où doit se rendre et séjourner quiconque veut faire une belle carrière. Des provinces les plus lointaines les barons envoient à Paris, au service du Roi, leurs fils qui s'agenouillent aux pieds du

1. Isambert, VIII, p. 328, 329, 333, n° 155, 158, 164.
2. Cité par G. Dupont-Ferrier, L'ascendant de Paris, dans *Bull. de la Soc. de l'Hist. de Paris*, 67-72, 1940-1945, p. 15.

monarque. Dans beaucoup d'esprits, Paris est déjà, nettement, la capitale[1].

Certes, la forteresse de Lutèce, commode pour guetter toute attaque venant de l'autre côté de la Manche ou de l'autre côté du Rhin, avait été déjà la résidence du César Julien, en 360. Depuis Clovis, les rois mérovingiens avaient volontiers séjourné dans le Palais de la Cité. Mais, après Dagobert Ier, les mentions des séjours royaux deviennent très rares. Les Carolingiens avaient préféré à Paris leurs *villae* de l'Oise, de l'Aisne et du Rhin. Les Capétiens, eux, habitèrent souvent à Paris, où Robert le Pieux fit reconstruire le Palais de la Cité. Mais Paris n'était encore qu'une ville parmi d'autres, une des principales villes d'un domaine seigneurial, non une capitale. C'est seulepent avec Philippe Auguste, lorsqu'un prodigieux accroissement du domaine royal fit du Roi le plus puissant seigneur du royaume[2], lorsque avec ce titre d'Auguste le souverain acquit un reflet de la gloire des Césars, lorsque, né d'une fille de Carolingiens, Alix de Champagne, époux d'une descendante de Charlemagne, le Roi a pu être salué du titre de « Carolide », considéré comme « du lignage le grand Roi Kallemaine » et que le chant de triomphe a pu s'élever : *Regnum ipso redactum est ad progeniem Caroli magni*, lorsque ainsi tout doute sur la légitimité des Capétiens a été définitivement levé[3], c'est alors que Paris a commencé vraiment de jouer le rôle de capitale. Le moment de cette transformation peut être précisé : lorsque le Roi fit commencer l'enceinte fortifiée qui faisait de la ville la principale forteresse du royaume et associa les bourgeois de Paris à son gouvernement pendant sa participation à la Croisade (1190); lorsque se consolida l'usage de citer en justice au Palais du Roi, devenu le siège ordinaire du tribunal suprême, la *Curia Regis*[4]; lorsque après le désastre de Fréteval et la perte de ses archives (1194) Philippe Auguste décida de faire reconstituer les actes royaux en double exemplaire dont un serait toujours au Palais.

Résidence royale, siège du gouvernement et de l'administration, exemple pour toutes les villes du royaume, c'était là les raisons de l'essor de Paris, qui devint une ville incomparable. Au début du

1. Roger Dion, La leçon d'une chanson de geste : Les Narbonnais, dans *Mém. Féd. Soc. Hist. et Archéol. de Paris et de l'Ile-de-France*, I, 1949, p. 23-45.

2. Adjonction à l'Ile-de-France et au Berri de l'Artois, de l'Amiénois, du Valois, du Vermandois, du Beauvaisis, de la Normandie, du Maine, de l'Anjou, de la Touraine, de partie du Poitou et de la Saintonge.

3. R. Mousnier, L'influence de l'abbaye de Saint-Denis sur la formation de la monarchie capétienne, *Nouvelles de chrétienté* (CIVITEC), nº 231, 15 oct. 1959, p. 14.

4. Jean Guérout, Le Palais de la Cité à Paris des origines à 1417. Essai topographique et archéol., dans *Mém. Féd. Soc. Hist. et Archéol. Paris et Ile-de-France*, I, 1949, p.153-158.

XVIIe siècle, Claude Fauchet, président de la Cour des Monnaies, se rendait compte que le rôle de cette ville avait aussi des causes géographiques et, dans le résumé d'une sorte de conférence sur la géographie humaine, il distinguait très bien deux notions familières à nos géographes : le site et la position. « La ville de Paris est parvenue à la grandeur que nous l'avons vue pour la commodité de son assiette, que Dieu semble avoir establie pour le domicile d'un roy des Gaules. » Son site est favorable : île facile à défendre; « montagnes » riches en pierre à bâtir, plâtre, bois de construction; abondance de *bleds*, de vins. Sa position est excellente pour repousser les Germains ou les Anglais, pour assembler un « grand peuple » et des équipages de guerre, grâce à la convergence des rivières.

« La ville de Paris, aydée de dix-sept rivières portant bateau et se rendant dans Seine, se peut sans grand destourbier aider de toutes les commodités de la France... toutes les provinces de la France contribuent à sa grandeur sans grand travail et peine... » car « ... depuis Marseille jusques à Paris il n'y a que vingt-deux lieues de (parcours terrestre), scavoir de Lyon à Rouanne treize, de Gien à Montargis neuf[1].

Il serait bon de chercher à quel moment se produisit cette prise de conscience géographique et ce qui l'a favorisée.

I. — Situation et dispositions des organes centraux du gouvernement et de l'administration

Paris fut pour les rois le réduit de la défense du royaume où ils vinrent habiter et placer les organes centraux de leur gouvernement et de leur administration. La situation et les dispositions de ces différents organes sont évidemment parmi les plus importantes conditions de leur fonctionnement et de leur efficacité. Il importe de les préciser autant que possible. De l'île de la Cité, ces organes se développèrent à proximité de la grande croisée de routes qui fit la fortune de Paris, et sur les alluvions facilement recouvertes par les inondations, qui offraient des terrains trop coûteux à utiliser par d'autres que par les rois ou leurs courtisans, mais faciles à défendre, permettant l'établissement de fossés inondables. Nous trouvons donc les forteresses royales d'abord vers l'extrémité ouest de l'île de la Cité, sur une ancienne zone marécageuse, non loin de la grande voie terrestre nord-sud par

1. Claude FAUCHET, *Œuvres*, in-4°, 1610 : *De la ville de Paris et pourquoi les rois l'ont choisie pour capitale.* Opuscule inséré dans la dernière partie du volume.

les rues Saint-Jacques et Saint-Martin, juste sur cette grande voie fluviale ouest-est de la Seine, qu'il fallait parfois interdire. Depuis Robert le Pieux, une autre voie se détacha du Palais et rejoignit la voie d'accès à l'abbaye de Saint-Denis, le saint protecteur de la monarchie comme de la ville de Paris. Cette rue Saint-Denis, prolongée sur la rive gauche par la rue de la Harpe, fut la seconde grande voie nord-sud de Paris. Philippe Auguste fit construire son enceinte sur la rive droite à peu près à la limite des terrains insubmersibles et des terrains submersibles[1]. Et c'est contre cette enceinte, dans les alluvions inondables, qu'il fit édifier sa forteresse du Louvre, dont la tour sud-est, la tour du Coing juste en face de la tour qui devait s'appeler plus tard de Nesle, permettait de tendre une chaîne en travers de la Seine, le cas échéant. C'est vers la limite extérieure des alluvions inondables, suivant l'ancien méandre de la Seine, que Charles V fit élever son enceinte pour envelopper les nouveaux faubourgs[2], et que fut commencée sous son règne et achevée au début de celui de son successeur la forteresse royale de l'Est, la Bastille. C'est entre les deux enceintes, sur les alluvions submersibles, à l'est de Saint-Paul, que s'élevèrent les hôtels royaux, l'hôtel Saint-Pol, de Charles V, et, dans le quartier du Marais, les Tournelles; puis, avec Catherine de Médicis, au-delà de l'enceinte de Charles V, mais toujours dans les terrains submersibles, le Palais des Tuileries. Mais ces forteresses et palais royaux, Bastille, hôtel Saint-Pol, hôtel des Tournelles, Louvre, Tuileries, tous situés près de la Seine, jalonnent aussi, en quelque manière, la grande transversale terrestre de Paris, par les voies qui, dès le XIVe siècle, étaient la rue Saint-Antoine, le cimetière Saint-Jean, la rue des Balais, la rue du Roi-de-Sicile, la rue de la Verrerie, la rue des Lombards, la rue de la Ferronnerie, la rue Saint-Honoré, le grand axe commercial terrestre est-ouest, qui doublait celui de la « rivière »[3].

1. Tracé approximatif de l'enceinte de Philippe Auguste; rive droite : pont des Arts, rue Saint-Honoré, rue Coquillière, rue Montmartre, rue Etienne-Marcel, rue Saint-Martin, rue des Francs-Bourgeois, Mont-de-Piété, rue de Sévigné, église Saint-Paul (qui était hors les murs), Seine; rive gauche : rue des Fossés-Saint-Bernard, rue Soufflot, rue Monsieur-le-Prince, rue de l'Ancienne-Comédie, rue Mazarine, pont des Arts. Cf. Jules VIARD, Paris sous Philippe le Bel, dans *Bull. de la Soc. de l'Hist. de Paris et de l'Ile-de-France*, t. 61, p. 56-71.

2. Tracé approximatif de l'enceinte de Charles V : de la Seine, un peu en amont du pont du Carrousel, vers le nord-est à travers le Palais-Royal et la place des Victoires; elle suivait la rue d'Aboukir jusqu'à la porte Saint-Denis puis les boulevards de la porte Saint-Denis à la Bastille au-delà de laquelle elle atteignait la Seine en suivant un tracé parallèle à celui du canal Saint-Martin qui utilise l'ancien fossé des remparts (boulevards Beaumarchais et Bourdon), elle se terminait sur la Seine par la tour de Billy. Cf. Fernand BOURNON, *La Bastille*, 1893, in-4° (dans : *Hist. génér. de Paris*), p. 3.

3. Roger DION, Le site de Paris dans ses rapports avec le développement de la ville, *Colloques, Cahiers de Civilisation*, Hachette, 1960.

C'est sur ces points que se fixèrent, au fur et à mesure de leur constitution, les grands organes du gouvernement du royaume, la Cour et le Conseil du Roi, les grands organes centraux de justice et d'administration, peu à peu formés, d'abord pour presque tout le royaume, puis, lorsque, à partir du XVe siècle furent créées les cours souveraines provinciales, pour une grande partie de celui-là : Parlement, Chambre des Comptes, Cour des Aides, Grand Conseil, Cours des Monnaies, Eaux et Forêts de France, Connétablie et Maréchaussée de France, Amirauté de France; ensuite les organes de justice et d'administration à ressort régional, le Châtelet, pour la prévôté et vicomté de Paris, la Maîtrise particulière des Eaux et Forêts de l'Ile-de-France, le Grenier à sel de Paris, le bailliage du Palais, la Chambre de l'Arsenal, la juridiction de la Varenne du Louvre; et enfin, considérés comme agents du pouvoir royal, la juridiction de l'Hôtel de Ville et le siège de justice des juges et consuls[1].

1/ *De Philippe Auguste à Philippe le Bel (1180-1285)*

La résidence royale, les services religieux de la royauté, les services civils, un moment la forteresse du Roi, sont rassemblés dans la partie ouest de l'île de la Cité. Dans les pièces où le Roi et les gens dorment et mangent, entre ces actes de la vie privée, les domestiques et les vassaux du Roi viennent procéder aux actes de gouvernement, de justice et d'administration. Philippe Auguste disposait du Palais de la Cité, reconstruit par Robert le Pieux. Le Palais formait un quadrilatère fortifié, de 110 à 135 m de côté, défendu par des tours, dominé par un donjon circulaire, bâti sous Louis VI le Gros sur l'emplacement d'un donjon carré. Cette « Grosse Tour » ronde, qui pris le nom de la tour Montgommery lorsque Catherine de Médicis y fit incarcérer le meurtrier involontaire d'Henri II, devait durer jusqu'à Louis XVI. C'était, au début du règne, la principale forteresse de Philippe Auguste, qui y entreposait des armures, des haumes, des flèches. Le Palais renfermait au rez-de-chaussée la « Salle le Roi », *Aula Regis*, ancien tribunal du prétoire romain, réfectoire et salle de réception. Elle se trouvait là où se dressa plus tard la Grand-Salle du Palais. Entre les repas, s'y tenaient les réunions publiques de la *Curia Regis*, ensemble des palatins et des seigneurs vassaux, qui aidaient le Roi à juger et à administrer. Le Roi disposait à l'ouest, au rez-de-chaussée, d'une « Chambre le

1. Henri SAUVAL, avocat au Parlement, *Hist. et rech. des Antiquités de la ville de Paris*, 1724, in-f°, t. II, livre VIII, p. 391.

Roi » qui était sa salle à manger ordinaire. Au sud-ouest de la « Salle le Roi », il pouvait utiliser, au premier étage, la « Chambre Verte » et l'oratoire du Roi, amorce nord du futur « Logis du Roi », construits par son père Louis VII le Jeune contre l'enceinte ouest du Palais. Mais la vie religieuse des palatins et les grandes cérémonies de l'Eglise se déroulaient surtout à la chapelle Saint-Nicolas, sur l'emplacement actuel de la Sainte-Chapelle. Très vite, avec la construction de l'enceinte fortifiée de Paris depuis 1190 et avec l'érection, avant 1202 de la « Grosse Tour » du Louvre, destinée à couvrir l'enceinte sur la rive droite, le Palais de la Cité perdit de son rôle militaire pour devenir simple résidence. Le Louvre devint la principale forteresse royale à Paris et, dès 1234, artilleurs et fabricants d'armes y sont installés. Depuis Bouvines (1215), lorsque le comte Ferrand y fut incarcéré, jusqu'à Louis XI, la « Grosse Tour » du Louvre fut aussi la grande prison d'Etat et le Trésor de la monarchie.

Saint Louis (1226-1270) agrandit beaucoup le Palais, sans changer son caractère de maison seigneuriale privée utilisée à certains moments pour des actes que nous considérons comme publics. Le Roi fit démolir la chapelle Saint-Nicolas et ériger la Sainte-Chapelle pour abriter la Sainte Couronne d'Epines, cédée par l'empereur de Constantinople Baudouin II (1239), un morceau de la vraie croix et le fer de la Sainte Lance (1240). La Sainte-Chapelle fut consacrée le dimanche de Quasimodo, 26 avril 1248. Avec la possession et la vénération de ces saintes reliques, parmi les plus précieuses de toutes, dans l'enceinte même du Palais, le caractère chrétien d'une monarchie, qui se voulait inspirée par le Saint-Esprit, s'accentuait.

Au nord de la Sainte-Chapelle, un petit édifice en était la réplique exacte, le modèle réduit. Au rez-de-chaussée était la sacristie de la chapelle basse de la Sainte-Chapelle; au premier étage, la sacristie de la chapelle haute; au second, les archives et la bibliothèque du Roi, qui devaient bénéficier de la protection de ce lieu sacré car les édifices religieux étaient inviolables. Ces archives et ce local, nous les connaissons sous le nom de Trésor des Chartes. Là devaient être conservés les droits et les traditions de la monarchie.

A l'ouest du Trésor des Chartes et au nord de la Sainte-Chapelle, saint Louis fit construire une maison de l'Audience du Sceau, pour que le chancelier de France y donnât valeur authentique et force exécutoire aux actes royaux.

Le Roi fit construire une galerie nord-sud, plus tard appelée Galerie mercière, pour faire communiquer facilement sa chambre à coucher, la Chambre Verte, avec la Sainte-Chapelle.

Peut-être est-ce saint Louis qui fit bâtir au nord-ouest et un peu à l'écart du reste du Palais, en bordure de la Seine, la « Salle sur l'Eau » dite au XVe siècle « Salle Saint-Louis », et la tour, qui prit au XVIIe siècle le nom de tour Bonbec.

Saint Louis couchait dans la Chambre Verte ou « Chambre haute ». A son époque, cette pièce était appelée aussi « Chambre du Conseil » et donc le Roi devait y réunir, pour délibérer des affaires du royaume, quelques-uns de ses fidèles. Dans la Salle du Roi, la *Curia Regis* cessa de siéger entre 1256 et 1278. La Salle du Roi, sans cesser d'être un réfectoire, devint une salle d'attente où les plaideurs venaient après que le « commun » de l'Hôtel du Roi eut pris son repas, pour attendre le moment de se présenter dans la salle à manger du Roi, à

... l'ouest de la Salle du Roi, où se réunissaient maintenant des membres de la *Curia Regis*, spécialisés dans la préparation puis le jugement des procès. C'est à eux que l'on appliquait de plus en plus le nom de Parlement, utilisé pour désigner d'abord toute la *Curia*, et la salle à manger du Roi prenait le nom de « Chambre aus plaiz ».

A la mort de Philippe le Hardi, en 1285, la « Grosse Tour » du Palais renfermait probablement la Chambre aux deniers, où était la caisse de l'Hôtel du Roi[1].

Telle était la maison capitale de ce grand seigneur féodal, le Roi de France.

Il semble que nous ne sachions rien sur les locaux où les palatins spécialisés du Parlement et ceux qui, sous le Roi Philippe le Hardi, apparaissent déjà comme plus particulièrement chargés des comptes, renfermaient leurs registres et les pièces des procès et effectuaient leur travail de bureau. Etait-ce dans d'autres pièces du Palais ? Etait-ce dans les demeures privées et les hôtels seigneuriaux qui avoisinaient celui-ci ?

2/ *De Philippe le Bel à Charles V*

Avec Philippe le Bel (1285-1314), l'évolution politique du royaume se précipite. La monarchie prend nettement des caractères d'Etat moderne. La différenciation des organes judiciaires et administratifs issus de la *Curia Regis* s'accentue et se précise. Aussi le Roi transforme profondément et reconstruit le Palais, Philippe le Bel ne conserva presque rien des édifices élevés depuis Robert le Pieux. Il ne resta debout que la Sainte-Chapelle, la Galerie des Merciers, la « Grosse Tour » de Louis VI, les arcades de l'enceinte occidentale, la Chambre

1. Tout ce no 1 d'après J. Guérout, *op. cit.*, I, 1949, p. 57-175.

Verte et l'oratoire du Roi. Le Palais prit la configuration générale qu'il devait garder jusqu'à Louis XVI.

a) *Le Palais.* — Le Palais cessa d'être une forteresse. En 1298, l'enceinte orientale, qui remontait au Bas-Empire, fut rasée pour être remplacée par une nouvelle enceinte, plus à l'est, en expropriant des maisons. Les deux entrées qui devaient subsister jusqu'à Louis XVI furent ouvertes : la « Grande Porte » sur la rue Saint-Barthélemy, avec deux échauguettes, et la « porte Saint-Michel », entre deux tours, sur la rue de la Barillerie. Des maisons furent expropriées, depuis 1312-1313, pour une nouvelle enceinte, le long du futur quai des Orfèvres. Le crénelage des murs devint purement ornemental. Les murs de l'enceinte servirent à porter des galeries au sud et au nord. Ceux de l'est, façades d'hôtels intérieurs, furent percés de fenêtres. A leur pied, dans la rue, des boutiques s'élevèrent dont les magasins furent forés dans la muraille. Le Roi décora richement sa demeure. Dans la Grande Salle, pour les festins, il fit poser à l'ouest la grande « Table de marbre » noir, qu'il rapporta d'Allemagne. Une dalle de marbre noir couronna le nouvel escalier du Palais, le « Perron du beau Roi Philippe ». Philippe le Bel fut un précurseur des constructeurs des châteaux de la Renaissance, même un précurseur de Louis XIV, et le Palais de la Cité peut, à bien des égards, être considéré comme son Versailles[1].

b) *Les appartements royaux.* — Le Roi voulut à la fois agrandir les appartements royaux, les isoler du public et grouper autour d'eux les services judiciaires, administratifs et financiers de la monarchie.

A l'ouest de la Galerie mercière, séparée d'elle par la Cour des Enfants de Chœur, il fit élever, depuis 1308, le « Logis du Roi », dont le mur d'enceinte à arcades de Louis VI devint la façade occidentale. De là, le Roi jouissait d'une admirable perspective vers la boucle de la Seine et les collines de Chaillot. Il pouvait descendre dans son jardin, qui s'étendait jusqu'à l'extrémité de l'île et y contempler les raisins de ses treilles. A la pointe de l'île, à côté de la maison du jardinier, un embarcadère lui permettait de prendre une barque pour gagner, en cas de danger, la forteresse du Louvre. Le Logis du Roi comprenait au nord une tour carrée, puis, au premier étage, la Chambre Verte, devenue simple antichambre, et à l'est de celle-ci, l'oratoire du Roi; au sud de la Chambre Verte, la Chambre du Roi, une chapelle et la « Chambre de Parement » ou d'apparat, dite aussi « Grand-Chambre du Conseil », puis, au sud, une seconde tour carrée ou « Tour

1. Guérout, *op. cit.*, II, 1950, p. 67; III, 1951, p. 40.

de la Librairie ». Au rez-de-chaussée se trouvaient les appartements de la Reine. Lieu de réunion du Conseil, le Logis du Roi était donc le siège du gouvernement.

Le Logis du Roi communiquait avec le reste du Palais par une galerie est-ouest, la « Grande Allée » ou « Grande Galerie », qui s'appela au XVIe siècle l' « allée allant à la Chancellerie », la « Galerie des Libraires », la « Petite Salle des Libraires » et qui prit, sous Louis XIII, le nom de « Galerie des Prisonniers ». De celle-ci, le Roi pouvait aller prendre ses inspirations à la Sainte-Chapelle, où le chef de saint Louis fut déposé en 1306, non loin des reliques de la Passion, par la « Galerie mercière » dans laquelle la Galerie des Prisonniers débouchait à l'est; il pouvait entrer dans la « Grand-Salle » par une porte étroite, à lui réservée; il pouvait se rendre vers la Salle Saint-Louis et la tour Bonbec par une « autre grande allée » sud-nord, qui partait de la Galerie des Prisonniers, à côté de la tour carrée nord du Logis du Roi, qui fut appelée au XVIIIe siècle « Galerie des Peintres » ou des « Peintures » et qui borde à l'ouest, le Pratellum, ou « Grand Préau », devenu ensuite « Préau de la Conciergerie ».

La Galerie mercière s'ouvrait à l'est sur la Cour du Mai par le Grand Perron dit « Perron du beau roi Philippe »; sur la dalle de marbre noir qui le terminait, le premier huissier du Parlement sommait par trois fois, avec sonneries de trompettes, les gentilshommes accusés de crimes ou de félonie d'avoir à comparaître devant la Cour des Pairs. Au pied du perron, le bourreau brûlait les écrits condamnés par le Parlement. Il semble que ce soit sous Philippe le Bel que des merciers installèrent leurs boutiques dans la galerie, pour fournir des articles de luxe aux courtisans, et que ce soit à la fin du XIVe siècle que la galerie prit le nom de « Mercerie ».

Au nord et au sud du Logis du Roi, des locaux nouveaux accueillirent les grands services de la monarchie. Au nord, la Salle du Roi et la Chambre du Roi furent démolies depuis 1299 et remplacées par la Grand-Salle; au rez-de-chaussée, la Grand-Salle basse dite « Salle des gens d'armes », qui servait au repas du « commun » de l'Hôtel du Roi, et au premier étage la Grand-Salle haute, ou Palatium ou « Grand Palais ». Construite entre 1301 et 1315, elle comprenait deux nefs séparées par une épine et huit piliers, et était couverte de combles en forme de carènes renversées. La Grand-Salle servait de salle à manger d'apparat et de salle d'attente pour les plaideurs. A l'ouest, fut posée la Table de marbre noir pour les festins royaux et pour les proclamations. Sous les huit fenêtres du sud furent installées, au moins depuis 1323, des banquettes pour les maîtres des requêtes de l'Hôtel, pour ceux des requêtes du Palais, et pour les notaires et secrétaires du Roi. La Grand-Salle avait son entrée spéciale sur la Cour du Mai, à l'est, par le perron dit plus tard « perron Saint-Barthélemy », et qui fut bordé de boutiques de libraires. Des boutiques de merciers, de lingères, de gantiers s'ouvrirent autour des piliers de la Grand-Salle.

c) *Les organes judiciaires.* — Au nord de la Grand-Salle et vers son extrémité ouest fut construite la « Grand-Chambre » pour les séances du Parlement. Elle communiquait avec la Grand-Salle par une tour ovale, à son angle sud-est, le « Parquet des huissiers ». Dans l'angle nord-ouest de la Grand-Chambre se dressait le « lit de justice » du Roi, sous un dais. Le Roi tenait la droite d'une Crucifixion qui, au mur nord, dominait l'assemblée et le souverain. Au pied du lit de justice était le « parc » ou « parquet », fermé par des barrières et où on entrait par deux porches et deux guichets. Deux longs sièges, les hauts bancs, étaient fixés au mur pour les pairs et conseillers du Roi, au nord, à la gauche du Roi, pour les ecclésiastiques, à l'ouest, à sa droite, pour les laïques. Au-dessous des hauts bancs, il y avait des barrières, puis des sièges mobiles, les « bas sièges » ou « bancs d'en bas » ou « petits bancs ». La clôture du parquet s'appelait le « barreau ». En dehors de la clôture, se trouvaient les bancs des avocats, des procureurs et des parties, qui, ensemble, constituaient le parterre. Les bancs fixes placés contre le « barreau » s'appelaient « premiers bancs » ou « premier barreau ». Le « premier barreau » était à droite du Roi, du côté des laïques; le « deuxième barreau », à gauche, du côté des clercs. Il restait dans la Grand-Chambre un espace libre pour aller au greffe civil et pour les curieux.

La Grand-Chambre fut flanquée au nord de deux tours qui prirent, au début du XVIIe siècle, celle du nord-ouest le nom de tour de César, celle du nord-est celui de tour d'Argent. La tour d'Argent servit de Tournelle civile pour les petits procès; la tour de César, de Tournelle criminelle; ce furent les lieux de réunion des conseillers de la Grand-Chambre choisis, les laïques, pour siéger au criminel, laïques et ecclésiastiques pour siéger au civil dans les petits procès, ceci depuis 1340 au moins.

La Grand-Chambre peut communiquer avec la Salle Saint-Louis et la tour Bonbec par la « Galerie du Bord de l'eau », au nord du Grand Préau.

Au nord de la Grand-Salle et à l'est de la Grand-Chambre, une cour est connue sous les noms de « Cour des Garnisons » ou de « Cour des Magasins ». Autour, au rez-de-chaussée, furent logés des services de l'Hôtel du Roi, cuisines, celliers, offices, etc. A l'est de cette cour, au premier étage furent placés la Chambre des Enquêtes, et, après

1340, au nord de celle-ci, le greffe criminel, transféré là de la Tournelle criminelle.

Le premier étage de la Salle Saint-Louis devint le local habituel des assemblées de prélats français convoqués par le Roi pour discuter de la politique à suivre à l'égard du Saint-Siège.

d) *Les organes financiers.* — Au sud du Logis du Roi, à l'ouest de la cour de la Sainte-Chapelle, séparés des chanoines au sud par la rue de Nazareth, furent édifiés les locaux dans lesquels devait prendre place, au premier étage, la Chambre des Comptes, constituée officiellement et définitivement en 1320, bien placée pour rechercher les droits du Roi ou les concessions royales dans le Trésor des Chartes.

Vers 1312-1313, pour le maître chapelain, devenu trésorier de la Sainte-Chapelle, fut élevée, le long de la rue de la Barillerie, la maison de la Trésorerie. Sous le fils de Philippe le Bel, entre 1314 et 1328, la maison de l'Audience du Sceau fut reconstruite. Vers 1321, entre les deux portes orientales, la Chambre du Trésor fut achevée et, sans doute, la Chambre du Trésor, qui était au Temple, fut-elle transférée au Palais. Au début du règne de Charles IV, en 1324, le Palais pouvait être considéré comme achevé.

Au cours du XIVe siècle, des tribunaux, l'Amirauté de France, la Connétablie, la Juridiction des Eaux et Forêts tinrent leurs audiences à la Table de marbre du Palais. Mais où leurs juges préparaient-ils leurs dossiers et déposaient-ils leurs archives ?

e) *Les réformes de Jean le Bon.* — Jean le Bon, qui affectionnait le Palais de la Cité, et dont la Cour s'accroissait, fit agrandir ses locaux. En 1350, il fit abattre quelques maisons pour faire place au nord-est à la « tour de l'Horloge », aux cuisines dites de Saint-Louis, à la Fruiterie, à la Paneterie, à l'Echansonnerie et au Cellier du Roi. Il fit construire, au-dessus de la Galerie des Prisonniers et de la Galerie mercière, un second étage de galetas. Dans ceux de la Galerie mercière, furent installés les appartements du Dauphin, le futur Charles V. Il y eut peut-être chez Jean le Bon une tendance à séparer davantage les organes de gouvernement et les appartements privés du Roi, car, au-dessus de la Chambre des Comptes, il fit édifier des galetas qui constituèrent un second étage pour les Conseils royaux. Ceux-ci se tinrent d'ailleurs aussi dans la Chambre Verte, antichambre de la Chambre du Roi. Est-ce Jean le Bon qui fit construire un bâtiment perpendiculaire à la Chambre des Comptes, au sud-ouest de celle-ci, et où s'installèrent au rez-de-chaussée, du côté ouest, une Chambre du Trésor ou des comptes particuliers et, du côté de la cour de la Sainte-Chapelle, depuis 1358, la Chambre des Monnaies constituée entre 1344 et 1346 et qui avait siégé d'abord sur la rive droite, à la Monnaie de Paris ? Ces chambres donnaient au sud sur la cour dite, en 1415, « Cour du Puits » et qui bordait la rue de Galilée.

Ainsi le Palais de la Cité, devenu vraiment, depuis Philippe le Bel, édifice d'Etat, renferma les principaux organes de gouvernement, de justice et d'administration, et atteignit son apogée sous Jean le Bon[1].

3/ *De Charles V à la « descente » de Charles VIII en Italie (1364-1494)*

a) *Le Roi et la rive droite.* — Avec Charles V une transformation décisive se produit : le passage de la résidence royale et des organes de gouvernement sur la rive droite, dans la « Ville » commerçante. Depuis l'émeute du 22 février 1358, le massacre de ses conseillers, l'attitude protectrice du prévôt des marchands Etienne Marcel, le Dauphin Charles prit le Palais de la Cité en aversion et le jugea trop exposé à des mouvements populaires. Dès la fin de 1360, il acquit l'hôtel du comte d'Etampes, dans le quartier de Saint-Pol, y transféra la Cour et le Conseil. De nombreux actes de sa chancellerie furent expédiés « en nostre hostel emprès Saint-Pol ». Désormais, bien que Louis XII, François Ier, Henri II aient encore séjourné dans le vieux Palais, celui-ci cesse pratiquement d'être résidence royale et siège du gouvernement. Par contre, avec les conséquences du désastre de Poitiers, la captivité de Jean le Bon, la rançon du Roi, les frais accrus de la guerre contre l'envahisseur, les institutions financières et judiciaires prennent un développement tel qu'elles envahissent les locaux laissés libres par la Cour dans le Palais et que celui-ci devient une véritable cité administrative.

b) *La nouvelle enceinte. La Bastille.* — Charles V fit achever, sans doute à partir de 1368, les nouvelles fortifications de la rive droite, commencées après le désastre de Poitiers en 1356, par décision du prévôt des marchands, Etienne Marcel, et de ses conseillers, une double ligne de fossés derrière lesquels s'élevait un mur flanqué de « bastilles » ou forts carrés dont les plus importants couvraient les entrées, telles la bastille Saint-Denis, la bastille Saint-Martin, la bastille Saint-Antoine. En avant des bastilles, des buttes de terre protégeaient contre le canon et pouvaient porter de l'artillerie : c'étaient les bastillons ou bastions. Le Louvre fut compris à l'intérieur de

1. Le n° 2, d'après Guérout, *op. cit.*, II, 1950, p. 23-204.

cette nouvelle enceinte. Aussi Charles V put commencer à lui faire perdre de ses caractères de forteresse et à le transformer en maison d'habitation. Il exhaussa les ailes, les couronna de terrasses, supprima partie des créneaux sur les courtines, accrut en nombre les logements commodes, construisit un grand escalier dans la cour. Toutefois le Louvre resta un arsenal avec du canon[1]. Est-ce à cette époque qu'après le travail des juristes du XIIIe siècle qui rattachent au donjon la juridiction, c'est-à-dire le pouvoir de commander, se multiplient les hommages et les aveux de fiefs relevant de « notre Grosse Tour du Louvre » et que celui-ci achève de devenir le symbole de la puissance féodale de la royauté ? La nouvelle forteresse de Paris fut commencée le 22 avril 1370, à l'est, d'où le Roi considérait alors que devait venir le principal danger; ce fut la Bastille, par excellence, qui fut terminée après la mort de Charles V en 1382. Dressant ses huit tours à côté de la porte Saint-Antoine, mais ayant ses propres entrées vers la ville et vers la campagne, elle fut à la fois un fort et un arsenal, où se trouvaient canons, poudres, piques, « hallebardes et austres bastons »[2].

c) *L'hôtel Saint-Pol et le gouvernement.* — Malgré ses aménagements, ce ne fut pas le Louvre qui devint la principale résidence royale et le siège du gouvernement. Charles V installa la Cour à l'hôtel Saint-Pol, dans la partie est de Paris, entre l'enceinte de Philippe Auguste et la nouvelle enceinte, entre l'église Saint-Paul et la Bastille, entre la rue Saint-Antoine et la Seine, dans un endroit où de nombreux espaces libres lui permettaient de satisfaire son goût pour les eaux courantes, la verdure et les fleurs, lieu commode pour gagner, en cas de soulèvement des Parisiens, les forteresses royales, le Louvre par la Seine, la Bastille, et, par la Bastille, Vincennes, château et parc royal depuis Louis VII le jeune, à côté du domaine de Beauté, et où Charles V fit achever, et précéder de fossés et de remparts, de 1361 à 1373, le donjon et les neuf tours reliées par des murailles commencées par Philippe VI de Valois en 1333. Vincennes était une grande place d'armes pouvant renfermer de nombreuses troupes pour agir contre Paris[3]. Charles V composa l'hôtel Saint-Pol depuis 1360 par l'acquisition d'une série d'hôtels, maisons et terrains. Ce que l'on appela l'Hôtel fut donc un ensemble d'édifices, de galeries formant cloîtres autour de préaux, de galeries à l'étage, tout cela décoré de peintures;

1. Adolphe Berty, *Topographie historique du vieux Paris*. I, *Région du Louvre et des Tuileries*, Paris, 1885, in-4° (dans *Hist. génér. de Paris*), p. 123-125.
2. G. Bournon, *La Bastille*, *op. cit.*, p. 3-12.
3. Ernest Lemarchand, *Le château royal de Vincennes de son origine à nos jours*, Paris, 1907, in-8°, 326 p.; p. 14-21.

une succession de jardins, de cours, plantés de vignes, de cerisiers, de poiriers, de pommiers, de pruniers, de rosiers, que rappellent encore les noms de la rue de la Cerisaie et de la rue Beautreillis, semés de fraîches fontaines jaillissantes. Le Roi y eut volières, ménagerie, aquarium. Il put y jouer à la paume, y écouter des concerts et y voir des représentations théâtrales. Il y habita plus qu'au Louvre et à Vincennes. Il s'y plut tant qu'on ne le vit guère au Palais de la Cité qu'en 1364 après son sacre, pour les cérémonies et fêtes de son avènement, et en 1378, pour recevoir l'empereur Charles VI; tant que, par ordonnance de juillet 1364, « ahans audict ostel amour, plaisance et singulière affection », il le rattacha au domaine inaliénable du royaume et couronne de France. Charles VI suivit son exemple et n'alla guère au Louvre qu'en cas d'émeute. La plupart des enfants de ces rois naquirent à l'hôtel Saint-Pol.

L'hôtel Saint-Pol, résidence de la Cour, devint siège du gouvernement. Charles V, Charles VI y tinrent leurs Conseils et y réunirent les Grands Conseils élargis jusqu'à deux cents personnes pour les décisions graves. Contiguë à la salle basse où dînait Charles V et peut-être à la Grande Chambre de parade, dite la « Chambre de Charlemagne », se trouvait la « Chambre du Conseil », longue de huit toises quatre pieds, large de quatre toises quatre pieds, environ seize mètres sur huit, belle salle où pouvaient travailler les Conseils importants. Toutefois, au début du XVe siècle, sans doute à cause de l'état mental du Roi, le chancelier tint fréquemment des séances du Conseil de gouvernement, le Grand Conseil ou Conseil étroit, dans la Chambre Verte, au Palais de la Cité. La Chancellerie royale se divisa en deux services : la Grande Chancellerie, avec les sceaux du Roi et de son Conseil, qui suivit le Roi dans ses résidences, et la Chancellerie du Palais de la Cité qui scellait les actes et les arrêts du Parlement. Mais peut-être, à partir du milieu du XVe siècle, la Grande Chancellerie se trouva-t-elle au premier étage du Logis du Roi, dans le Palais de la Cité[1]. En outre, il y eut, à Saint-Pol, une chambre spéciale pour les requêtes, dite « Chambre des requestes de Saint-Pol »[2].

d) *Les Tournelles.* — Charles VI mourut à l'hôtel Saint-Pol le 21 octobre 1422. Après lui, les rois de France n'y vinrent loger que rarement. La vogue passa à l'hôtel des Tournelles. C'était à

1. GUÉROUT, *op. cit.*, II, p. 95, n. 7. Emile CLAIRIN, *Le Palais de Justice*, 1928, manus crit déposé à la Bibliothèque Hist. de Paris, I, p. 12.

2. Fernand BOURNON, L'hôtel royal de Saint-Pol à Paris, dans *Mém. de la Soc. de l'Hist. de Paris et de l'Ile-de-France*, VI, 1880, p. 54-179.

l'origine une maison qu'en 1388, sous Charles VI, Pierre d'Orgemont, chancelier de France, fit construire à l'emplacement de ce qui devait être le côté nord de la place Royale. Les jardins étaient entourés d'un mur flanqué d'un grand nombre de petites tours, d'où le nom d'hôtel des Tournelles. Une série de ventes fit passer l'hôtel à Louis d'Orléans, frère de Charles VI. Lorsque Louis fut assassiné sur l'ordre de Jean sans Peur, en 1407, l'hôtel revint à la couronne. Il fut rebâti, agrandi, et devint la « Maison Royale » des Tournelles. Le duc de Bedford, régent de France pour le compte du Roi d'Angleterre, acheva de l'aménager et de l'embellir. Il devint ensuite la demeure préférée de Charles VII, quelquefois celle de Louis XI, habituellement celle de Charles VIII, quand ces rois étaient à Paris. Il était situé entre le mur d'enceinte de Charles V (boulevard Beaumarchais), la rue Saint-Claude, au nord, la rue de l'Egout (rue de Turenne), à l'ouest la rue Saint-Antoine sur laquelle donnait l'entrée. C'était un ensemble de plusieurs demeures distinctes, de chapelles, de galeries, de parcs, de jardins, de petits bois, de prés, que rappelle la rue du Foin[1]. Louis XI, à Paris, résidait le plus souvent à l' « Hôtel Neuf de la Conciergerie du Chastel Saint-Antoine », demeure du capitaine de la Bastille, à l'extrémité de la rue Saint-Antoine, en face de la forteresse[2].

e) *Le Palais, cité administrative.* — Dans le Palais de la Cité, devenu cité administrative, petit monde clos, avec ses rues et ses places, les services de justice et d'administration s'étendirent, proliférèrent, et envahirent les locaux laissés libres par les services domestiques de l'Hôtel du Roi. La plus grande partie du rez-de-chaussée du Palais fut assez vite convertie en prisons, dépendant du concierge. Depuis 1381, l'entrée des prisons de la Conciergerie, avec la geôle, se trouve dans la Cour du Mai, dans une tour carrée accolée à la Galerie mercière, au nord des « grands degrés » du « Perron du beau Roi Philippe », l'entrée au rez-de-chaussée, la geôle à l'entresol. Seul, semble-t-il, le rez-de-chaussée du Palais sous la Grand-Salle ne fut pas occupé par des cachots mais envahi par des tavernes et des cabarets. Mais, peut-être, le tribunal du bailliage du Palais s'y est-il maintenu en même temps[3]. La Grosse Tour fut affectée, depuis 1381,

1. Jacques Hillairet, *Evocation du Vieux Paris*, 2e éd., 1952, in-8°, 678 p.; p. 70-71.
2. F. Bournon, *op. cit.*, p. 12.
3. E. Clairin, I, p. 281 et suiv. Le bailli du Palais était juge au criminel, au civil et au commercial sur toutes contestations survenues à propos des contrats et des marchés qui pouvaient se conclure dans le Palais. Il était chargé de la police et de la réglementation des boutiques, en percevait les loyers, les censives et les droits en nature; il gardait les clefs de toutes les portes. Assisté vers 1600 d'un greffier, de deux huissiers et d'un procureur du Roi, il disposait de prisons et de ceps (Clairin, I, p. 327).

au logement des prisonniers de marque. Le Grand Préau servit, après le xive siècle, de jardin aux prisonniers de la Conciergerie.

Le Parlement installa ses services partout où il put trouver de la place autour de la Grand-Chambre et de la Grand-Salle. Depuis 1378, la tour carrée sud du Logis du Roi devint, au premier étage, siège de la Chancellerie du Palais. Les notaires et secrétaires de celle-ci disposaient aussi de l'ancienne maison de l'Audience du Sceau, au nord de la Sainte-Chapelle, appelée au xviie siècle le « Contrôle de la Chancellerie ». Depuis le début du xve siècle, au moins, le Parlement utilisa la Chambre Verte comme salle de son Conseil, comme salle de réception, comme salle de ses commissions. Le premier étage de la tour carrée nord servit pour les prisonniers de marque, comme Commynes en 1487. Tout le rez-de-chaussée du Logis du Roi était devenu prisons de la Conciergerie[1]. Peut-être, après le milieu du xve siècle, la Grande Chancellerie y logea-t-elle, au premier étage.

Tout à fait au nord-est du Palais, les locaux de l'Echansonnerie semblent avoir été partagés, depuis 1370, entre le Collège des notaires et secrétaires du Roi, qui purent y travailler et y recevoir, et les maîtres des requêtes de l'Hôtel du Roi, qui y furent transférés de la Grand-Salle. A l'ouest de l'Echansonnerie, la Paneterie servit à installer une seconde chambre des Enquêtes, à côté et à l'est du greffe. Peu après 1360, les Requêtes du Palais reçurent une salle spéciale, au second étage de la Galerie des Prisonniers, dans les galetas construits sous Jean le Bon, et quittèrent la Grand-Salle.

La juridiction temporaire des enquêteurs réformateurs, instituée en 1357, occupa la Salle sur l'Eau, qui prit le nom de Chambre de la Réformation avant de devenir Salle Saint-Louis au début du xve siècle. Le greffe des enquêteurs-réformateurs, dirigé par un notaire du Roi, fut installé dans la tour Bonbec, appelée Tournelle de la Réformation.

La Chambre des Comptes semble s'être développée. Dans un bâtiment sur la cour de la Sainte-Chapelle, elle continua d'avoir, au premier étage, son Grand et son Petit Bureau. Mais nous trouvons, au rez-de-chaussée, ses douze clercs dans les locaux appelés Chambre de France et Chambre de Normandie, puis, au début du xve siècle, par deux, dans quatre chambres portant les noms des régions dont provenaient les comptes à examiner et deux chambres réservées aux comptes spéciaux. Avant 1375, deux sortes d'entresols avaient été ajoutés sous les voûtes des deux premières chambres et formaient la Chambre haute de France et la Petite Chambre de Normandie. Peut-être construisit-on, entre 1389 et 1400, une Chambre des Séné-

1. E. Clairin, *op. cit.*, p. 11-15.

chaussées, le long de la rue de Galilée, pour les comptes provenant des sénéchaussées languedociennes[1] ?

Un des faits institutionnels les plus importants, c'est l'essor des « finances extraordinaires », les « aides », impôts directs (« fouages », « tailles ») et taxes indirectes (quatrièmes, huitièmes, douzièmes, vingtièmes, sur les ventes des marchandises, gabelle du sel, douanes ou traites et impositions foraines). Un important contentieux fiscal en résulta et, dès 1370, les « généraux sur la justice des Aides » commencèrent à se séparer des « généraux sur la finance ». La Cour des Aides occupa d'abord en 1370 une chambre louée au prieuré Saint-Eloi. En 1390, elle s'installa au Palais de la Cité, dans une tour située au coin du bâtiment perpendiculaire sur celui de la Chambre des Comptes, dans lequel se trouvait la Chambre des Monnaies, à côté de la maison des Enfants de Chœur de la Sainte-Chapelle, sur la future Cour du Puits. Au rez-de-chaussée, la Chambre basse était sa salle des Audiences; au premier, la Chambre haute, sa salle du Conseil, avec un cabinet pour le procureur du Roi; au second, ses archives et son greffe. Mais ces locaux étaient trop petits et la Cour était loin de la Grand-Salle, les procureurs et les avocats devaient courir le long de la Galerie mercière et à travers la cour de la Sainte-Chapelle. Aussi Louis XI autorisa, en 1477, le transfert de ses généraux et conseillers sur la Justice des Aides dans les galetas au-dessus de la Galerie des Merciers, les anciens appartements du Dauphin. Le 13 novembre 1478, la première plaidoirie fut prononcée dans le nouvel auditoire. Un escalier fit communiquer la Cour des Aides avec la Grand-Salle[2].

La Chambre du Trésor, contemporaine de la Cour des Aides, fut logée entre la Cour du Mai et la rue de la Barillerie, entre la porte Saint-Michel au sud et les écuries de la VIe chanoinie tenant à la Grand-Porte au nord. La tour nord de la porte Saint-Michel était tour du Trésor, où étaient gardés les revenus du Domaine et recettes ordinaires du Roi. Dans l'hôtel, au nord de la tour, les trésoriers de France avaient auditoire et Chambre du Conseil. Une pièce leur était réservée pour leurs archives dans le bâtiment de la Chambre des Monnaies[3].

Le tribunal de l'Election de Paris, « l'auditoire des Elus », d'abord

1. J. Guérout, *op. cit.*, III, 1951, p. 27.
2. G. Dupont-Ferrier, L'origine et l'emplacement de la Cour des Aides aux xive et xve siècles, dans *Bull. de la Soc. de l'Hist. de Paris et de l'Ile-de-France*, 1931, t. 58, p. 10 et suiv. Les audiences et les séances du Conseil à la Cour des Aides de Paris, des origines à 1483, *ibid.*, 1933, t. 60, p. 10-16.
3. J. Guérout, *op. cit.*, II, p. 178.

rue Saint-Denis, fut établi depuis 1409 dans un bâtiment situé, semble-t-il, à l'est de la Galerie mercière, au sud du « Perron du beau Roi Philippe », au nord de la Sainte-Chapelle, séparé de la Galerie mercière par une cour étroite. Jean Guérout semble penser que l'Election était déjà au rez-de-chaussée de la Galerie mercière[1].

A l'ouest, dans le jardin du Roi, sensiblement dans l'axe du bâtiment de la Chambre des Monnaies, Charles V fit restaurer et agrandir l'hôtel du Bailliage, qui devait avoir de hautes destinées.

L'on peut rattacher à la cité administrative, bien qu'il soit situé sur la rive droite, au-delà du pont au Change et de l'église Saint-Leufroi, le Grand Châtelet de Paris et ses prisons, rebâti par les soins du prévôt de Paris, Aubriot, sous le règne de Charles V, abritant le tribunal de la prévôté et vicomté de l'Ile-de-France, véritable bailliage, dit familièrement le Châtelet.

En 1387, fut construit, semble-t-il, l'Hôtel des Monnaies, pour la frappe, sur l'emplacement de la rue Boucher et de la Samaritaine actuelle, avec une entrée principale rue de la Monnaie et une secondaire rue Thibautadé. Il devait y rester jusqu'en 1774. A la fin du XIVe siècle, on frappait monnaie dans vingt autres établissements dans Paris.

L'on voit foisonner autour des palais royaux les grands hôtels de courtisans et d'officiers. Néanmoins, l'on est mal renseigné sur le nombre exact et sur les personnes de ceux qui avaient ainsi un pied-à-terre ou une résidence principale auprès du Roi; sur l'influence exercée par les palais royaux sur la formation, le développement, le genre de vie des quartiers voisins; sur la vie de ces palais et particulièrement sur la vie économique et sociale du Palais de la Cité.

4/ *De Charles VIII à l'échec de la Fronde (1494-1653)*

a) *Rempart et Arsenal.* — Au XVIe siècle et dans la première moitié du XVIIe siècle au cours de la lutte contre la Maison d'Autriche, la capitale est plus que jamais la tête de la défense du royaume. Un effort considérable fut nécessaire pour dresser, en avant de l'enceinte de Charles V, un rempart bastionné à l'épreuve de l'artillerie moderne. Dès les années 1523-1526, sous François Ier, des travaux furent entrepris. L'arsenal du Louvre, avec sa fonderie de canons à l'ouest du quadrilatère, se révélait insuffisant. Dès 1512, au moment des préparatifs de guerre contre les Anglais, Louis XII ordonnait au corps de ville de Paris de faire refondre ses mauvais canons et le

1. J. GUÉROUT, *op. cit.*, II, p. 90.

Bureau de ville faisait construire une « grange de l'artillerie » sur des terrains appartenant au couvent des Célestins, entre l'hôtel Saint-Pol et le rempart, dans un endroit commode pour amener par la Seine et le port Saint-Paul les matériaux, cuivre, fer, étain, nécessaires à la fonte. Une seconde « grange » était élevée avant 1533. Cette année-ci, préparant la guerre contre Charles Quint, qui éclata en 1536, François Ier emprunta les deux « granges » à la ville et ne les rendit jamais. Il y fit fondre ses canons, fabriquer ses poudres. Les « granges » et leurs dépendances couvrirent presque tout le terrain occupé plus tard par l'Arsenal. Lorsque 200 caques de poudre, frappées par la foudre, eurent fait sauter la tour de Billy, la tour terminant l'enceinte de Charles V sur la Seine à l'est, le 19 juillet 1538, la fabrique et le magasin des poudres furent transférés près de la Bastille, à l'emplacement du futur Petit-Arsenal. Henri II acquit définitivement les « granges » de la ville et les terrains des Célestins, en 1547 et 1550. Il y fit construire plusieurs grandes halles pour servir à la fonte, aux forges, et des magasins, des logements pour le personnel et le grand maître de l'Artillerie de France du Louvre à l'Arsenal[1].

C'est Henri II qui, profitant de l'invasion et de la panique, obtint de la ville de Paris la réfection presque totale de l'enceinte au nord de la Seine. De 1553 à 1560, l'effort fut porté surtout à l'est entre la Seine et la porte du Temple, car l'on attendait l'ennemi par là. La première pierre fut posée le 11 août 1553, à l'endroit où la Seine pénétrait dans le fossé à l'emplacement de la tour de Billy; les travaux furent dirigés par l'ingénieur Baptiste Porsel. Le double fossé de Charles V fut converti en un simple fossé à fond de cuve. Les remparts de terre furent maçonnés et flanqués de nombreux bastions. Un nouveau fossé fut creusé en avant de celui de la Bastille, dont la basse-cour devint un nouveau bastion, la « pointe de la Bastille », terminée sans doute en 1557 et qui croisa ses feux avec un énorme bastion dressé au nord de la porte Saint-Antoine[2].

Le nouveau rempart, « les nouveaux boulevards », fut poursuivi ensuite. En 1566, il englobait une partie du jardin des Tuileries, mais laissait en dehors de l'enceinte l'emplacement du Palais. Il fut terminé sous Louis XIII par Pidoux et Froger (1631-1634) et poussé plus à l'ouest, de façon à couvrir le faubourg Montmartre et le palais des Tuileries[3].

L'Arsenal fut terminé par Sully, qui fit notamment construire

1. Paul Lecestre, Notice sur l'Arsenal royal de Paris jusqu'à la mort de Henri IV dans *Mém. Soc. Hist. Paris et Ile-de-France*, t. 42, 1915, p. 185-215.
2. F. Bournon, *La Bastille*, *op. cit.*, p. 13-22.
3. A. Berty, *op. cit.*, p. 318.

et aménager l'hôtel du Grand-Maître de l'Artillerie, les deux grandes allées en terrasse le long du fossé à l'est et le long de la Seine au sud, cette dernière allée appelée le « mail de l'Arsenal », améliorer les accès au port Saint-Paul et les voies unissant le Grand et le Petit-Arsenal. L'Arsenal devait rester à peu près dans l'état où le mit Sully jusqu'aux travaux de Germain Boffrand, depuis 1715[1]. Là était la force du Roi; en 1611, 86 pièces de canon, 7 000 piques, 3 000 arquebuses, 1 500 mousquets, 3 000 corselets, etc., sans compter ce qu'on en avait tiré l'année d'avant pour l'armée de Champagne.

b) *Le Louvre, palais royal.* — Les fortifications de Paris achevèrent de faire perdre aux palais royaux tout caractère militaire; en même temps la résidence royale se déplaça progressivement de l'est vers l'ouest. L'hôtel Saint-Pol fut cédé par morceaux et finalement loti par François Ier et par Henri II. Aujourd'hui, il n'en reste rien[2]. Louis XII mourut aux Tournelles. François Ier et Henri II y séjournèrent encore et Henri II y décéda après le coup de lance de Montgommery. Après la mort de son mari, Catherine de Médicis prit ce séjour en horreur, transféra la Cour au Louvre et fit démolir entièrement les Tournelles de 1563 à 1568. A la place, se tint un marché aux chevaux. Henri IV décida de transformer la place du marché en place royale.

Louis XII habita, les dernières années de sa vie, l'hôtel du Bailliage agrandi et embelli par Charles VIII, dans le Palais de la Cité; François Ier et Henri II s'y plurent aussi. Mais François Ier résolut, en 1527, de transférer sa Cour dans un Louvre décidément transformé de forteresse en palais de la Renaissance. Il ne put que commencer. Il fit démolir la « Grosse Tour » du Louvre en 1531, construire un quai sur la Seine, des combles, rajeunir le vieux fort, enlever les canons entreposés dans les salles basses et, par lettres d'août 1546, confia l'édification d'un corps d'hôtel nouveau à Pierre Lescot. Mais les travaux ne commencèrent qu'après sa mort, survenue le 31 mars 1547. Pendant son règne les appartements royaux restèrent dans l'aile sud du quadrilatère, le Roi au premier, les Reines au rez-de-chaussée. Le Conseil de gouvernement, ou Conseil des Affaires, se tenait dans la chambre du Roi. Le Conseil judiciaire, ou Conseil privé, probablement dans l'aile occidentale, où il y avait une « salle du Conseil », de six toises sur cinq, neuf à onze mètres environ, avec une garde-robe et une chapelle.

Sous Henri II, Pierre Lescot fit tomber et réédifia l'aile occiden-

1. P. Lecestre, *op. cit.*, p. 215-281.
2. F. Fournon, L'hôtel royal de Saint-Pol, *op. cit.*, p. 26 et suiv.

tale, termina le premier avant-corps de l'aile méridionale et le grand pavillon d'angle. L'aile méridionale fut achevée progressivement sous Charles IX, Henri III et Henri IV. Mais les nouveaux bâtiments étaient sans défense contre les Parisiens. Depuis 1566, furent édifiées la Petite Galerie puis la Grande Galerie pour aller hors de Paris, du Louvre aux Tuileries, dont Catherine de Médicis fit commencer les travaux par Philibert de L'Orme, en 1566. Henri IV acheva la Grande Galerie et le pavillon de Flore en 1608. La Grande Galerie traversait l'enceinte de Charles V. Le Roi avait ainsi un moyen commode de sortir de Paris, en cas de soulèvement des Parisiens[1].

Sous Louis XIII, au nord et à l'est, le vieux Louvre était toujours debout. Dans ces « vieils corps d'hôtel », il y avait des salles de commission, la salle des adjudications des fermes et offices royaux; les offices de Cour, les services de l'Hôtel. Depuis 1624, Louis XIII fit démolir l'aile nord et l'escalier à vis de Charles V. Il décida de porter le Louvre aux dimensions actuelles qu'ont les bâtiments autour de la Cour carrée. L'architecte Lemercier construisit alors le pavillon de l'Horloge, une nouvelle aile nord-ouest qui, à la mort de Louis XIII, n'avait encore ni portes ni fenêtres, les fondations et une partie du premier étage de la nouvelle aile nord.

Le Roi a un caractère mystique. Oint de Dieu, c'est un thaumaturge qui guérit, par attouchement, les écrouelles. Chaque année, des milliers de malades, non seulement de toutes les provinces de France, mais de toute l'Europe et même de chez les ennemis du royaume, le Saint-Empire, l'Espagne, accouraient pour se faire toucher aux grandes fêtes. C'était dans la Grande Galerie du Louvre que le Roi agissait ainsi comme lieutenant de Dieu, passait devant les malades à genoux et traçait sur la figure de chacun un signe de croix en prononçant la formule : « Le Roi te touche, Dieu te guérisse. » Chaque fois il y avait des guérisons, médicalement constatées.

« Le Roi n'est pas pur lai. » Le Roi est sacré. Sous Henri IV et Louis XIII, la chambre du Roi, la chambre de parade, au premier étage du grand pavillon du sud-ouest[2], est un temple. Sur le seuil de la chambre, même vide, les visiteurs se découvrent, font une grande révérence et restent tête nue; ils parlent bas; ils font une révérence chaque fois qu'ils passent devant le grand lit de parade et jamais ne touchent le balustre doré qui défend l'approche du lit sous peine de profaner la majesté royale.

1. A. Berty, *op. cit.*, I, p. 203-256; II, p. 6 et suiv.
2. Aujourd'hui masqué par les constructions de Levau. Les dispositions intérieures ont d'ailleurs été changées et il n'en reste plus guère que la salle dite des Sept-Cheminées, dans le musée au premier étage.

Le Roi peut tenir son Conseil de gouvernement, Conseil des Affaires, Conseil d'En-Haut, et, plus restreint, son Conseil de cabinet, là où il est, par exemple dans sa petite chambre à coucher, au premier, à côté de la chambre de parade. Mais il dispose d'une salle de Conseil au rez-de-chaussée du grand pavillon d'angle, sous la chambre de parade. Une autre salle existe, dans la nouvelle aile ouest, près de l'escalier Henri II, pour les Conseils de justice et d'administration, Conseil d'Etat et des finances, Conseil privé ou des parties.

Le Roi utilise les courtisans et surtout le personnel de la Maison du Roi pour des missions de gouvernement et d'administration. Le Louvre est trop petit pour tout ce monde qui loge au dehors, vient prendre son service le matin et se retire le soir[1].

Ainsi, le long de la grande transversale est-ouest de Paris s'est complété depuis Charles VIII un grand « axe royal » jalonné par la Bastille, l'Arsenal, l'Hôtel de Ville, le Châtelet, la Monnaie, le Grenier à sel, le Grand Conseil, le Louvre et les Tuileries. L'influence de cet « axe royal » sur le peuplement, la topographie, l'aspect et l'activité des quartiers qu'il traversait est insuffisamment étudiée.

c) *Les développements du Palais.* — Les grands organes de justice et d'administration continuent à se développer et à se différencier dans le Palais de la Cité ou sur les parties de l' « axe royal » situées à proximité. Les créations d'offices nécessitées par les grandes guerres en sont souvent la cause, mais aussi le caractère de plus en plus administratif de la monarchie absolue.

Le Grand Conseil, tribunal, cour suprême, détaché du Conseil de gouvernement appelé Grand Conseil, dès 1483 au moins, et créé officiellement par ordonnance du 2 août 1497, est logé sous Louis XIII, en 1637, sur l' « axe royal », dans le quartier Saint-Germain-l'Auxerrois. Le « Rôle des taxes imposées sus pour le nettoiement des rues » indique rue des Fossés commençant à l'Arche-Bourbon, après le quai de l'Ecole, en venant du Grand Châtelet, la septième maison, « l'Hôtel du Grand Conseil, non taxé »[2]. J'ignore à quel moment il s'est installé là.

Louis XII, qui affectionnait le Palais de la Cité, y fit de grands travaux. Depuis 1464, la Grand-Chambre de Philippe le Bel tombait en ruines et le Parlement siégeait à la Chambre Saint-Louis. Louis XII

1. Voir Louis Batiffol, *Le Louvre sous Henri IV et Louis XIII*, Paris, 1930, in-16, 232 p., coll. « Châteaux, décor de l'histoire », et sur le rôle de la Cour et de la Maison du Roi, Roland Mousnier, *Paris au XVIIe siècle*, cours multigraphié, « Les Cours de Sorbonne », Centre de Doc. Universitaire, I, p. 46-61.

2. Bibl. Nat., ms. fr. 18789, f° 8 v°.

restaura somptueusement la Grand-Chambre, qui prit le nom de « Chambre Dorée », et y fit construire deux lanternes pour les visiteurs. Le Roi fit également rebâtir et agrandir la Chambre des Comptes[1].

Au XVIe siècle nous trouvons le Parquet des gens du Roi du Parlement (procureur général, deux avocats généraux) à l'ouest de la Grand-Salle, contre celle-ci et ouvrant sur elle, juché sur des sortes de contreforts ou de pilotis au-dessus du préau de la Conciergerie. L'on ignore à quel moment les chambres de ce Parquet ont été édifiées.

A côté et au sud du Parquet des gens du Roi, dans un local édifié comme celui du Parquet, se trouve la première Chambre des Requêtes. La deuxième des Requêtes est dans les galetas au-dessus de la Galerie des Prisonniers. Or, il semble que ce soit peu après 1360 que la seule Chambre des Requêtes qui existât alors ait été installée dans cette galerie. Nous ignorons à quel moment s'est faite la répartition existant au XVIe siècle.

François Ier utilisa la tour nord du Logis du Roi pour loger, de 1527 à 1540 et au-delà, ses fameuses « commissions » sur le fait des finances. Sous François Ier et Henri II, la Chambre Saint-Louis servait pour les hommages féodaux. Elle fut aussi employée pour des réceptions, par exemple, en 1527, celle des envoyés d'Henri VIII, et pour des assemblées, comme, en 1558, l'Assemblée des Notables d'Henri II. Mais elle fut utilisée surtout par la deuxième Tournelle criminelle, depuis 1534, la première étant venue loger dans la tour Bonbec, à une date indéterminée.

Au nord de la Grand-Salle, à l'est de la Cour des Magasins et de la première des Enquêtes, au premier étage, François Ier fit installer la Chambre du Domaine qu'il institua en 1543, et son dépôt d'archives. Au nord de la Chambre du Domaine, on trouve la deuxième des Enquêtes créée à la fin du XIVe siècle. Tout à fait à l'est, sur la rue Saint-Barthélemy, à la fin du XVIe siècle, la Chambre de la Marée ; depuis combien de temps ? François Ier, en 1521, fonda une troisième Chambre des Enquêtes qui siégea au deuxième étage. Au second, à l'est de la Cour des Magasins, nous trouvons donc le dépôt du greffe des Enquêtes, puis la troisième des Enquêtes et à l'est, sur la rue Saint-Barthélemy, les Requêtes de l'hôtel. Toutes ces juridictions ont salle d'audience, salle de conseil, cabinet du président, dépôt d'archives[2].

1. Emile CLAIRIN, *Le Palais de Justice*, 1928, ouvr. man. déposé à la Bibl. de la ville de Paris, I, p. 164 *bis* et 492 *bis*.
2. CLAIRIN, *op. cit.*, I, p. 52-72, 303-305.

La tour d'Argent renfermait, semble-t-il, à l'étage, le cabinet du premier président du Parlement, aux étages supérieurs, la Tournelle civile, la tour de César, le greffe civil.

Henri II fit construire un dépôt d'archives pour la Chambre des Comptes, et la Cour des Monnaies, le long de la rue de Jérusalem, à l'ouest de la Ire chanoinie. Il fit édifier un couloir le long de la rue de Nazareth et un arc par-dessus cette rue pour y accéder. Il érigea la Cour des Monnaies en Cour souveraine et le transfert des archives dans le nouveau dépôt permit de faire passer en 1560 la Cour des Monnaies du rez-de-chaussée au second étage du bâtiment de la Chambre des Comptes[1].

Henri II édifia un escalier monumental pour accéder de la Grand-Salle à la Cour des Aides. Il créa une seconde Chambre des Aides. Il fallut donc bâtir sous Charles IX un pavillon dans la Cour des Enfants de Chœur, contre la Galerie des Merciers, à l'ouest-sud-ouest de celle-ci[2]. La première des Aides y alla, semble-t-il, et la seconde prit sa place au-dessus de la Galerie mercière. Depuis Henri III les changeurs prirent l'habitude de se réunir dans la Cour du Mai, au nord du « Perron du beau Roi Philippe »[3]. Depuis la constitution des Bureaux des trésoriers de France et généraux des Finances, le Bureau des Finances de Paris siégea dans la tour et l'hôtel au nord de la porte Saint-Michel. L'on trouve à l'est de la Grand-Salle une chambre des procureurs, le tribunal du Bailliage, une chambre des consultations pour les avocats, tous peut-être établis là après Louis XII. Henri IV, par l'édit de Nantes, avait créé une Chambre de l'Edit. Elle fut installée provisoirement dans la tour carrée nord du Logis du Roi et dans la Chambre Verte. Depuis 1600, le Roi lui fit construire une chambre spéciale contre la Chambre Saint-Louis, et au sud de celle-ci, avec un accès par la Galerie des Peintures[4].

Henri IV, à cause de la construction du Pont-Neuf et du percement de la rue Dauphine, décida la création des quais qui devaient devenir le quai des Orfèvres et le quai de l'Horloge. Il concéda en 1607 au président de Harlay, dans le Jardin du Roi, 3 120 toises 1/2 moyennant un léger cens annuel et à charge de faire bâtir des maisons suivant plans imposés. Ainsi naquirent la place Dauphine et la rue de Harlay, terminées en 1613[5].

L'hôtel du bailliage était devenu en fait depuis 1587, avec de

1. Clairin, *op. cit.*, I, p. 492 *bis*-494, 517 et suiv.
2. *Ibid.*, I, p. 39-40.
3. *Ibid.*, I, p. 377.
4. *Ibid.*, I, p. 52-56.
5. *Ibid.*, I, p. 557.

Harlay, le logement du premier président du Parlement. L'édit de juin 1617 en fit officiellement l'hôtel de la première Présidence. Il le reste jusqu'en 1789, avant de devenir mairie de Paris sous la Révolution puis préfecture de Police, jusqu'à sa démolition en 1860. Le premier président de Verdun fit construire une galerie entre la Chambre des Comptes et la VIIIe chanoinie pour accéder à la Galerie mercière et au Parlement[1].

L'incendie du 7 mars 1618 détruisit la Grand-Salle, le Parquet des huissiers, la première des Enquêtes, la Chambre du Domaine, les Requêtes de l'Hôtel. Salomon de Brosses reconstruisit la Grand-Salle en remplaçant les charpentes par des voûtes de pierre (1622). Les autres chambres furent aussi rebâties. Mais il résulta de l'incendie des modifications profondes et durables dans la répartition des juridictions. La Table de marbre noir avait été réduite en morceaux. Les Eaux et Forêts allèrent siéger dans la chambre de la première des Requêtes. Celles-ci rejoignirent la deuxième au-dessus de la Galerie des Prisonniers. La Connétablie, qui devint, en 1627, le Tribunal des Maréchaux de France, s'installa dans la tour carrée nord du Logis du Roi, devenue tour de la Connétablie. L'Amirauté partagea, à l'est de la Grand-Salle, la Chambre du bailliage. Il se peut aussi que le tribunal du Bailliage soit retourné, au moins pour un temps, au rez-de-chaussée, et y ait repris son ancien prétoire[2].

L'entrée de la France en « guerre ouverte » contre l'Espagne obligea de créer, en 1636, une troisième chambre à la Cour des Aides. Il fallut lui construire une nouvelle salle à l'ouest contre la Galerie mercière, entre la tour Montgommery et le pavillon Charles IX, où siégeait la première chambre. En 1639, il fut décidé de construire une nouvelle galerie marchande, la galerie Dauphine, dans la Cour de Mai, contre la Grand-Salle. Elle fut terminée en 1643. Les agents de change y reçurent au rez-de-chaussée trois petites chambres, au premier, un bureau. A côté d'eux, au rez-de-chaussée s'installèrent la maîtrise particulière des Eaux et Forêts de la généralité de Paris et l'Amirauté, qui abandonna le prétoire du bailliage. Dans la galerie Dauphine, à côté des cinquante-quatre boutiques nouvelles, siégea, de 1645 à 1776, une nouvelle juridiction, la Maçonnerie ou Chambre royale des Bâtiments[3].

Le local des Eaux et Forêts de France, à l'ouest de la Grand-Salle, trop exiguë, fut étendu jusqu'à la Galerie des Prisonniers, dont les

1. Clairin, *op. cit.*, I, p. 538-543; II, p. 34-77.
2. *Ibid.*, II, p. 79-112.
3. *Ibid.*, II, p. 174-192.

fenêtres furent bouchées sur la longueur voulue. On gagna ainsi l'espace nécessaire au greffe des Eaux et Forêts, en 1660[1].

En dehors du Palais, sur l' « axe royal », le Grenier à sel de Paris se trouvait, en 1637, rue Saint-Germain-l'Auxerrois, à proximité du « port au sel » près du « quay de la Vallée de la Misère » (quai de la Mégisserie), et le bureau du Grenier à sel, avec la juridiction, sur le quai lui-même, dans une maison appartenant à M. Girard, procureur général de la Chambre des Comptes[2].

5/ *De la Fronde à Louis XVI*

a) *Démilitarisation de Paris.* — La Fronde avait accru la méfiance du Roi à l'égard de Paris. D'autre part, les conquêtes, le recul des frontières vers le nord et vers l'est, la constitution progressive de la « frontière de fer », faisaient perdre à Paris beaucoup de son importance militaire. Aussi le règne de Louis XIV vit-il la démilitarisation de Paris. En 1705, le plan de Nicolas de Fer nous montre Paris devenu ville ouverte. L'enceinte de Charles V a presque entièrement disparu. Les remparts sont abattus, sur une grande partie de leur longueur, depuis la rue des Capucines jusqu'à la porte du Temple. A la place s'étendent maintenant de grandes promenades publiques, plantées d'arbres, que l'on appelle, du nom qui désignait autrefois les remparts, « les boulevards ».

La méfiance du Roi entraîna le transfert du gouvernement à proximité, mais hors de Paris. Ce ne fut pas immédiat. Le Roi, après la Fronde, regagna le Louvre, qui resta la principale résidence de 1652 à 1666, et dès la fin de 1652 il faisait aménager au nord du pavillon de l'Horloge, au rez-de-chaussée, des salles pour les Conseils administratifs, salles qui ont disparu aujourd'hui. L'on connaît la destruction des derniers morceaux de la vieille forteresse à l'est, les travaux de Le Vau, les grands projets concernant le Louvre, l'affaire du Bernin, et de Perrault. Mais, après 1666, Louis XIV délaissa de plus en plus Paris. Après avoir pensé sérieusement, comme Mazarin avant lui, à installer la Cour à Vincennes, où il allait sans cesse depuis 1651, et où Le Vau achevait les transformations du temps de Louis XIII[3], l'on sait comment il opta pour Versailles, et y transféra définitivement, après 1678, les Conseils et les ministères,

1. *Ibid.*, II, p. 193-203.
2. Bibl. Nat., ms. fr. 18789, f° 6 r°-v°.
3. E. Lemarchand, *op. cit.*, p. 88-121. Gaston Brière, Le château de Vincennes de Louis XIV, dans *Bull. Soc. de l'Hist. de Paris et de l'Ile-de-France*, 79-81, 1952, p. 64-68.

tout le gouvernement. Celui-ci y resta jusqu'en octobre 1789, sauf une interruption pendant la Régence, où il revint à Paris.

b) *Paris reste capitale.* — Paris fut toujours considéré cependant comme la capitale, traitée avec des honneurs particuliers par le Roi, qui lui réserva quelques-unes de ses plus grandes œuvres de propagande monarchique en urbanisme et en architecture[1]. Les palais royaux continuèrent à jouer un rôle important. Le Louvre resta le siège des adjudications des fermes et offices royaux, le moteur de la politique mercantiliste de la royauté avec les artistes et les artisans de la Grande Galerie. Il devint le siège de ces importants organes de propagande monarchique, les Académies, qui y remplacent la Cour. La Bastille est indispensable à la police de Paris, à la police de l'Etat, et pour donner force à ces commodes moyens de transmission de la volonté royale, les lettres de cachet[2].

Mais c'est surtout la persistance à Paris des grands organes de justice, d'administration et de finances, qui garda à la ville son caractère de capitale.

Le Grand Conseil vint occuper, vers 1700, l'hôtel du président d'Aligre, l'ancien hôtel de Schomberg, à la hauteur de l'actuel n° 123 de la rue Saint-Honoré. En 1750, Louis XV l'installa au Louvre, dans l'aile méridionale de la Cour Carrée, en face du jardin de l'Infante, je ne sais exactement dans quelles pièces, peut-être dans les anciens appartements des Reines. Lorsque Gabriel eut achevé les bâtiments de l'aile orientale sur la Cour Carrée, au revers de la colonnade de Perrault, le Grand Conseil y emménagea[3].

c) *Transformation du Palais.* — La « cité administrative » du Palais resta l'essentiel. Pour l'essentiel aussi, ses dispositions ne changèrent guère jusqu'à Louis XVI. Fidèles à leurs traditions, les Cours de justice ne voulaient voir que réparer et aménager, non transformer ou remplacer, les locaux vénérables. Cependant le nombre des affaires augmentait, les archives se gonflaient. Les nouveaux quartiers de la place Dauphine et de la rue Dauphine se peuplaient et leur

1. Songeons aux travaux du Louvre, à l'achèvement des Tuileries, aux « places royales », la place des Victoires, la place Louis-le-Grand (place Vendôme), à l'hôtel royal des Invalides, aux Champs-Elysées, aux quartiers neufs et aristocratiques autour des « places royales ».

2. F. Bournon, *op. cit.*, *passim.*; Franz Funck-Brentano, *Les lettres de cachet à Paris (1659-1789)*, 1903, in-4°, 482 p. (dans : *Histoire générale de Paris*).

3. Piganiol de La Force, *Description historique de la ville de Paris et de ses environs*, nouv. éd. G. Desprez, 1765, in-12, I, p. 121; II, p. 281; Maurice Baurit et Jacques Hillairet, *Saint-Germain-l'Auxerrois*, Paris 1955, in-8°, 267 p., p. 219; L. Hautecœur, *Hist. de l'architecture classique en France*, III, p. 159.

activité croissait. Il fallut tenir compte de ces faits nouveaux.

Louis XIV voulut améliorer les communications entre ces nouveaux quartiers et le Palais. En 1671, il concéda au premier président Guillaume de Lamoignon, à perpétuité, moyennant un léger cens, 1 549 toises 1/2 à prendre sur ce qui restait du jardin du Roi, entre le Palais et la rue de Harlay, à charge d'y bâtir dans le style de la place Dauphine. Lamoignon fit dessiner au centre une place en forme de trapèze, la Cour Neuve. Elle débouchait sur la rue de Harlay, face à l'ouverture de la place Dauphine, par un spacieux portail encadré de boutiques. A la base du trapèze, en face du portail, fut élevé un pavillon central, qui masqua l'ancien Logis du Roi. Il n'en était pas à vingt mètres. Sur le côté nord du trapèze, Lamoignon fit construire un long bâtiment avec, à l'étage, une « Galerie Neuve », garnie de boutiques, qui permettait de passer du portail sur la rue de Harlay à la tour de la Connétablie, qui fut percée, et à la Galerie des Prisonniers. Ainsi les quartiers nouveaux avaient leur accès au Palais. Au rez-de-chaussée du pavillon central, fut ouvert un passage, flanqué de boutiques, qui donnait dans une nouvelle cour au nord, la cour Lamoignon, et, par une rue neuve, la rue de Bâville, sur le quai de l'Horloge[1].

Il fallut construire alors pour le tribunal des Maréchaux de France, expulsé de la tour de la Connétablie, un bâtiment, entre cette tour et la Chambre de l'Edit. Les constructions de Lamoignon permirent de faire de la place pour les archives de la Chambre des Comptes, au second étage du bâtiment de celle-ci. En effet, la Cour des Monnaies fut transférée, en 1687, au second étage du pavillon central de la Cour Neuve, où elle eut antichambre, salle d'audience, salle du conseil, greffe, dépôt pour les pièces à essayer, cabinet du premier président, parquet des procureurs[2].

La Chambre de l'Edit fut convertie en bureaux pour les greffiers du Parlement.

Sous Louis XV, le « Perron du beau Roi Philippe », trop raide et en mauvais état, fut démoli avant 1732, et remplacé par un nouveau perron de pente moins rude. La Chambre des Comptes fut en grande partie détruite par un incendie dans la nuit du samedi 26 au dimanche 27 octobre 1737. Celui-ci n'épargna que la galerie et l'arc de Nazareth ainsi que le dépôt d'archives créé par Henri II. La Cour alla siéger au couvent des Grands-Augustins. Jacques III Gabriel rebâtit la Chambre des Comptes au même endroit, mais en style

1. CLAIRIN, *op. cit.*, II, p. 300-306.
2. CLAIRIN, *op. cit.*, II, p. 319.

classique, et trouva moyen de rendre des locaux plus spacieux à la Cour qui y revint le 25 avril 1741. Mais les pertes d'archives furent presque irréparables. Nous trouvons ensuite la Chambre du Trésor au second étage de ce bâtiment[1].

En 1774, la Monnaie fut transférée quai de Conti.

Le manque de place nous a empêché d'insister sur la disposition des locaux occupés par les différentes juridictions. Et cependant, c'est une des conditions les plus importantes de leur travail. Il faut dire d'ailleurs que, en dehors de la Grand-Chambre du Parlement, de la Chambre des Comptes, des Requêtes de l'Hôtel, de la Cour des Monnaies après 1687, nous ne savons pas grand-chose et qu'il y a là toute une enquête à mener.

Tout autour des palais royaux et des « places royales », ont foisonné les hôtels de grands seigneurs, de courtisans, d'officiers, les boutiques des fabrications et des commerces de luxe et, par la force des choses, ceux des objets de consommation courante. Comme l'a remarqué M. Roger Dion, les hôtels seigneuriaux ont ainsi occupé dans Paris, du XIIIe au XVIIIe siècle, la plus grande surface et ont le plus fait pour que cette ville ne ressemblât à aucune autre.

> Au voisinage de chacune des résidences successivement préférées par le souverain ou par ses favoris et les membres de sa famille, ces constructions aristocratiques ont formé comme autant de figurations architecturales de la Cour[2].

Au XVIIe siècle presque toute étude sociale d'un quartier de Paris révèle la juxtaposition d'un noyau d'hôtels seigneuriaux et d'un noyau de vie artisanale et commerciale intense. Courtisans et officiers furent pour les marchands et les artisans la source des gains essentiels. Mais leur influence sur l'activité économique, les groupements sociaux, la topographie des quartiers, l'aspect des maisons, la vie en général, est insuffisamment étudiée.

6/ *La révolution de Louis XVI*

a) *Les débuts de l'esprit « haussmannien »*. — Les grandes transformations du Palais commencèrent sous Louis XVI, en même temps que la Révolution sociale et politique. L'esprit « haussmannien » apparaît déjà : mépris des souvenirs historiques, souci prédominant de l'utilité, goût du rationnel et du géométrique. Dès 1775, Louis XVI avait fait établir un plan de reconstruction. L'incendie du Palais,

1. CLAIRIN, *op. cit.*, II, p. 416 et suiv.
2. R. DION, La leçon d'une chanson de geste : les Narbonnais, dans *Mém. de la Féd. des Soc. Hist. et Arch. Paris et Ile-de-France*, I, 1943, p. 43-44.

dans la nuit du 10 au 11 janvier 1776, qui endommagea gravement tous les locaux avoisinant la Galerie des Prisonniers et qui détruisit tant de minutes et de titres de noblesse de la Cour des Aides, tant d'archives des Eaux et Forêts, fournit l'occasion. La « Grosse Tour » de Louis VI, ou tour Montgommery, fut démolie; la troisième Chambre de la Cour des Aides aussi : les locaux de la Conciergerie furent refaits et un nouveau quartier des femmes bâti autour de l'ancienne Cour des Enfants de Chœur; la Galerie des Prisonniers fut restaurée en 1779 et à ses juridictions s'ajouta la Chambre des Bâtiments qui abandonna la Galerie Dauphine. Les Requêtes avaient été supprimées. La première seule fut rétablie en 1775 et son prétoire terminé en 1784. La Galerie mercière et les locaux de la Cour des Aides furent reconstruits. A l'entresol logea la maîtrise particulière des Eaux et Forêts de l'Ile-de-France. Deux bâtiments parallèles partirent de la nouvelle Galerie mercière, de part et d'autre de la Cour du May, et allèrent jusqu'au nouvel alignement de la rue de la Barillerie, où ils se terminèrent par deux pavillons reliés au moyen d'une grille en fer forgé. La Galerie Dauphine fut abattue et reconstruite. Disparurent au nord de la Sainte-Chapelle le Trésor des Chartes, le Contrôle de la Chancellerie, la maison du Parcheminier, celle du cheffcier de la Sainte-Chapelle, le tribunal de l'Election de Paris; sur la rue de la Barillerie, les deux vieilles portes et le Bureau des Finances. Le style gothique fit place au style classique. Le Bureau des Finances et la troisième des Aides allèrent au-dessus de la nouvelle Galerie Dauphine; le tribunal des Elus et le contrôle de la Chancellerie sous la Galerie mercière; le Trésor des Chartes dans la chapelle Saint-Denis, l'ancien oratoire du Roi, à l'est de la Chambre Verte. Les dépendances de la Grand-Salle à l'est, furent remplacées par un nouveau bâtiment, construit en façade sur la rue Saint-Barthélemy, alignée avec la rue de la Barillerie. Les boutiques de la Cour du Mai, autour de la Sainte-Chapelle, celles de la rue de la Barillerie, disparurent. En 1787, les abords du Palais furent dégagés, les vieilles maisons détruites. Une grande place circulaire, la place Saint-Barthélemy, fut dessinée devant la nouvelle grille. L'ancienne rue de la Vieille-Draperie fut supprimée et remplacée par une nouvelle débouchant sur la place perpendiculairement à la grille du Palais. Les nouvelles maisons devaient avoir une architecture uniforme, dont la brique était exclue. La vie grouillante et d'aspects multiples de l'ancien Palais commença de faire place à une froide majesté, judiciaire et administrative[1].

1. Clairin, *op. cit.*, II, p. 513-563.

La Révolution, la France selon la Charte, le Second Empire, la Commune, les architectes, ne laissèrent presque plus rien de l'ancien Palais[1].

II. — Les rapports entre le Roi et la ville

1/ *Paris, ville du Roi*

La fonction de capitale posait le problème des rapports entre le Roi et la ville. Cette grande agglomération, de population nombreuse, enrichie par le commerce de l'eau, était pour le Roi un grand secours. C'est aux bourgeois de Paris que Philippe Auguste en 1190, Charles V, après 1358, s'adressent pour faire les frais des fortifications de la capitale. C'est le Bureau de ville qui entretenait dans l'Hôtel de Ville tout un arsenal, avec de l'artillerie, et qui prêtait des canons aux armées royales. Louis XII, François Ier s'adressèrent souvent à la ville pour renforcer ainsi leur puissance de feu. C'est Paris qui, dans les moments de danger, fournissait quelques-uns des principaux contingents pour former les armées de secours, comme en 1635, « l'année de Corbie ». Ce sont les marchands parisiens et, plus généralement, les « bourgeois de Paris » qui étaient pour le Roi parmi les meilleurs et les plus importants prêteurs, parmi les meilleurs et plus importants participants aux fermes d'impôts et aux « affaires extraordinaires »[2]. La ville de Paris était essentielle à la vie de la monarchie.

Mais cette agglomération, de population toujours relativement très nombreuse, qui atteignit près de 500 000 habitants au XVIIe siècle, 640 à 680 000 à la fin du XVIIIe siècle, avec 100 à 200 000 indigents[3] et avec de riches marchands, conscients de leur force et indépendants d'esprit, pouvait facilement devenir un danger. L'émeute de 1306, la tentative d'Etienne Marcel, le soulèvement des Maillotins en 1382, l'insurrection cabochienne de 1413, les barricades de 1588, la Fronde, sont des témoignages du danger que pouvait constituer Paris.

Certes, en principe, Paris est vraiment la ville du Roi, comme en

1. Il reste essentiellement : la Sainte-Chapelle, les cuisines de Philippe le Bel, les trois tours sur le quai de l'Horloge, le pavillon de la troisième des Aides ou pavillon Charles IX, puis les parties reconstruites sous Louis XVI, Galerie des Prisonniers, Galerie mercière, ses ailes de part et d'autre de la cour, Galerie Dauphine, Conciergerie et sa cour des Femmes; quelques autres morceaux de moindre importance. Voir sur les destructions et transformations, pas toujours nécessaires, GUÉROUT, *op. cit.*, III, 1951, p. 42-43 et 43, nº 2; H. STEIN, *Le Palais de Justice et la Sainte-Chapelle de Paris*, 1912, in-16.

2. R. MOUSNIER, *cours cité*, II, p. 136-173.

3. R. MOUSNIER, *cours cité*, I, p. 18-45; J.-L. GAY, L'administration de la Capitale entre 1770 et 1789, dans *Mém. de la Féd. des Soc. Hist. et Arch. de Paris et de l'Ile-de-France*, VIII, 1956, p. 299-365.

témoignent ses armoiries, marques extérieures, dans cette société structurée et hiérarchisée, de sa personnalité civile et politique, et de sa fonction sociale. Depuis le 11 décembre 1358, les fleurs de lis royales, signe de commandement du Roi, sont apparues de chaque côté de la voile quadrangulaire de la nef parisienne. Depuis 1426, elles se concentrent dans le chef de l'écu, qui devient ainsi un « chef de France », symbole de la soumission volontaire de la ville au souverain, du contrat tacite d'union entre Paris et le Roi. Les fleurs de lis jouent le rôle d'étoiles pour le vaisseau de la ville et le guident. Au XVIIe siècle, la dépendance de la ville à l'égard du Roi est mieux marquée encore dans les jetons frappés par la municipalité parisienne. Les jetons de 1611, de 1622, de 1653, de 1656, etc., montrent le soleil, symbole du Roi, qui réchauffe et vivifie la ville de Paris de ses rayons[1].

Mais, précisément, la ville a mis volontairement les fleurs de lis dans ses armes, après l'échec d'Etienne Marcel, massacré le 1er août 1358, et pour se faire pardonner sa révolte. Le Roi se trouva toujours en face de deux grands problèmes : avoir des partisans comme représentants de la ville; contrôler, par ses agents, l'action du corps de ville. Il s'y efforça d'autant plus que la ville devenait plus importante.

2/ *L'influence du Roi sur le corps de ville*

Paris n'a jamais eu de charte communale, conférant des libertés politiques, une représentation et une juridiction propres à ses habitants. Le prévôt royal administrait Paris. Mais, au cours du XIIe siècle, depuis Louis VI le Gros, des actes royaux montrent que les rois considèrent de plus en plus les « bourgeois de Paris » comme une collectivité, unie par un sentiment de solidarité. Avec Philippe Auguste, lorsqu'en 1190 le Roi confie à son prévôt et à ses bourgeois de Paris le soin de faire paver les rues et d'édifier à leurs frais une enceinte fortifiée, lorsque, sur le point de partir pour la Croisade, il désigne sept « prudhommes » parisiens pour garder le Trésor royal et être témoins de tous les actes rendus au nom du Roi, la communauté parisienne a pris complètement conscience d'elle-même et est officiellement reconnue. Or, parmi ces « bourgeois de Paris », ceux qui jouent le principal rôle, ce sont les membres d'une corporation privilégiée, la Hanse des marchands de l'eau, et ce sont des membres

1. A. de COETLOGON, L.-M. TISSERAND, *Les armoiries de la ville de Paris*, Paris, 1874-1875, 2 vol. in-4°; d'AFFRY DE LA MONNAYE, *Les jetons de l'échevinage parisien*, Paris, 1878, 1 vol. in-4°; ces deux ouvrages dans l'*Histoire générale de Paris*.

de ces familles de marchands qui afferment la charge du prévôt de Paris faisant fonction de bailli. L'agent du Roi était, en fait, le représentant des « bourgeois de Paris », des marchands de l'eau parisiens. Aussi, en 1261, saint Louis décida de ne plus affermer sa prévôté de Paris, mais de la donner en garde et il la confia à un membre de la *Curia Regis*, Etienne Boileau. Alors, en 1263, la Hanse des marchands de l'eau élut son premier « prévôt » des marchands, Ebroin de Valenciennes, et ses premiers échevins. Le Roi laissa ces élus exercer certains pouvoirs municipaux et jouer le rôle de Bureau de ville. Ainsi, une corporation privilégiée de riches marchands exerça une partie des fonctions municipales en face des représentants du Roi[1].

Comment le Roi va-t-il contrôler l'élection du corps de ville ? Il y parvint, non sans peine. L'ordonnance de 1415 qui sanctionnait peut-être des pratiques antérieures montre la solution adoptée, qui subsista, dans les grandes lignes, jusqu'à la fin de l'Ancien Régime, avec, peut-être, quelques modifications momentanées, après 1500, entre 1564 et 1570, après 1778. D'abord, électeurs et élus sont une oligarchie. Il faut être né à Paris, « bourgeois de Paris », membre de la confrérie des marchands. Cette dernière obligation avait déjà disparu sous Louis XI, peut-être avant. Qu'est-ce qu'un « bourgeois de Paris » ? C'est un homme qui déclare son intention d'être tel, a son domicile à Paris depuis un an et un jour, contribue aux charges municipales, fait partie de la milice, depuis 1356, en s'équipant à ses frais, et prend la garde de la ville. Pour le XVIIe siècle, nous pouvons être plus précis. C'est un homme qui joint aux caractères précédents ceux d'être propriétaire ou de payer un loyer personnel, non commercial, d'au moins 200 livres et d'être taxé personnellement pour les charges communes. Ceci exclut la plupart des maîtres de métiers et les gens qui versent leur loyer et leur quote-part des taxes municipales à un principal occupant. Sont « bourgeois de Paris » des marchands,

1. Voir le beau mémoire d'Alexandre VIDIER, Les origines de la municipalité parisienne (XIe-XIIIe siècles), dans *Mém. de la Soc. de l'Hist. de Paris et de l'Ile-de-France*, 1927, t. 49, p. 250-291.

« Le parloir aux bourgeois » ou « maison de la marchandise » se trouvait peut-être au début dans le quartier Saint-Jacques, à hauteur de la petite rue des Grès, non loin de l'ancien couvent des Jacobins. Une grande maison, qui faisait saillie sur l'enceinte de Philippe Auguste, portait encore ce nom au XVIIe siècle. Du XIIe au XIVe siècle, le « parloir aux bourgeois » fut dans une maison près de la Seine, au débouché du pont au Change, au sud du Grand Châtelet, tenant d'une part aux murs du Grand Châtelet, de l'autre à la petite église Saint-Leufroi. Etienne Marcel transféra en 1358 le « parloir aux bourgeois » place de Grève, dans la « Maison aux Piliers ». Le Bureau de ville décida en 1529 la construction d'un hôtel de ville qui ne fut terminé qu'en 1628 et fut incendié par les Communards en 1871. Voir Maurice VACHON, *L'ancien Hôtel de Ville de Paris, 1533-1871*, Paris, 1882, in-4°, 224 p.

des officiers, les plus riches maîtres de métiers (à peine 1 sur 10). Ce sont ces « bourgeois de Paris » qui sont au XVIIe siècle les « honnêtes gens »[1]. Les bourgeois de Paris doivent, d'après l'ordonnance de 1415, élire pour deux ans les échevins, les conseillers de ville et les représentants des quartiers, « quartiniers », « cinquanteniers » et « dixainiers ». Pour élire le prévôt des marchands, un corps électoral restreint de 77 personnes était constitué par les échevins, les conseillers de ville, les quartiniers et, par quartier, deux bourgeois « mandés ». Ceux-ci étaient désignés par un système combinant l'élection de quatre candidats dans chaque quartier par un corps électoral restreint composé du quartinier, de cinquanteniers, dixainiers et de six bourgeois notables désignés par le quartinier, avec le tirage au sort de deux des quatre élus par le prévôt des marchands sortant. L'élection du prévôt des marchands était donc effectuée par un très petit nombre de bourgeois aisés, corps qu'il était facile d'influencer.

Le Roi avait la possibilité de ratifier ou non l'élection. Jusqu'en 1542, les bulletins de vote lui étaient portés ou à son représentant. Il dépouillait le scrutin et proclamait le résultat. Depuis 1542, quatre scrutateurs élus dépouillèrent le scrutin et le soumirent à l'approbation du Roi. Pouvoir élire des représentants fut d'ailleurs de plus en plus considéré comme un privilège octroyé par le Roi et révocable. Il valait mieux n'élire qu'un candidat que le Roi pût accepter.

Depuis Louis XI, nous voyons le Roi intervenir dans les élections par lettre de cachet pour recommander ou écarter des candidats.

Il semble que les corps électoraux se soient de plus en plus réduits. Au XVIe siècle, les échevins, élus pour deux ans, sont renouvelés par moitié tous les ans, par le même corps électoral restreint qui élit le prévôt des marchands. Les conseillers de ville sont choisis par le prévôt des marchands et les échevins. Les quartiniers apparaissent comme choisis, de 1528 à 1633, par une combinaison de choix, d'élection et de tirage au sort : les dixainiers choisissent, chacun dans sa dizaine, quatre notables; les noms de ceux-ci sont portés par les cinquanteniers au prévôt des marchands qui tire au sort deux noms par dizaine; tous ceux que le sort a désignés, mandés à l'Hôtel de Ville, élisent parmi eux les quartiniers. En fait, il y a cooptation dans des cercles de plus en plus restreints.

Les changements dans la structure sociale et l'équilibre des groupes sociaux renforcèrent d'ailleurs l'influence du Roi. Le prévôt des mar-

1. Jean-Louis Bourgeon, *L'île de la Cité pendant la Fronde. Structure sociale*, mém. dactylographié pour le diplôme d'études supérieures d'histoire, 1961, p. 48-55.

chands cessa d'être pris parmi les marchands et fut élu toujours parmi les officiers royaux, depuis 1444 et Jean Baillet, conseiller au Parlement. Les prévôts des marchands furent recrutés parmi des magistrats de plus en plus importants, devinrent des nobles, des chevaliers, en raison de leurs fonctions, et, en fait, surtout des agents royaux. A la fin du XVIIIe siècle, ce sont toujours d'anciens intendants, maîtres des requêtes de l'Hôtel du Roi et conseillers d'Etat. A cette époque d'ailleurs, leur élection est la ratification d'un choix exercé par le Roi. Le prévôt des marchands n'est plus considéré par le gouvernement que comme un commissaire du Roi.

Les échevins jouirent de la noblesse comme le prévôt des marchands, furent écuyers depuis l'édit de 1517, à condition de vivre noblement, c'est-à-dire sans exercer métier ni marchandise. Eux aussi furent pris parmi des officiers, des membres des professions libérales ou des rentiers. Ce fut aussi parmi ces groupes sociaux que fut recruté le plus grand nombre, probablement environ les deux tiers, des conseillers de ville. Peut-être, au XVIIIe siècle, y eut-il davantage de négociants, mais étaient-ils obligés d'abandonner leur commerce ?

Les mœurs, qui favorisaient l'hérédité et la vénalité des offices royaux, tendirent à transformer les fonctions municipales en offices et à grouper leurs titulaires en corps. Dès le premier tiers du XVIe siècle le Bureau de ville accepta, pour les fonctions de conseillers de ville et de quartiniers, les « résignations *in favorem* », de père à fils, et les résignations sous condition de survivance. Dès 1538, les conseillers de ville forment une communauté dont les intérêts sont confiés à un procureur syndic. L'ordonnance d'octobre 1633 autorisa les quartiniers à se défaire de leurs charges devant notaire moyennant finance. Les conseillers de ville reçurent la même autorisation. Les charges de quartiniers et de conseillers de ville furent érigées officiellement en offices formés. Un édit de juillet 1681 confirma que les charges de quartinier et toutes les charges de la ville étaient des offices formés et vénaux. Seules, les charges de prévôt des marchands et d'échevin restèrent éligibles. Ainsi l'approbation du Roi était devenue nécessaire pour l'accès à toutes les fonctions municipales. Le Bureau de ville, à la fin du XVIIIe siècle, devait même, pour toutes les mutations d'offices de conseillers de ville ou de quartiniers, informer à l'avance le secrétariat d'Etat à la Maison du Roi du nom du candidat, de sa fortune, de son état, de son degré de considération. Le secrétaire d'Etat en rendait compte au Roi et lui demandait son agrément. A la fin du XVIIIe siècle, chaque année, une des deux places d'échevin déclarées vacantes était réservée au doyen de la compagnie des conseillers de ville ou à celui de la compagnie des quartiniers. Ainsi, la transmission des offices, contrôlée par le Roi, se faisait au sein d'une oligarchie de plus en plus étroite.

Les oligarques essayèrent de disposer plus librement des charges d'échevin en désignant ceux à élire dans des assemblées officieuses où ne figuraient que les conseillers de ville ou les quartiniers. Mais, depuis 1778, ces assemblées durent se tenir chez le prévôt des marchands, sous sa présidence, et le Roi y pratiqua la candidature officielle.

Le Roi avait ainsi conquis une autorité considérable au sein du Bureau de ville. Cependant, par édit de juillet 1767, il lui adjoignit un Conseil particulier de ville, dont il désignait les membres et qui devait délibérer et voter avec le prévôt des marchands et des échevins pour toutes les affaires majeures.

Le Bureau de ville ne fut donc plus guère, très tôt, que l'instrument du Roi.

3/ *Les pouvoirs du Bureau de ville et leurs limites*

Ces hommes qui, de plus en plus, sont les siens, le Roi les contrôle de plus en plus. Issu à l'origine de la Hanse des marchands de l'eau, le Bureau de ville n'a pas tous les pouvoirs d'une municipalité. Simple « tribunal d'attribution », il a juridiction essentiellement sur tout ce qui concerne le commerce par la rivière de Seine, les quais, ports et ponts; sur les portes et remparts, puisqu'il les a fait construire et détient sur eux un certain droit de propriété; sur le pavé, les eaux et fontaines; jusqu'à un certain point sur les pauvres et les hôpitaux, les mesures et les prix. Il a exercé longtemps une juridiction civile et criminelle générale, mais en a perdu la plus grande partie depuis 1315 à cause du développement du Parlement et du Châtelet.

Dans ses fonctions il est contrôlé et, pour toutes autres questions municipales, il est suppléé par le Parlement, qui détient « la grande police » de Paris, rend des arrêts, nomme des commissions, ordonne des enquêtes; par le Châtelet, dont le lieutenant civil a des attributions de police, avec les commissaires de quartier et les inspecteurs de police; et par le lieutenant de police de Paris, charge démembrée depuis 1667 de celle du lieutenant civil, et dont le titulaire est devenu un véritable ministre avec Marc-René Le Voyer d'Argenson, après 1697; par le Bureau des Finances de la généralité de Paris, pour les questions de voirie. Depuis une époque indéterminée, le secrétaire d'Etat à la Maison du Roi et le contrôleur général des Finances, chacun dans sa sphère d'attributions, contrôlent le Bureau de ville et s'occupent de questions municipales. Tous ces agents royaux répriment les incessantes tentatives du Bureau de ville pour s'arroger les pouvoirs d'une municipalité. Donc le Roi, par ses agents les plus directs, règle toute la vie de la capitale et assure sa propre autorité.

Réduites ainsi à leurs très grandes lignes, les réponses aux questions posées par les rapports du Roi avec la ville sont probablement exactes. Il ne faut pas oublier cependant que nous n'avons pas d'études satisfaisantes sur la longue période qui sépare les époques traitées dans les beaux mémoires d'Alexandre Vidier pour les origines et de Georges Huisman sur *La juridiction de la municipalité parisienne de saint Louis à Charles VII*, d'une part, et celui de Jean-Lucien Gay sur l'administration de la capitale entre 1770 et 1789, d'autre part. Nous sommes particulièrement mal renseignés sur les hommes qui ont exercé les différentes fonctions du corps de ville, leurs familles, leurs fortunes, leurs revenus, leur esprit, leurs idées, leurs carrières, leur rang social, la mobilité sociale de leurs familles; mal renseignés aussi sur le rôle exact du corps de ville aux différentes époques et sur ses rapports précis avec les officiers du Roi. Il y a sur ces deux points toute une série d'enquêtes à entreprendre[1].

Conclusion

Paris capitale, modèle et moteur du royaume

L'influence de la capitale sur tout le royaume fut profonde. Traiter cette question serait reprendre toute l'histoire de France en s'efforçant de faire le départ entre ce qui a été attraction et assimilation d'une part, exemple plus ou moins consciemment, plus ou moins volontairement suivi d'autre part, façonnement autoritaire enfin. Il ne saurait être question d'esquisser cette histoire. Il convient cependant de donner quelques exemples.

Paris servit dans maintes circonstances de modèle et de moteur au royaume. A ce qu'on appelle les Etats généraux de 1308 et de 1314, les députés de Paris exercèrent une influence décisive sur ceux du Troisième Ordre. En 1314, ils entraînèrent les « Etats » à consentir

1. Voir Leroux de Lincy, *Histoire de l'Hôtel de Ville de Paris*, Paris, 1846, in-4°, viii-379 p., toujours précieux par ses documents; Rittiez, *L'Hôtel de Ville et la bourgeoisie de Paris*, 1863, in-8°, iv-408 p., reproduit ou analyse des documents; A. Vidier, *op. cit.*; G. Huisman, *La juridiction de la municipalité parisienne de saint Louis à Charles VII*, Paris, 1912, in-8°, xiii-261 p.; J.-L. Gay, *op. cit.*; Trudon des Ormes, Notes sur les prévôts des marchands et échevins de la ville de Paris au xviiie siècle, 1701-1789, dans *Mém. Soc. Hist. Paris et Ile-de-France*, 1931, t. 38, p. 109 et suiv.

les impôts réclamés par Philippe le Bel. Leur influence s'exerça même sur le grave problème de la succession au trône. En 1317, ce sont les Parisiens qui décidèrent, avec les hauts barons, que la couronne serait attribuée à Philippe V.

Lorsque les « aides » se développèrent dans le royaume, non seulement toutes les villes se réclamèrent des franchises de Paris, mais encore, partout les régnicoles imitèrent les procédés en usage à Paris. La plupart des élus du royaume copièrent la façon d'affermer les aides des élus de Paris. « La coustume de bailler les fermes en l'élection de Saint-Flour est telle que à Paris » (1411). Les pratiques de Paris furent adoptées par « les autres élus de ce royaume ». Il en fut de même pour les greniers à sel. De même pour les corps de métier. Sous Louis XI, orfèvres de Tours, potiers de Poitiers, serruriers de Lyon, villes de Chartres, d'Orléans, se réfèrent à ce qui se fait à Paris. Un « povre laboureur » de l'Amiénois lance ce cri, qui dit tout : « Vive Paris, notre mère »[1].

A l'époque moderne, les institutions parisiennes continuèrent à façonner la France. Le juriste Julien Brodeau nous en donne un très beau témoignage dans son édition de *La Coutume de la prévôté et vicomté de Paris*, en 1669[2].

Comme la ville de Paris est la royale et capitale du royaume, le centre de l'Etat, le séjour ordinaire des rois et de leur cour, le siège du premier et plus ancien Parlement et de la Cour des Pairs, la ville source des lois, la commune patrie de tous les Français, le pôle de toutes les nations du monde, la France de la France, ainsi la Coutume de Paris qui a été réformée des dernières par les plus grands personnages et les plus savants jurisconsultes, non seulement de la France, mais de l'Europe, non par une opinion crébrine ou la considération particulière et locale de l'usage de la province mais sur l'autorité publique des arrêts de la Cour qui avait jugé les questions générales, et sur les décisions de ce grand jurisconsulte, docteur des docteurs, Me Charles Dumoulin, que l'on peut appeler à bon droit l'exemplaire et le prototype de la coutume de Paris, chacun article de laquelle est véritablement un oracle et un arrêt. C'est la raison pour laquelle cette Coutume, dont l'air doux et salubre est respiré par Messieurs du Parlement, est comme la Maîtresse coutume, ordinairement étendue par leurs arrêts aux autres coutumes, pour les cas qui n'y sont point décidés et principalement ès-matières qui sont de droit pur français. Ce qui n'a point été introduit et établi par jalousie, ni par le seul respect de la majesté et autorité de cette coutume, mais sur ce que l'on a vu que les peuples qui en reconnaissaient l'équité, s'y étaient volontairement soumis, par l'usage constant et notoire de leur province.

1. G. Dupont-Ferrier, L'ascendant de Paris, dans *Bull. Soc. de l'Hist. de Paris et de l'Ile-de-France*, 67-72, 1940-1945, p. 15.
2. T. I, p. 2 et 3.

Les affirmations de Julien Brodeau ont reçu pleine confirmation des savants travaux de François Olivier-Martin[1]. Par l'intermédiaire du Parlement de Paris, qui reçoit l'appel des juridictions d'une grande partie du royaume, par l'intermédiaire du Châtelet de Paris, qui jouit du sceau attributif de juridiction et dont les officiers ont droit de suite dans tout le royaume[2], la Coutume de Paris, rédigée, en 1510 puis en 1580, comme si ses rédacteurs avaient voulu formuler des lois pour le royaume entier, pénètre partout, permet de suppléer à ce qui manque à toutes les autres coutumes, d'interpréter toutes les autres coutumes quand elles sont obscures, et de créer ainsi une espèce de droit français. Tous ceux qui tentèrent d'édifier un droit français commun à tout le royaume s'inspirèrent de la Coutume de Paris. Antoine Loisel pour ses *Institutes coutumières*, Guillaume de Lamoignon pour ses *Arrêtés*, le fameux Pothier, enfin, au XVIIIe siècle, pour ses traités de droit français. Par eux, la Coutume de Paris devint la source essentielle du Code Napoléon[3].

D'autre part, la vie économique du royaume est directement influencée par les ordonnances des magistrats parisiens, valables pour tout le royaume. En 1667 encore, l'arrêt du Conseil du 21 avril ordonnait que, pour assurer le ravitaillement convenable de la capitale, les ordonnances du lieutenant de police de Paris, sur le transport des marchandises et denrées nécessaires à la ville, seraient exécutoires dans tout le royaume, sans exception. Quelles que fussent les conditions de rattachement des provinces au domaine royal, leurs privilèges et statuts particuliers, les ordonnances du lieutenant de police de Paris devaient y régler tout commerce et transport de marchandises destinées à Paris. C'était un puissant moyen d'unification économique du royaume[4].

Certaines révoltes dans les provinces sont un témoignage de l'influence de Paris, car elles se présentent elles-mêmes comme une

1. Fr. OLIVIER-MARTIN, *La Coutume de la prévôté et vicomté de Paris*, Paris, 1924-1931, 3 vol. in-8°; La Coutume de la prévôté et de la vicomté de Paris, dans *Mém. Soc. de l'Hist. de Paris et de l'Ile-de-France*, t. XLVIII, 1925, p. 174-189.

2. « Sceau attributif de juridiction » : toutes contestations pouvant naître pour l'interprétation, l'exécution, la suite d'un acte passé sous le sceau du Châtelet doivent être portées en première instance devant les officiers du Châtelet quel que soit le domicile des contractants; « droit de suite » : les officiers du Châtelet peuvent continuer dans toute l'étendue du royaume les affaires commencées devant eux.

3. Au Canada, les juges royaux se servirent spontanément de la Coutume de Paris. L'édit de mai 1664 la rendit obligatoire. Elle resta en vigueur au Bas-Canada, sous le régime anglais, jusqu'en 1867. A cette époque, le régime féodal ayant été aboli en 1856, un Code civil fut rédigé pour la province de Québec. Mais le Code de 1867 resta imprégné de droit parisien et, en cas de silence du Code, la Coutume de Paris demeura en vigueur.

4. DELAMARE, *op. cit.*, I, titre IX, chap. 4, p. 124.

réaction contre Paris. Dans la première moitié du XVIIe siècle, la guerre de Trente Ans obligea de majorer les impôts et de recourir à toutes sortes d'expédients fiscaux, au moment même où des disettes et des épidémies, génératrices de crise économique, diminuaient la capacité contributive du royaume. Dans de nombreux endroits, villes et campagnes s'insurgèrent contre la fiscalité et contre les « Parisiens », agents du fisc. Ceux-ci étaient d'ailleurs souvent des provinciaux venus à Paris pour s'y employer, mais peu importe; ils venaient de Paris et exécutaient les volontés émanées de Paris. Voici, par exemple, ce que proclamaient, en 1636, les Croquants de Saintonge : ils sont 40 000 enrôlés qui savent leur rendez-vous au premier signal, au son de la cloche,

> ... protestent être bons Français et vouloir mourir plutôt que de vivre davantage sous la tyrannie des Parisiens ou partisans, qui les ont réduits au désespoir et à l'extrême pauvreté.

Ils incriminent alors la lourdeur des impôts et ajoutent :

> Messieurs de Paris ou du Conseil se moquent de leurs souffrances. Et les nécessités de l'Etat ne sont qu'un prétexte pour gorger de biens quelques particuliers et les créatures de celui qui gouverne l'Etat. [C'est de Richelieu qu'il s'agit.]
>
> Ces Messieurs de Paris, partisans et autres, ont facilement acheté de nouveaux droits ou de nouvelles impositions sur les peuples des provinces. Aussi cela a rendu le nom de Parisien tellement en haine et horreur à tous ces peuples que seulement se dire tel est assez pour se faire assommer. Depuis cette révolte, ils en ont fait mourir dix ou douze, et entre autres, à Saint-Savinien, exercèrent une si horrible rage contre un de ces pauvres commis natifs de Paris qu'il fut taillé tout vivant en petits morceaux dont chacun prenait sa pièce pour attacher à la porte de sa maison, où il s'en voit encore[1].

La révolte fut vaincue par les « Parisiens », la guerre contre les Habsbourgs gagnée, l'indépendance de la France et les libertés de l'Europe sauvées.

Distinctes de la fonction de capitale, mais découlant directement de celle-ci, sont les autres fonctions de Paris, fonction religieuse, fonction intellectuelle, fonction économique. Ville du saint protecteur de la royauté, saint Denis, dont la couleur, le rouge du martyr, couvrait le champ des armoiries parisiennes, ville de sainte Geneviève et de saint Louis, centre religieux de la monarchie, Paris fut constamment un centre de haute vie spirituelle et, par contrecoup, d'hérésies. Centre religieux, Paris fut donc, de très bonne heure, une ville d'Uni-

1. *Relation du soulèvement des paysans de Saintonge*, Bibl. Nat., ms. fr. 15330.

versité et le Roi favorisa de tout son pouvoir les corps universitaires qui donnaient à sa capitale éclat et influence. Parmi ceux-ci, les différentes compagnies que nous connaissons sous le nom de Sorbonne furent, du XIIIe au XVIIIe siècle, la plus haute autorité théologique de l'Europe, après la Papauté. Le Roi favorisa depuis le début du XVIe siècle les disciplines et sciences nouvelles. La fondation des lecteurs royaux, devenus le Collège de France, la protection accordée aux sociétés savantes, littéraires et artistiques, leur nationalisation au XVIIe siècle et leur transformation en diverses Académies sont les témoignages de cette faveur royale, de ce souci d'une capitale centre intellectuel mondial. En outre, la présence de la Cour et des grands corps de justice fut un stimulant pour la vie commerciale et artisanale, les besoins du Trésor royal pour un essor du crédit public. Enfin, probablement depuis Louis XI, depuis que la monarchie esquissa une politique mercantiliste, Paris servit au Roi à fonder les industries nouvelles qui devaient être un exemple pour toutes les autres villes du royaume. Paris devint le moteur du mercantilisme. Ainsi la fonction de capitale est la source et le stimulant de toutes les activités de Paris, cœur de la France.

BIBLIOGRAPHIE

La bibliographie parisienne est interminable. Il faut se réduire ici à donner, non la bibliographie du sujet, mais les moyens de la dresser. A la Bibliothèque historique de la Ville de Paris (hôtel Le Pelletier de Saint-Fargeau, rue de Sévigné)[1], l'on trouvera un précieux « Fichier central de documentation parisienne ». Le service des travaux historiques de la Ville de Paris, attaché à cette bibliothèque, a publié, sous la direction de Marcel POËTE, un très utile *Répertoire des sources manuscrites de l'histoire de Paris*, I, *Dépouillement d'inventaires et de catalogues*, préparé par Étienne CLOUZOT et une équipe de chartistes (trois tomes in-8°, Paris, Leroux, 1915, XXXV-519 pages, 584 p., 538 p.), qui devrait être complété, et a fait paraître un *Bulletin de la Bibliothèque et des travaux historiques de la ville de Paris.*

Abbé Valentin DUFOUR, *Bibliographie historique, artistique et littéraire de Paris avant 1789*, Paris, 1882, in-8°, n'est pas rendu inutile par :

Marius BARROUX, *Essai de bibliographie critique des généralités de l'histoire de Paris*, Paris, Champion, 1908, in-8°, VI-444 pages.

Le département de la Seine et la ville de Paris, Notions générales et bibliographiques pour en étudier l'histoire, Paris, in-8°, XI-444 p.

ces deux volumes tous deux très bons.

1. La bibliothèque a été transférée hôtel Lamoignon, rue Pavée.

Paul LACOMBE, *Bibliographie parisienne. Tableaux de moeurs (1600-1880)*, Paris, 1887, in-8°, plus spécial, est fort utile.

La bibliographie parisienne peut être suivie jusqu'en 1961 au moyen des bulletins et des mémoires publiés par les différentes sociétés historiques et archéologiques de Paris, dont la plus importante est la Société de l'histoire de Paris et de l'Ile-de-France. Ces sociétés, fort éprouvées par la dernière guerre et les conditions actuelles de l'impression, se sont unies depuis 1949 en une « Fédération des Sociétés Historiques et Archéologiques de Paris et de l'Ile-de-France » qui publie un volume annuel de mémoires. L'on trouvera commodément les articles publiés par les diverses sociétés historiques parisiennes depuis 1910, date du dernier volume de Marius Barroux, jusqu'en 1940, au moyen de la *Bibliographie générale des travaux historiques et archéologiques publiés par les sociétés savantes de France* dressée par René GANDILHON, continuateur de Robert de Lasteyrie, de Lefèvre-Pontalis et de Vidier, pour la période 1910-1940, et qui a atteint le département de la Seine, avec son tome IV, en 1956. Les livres sur l'histoire de Paris, parus depuis 1910, les articles publiés depuis 1940, seront retrouvés aisément au moyen de Pierre CARON et Robert BURNAND, Répertoire méthodique de l'histoire moderne et contemporaine de la France, 1910-1911 *(Revue d'histoire moderne et contemporaine)*, *ibid.*, années 1911-1913, par Marcel BOUTERON, Robert BURNAND, Pierre CARON; Pierre CARON et Henri STEIN, *Répertoire bibliographique de l'histoire de France*, 5 vol., 1920 à 1929, Société Française de Bibliographie; Société d'Histoire Moderne, *Bibliographie critique des principaux travaux parus sur l'histoire de 1600 à 1914*, 3 vol., 1932 à 1935 inclus, et, pour la période tout à fait récente, avec la *Bibliographie annuelle de l'histoire de France du Ve siècle à 1939* publiée depuis 1955 sous la direction du Comité Français des Sciences Historiques par le Centre National de la Recherche Scientifique.

L'histoire de Paris a donné lieu à une énorme publication de documents accompagnées de savants commentaires et introductions. C'est l'*Histoire générale de Paris*, Collection de documents fondée avec l'approbation de l'Empereur par le baron Haussmann, sénateur, préfet de la Seine, et publiée sous les auspices du Conseil municipal, volumes grand in-4°. L'introduction est de 1866. Quatre-vingt-quatre volumes ont été publiés depuis. Il faut signaler celui de ALPHAND, MICHAUD, COUSIN, *Atlas des anciens plans de Paris*, 1880 (33 plans). Le dernier volume paru, en 1958, est le tome XIX (1624-1628) des registres des délibérations du Bureau de la ville de Paris. La publication se poursuit par les soins du service des travaux historiques de la ville de Paris.

Le minutier central de Paris, aux Archives Nationales, hôtel de Rohan, 88, rue Vieille-du-Temple, probablement la plus grande collection de minutes notariales du monde, est une source inévaluable, encore peu exploitée.

Toute étude sur Paris devra commencer par une lecture attentive des anciennes descriptions et histoires de Paris, compilées au XVIIe et au XVIIIe siècles :

Jacques du Breul, *Théâtre des Antiquités de Paris*, éd. de 1639, in-f°.
Pierre Petit, *De l'Antiquité de Paris*, Notice pour le plan de Jacques Gomboust, 1652, éd. Leroux de Lincy, Paris, 1858, in-12.
Henri Sauval, avocat au Parlement, *Histoire et recherche des Antiquités de la ville de Paris*, 3 vol. in-f°, 1724, ouvr. capital composé avant 1669; l'auteur a utilisé des documents de la Chambre des Comptes aujourd'hui disparus.
Germain Brice, *Description nouvelle de ce qu'il y a de plus remarquable dans la ville de Paris*, 1re éd., chez Nicolas le Gras, au Palais, 1684, petit in-8°, autres éd. : 1685, 1687, 1698, 1706 (avec plan et gravures), 1713 (en 3 vol.), 1717 (nouveau plan et gravures).
Dom Michel Felibien, *Histoire de la ville de Paris*, mise à jour par Dom Alexis Lobineau, 5 vol. dont 3 de preuves, in-f°, 1725.
Piganiol de La Force, *Description historique de la ville de Paris et de ses environs*, nouvelle éd., Paris, Libraires associés, 1765, 8 vol. in-12; 2e éd. par Hip. Cocherin, Paris, 1863 et suiv.
Abbé Expilly, art. « Paris » dans son *Dictionnaire géographique de la France*, V, Paris, 1768, in-f°.
Beguillet et Poncelin, *Description historique de Paris*, gravures de Martinet, 3 vol. in-4°, 1779-1781.
J.-B. Jaillot, *Recherches critiques, historiques et topographiques sur la ville de Paris*, 1772-1782, 5 vol. in-8°.
Sébastien Mercier, *Tableau de Paris*, Amsterdam, 1783-1789, 12 vol. in-8°.

Sur la fonction de capitale, j'ai indiqué dans mes notes et références les ouvrages et articles qui me paraissaient les plus immédiatement nécessaires.

LE CONSEIL DU ROI
de la mort de Henri IV
au gouvernement personnel
de Louis XIV

L'histoire du Conseil du Roi de 1610 à 1661 est restée jusqu'à présent mal connue. Elle mériterait tout un livre, où son étude chronologique serait faite en liaison avec les changements politiques, sociaux et économiques. L'on ne dispose ici que de l'espace d'un article. Heureusement, l'on a examiné, dans un autre Mémoire, les ouvrages sur la question et les sources de cette étude[1]. Il faudra néan-

Publié dans *Etudes publiées par la Société d'Histoire moderne*, I, 1947.

1. *Les règlements du Conseil du Roi sous Louis XIII*, publiés dans l'*Annuaire-Bulletin de la Société de l'Histoire de France*, 1946, et à part. Ce mémoire ne dépasse pas 1643, mais la plupart des sources et ouvrages qui y sont indiqués valent pour la période suivante.

On y trouvera les règlements postérieurs à 1643 à la Bibliothèque Nationale : Cinq Cents Colbert 194 (16 juin 1644, f°s 283-287, 24 déc. 1654, f° 289 ; 4 mai 1657, f°s 293-295), Clairambault 651 (avril 1655, f° 351, v°, 353 ; 4 mai 1657, f° 353 v°, avec d'intéressantes indications du témoin oculaire Lainé de La Marguerie) ; ms. fr. 18155 (17 octobre 1658, f° 103 v°) ; ms. fr. 4583 (projet de 1650, f° 229, v°) ; ms. fr. 18158 (1649, f° 151).

Le ms. fr. 18158 contient beaucoup de minutes de règlements, de mémoires sur le Conseil, de listes de conseillers d'Etat, de brevets et de lettres de conseillers d'Etat, postérieurs à la mort de Louis XIII.

Les mémoires d'Olivier Lefèvre d'Ormesson et de son père André d'Ormesson sont les plus importants après 1643 (p. p. CHÉRUEL, *Coll. des Doc. inédits sur l'Hist. de France*, 2 vol. in-4°).

Le tome Ier des *Lettres, Instructions et Mémoires de Colbert*, p. p. P. CLÉMENT (Paris, 1861), donne quelques renseignements.

Les *Etats de la France*, publiés depuis 1648 sont utiles. Le plus complet et précis est celui de 1658 (B.N. L 52*c*-13).

Aux Archives Nationales, la série O[1], Maison du Roi (O[1], 7, 9, 10, 11) fournit des lettres et brevets de conseillers d'Etat.

La remarquable étude de G. DESJARDINS, *Le fonds du Conseil d'Etat de l'Ancien Régime aux Archives Nationales* (Bibl. de l'Ecole des Chartes, 1898, p. 5) ne prétend qu'à « traiter une question d'archives et ne prendre dans l'histoire et la jurisprudence des Conseils que ce qui intéresse leurs papiers » (p. 38); son apport vaut surtout pour le XVIIIe siècle et la fin du XVIIe.

Je ne parlerai pas ici du rôle du Conseil dans le commerce des fonctions publiques, parce que j'en ai traité suffisamment dans mon ouvrage sur *La vénalité des offices sous Henri IV et Louis XIII*, Ed. Maugard, Rouen, 1945, in-8°.

moins retrancher beaucoup, et, sacrifice plus lourd encore, renoncer à mettre selon la bonne méthode, la seule méthode, les textes principaux sous les yeux du lecteur, pour refaire avec lui les raisonnements à partir des prémisses que nous en tirons. L'on souhaiterait plus que jamais le pouvoir, à cause de la terrible imprécision des auteurs, qu'ils fussent secrétaires d'Etat, commis de finances ou secrétaires du Conseil, qui désignent le même Conseil par des noms différents, ou attribuent la même dénomination à différentes sections du Conseil. Mais on est réduit à faire appel à la confiance du lecteur.

La mort de Henri IV n'amena pas un bouleversement dans l'organisation des Conseils. Les règlements de 1611-1613 ne sont destinés qu'à assurer le passage difficile d'une Régence, sans trop de gaspillage, par le rappel des règles anciennes qui assuraient un strict contrôle du Conseil. Même les règlements du 5 et du 9 février 1611, rédigés après le départ de Sully, ne font que revenir à l'organisation de 1594; le surintendant est remplacé par une Direction, de trois conseillers d'Etat, Jeannin, Châteauneuf le père et de Thou, assistés de trois intendants des finances, Maupéou, Arnauld, Dolé. Cette Direction est une commission préparatoire, identique à celle qui fut appelée plus tard Petite Direction. Elle fait des rapports au Conseil des Finances, appelé plus tard Grande Direction, qui arrête les décisions. Elle remplace un homme par trois, sans rien changer au fonctionnement du Conseil[1].

Celui-ci continue à comprendre quatre sections : le Conseil des Affaires, le Conseil d'Etat et des Finances, le Conseil des Finances, le Conseil privé ou des Parties.

Le Conseil des Affaires s'occupe de la politique générale. Il est composé de la Reine, et, sous le nom de ministres[2], du chancelier Sillery, du secrétaire d'Etat Villeroy, du président Jeannin, qui jouait le rôle de contrôleur général des Finances et, déjà, de Concini.

Le Conseil d'Etat et des Finances connaît de l'administration du royaume, de finances et de contentieux. Son travail est préparé par quatre commissions de deux à trois conseillers ordinaires. Chacune a une partie du royaume, rapporte les requêtes qui en émanent, et adresse au Roi, à la fin de son mandat, un rapport général sur sa circonscription. En outre, il y a des commissions temporaires pour telle ou telle affaire. Toutes ces commissions parfois décident elles-

1. Les règlements, en outre PONTCHARTRAIN, p. 311; BASSOMPIERRE, I, p. 285. Peut-être la Direction rapportait-elle déjà devant le Conseil d'en Haut.

2. BASSOMPIERRE, I, p. 357; Robert ARNAULT D'ANDILLY, 8 novembre 1616.

mêmes, prennent des arrêts et en font faire des expéditions sans en référer au Conseil[1].

Le Conseil des Finances crée les ressources et ordonnance les dépenses. Son travail est préparé par la Direction et par des commissions, permanentes ou temporaires, analogues aux précédentes.

Le Conseil privé ou des Parties est l'organe de la justice retenue. Son travail est préparé par l'Assemblée des maîtres des requêtes et, éventuellement, par des commissions.

Des Conseils exceptionnels sont formés, à l'occasion, par exemple pour la guerre[2].

De graves problèmes de division du travail et de spécialisation restent posés.

En principe, le Conseil est un. La diversité des affaires a contraint de le partager en sections. Mais, d'abord, toute section du Conseil peut toujours, selon la volonté de son président, le Roi pour le Conseil des Affaires, pour les autres Conseils plus souvent le chancelier ou le garde des Sceaux, parfois un prince, traiter dans la même séance, après les affaires qui sont de sa compétence propre, n'importe quelle espèce d'affaires, et d'autant plus facilement qu'il y a toujours présents quelques conseillers qui assistent aux séances de toutes les sections. D'autre part, le Conseil des Affaires a, en fait, une compétence universelle, bien qu'il s'occupe avant tout de politique. Le Conseil d'Etat et des Finances, tronc dont sont venues les autres branches, a conservé une compétence mal définie, qui s'étend aux matières dont connaissent les autres Conseils. Il s'occupe encore d'administration et de politique intérieure : contraventions aux édits et ordonnances, en particulier aux édits de pacification et à l'édit de Nantes; remontrances des Parlements, consultations des gouverneurs et lieutenants généraux, avis des trésoriers de France, cahiers de provinces, villes et communautés, affaires d'Eglise, de « police » (c'est-à-dire d'administration générale). Parfois, il devait être difficile de distinguer sa compétence de celle du Conseil des Affaires.

Il a exclusivement le contentieux administratif, en particulier en matière de finances : requêtes sur l'exécution des baux à ferme, adjudication des revenus publics, contrats et marchés; connaissance de toutes les actions que les particuliers pourraient prétendre envers sa Majesté pour la « police » du royaume ou les impôts. Mais il empiète sur les attributions du Conseil des Finances, puisqu'il autorise la levée d'impôts locaux, expédie des commissions pour lever

1. Règl. de Loudun, avril 1616, nº 50, R. MOUSNIER, VIII.
2. PONTCHARTRAIN, p. 300.

argent, vivres et munitions, liquide des gages et des indemnités.

A l'occasion, il entreprend sur les pouvoirs du Conseil privé; il peut exercer directement le droit de justice, comme tribunal régulateur ou juridiction extraordinaire.

« Du reste, plusieurs arrêts ne rentrent dans aucune des catégories d'affaires que nous venons d'énumérer : la compétence du Conseil d'Etat demeure, jusqu'à un certain point, flottante et indéterminée »[1].

Confusion, désordre, doubles emplois, efforts perdus, tels étaient parfois les résultats de cette incertitude. Mieux distinguer les branches du Conseil, leur répartir leur travail avec précision pour assurer la spécialisation et le meilleur rendement, créer au besoin de nouvelles sections, tel était le premier problème à résoudre.

Par son origine, le Conseil est un reste. Ses membres, hommes de confiance du Roi, ont fait partie d'un plus vaste ensemble, où entraient les palatins, les vassaux, les prélats : la *Curia Regis*. De cette « Cour le Roi » se sont détachés peu à peu, suivant les besoins de la spécialisation croissante, Parlement, Chambre des Comptes, Grand Conseil, et il est resté le Conseil du Roi. Mais les liens entre les différents organes n'ont jamais été tranchés. Les président, procureurs et avocats généraux du Parlement de Paris, le premier et le second président de la Chambre des Comptes, le premier président de chacun des Parlements de province ont entrée, séance et voix délibérative au « Conseil d'Etat et privé », c'est-à-dire au Conseil d'Etat et des Finances et au Conseil des Parties. Et bien que le règlement de 1585 en fasse une faveur personnelle, non une prérogative attachée à la charge, en fait c'est ce dernier caractère qu'a pris leur séance. Parfois, à la vieillesse, ils se défont de leur office et terminent leur vie comme conseillers d'Etat. Inversement, tous les conseillers d'Etat sont admis au Parlement après y avoir prêté serment. Ils peuvent entrer aux plaidoiries sans autre formalité; ils obtiennent des lettres pour y opiner comme les autres magistrats, ainsi que pour entrer et opiner au Parlement tenant Conseil. Dans les cas graves, le Roi reconstitue la *Curia Regis* : c'est lorsqu'il tient un lit de justice pour organiser une Régence, proclamer sa majorité, affirmer sa volonté. Alors, au Parlement, toutes Chambres assemblées, viennent les principaux vassaux du Roi et ses plus fidèles palatins : princes de sang, autres princes, ducs et pairs, officiers de la Couronne, conseillers d'Etat, maîtres des requêtes. Et, après avoir pris leur avis à tous, le chancelier proclame l'édit enregistré, comme si la volonté

1. N. VALOIS, *Introduction*, p. 126.

royale ne pouvait s'imposer ou n'était parfaite qu'avec tout ce grand conseil. Mais de cette unité persistante naissent de nouveaux et graves problèmes.

Le Parlement prétend, non seulement à des pouvoirs de justice et de « police », non seulement à donner au Roi ses avis ou « remontrances » en politique lorsque le Roi les lui demande, mais à s'occuper d'affaires d'Etat de son propre mouvement. Il refuse au Conseil du Roi toute supériorité, si le Roi n'y est pas présent. Le Conseil prétendait en tout temps à l'autorité suprême comme le Roi, censé y être toujours présent; le fauteuil du Roi est toujours au haut bout de la table; les décisions du Conseil commencent par les mots : « Le Roi en son Conseil. » Le Conseil prétendait casser les arrêts du Parlement. Le Parlement n'y consent point. Pour lui le Conseil, hors de la présence du Roi, a simplement une compétence autre. Il est seulement un égal, un rameau issu du même tronc. Et voici le second grand problème : le Conseil va-t-il être en tout le supérieur des Cours souveraines, la vraie Cour souveraine, omnipotente ? Et comme les conseillers d'Etat n'exercent leur charge que par commission, comme le Conseil est composé de commis, non d'officiers, cette question se relie à celle de l'autorité du Roi sur les corps d'officiers, qui se sont approprié la puissance publique par la vénalité des charges, au grand problème de la reprise de la puissance publique par le Roi au moyen des commissaires.

Ces membres des cours souveraines, lorsqu'ils venaient prendre place au Conseil, prenaient rang, comme tous les conseillers d'Etat, du jour qu'ils avaient prêté serment[1]. Ils repoussaient donc vers le bas de la table des conseillers brevetés après eux, mais qui étaient entrés effectivement au Conseil plus tôt, y avaient fait un service régulier, avaient parcouru toute la carrière : conseiller au Parlement, maître des requêtes, commissaire departi, ambassadeur, conseiller d'Etat siégeant quelques mois chaque année, conseiller ordinaire, et qui pouvaient espérer être un jour doyen du Conseil, garde des Sceaux, chancelier de France ! Cette question de préséance n'avait guère d'importance pour l'avancement : le Roi nommait les ordinaires au choix sans souci de l'ancienneté; ni pour le fonctionnement du Conseil; depuis que Sillery était chancelier, c'est-à-dire depuis 1607, le président ne prenait plus les avis selon l'ordre des serments, mais en commençant par le bas bout de table, par les plus infimes conseillers,

1. Les conseillers d'Etat recevaient un brevet, prêtaient serment peu de jours après, et attendaient ensuite longtemps, des années, d'être « appelés » pour siéger au Conseil et exercer effectivement leur fonction.

pour laisser toute liberté d'expression. Quant à la règle suivant laquelle tous les conseillers d'Etat ordinaires devaient être assis, et que, si les sièges manquaient, un conseiller d'Etat qui avait droit de s'asseoir devait quitter la salle plutôt que de rester debout contre son droit, elle aurait pu annihiler de vieux conseillers, mais l'on dut rarement se trouver dans le cas de la faire respecter, puisque l'on vit jusqu'à quarante conseillers d'Etats ordinaires assis[1]. Mais le recul était fort grave en lui-même, dans une société fondée sur l'inégalité d'une hiérarchie rigoureuse, où tout le monde était infiniment chatouilleux sur le rang. Etre reculé comportait une diminution de l'estime de soi et de la considération publique, profondément douloureuse. Perdre son ancien rang, seoir au-dessous d'un autre, marcher après lui, c'était « une douleur bien sensible et bien amère, et une grande mortification qui allait à l'honneur »[2]. C'était décourageant et révoltant pour les conseillers d'Etat de carrière, à un degré que nous imaginons difficilement, bien que les mémoires soient remplis de querelles, contestations, plaintes et doléances à ce sujet. Assurer à ces hommes les honneurs propres à accroître leur zèle sans mécontenter les membres des Cours souveraines n'était pas un mince problème.

D'ailleurs, beaucoup de Conseillers d'Etat avaient eu des carrières très irrégulières et leur formation avait été mal assurée. Si les proportions du temps de Henri III sont déjà inversées, si les gens de robe longue, juristes et magistrats, l'emportent déjà sur les hommes d'Eglise ou d'épée, s'il y a donc un progrès vers l'emploi de spécialistes, les conseillers d'Etat sont encore choisis peut-être plus d'après les circonstances que d'après des coutumes ou des règles. En particulier les maîtres des requêtes n'ont encore entrée, séance et voix délibérative qu'au Conseil privé. Ils ne viennent aux autres Conseils qu'occasionnellement, si le chancelier leur a donné à rapporter une affaire de justice, et ils sortent aussitôt leur rapport fait, sans assister à la délibération. Leur initiation à toutes les affaires est encore imparfaite. Ils ne peuvent encore être « la vraie pépinière des administrateurs » dont a parlé plus tard d'Argenson. Il importait de régulariser le recrutement et la formation des conseillers d'Etat pour en former un corps de spécialistes, de techniciens.

Et ce problème posait celui de l'entrée au Conseil. Le Conseil des Affaires, où le Roi n'appelait que quelques dévoués, le Conseil des Finances, le plus technique, où l'on n'entrait que sur nomination

1. Ms. fr. 18158, f° 156 sq.
2. *Mémoires* d'André d'ORMESSON (CHÉRUEL, *Hist. de l'Adm. mon.*, I, p. 363).

spéciale, n'étaient pas en cause. Mais le Conseil privé, et surtout le Conseil d'Etat et des Finances, où venaient encore princes, ducs et pairs, maréchaux de France, qui avaient déjà déserté le Conseil privé, étaient envahis. La nécessité où était le Roi de se « faire des fidèles », d'avoir « ses hommes », le contraignait de multiplier les brevets de conseiller du Roi jusque dans les provinces pour contenter des officiers. C'était un simple titre d'honneur, le roi ne les « appelait » pas au Conseil. Mais il tolérait que ces conseillers vinssent siéger s'ils étaient de passage à Paris ou que le Conseil vint à passer près d'eux avec le Roi. Un certain nombre en profitait pour entrer fréquemment par la connivence des huissiers du Conseil et l'inattention du chancelier, participer aux délibérations, et recommander aux conseillers « appelés » les affaires de leur province et de leurs amis. Ceci, sans compter tous ceux qui obtenaient de la faveur d'un chancelier ou d'un secrétaire d'Etat un brevet auquel le Roi n'avait jamais pensé, et tous ceux qui entraient au Conseil sans brevet, par entente avec un huissier. Parfois, ces deux sections étaient « une multitude effrénée »[1]. Délibérations trop longues, car la coutume était de prendre l'avis de tous les présents, expédition des affaires retardées, secret compromis, faveurs illicites peut-être en étaient les conséquences. Il fallait débarrasser le Conseil de tous ceux qui n'avaient aucune compétence.

La question se posait de façons particulières pour le Conseil des Affaires. En temps de crises, pendant les Régences, dans les moments de faiblesse, la mère du Roi y entrait, des princes du sang l'envahissaient. C'est que le gouvernement est affaire de famille. La nation s'est dessaisie à toujours de sa souveraineté entre les mains de la famille royale. Famille et vassaux, voilà la composition de ce Conseil. Déjà un Henri IV en avait écarté les princes. Avec la complication des affaires se posait de plus en plus la question de savoir si le Roi ne devrait pas continuer à en éliminer l'élément familial et féodal, pour faire, sans cesse davantage, appel à des hommes de métier, choisis pour leur compétence, leur dévouement à la royauté, à la personne abstraite de l'Etat.

Enfin, se posait le problème de l'organisation matérielle du travail. Le Conseil manquait d'archives. Si les arrêts du Conseil privé, qui établissaient les droits des particuliers, étaient conservés avec soin,

1. *Relazioni...*, série II, *Francia*; Angelo Badoer, I, p. 113; Andréa Gussonini et Agostino Nani, I, p. 463-464; N. Valois, *op. cit.*, p. LI-LV; Lefèvre de Lézeau, ms. fr. 18155, f° 2020, f° 221 v°; Règlements de La Rochelle, R. Mousnier, XXII, art. 4; de Montpellier, R. Mousnier, XII; Olivier d'Ormesson, I, p. 120.

les autres l'étaient plus ou moins bien par les secrétaires du Conseil. Beaucoup de feuilles volantes, quelques registres de transcription de résultats et d'arrêts, tout cela considéré par les secrétaires comme propriété privée et papiers de famille, c'étaient là les archives du Conseil. Déjà des chanceliers, garde des Sceaux et conseillers d'Etat recherchaient les papiers anciens, les acquéraient, se les communiquaient. Néanmoins, le Conseil en était réduit à profiter des hasards heureux. L'on ne pouvait que rarement utiliser les précédents pour régler une affaire, les droits du Roi n'étaient pas conservés et le souvenir s'en perdait. Il fallait songer à organiser des bureaux[1].

Vers la solution de tous ces problèmes un grand pas fut fait de 1610 à 1661, au cours des grandes crises qui, dans la vie politique comme dans la vie économique, sont les époques de recherches techniques qui amènent l'épanouissement des périodes de calme et de prospérité.

Il y eut quatre étapes principales.

Dans les années 1615-1617, les réclamations des Etats généraux, les révoltes des princes et des grands, l'agitation du Parlement de Paris, les intrigues de Cour qui se terminèrent par l'exécution de Concini obligèrent à prendre des mesures dont les principales furent contenues dans le règlement du 21 mai 1615, et dans celui d'avril 1616, discuté à Loudun avec le prince de Condé. Destinées à calmer les officiers des Cours souveraines et à faire du prince de Condé le chef du Conseil, elles furent souvent très conservatrices[2]. Mais les vieux conseillers de Henri IV, les ministres Villeroy, Sillery, Jeannin, introduisirent quelques innovations utiles, et furent imités bientôt par la jeune équipe Barbin, Mangot, Richelieu. La disparition de Concini amena la disgrâce de ces derniers, sauva les princes d'une défaite complète et d'une soumission absolue et retarda un moment l'évolution du Conseil.

De 1622 à 1630, se produisit la plus décisive crise de croissance du Conseil du Roi. Elle fut marquée par un pullulement de règlements dont le nombre a parfois inspiré de la défiance : on ne les a pas toujours lus d'assez près et on n'a pas observé qu'ils traitent de

1. Fontenay-Mareuil, p. 75; N. Valois, p. cxliii, n. 12; R. Mousnier, *Règlements...*, Introduction.

2. Par exemple, le mode de recrutement des conseillers de robe longue du Conseil d'Etat et des Finances était celui du règlement de 1574. Dans l'ensemble ces règlements cherchaient à préciser la compétence du Conseil des Affaires et des autres Conseils, pour les empêcher d'empiéter sur les fonctions des Cours souveraines.

questions différentes ou qu'ils modifient parfois des mesures antérieures insuffisantes. Le grand règlement de Paris, du 18 janvier 1630, le seul règlement d'ensemble depuis ceux de 1615-1616, confirma les règlements donnés depuis 1622, et les compléta. Recrutement et avancement des conseillers, travail des Conseils furent améliorés. Une véritable révolution fut achevée; le Conseil d'Etat et des Finances perdit officiellement la plupart de ses dernières attributions. Cette période de réforme a commencé avant que Richelieu et le garde des Sceaux Marillac n'eussent pris de l'influence dans le Conseil. C'est dès que le Roi atteignit vingt et un ans et que la mort lui eut enlevé le médiocre à qui il devait d'être débarrassé de la tutelle de la Reine mère et de Concini que les réformes commencent. Elles ont leur source dans l'absolutisme de Louis XIII[1] et aussi, probablement, dans l'influence des vieux conseillers, pleins d'expérience, animés d'un très bel esprit de corps et d'un entier dévouement à la fonction, qui avaient besoin, pour faire prévaloir leurs vues, de la volonté du Roi. L'œil fixé sur les grands premiers rôles qui apparaissent dans les événements voyants, nous négligeons trop ces obscurs serviteurs qui firent souvent le travail le plus sérieux[2]. D'ailleurs l'influence de Marillac est nette dans le règlement du 3 janvier 1628 et dans celui du 18 janvier 1630.

De 1643 à 1660, les difficultés et les oppositions sans cesse renaissantes provoquèrent bien des mesures qui eurent un effet durable. Il y eut de vigoureux efforts pour assurer l'autorité du Conseil sur les Cours souveraines. Ils ne devaient donner tous leurs fruits que sous le gouvernement personnel de Louis XIV.

En 1643 et 1644, pour remédier au désordre provoqué dans les Conseils par une minorité royale, le chancelier Séguier systématisa des pratiques antérieures et régla le travail surtout en ce qui concerne les maîtres des requêtes et les avocats en Conseil. L'édit de septembre 1642 et le règlement du 16 juin 1644 ne cessèrent plus d'être appliqués. Des Conseils secondaires furent organisés.

Depuis le début de la Fronde, mais surtout depuis 1654, se succédèrent les efforts : organisation du Conseil des Dépêches, remèdes au désordre apporté par les guerres civiles dans la composition du Conseil.

1. C'est vrai de toute la politique royale. Lorsque Saint-Jean-d'Angély capitule le 25 juin 1621, le Roi refuse de traiter avec les assiégés, accepte leurs supplications et leur fait grâce. C'est déjà la Grâce d'Alais. Richelieu a été le meilleur instrument du Roi. (R. ARNAULD D'ANDILLY, *Journal*, 1621, p. 50-51).

2. Voir les plans de Richelieu du 8 juillet 1620 (A.N.K.K. 1355, f° 70 v°) et de 1625 (AVENEL, *Lettres...*, II, p. 168, sq.), trop loin du réel et sans influence.

I

La spécialisation des Conseils s'accrut, les affaires furent mieux réparties entre les anciens, de nouvelles sections apparurent.

Le nom de Conseil d'en Haut semble n'avoir été employé qu'après 1643. Jusqu'alors ce Conseil est appelé Conseil des Affaires, Conseil des Affaires et des Dépêches, Conseil des Dépêches[1], Conseil étroit, Conseil secret, Conseil de Cabinet[2] et même Conseil des Ministres[3]. Nous nous servirons de l'expression de Conseil d'en Haut comme plus fréquente que celle de Conseil des Ministres et de Conseil de Cabinet, et comme moins sujette à confusion que les autres.

Ce Conseil passe pour avoir une composition très variable, pour être « le petit groupe changeant de ceux dont le Roi, à tel ou tel moment, tient à recueillir l'avis »[4]. En réalité, le Conseil d'en Haut a un personnel beaucoup moins flottant qu'on ne l'a dit. En dehors du Roi, ses membres, qui portent le nom de ministres d'Etat, sont toujours, par la force des choses, le premier ministre (qui reste souvent de très longues années en fonctions, comme Richelieu et Mazarin), le chef des Conseils royaux qui est en même temps presque toujours le chef de la justice (chancelier ou garde des Sceaux lorsque le chancelier est en disgrâce), le chef des finances (surintendant, ou contrôleur général lorsque le surintendant est remplacé par une commission, ce fait constant ne devint que difficilement officiel; par une clause du règlement de septembre 1624, le surintendant de l'époque entrait dans le Conseil d'en Haut à titre personnel seulement, mais le règlement du 18 janvier 1630, sur la Direction des Finances, le met au nombre des ministres d'Etat, et, après 1643, tout surintendant à son entrée en charge eut aussitôt des lettres de ministre d'Etat), enfin, comme ministre, au moins un secrétaire d'Etat, le plus souvent celui qui a le département des Affaires étrangères.

Assistent aussi à ce Conseil, mais à titre d'auxiliaires, le secrétaire d'Etat en mois, qui prend des notes pour expédier les lettres sur les décisions prises; parfois les autres secrétaires d'Etat, debout, pour donner seulement les renseignements demandés. Le Roi faisait entrer

1. LEFÈVRE DE LÉZÉAU, ms. fr. 18155, f° 28 v°.
2. Olivier d'ORMESSON, I, p. 300; Lazare du CROT, *Vray style des Conseils d'Etat et privé du Roi*, éd. 1623, p. 13.
3. Robert ARNAULD D'ANDILLY, 12 janvier 1620, 1er et 2 août 1621, 18 août 1624.
4. G. PAGÈS, Le Conseil du Roi sous Louis XIII, dans *Etudes sur l'hist. adm. et soc. de l'Anc. Régime*, 1938, in-8°, p. 11, extrait de la *Revue d'Histoire moderne*.

aussi à l'occasion un officier que l'on avait besoin de consulter, un conseiller d'Etat, un maître des Requêtes à qui l'on avait demandé un rapport[1].

Etre ministre, c'est être « en possession » d'une « fonction », dont on n'est vraiment titulaire qu'après y avoir été « installé ». L'on a dit que les conseillers devenaient ministres sur simple appel verbal du Roi. Mais nous avons traces de textes de brevets et de lettres de conseillers d'en Haut. Il est possible que le Roi ait voulu annoncer sa décision lui-même à ces fidèles élus pour les honorer davantage, mais qu'il leur ait fallu en outre brevet ou lettres comme les autres conseillers. Tout ceci implique une permanence, une stabilité du personnel[2].

L'impression d'une composition flottante a été donnée par ces gens introduits une fois pour renseigner; par l'invasion, dans les moments d'affaiblissement du pouvoir royal, des princes du sang, autres princes, cardinaux, officiers de la couronne, dans le Conseil d'en Haut, mais alors qu'il y subsistait toujours le même noyau solide; et, surtout, par l'existence de sections du Conseil d'en Haut, auxquelles il n'a pas toujours été fait attention.

A toutes les époques, le Roi se retire avec un ou quelques-uns des ministres pour décider des affaires les plus importantes. Les décisions sont portées ensuite devant le Conseil d'en Haut qui les approuve. Ce choix de ministres est proprement le Conseil secret ou Conseil de Cabinet, sorte de section supérieure du Conseil d'en Haut. Ces ministres choisis ont seuls le « secret » des affaires à l'exclusion des autres[3].

Inversement, pour quelques grandes affaires, guerres étrangères, guerres civiles, arrestations de princes ou de grands, levées de troupes, impôts nouveaux, retranchements de pensions qui pourraient compromettre l'ordre intérieur, le Roi tient un « grand Conseil »; il gonfle le Conseil d'en Haut, pour une séance, soit avec des spé-

1. PONTCHARTRAIN, p. 386; BASSOMPIERRE, II, p. 178, 212, 346, III, p. 243; FONTENAY-MAREUIL, p. 165; Olivier d'ORMESSON, I, p. 180-181; André d'ORMESSON, *ibid.*, II, p. 637; CLAIRAMBAULT, 651, f° 342 v°.

2. Brevet de l'évêque de Cahors du 25 juillet 1623 « pour estre du Conseil Estroict » (ms. fr. 18152, f° 120 v°); commissions de ministre en forme de lettres patentes pour Chavigny, Le Bailleul (1643), Particelli d'Emery (18 juillet 1647), de Maisons, 26 mai 1650 (O[1] 9, f°s 109 v°, 294 v°, 297 v°, 345 v°), de Senneterre, septembre 1652, les maréchaux de France du Plessis-Prastin, d'Estrées, de L'Hôpital, 1652 (O[1] 10, f°s 4 v°, 5 r°-v°). Ces lettres proviennent des formulaires de la Maison du Roi, ARNAULD D'ANDILLY, 18 août 1624.

3. BRIENNE, p. 29, 30, 64, 75, 78, 85; PONTCHARTRAIN, p. 310, 318, 386; FONTENAY-MAREUIL, p. 14, 35; ARNAULD D'ANDILLY, 8 octobre 1622, 20 janvier 1623, 17 août 1624; *Etat de la France* de 1658.

cialistes (hommes de guerre), soit avec des notables (prévôt des marchands et échevins de Paris), des officiers (présidents et gens du Roi des Cours souveraines), des princes, des ducs et pairs, des officiers de la Couronne. Parfois, lorsqu'il faut obtenir une approbation de la politique royale et faire partager la responsabilité du gouvernement, les Ordres de la nation sont si bien représentés par des appelés si nombreux que c'est une petite Cour le Roi qui se trouve reconstituée[1].

La compétence du Conseil d'en Haut fut précisée par les règlements du 21 mai 1615, du 2 septembre 1624, du 11 février 1625 et du 18 janvier 1630. D'après celui de 1615 il est lu dans ce Conseil toutes les dépêches, « délibéré des réponses et de ce qui sera à faire », décidé des instructions aux ambassadeurs et autres qui seront envoyés vers les provinces étrangères ou ailleurs, c'est-à-dire aux commissaires départis qui sont en train de devenir les intendants et dont il s'agit de limiter l'envoi aux provinces les plus récemment rattachées au domaine royal et réputées étrangères (Bretagne, Bourgogne, etc.), examiné ce qui concerne l'armée, « *et généralement les affaires de plus grande importance, comme il plaira à sa Majesté l'ordonner* ». Politique intérieure, affaires étrangères, guerre, il n'y a là rien de nouveau, et, en effet, le Parlement de Paris, allié aux princes, avait surtout le souci d'interdire au Conseil d'en Haut les empiétements sur les fonctions des Cours souveraines. Mais, pour la première fois, ce Conseil était nommé dans un règlement : son existence de fait se transformait en existence de droit. Cité avec les autres sections du Conseil, il était comme intégré dans le Conseil. Il restait supérieur, il cessait d'être à part, il acquérait en même temps une stabilité, un être qu'il n'avait pas eu jusqu'alors. Lui confier en propre certaines affaires, à lui plus important Conseil, n'était-ce pas les interdire aux autres sections ? Et de fait, si le règlement de 1615 laisse au Conseil d'Etat et des Finances des pouvoirs étendus d'administration et de politique intérieure, ce Conseil, qui s'occupait déjà surtout d'affaires de finances, semble très vite s'être cantonné dans le contentieux financier et avoir complètement abandonné les « grandes et importantes affaires du Royaume, Provinces et villes, procès des provinces et villes contre les Gouverneurs », dont s'occupe le Conseil d'en Haut[2].

Le règlement du 18 janvier 1630 sanctionna le fait accompli. Il ne laissa au Conseil d'Etat et des Finances qu'un contentieux

1. ARNAULD D'ANDILLY, 13 août 1615, 20 avril 1621, 16 mars 1623, 29 septembre 1625, 12 mai 1631; BRIENNE, p. 66; BASSOMPIERRE, II, p. 178, 212; FONTENAY-MAREUIL, p. 35; PONTCHARTRAIN, p. 330; Omer TALON, p. 64; ms. fr. 18158, f° 292.

2. Lazare du CROT, *Vray sytle des Conseils d'Etat et privés du Roi*, éd. de 1623, p. 13-16.

financier, répartit ses fonctions entre les autres sections du Conseil, et réserva au Conseil d'en Haut, avec les Affaires étrangères, tout l'Intérieur. Il précisa que tous ceux qui seraient envoyés en commission, c'est-à-dire, en particulier, les intendants, devraient venir lui rendre compte (art. 45).

Mais, d'autre part, le Conseil d'en Haut empiétait de plus en plus sur le Conseil des Finances. Déjà en 1624, sans doute par régularisation des pratiques plus anciennes, il avait reçu le contrôle de l'état général des finances, des états bimensuels des dépenses courantes, des édits bursaux, traités de finances, rabais et diminution sur les fermes et impôts qui lui étaient soumis après examen par le Conseil des Finances. En 1630, il y est adjoint le paiement des gens de guerre, l'accroissement de toutes les dépenses militaires, de celles des Maisons du Roi, de Monsieur et des Reines. La tendance était d'effectuer ce contrôle direct des finances par le Roi et ses hommes de confiance que réalisa Louis XIV par l'institution du Conseil royal des Finances.

Il débordait même sur le Conseil privé puisqu'en 1625 il avait reçu la connaissance d'un certain nombre d'affaires des particuliers, et nous le voyons, en effet, s'occuper de telles affaires, casser des arrêts du Conseil privé, évoquer du Parlement[1].

Certes nous avons lieu de supposer qu'il ne s'occupe des particuliers qu'autant que leurs affaires intéressent l'ordre public, mais enfin qu'est-ce qui n'intéresse pas l'ordre public ? Politique proprement dite, grande administration, finances, justice, il fait de tout. Il apparaît comme le Conseil du Roi par excellence, aux fonctions mal déterminées, dont les membres siègent un jour en finances, un autre pour les parties, un autre pour la politique. Les autres sections lui sont subordonnées comme de petites Cours souveraines[2]. Le Conseil d'en Haut semble recommencer pour son propre compte l'évolution précédente de la Cour le Roi et du Conseil royal. La Cour le Roi a confondu en elle-même pratiquement tous les pouvoirs et toutes les fonctions, puis des sections spécialisées sont lentement apparues. L'une d'elles, le Conseil du Roi, acquiert une compétence de plus en plus vaste, et, en conséquence, à son tour, péniblement, elle se divise et ses fragments se spécialisent. Et voici que l'un de ces fragments, celui qui entoure le Roi de plus près et qui participe le mieux à son autorité, concentre à nouveau tous les pouvoirs et toutes les fonctions. Le Roi est source de toute autorité, tout ce qui l'approche

1. CLAIRAMBAULT 651, f° 342 v°. Cinq cents Colbert 194, f° 218 r°.
2. Voir les règlements de 1654, du 1er avril 1655 et du 4 mai 1657 qui qualifient les Conseils, autres que le Conseil d'en Haut et le Conseil des Dépêches, de « première compagnie du royaume ».

peut recevoir cette autorité communiquée, tout ce qui l'en éloigne un tant soit peu risque le déclin. D'ailleurs, dans cette monarchie, c'est perpétuellement que les mêmes évolutions recommencent et que des faits semblables réapparaissent comme si la structure, l'être de cette société, contenait les causes profondes des événements que nous étudions en successions chronologiques où nous voyons, avec raison d'ailleurs, des successions causales.

Les séances du Conseil d'en Haut étaient aussi bien réglées que les autres, de façon certaine après 1643, probablement après 1630, sans doute plus tôt. Au bout d'une table était le Roi[1], ensuite, à sa droite et à sa gauche, la Reine et les princes, lorsqu'ils étaient admis au Conseil; puis, du côté droit, le chancelier ou le garde des Sceaux; en face de lui, le Premier ministre; à la droite du chancelier, le surintendant des Finances et, quand il y en avait deux, l'autre à la gauche du Premier ministre, en face de son collègue; puis les autres ministres selon l'ordre de leur réception. Le Roi et la Reine étaient assis sur des chaises, les autres sur des sièges pliants. Tous étaient couverts. Les secrétaires du Roi étaient debout derrière sa chaise. Ils étaient normalement rapporteurs des affaires d'Etat. Mais les ministres en rapportaient aussi. Pour les affaires de justice, le rapport était confié à des conseillers d'Etat et surtout à des maîtres des requêtes qui entraient, rapportaient et ressortaient avant la délibération. Depuis 1643, ils acquirent le droit de rapporter certaines affaires d'Etat, et même, parfois, ils assistèrent à tous les débats, mais sans opiner. Les princes et le Premier ministre donnaient leur avis couverts (Richelieu, Mazarin, à cause de leur dignité de cardinal). Le chancelier et les autres ministres opinaient nu-tête, alors que, dans les autres Conseils, le chancelier le faisait couvert. Régulièrement, les secrétaires d'Etat n'avaient pas voix lorsqu'ils n'étaient pas là comme ministres, mais, très souvent, ils donnaient leur avis. Lorsque le Roi craignait les disputes pour les préséances, il faisait tenir le Conseil debout et prenait les avis sans ordre. Depuis 1630, au moins, le secrétaire d'Etat en mois dressait un résultat du Conseil, contenant les résolutions prises et les personnes chargées des affaires. Un extrait en était donné à chaque secrétaire d'Etat pour qu'il en suivît l'exécution. Chacun délivrait arrêts, lettres patentes, commissions, brevets, déclarations, en ce qui le concernait. Lorsqu'ils n'avaient pas rapporté eux-mêmes c'était le rapporteur qui écrivait le dispositif de son arrêt, le signait, remettait la minute au premier commis du secrétaire d'Etat intéressé,

1. Louis XIV commença d'entrer dans son Conseil d'en Haut le 7 septembre 1649, âgé de onze ans.

qui faisait les expéditions. En 1654, le Roi ordonna de donner une commission spéciale à un officier du Conseil pour suivre de façon permanente l'exécution des arrêts et règlements et correspondre avec les intendants. Le Conseil d'en Haut rendait des arrêts en commandement, qui exprimaient la volonté du Roi, et des arrêts sur requêtes. Nous en avons quelques-uns. Il n'a pas été trouvé d'arrêts en commandement pour le XVIe siècle, mais c'est vraisemblablement par accident, car toute décision royale prend l'aspect d'un arrêt de justice, en vertu duquel sont expédiés déclarations, brevets, commissions. C'est de son rôle de souverain justicier que le Roi tire, en principe, tous ses pouvoirs et, selon les contemporains, « juge » les affaires d'Etat avec son Conseil comme il juge les affaires contentieuses entre particuliers, comme tous ses officiers, même ceux de finances, sont des juges, qui administrent par arrêts, fait européen à cette époque. Ces arrêts ne pouvaient être cassés ou modifiés que par le Roi. Mais il renvoyait parfois ceux qui prononçaient entre des particuliers à l'examen d'une autre section du Conseil agissant comme Cour d'appel[1].

Les séances du Conseil d'en Haut étaient parfois préparées par des réunions du Premier ministre avec d'autres ministres ou avec le Roi[2]. Normalement elles l'étaient par chaque ministre d'Etat et par chaque secrétaire d'Etat avec ses bureaux. Chacun d'eux avait, en effet, et cela avant 1630, plusieurs commis principaux avec des sous-commis. Chacun des commis principaux reçut, au moins depuis 1630, une indemnité mensuelle, presque un traitement, prévue dans les états de finances. Sur justification, le Roi leur remboursait les traitements de leurs sous-commis, leurs frais de bureaux et de voyages. Le gouvernement avait même songé, en 1630, à prévoir des sommes fixes pour ces dernières dépenses, véritable budget du personnel et du matériel de chaque ministère. De vrais ministères, avec bureaux, archives et spécialistes, étaient en voie de formation. Les hommes étaient encore les « domestiques » des ministres et des secrétaires d'Etat, les papiers, leur propriété personnelle. Mais, déjà, le Roi s'en occupe sans doute plus qu'il ne l'a jamais fait. Une bureaucratie naissait.

En principe, tout le Conseil suit fidèlement le Roi. Tout au plus, si le Roi doit partir à l'improviste, se sépare-t-il pour quelques jours

1. R. Mousnier, *Règlements...*, XXVI-XXVII; Brienne, p. 29, 30, 66, 84; Omer Talon, p. 19, 228; Olivier et André Lefèvre d'Ormesson, I, p. 180, 181, 464, II, p. 670, 838, 839, 841, 842; Cinq Cents Colbert 194, f° 211 r°; Clairambault 651, f° 342 v°; *Etat de la France* de 1658, p. 98 sq.; ms. fr. 18158, f° 180 r°.

2. Brienne, p. 9, 10, 66; Arnauld d'Andilly, *Journal*, 1615-1620, p. 239; Pontchartrain, p. 376.

de son Conseil qui le rejoint ensuite. Mais, lorsque le Roi va faire la guerre dans les provinces ou à l'étranger, il laisse à Paris, ou dans quelque autre ville, un Conseil présidé, selon les occurrences, par le doyen du Conseil, un prince du sang, le chancelier, la Reine, la Reine mère, composé de plusieurs conseillers éprouvés et d'un secrétaire d'Etat. Ce Conseil est un fragment du Conseil d'en Haut. Il doit délibérer sur les « affaires importantes et concernant le gouvernement de l'Etat ». Il a parfois un ressort géographique : en 1650, la partie nord du royaume, y compris la vallée de la Loire. Des « résultats » de ses délibérations sont dressés et signés du président et des conseillers. Sur ces résultats, sont expédiées dépêches et lettres patentes signées du secrétaire d'Etat. Elles ont pareille autorité que si le Roi avait été présent au Conseil[1].

Le Conseil d'en Haut était très chargé d'affaires, et, semble-t-il, dans la seconde moitié du XVIe siècle, l'idée était venue de l'alléger par la création d'un Conseil des Dépêches pour l'examen des questions relatives aux provinces et à l'administration intérieure du royaume. Il y aurait eu des commencements de réalisation[2].

L'auteur du *Traité du Conseil* attribué à Marillac affirme qu' « il a esté estably depuis, *au commencement de l'année 1617*, un autre Conseil appelé des Dépêches ». Il aurait été composé du chancelier ou du garde des Sceaux, de quelques vieux conseillers d'Etat, des secrétaires d'Etat et des principaux ministres « s'ils s'y veulent trouver ». L'absence du Roi et de quelques ministres, la présence facultative des autres le font différer complètement du Conseil d'en Haut. A ce Conseil auraient été lues « les dépêches des provinces », les réponses auraient été décidées, et des « choses plus difficiles » rapport aurait été fait au Roi pour qu'il en ordonnât[3]. Le Conseil aurait donc été institué au moment où trois jeunes ministres, intelligents et autoritaires, Barbin, Mangot, Richelieu, entreprenaient avec ardeur d'imposer l'autorité royale. Cette date rend l'affirmation vraisemblable.

Est-elle vraie ? Les propositions du Roi à l'Assemblée des Notables de Rouen en décembre 1617 ne disent rien d'un Conseil des Dépêches[4].

1. *Traité* attribué à MARILLAC (Cinq Cents Colbert 194, f° 28 v°); PONTCHARTRAIN, p. 396, 398, 400, 401; ARNAULD D'ANDILLY, *Journal*, 1615-1620, p. 108-111 et 2 avril 1631; BASSOMPIERRE, II, p. 178; BRIENNE, p. 51, 68; O¹ 10, f° 5 v°, O¹ 11, f° 189.

2. Projets de Fancan sur la réforme des Conseils dans G. FAGNIEZ, Fancan et Richelieu, *Revue historique*, 1911, t. II, p. 65-66; DELISLE DE HÉRISSÉ, Nouvelles acquisitions françaises 9731, f° 17.

3. Ms. fr. 16218, f° 17 r°-v°.

4. De BOISLISLE (*Mém. de Saint-Simon*, V, p. 466) affirme que les cahiers des Notables de 1617 indiquent une division nette entre extérieur et intérieur. Je n'en ai pas trouvé trace.

Mais nos trois ministres étaient en disgrâce depuis l'exécution de Concini (24 avril 1617) et leur souvenir odieux au Roi. Le Conseil a pu être supprimé, puis rétabli, car, en 1623, Lazare du Crot, dans son livre *Le vrai style des Conseils d'Etat et privé du Roy*, parle d'un Conseil des Dépêches où se traitent *maintenant* ces « grandes et importantes affaires du Royaume, Provinces et Villes, procès des Provinces et Villes contre les Gouverneurs ». Aussi bien que la même compétence, il lui attribue ensuite la même composition que le fait le *Traité* dit de Marillac, et ajoute : « C'est ce Conseil qui se devrait proprement nommer Conseil d'Etat puisqu'il ne s'y traite d'aucunes affaires concernant les particuliers si elles ne sont jointes à l'Etat »[1]. Il semble impossible que du Crot, qui traite de la procédure des différents Conseils en homme qui les connaît à fond, puisse avoir parlé d'un Conseil qui n'aurait pas existé en son temps.

Ce Conseil a-t-il duré ? L'on trouve, datés de 1626 et de 1627, deux brevets de conseiller au Conseil des Dépêches, l'un pour l'ancien surintendant des Finances Champigny[2], l'autre pour le conseiller d'Etat Mesmes de Roissy[3]. Mais celui de Roissy le fait entrer dans un Conseil chargé de « voir, examiner et résoudre les dépêches pour les affaires du royaume », qui pourrait aussi bien être le Conseil d'en Haut. Quant à Champigny, il est bien retenu par le Roi « pour servir en son *Conseil des Dépêches* et en ses Conseils ordinaires », mais le Conseil d'en Haut est aussi appelé Conseil des Dépêches[4]. Il est impossible d'affirmer que, dans ces deux textes, il ne s'agisse pas du Conseil d'en Haut.

De Boislisle pensait trouver dans le règlement du 18 janvier 1630 le premier texte précis sur le Conseil des Dépêches. G. Pagès a bien montré que le Conseil des Affaires et Dépêches dont il y est traité n'a rien de commun avec le Conseil des Dépêches[5]. La lecture du règlement fait apparaître à l'évidence que ce Conseil a les mêmes attributions principales que le Conseil des Affaires des règlements de 1615-1616, que le Conseil des Affaires du XVIe siècle, que c'est le Conseil d'en Haut. Mais comme ce règlement de 1630 est un règlement d'ensemble, il faut en conclure que le Conseil des Dépêches n'existait plus. Les variantes des manuscrits suggèrent que des conseillers d'Etat ont eu l'intention de l'établir ou de le maintenir,

1. In-8°, 1623, p. 14-15 (B.N.F. 27610-27614). Autre édition 1645, in-4°.
2. ARNAULD D'ANDILLY, 18 et 20 février 1626.
3. O¹ 7, f° 42 v°.
4. ARNAULD D'ANDILLY, 30 janvier 1622 (12 janvier 1620 et BASSOMPIERRE, II, p. 316); LEFÈVRE DE LÉZEAU, ms. fr. 18155, f° 28 v°.
5. *Op. cit.*, p. 18-23.

et de réserver les Affaires étrangères et la Guerre au Conseil secret du Roi composé essentiellement de Louis XIII et de Richelieu[1].

Le Conseil des Dépêches réapparaît dans une minute d'arrêt du Conseil de la main de Séguier, datée de 1649 : il sera tenu un « Conseil des Dépêches des provinces du Royaume » où l'on examinera les lettres « concernans les affaires desdites provinces, de la justice ou des finances »[2]. De brèves mentions en sont faites dans les *Etats de la France* de 1652 et de 1654, enfin il en est traité dans celui de 1658; il s'occupe des « affaires des provinces », sa composition implique un Conseil supérieur aux autres, et où l'on entre en vertu de certaines fonctions ou par nomination spéciale : le chancelier ou le garde des Sceaux, les ministres *qui y sont appelés*, le surintendant, les secrétaires d'Etat.

D'après ces documents, le Conseil des Dépêches, dont les gouvernements auraient eu l'idée très tôt, ne se serait donc détaché du Conseil d'en Haut que lentement, par tâtonnements, avec des repentirs et des retours en arrière. Les moments où il apparaît suggèrent qu'il était surtout destiné d'abord à s'occuper de tout ce qui concernait la guerre dans les provinces, lorsque les troubles multipliaient les affaires. Ce serait entre 1649 et 1652 qu'il se serait constitué définitivement et qu'il aurait pris le caractère d'un second Conseil de gouvernement intérieur et de grande administration.

Le Conseil des Finances a été appelé officiellement Conseil pour la Direction des Finances depuis le 21 mai 1615. Il reprit le 18 janvier 1630 son nom primitif, mais continua à être appelé dans l'usage courant Conseil de la Direction ou Grande Direction, et ce fut la dénomination qui l'emporta officiellement après 1643[3].

Le Conseil des Finances, créateur des ressources et ordonnateur des dépenses, fut toujours un Conseil supérieur au Conseil d'Etat et des Finances et au Conseil privé. On n'y entrait qu'en vertu de fonctions particulières ou d'une nomination spéciale. Chancelier ou garde des Sceaux, surintendants, directeurs des Finances depuis 1648, contrôleurs généraux et surintendant des Finances, trésorier de l'Epargne en exercice, secrétaires du Conseil, secrétaires d'Etat y entraient de droit. Les conseillers anciens et expérimentés recevaient

1. R. Mousnier, *Les Règlements...*, Introduction.
2. Ms. fr. 18158, f° 151 r°.
3. Les *Etats de la France*, à la différence des règlements, l'appellent encore Conseil des Finances. Celui de 1658 le qualifie Conseil d'Etat et des Finances, parce qu'il le considère comme une section séparée de ce Conseil, ce qui n'est pas inexact mais crée une confusion.

un brevet pour y entrer; c'était un honneur, un profit, car il y avait un supplément de traitement, parfois une fin de carrière. Beaucoup de ceux qui en firent partie étaient fils ou neveux de conseillers d'Etat, avaient été ambassadeurs et devinrent garde des Sceaux ou doyen du Conseil : Châteauneuf, Caumartin, de Vic, Marillac, de Laubespine, Haligre, Bochart-Champigny. Le règlement de Compiègne du 1er juin 1624 y prévoyait un ordinaire et dix semestres. Celui de Châteaubriant du 26 août 1626 porta les ordinaires à douze. Les semestres devaient être supprimés au fur et à mesure de leur décès. Les listes de conseillers d'Etat retenus en 1633 indiquent huit membres de ce Conseil sur quarante et un retenus; celles de 1643, six sur cinquante-huit. Au cours de la Fronde, tous les conseillers d'Etat obtinrent d'entrer au Conseil des Finances. Le règlement du 17 octobre 1658 rétablit un ordre sévère : outre les membres de droit, les deux plus anciens conseillers d'Etat seulement y étaient admis[1].

L'importance de ce Conseil grandit dans une période de guerres presque continuelles. Le règlement du 18 janvier 1630 transféra du Conseil d'Etat et des Finances au Conseil des Finances tout ce qui concernait purement les recettes et les dépenses : indemnités pour les intendants et commissaires dans les provinces, rabais, diminutions et remises sur les tailles, la subvention des villes et les fermes, autorisations demandées par les provinces, les villes et les communautés de s'imposer elles-mêmes pour les besoins locaux, toutes les réclamations des provinces, villes et communautés, directement ou par leurs gouverneurs et lieutenants généraux. Le règlement fut bien appliqué. En outre, peu à peu, ce que laissait prévoir la dernière clause, le Conseil des Finances se réserva le contentieux le plus important, les affaires des particuliers avec le Roi, tout ce qui concernait les droits du Roi, et ne laissa au Conseil d'Etat et des Finances que les affaires de particulier à particulier et les conflits entre communautés, au sujet des impôts. Le règlement du 16 juin 1644 sanctionna cette pratique. La division du travail s'accentuait; un seul Conseil s'occupait de tout ce qui pouvait, de près ou de loin, accroître ou diminuer les revenus royaux[2].

Le Conseil des Finances se tenait quatre fois par semaine, souvent chez le chancelier. Les intendants des Finances (4, jusqu'en 1643, 12 ensuite jusqu'en 1658) y étaient rapporteurs, mais les conseillers

1. Ms. fr. 18152, fos 119-125; ms. fr. 16218, fos 330-337; R. MOUSNIER, *Règlements...*, VI, XIV, XX, XXVI, XXVII; Cinq Cents Colbert 197, fos 283 ro, 287 vo, 293, 295; L. du CROT, *op. cit.*, p. 157; ms. fr. 18155, fo 103 vo, 106 vo; ms. fr. 4583, fo 229 vo.

2. R. MOUSNIER, *Règlements...*, VII, 66, 44, XXVII, 34, 35, 40; Cinq Cents Colbert 194, fo 283 ro (8-9); Olivier LEFÈVRE D'ORMESSON, I, p. 77, n. 2, p. 140, II, p. 822-823.

d'Etat membres y rapportaient souvent et aussi les maîtres des requêtes à qui le chancelier confiait une affaire. Ils ressortaient après l'avoir exposée, avant 1630. Depuis 1630, ils eurent droit d'entrer à ce Conseil comme au Conseil d'Etat et des Finances et au Conseil privé. Depuis 1643, ils y opinèrent en matière de justice. Le trésorier des Parties Casuelles, les trésoriers de l'ordinaire et de l'extraordinaire des guerres entraient à titre consultatif lorsqu'il était question du fait de leurs charges.

Le travail du Conseil des Finances était préparé par des commissions. La principale était la Direction ou Petite Direction. Composée des spécialistes, surintendant ou commission qui en tenait lieu, directeurs, contrôleurs, intendants des Finances, trésoriers divers, les affaires y étaient « digérées », en sorte que quand on fait le rapport au Conseil « il ne s'y trouve plus de difficultés pour les faire passer ». La Petite Direction fut supprimée en décembre 1614, pour satisfaire les grands qui se plaignaient d'être exclus des décisions financières; mais cette suppression était contraire à la nature des choses : sans bruit, la Direction fut rétablie et elle fonctionnait en 1616. Elle se tenait chez le surintendant et, parfois, chez le Roi ou la Reine au moins deux fois par semaine[1].

Conseil d'Etat et des Finances et Conseil privé ou des Parties sont sur le même pied. Leurs membres sont nommés en même temps à l'un et à l'autre et tous ceux qui siègent à l'un ont droit d'entrer et siéger à l'autre : princes du sang, cardinaux, autres princes, ducs et pairs, officiers de la Couronne, secrétaires d'Etat, intendants de Finances y ont entrée, séance et voix délibérative. C'est par ces deux Conseils que commençait une carrière de conseiller d'Etat. Les maîtres des requêtes en quartier entrèrent depuis 1624 au Conseil d'Etat et des Finances comme ils faisaient depuis toujours au Conseil privé et bientôt y opinèrent.

Le Conseil d'Etat et des Finances, déjà sous Henri IV, s'occupait plus d'affaires de finance que d'affaires d'Etat. Nous avons vu, en traitant des Conseils supérieurs, comment il avait achevé de perdre toute compétence politique et administrative. En 1623 le Conseil n'était plus que la section contentieuse du Conseil d'Etat en matière de finances. La coutume était si bien établie que les brevets de conseil-

1. BOUCHITTÉ, *Négociations de Loudun*, p. 834-835; Règlement de Tours, 5 août 1619; de Saint-Germain, 2 septembre 1624 (R. MOUSNIER, X et XVI); L. du CROT, *op. cit.*, *ed.* 1645, p. 12-13; *Etat de la France*, 1658; O. TALON, p. 59; PONTCHARTRAIN, p. 337; ARNAULD D'ANDILLY, *Journal*, 1615-1620, p. 15, 67, 68, 183-184; LEFÈVRE DE LÉZEAU, ms. fr. 18155, f° 28 r°-v°.

lers d'Etat donnés depuis 1622, le règlement de Compiègne du 1er juin 1624, le secrétaire du Conseil qui a dressé la liste des conseillers d'Etat retenus depuis 1623 appellent constamment le Conseil d'Etat et des Finances, Conseil des Finances. Le règlement de janvier 1630 ne fit donc que donner une sanction officielle à la pratique. Le Conseil d'Etat et des Finances, dépouillé de ses attributions au profit des autres sections, ne garda que les procès entre les particuliers et ceux qui avaient traité des édits bursaux, les affaires du clergé, les procès sur suppression ou remboursement d'officiers « auxquels Sa Majesté aura intérêt » (art. 19), et, enfin, toutes les adjudications de fermes, travaux publics, baux et marchés pour vivres et munitions. Il fut donc surtout une Cour de justice. Le règlement du 16 juin 1644 accentua cette tendance en ne lui laissant plus du contentieux que les affaires de particulier à particulier, et l'*Etat de la France* de 1656 dit, non sans raison, de ce Conseil qu'il « est proprement le Conseil privé »[1].

Le Conseil privé, lui, au contraire, accrut son importance. Recevant tout ce qui concernait la justice, sauf en finances, il semble qu'il ait acquis un rôle administratif et même politique depuis longtemps perdu. En effet, alors qu'il avait toujours l'examen des instances en cassation et nullité des arrêts des Cours souveraines, il reçut, en 1630, l'examen des remontrances de ces Cours sur « la justice et fonctions de leurs charges » jusqu'alors confié au Conseil d'Etat et des Finances. Il pouvait donc juger les conflits entre les Cours souveraines et les sections du Conseil qui cassaient leurs arrêts, ce qui allait loin. En 1645, il avait acquis aussi la connaissance des violences, excès, emprisonnements, rébellions, commis sur l'exécution des arrêts du Conseil, des ordonnances, des jugements et sentences des intendants, des trésoriers de Finance et des commissaires. Il avait donc charge d'imposer l'obéissance au Conseil du Roi et aux agents directs du Roi dans les provinces. Il était devenu un instrument essentiel de réalisation du pouvoir absolu.

D'autres sections du Conseil, auxquelles on songeait depuis longtemps, furent créées à partir de 1643.

Un Conseil de Conscience, pour la nomination aux bénéfices ecclésiastiques, fut institué par Anne d'Autriche, en exécution d'une idée de Louis XIII, dès la mort de ce Roi. Il fut composé de Mazarin, des évêques de Lisieux et de Beauvais et de « M. Vincent, Général des Pères de la Mission », saint Vincent de Paul. Les deux évêques furent ensuite éloignés de la Cour et ne furent pas remplacés.

1. P. 427. *Etudes d'histoire moderne et contemporaine.*

Le P. Vincent y eut une grande influence, à cause de sa piété[1].

Un Conseil de Guerre fut créé le 2 septembre 1616. Il devait comprendre les principaux hommes de guerre, un secrétaire d'Etat et le chef des Finances. Mais il ne tint qu'une séance. Le Roi proposa aux Notables de 1617 un Conseil de Guerre identique. Il n'y eut pas de réalisation. Le duc d'Orléans, lieutenant général de toutes les armées du Roi, en établit un en 1643. Il le composa des maréchaux de France, des secrétaires d'Etat, d'un commissaire général des troupes. Ce Conseil dura et se développa. D'après les *Etats de la France* il se tenait dans la Chambre du Roi et comprenait « ordinairement » le Roi, toujours le Premier ministre, les ministres d'Etat, les maréchaux de France, les anciens lieutenants généraux dans les armées, les secrétaires d'Etat. J'ignore son activité exacte[2].

Le travail de tous les Conseils était préparé par les commissions diverses. Outre les bureaux des ministres, les réunions préparatoires de ces derniers, la Direction des Finances, l'Assemblée des maîtres des requêtes, tous les Conseils ont des commissions permanentes. Elles sont composées chacune de trois ou quatre conseillers et d'un intendant des Finances. Elles reçoivent un certain nombre de provinces et leurs membres font rapport des cahiers, articles, remontrances et requêtes qui sont envoyés au Conseil et préparent l'arrêt. Tous les ans ou tous les deux ou trois ans, les conseillers changent de provinces, « afin que tous ceux du Conseil soient capables et mieux informés de l'estat des affaires de toutes lesdites provinces ». Des rapports sont confiés à des maîtres des requêtes.

Après le règlement du 21 mai 1615 qui réorganisa ces commissions, celui de Tours du 6 août 1619 perfectionna celles du Conseil des Finances. Quatre commissions étaient chargées chacune de plusieurs fermes d'impôts, dispersées dans toute la France, et de plusieurs généralités proches, mais formant deux ou trois groupes séparés. Les fermes ne coïncident pas avec les groupes de généralités : la ferme de la comptablie de Bordeaux est attribuée à la commission chargée des généralités de Bourges, Soissons, Limoges, Dauphiné, Moulins. La commission qui a la généralité de Bordeaux s'occupe

1. BRIENNE, p. 77; *Etat de la France*, 1649, p. 129, 1654, p. 353; Olivier d'ORMESSON, I, p. 59. Voir les projets de Richelieu.

2. BASSOMPIERRE, II, p. 93 sq.; MOLÉ, I, p. 175; ms. fr. 16256, f° 19 r°; BRIENNE, p. 80-81; *Etats de la France*, 1649, p. 110, 1650, p. 98, 1651, p. 134, 1652, 54, 56, p. 425. De BOISLISLE (VII, p. 405, n. 4) signale un Conseil de Guerre de vingt et une personnes, le 13 août 1615, mais il s'agit d'une séance du Conseil d'en Haut élargi (R. ARNAULD D'ANDILLY, *Journal*, 1615-1620, p. 102).

des Gabelles de France et du Domaine de Calais. Il s'agit d'éviter la spécialisation géographique. Cette organisation ne paraît pas avoir changé avant 1666.

Le grand règlement de Paris du 16 juin 1627 institua, pour l'ensemble des Conseils, semble-t-il, dix autres commissions : pour le clergé; les traités de finances; le contentieux né des impôts; la police, l'assistance publique, les inventions, les arts et manufactures; la guerre; la justice; la Religion prétendue réformée; la marine et le commerce; les étrangers; les cahiers des provinces (Languedoc, Normandie, Bretagne, Bourgogne, Béarn). Les ministres Richelieu et Schomberg, le surintendant des Finances d'Effiat, les douze conseillers ordinaires, le conseiller semestre rouennais Collemoulins devaient faire partie de ces commissions que le chancelier pouvait renforcer d'autres conseillers d'Etat, de maîtres des requêtes, de prélats pour ce qui concerne le clergé, de maîtres de métiers, et autres techniciens. Les commissions devaient comprendre de cinq à sept conseillers. Mais Richelieu constitue, à lui seul, la commission pour la marine et le commerce, « et quand il lui plaira assembler Conseil », il prendra d'Effiat, Bullion, Bisseaux, Châteauneuf fils, Collemoulins. Ce dernier ne fait partie que de cette commission; Schomberg, que de celle de la guerre; Châteauneuf père, d'Effiat entrent dans deux; Châteauneuf fils dans cinq; Champigny dans sept.

En plus de ces commissions permanentes étaient créées des commissions temporaires pour l'étude d'une affaire, pour faire exécuter un édit ou juger un procès. Dans ces derniers cas, elles étaient des fragments détachés du Conseil, de véritables petites sections temporaires qui rendaient arrêts, comme, par exemple, la Chambre de Justice de l'Arsenal en 1631, ou la commission qui jugea les gouverneurs de La Capelle et du Châtelet, après la prise de Corbie. Mais d'ailleurs la surcharge des Conseils était telle que les projets d'arrêt des commissions permanentes préparatoires étaient transformés en arrêts par la signature du chancelier, sans rapport et sans délibération, et que c'étaient en réalité les commissions préparatoires qui rendaient arrêt. Il y eut des tentatives pour mettre fin à cette pratique, sans résultats durables[1].

1. Règlements du 21 mai 1615, art. 16; de Loudun, avril 1616, art. 50; de Tours, de Paris (R. Mousnier, VII, XIII, X, XXI), du 16 juin 1644 (Cinq Cents Colbert 194, f° 283), du 17 octobre 1658, (ms. fr. 18155, f° 103 v°); Pontchartrain, p. 376; Brienne, p. 9, 10, 67; R. Arnauld d'Andilly, *Journal*, 1615-1640, p. 184, 226, 235, 241 et 25 septembre 1631, Arch. Nat. U 945 B; Olivier d'Ormesson, I, p. 10-179. De Boislisle (IV, p. 427, VI, p. 480-481) n'a pas vu la nature du règlement de Tours qu'il prend pour un règlement du Conseil lui-même.

Le roi essaya d'obtenir un meilleur travail des auxiliaires du Conseil. Les secrétaires, greffiers, huissiers se lassaient parfois des voyages onéreux et dangereux imposés au Conseil à la suite du Roi par les guerres civiles ou étrangères. Ils faisaient exercer leurs offices par des commis et se contentaient de toucher leurs gage et droits. Le règlement donné au Camp devant Alès, le 14 juin 1629, les priva du revenu de leur charge en cas d'absence non autorisée[1].

Un règlement de juin 1597 avait déjà imposé aux parties de présenter leurs requêtes par l'intermédiaire d'un avocat au Conseil. Le règlement de mai 1643 imposa aux avocats de se faire immatriculer par le chancelier et de prêter un serment entre ses mains. Puis l'édit de septembre 1643 créa 160 offices d'avocats au Conseil, nombre porté à 200 en janvier 1644. Les avocats formèrent une compagnie qui examinait les nouveaux avant de les recevoir en leurs offices et dont les syndics veillaient à la moralité et à la conscience professionnelle comme au monopole de ses membres[2].

L'on trouvera dans l'*Introduction* de Noël Valois les efforts pour rassembler les minutes d'arrêts du Conseil restées dispersées chez les secrétaires du Conseil et leurs héritiers, en faire faire des transcriptions ainsi que des anciens « résultats » du Conseil, les grouper dans une salle du Louvre et en confier la garde à des archivistes professionnels[3]. Il faut y ajouter, prescrit par le règlement de Loudun, en 1616, l'établissement par les secrétaires du Conseil d'un registre, qui devait rester au Conseil, de tous les arrêts signés au Conseil d'Etat et des Finances et au Conseil des Finances; la création, par règlement du 16 septembre 1628, pour sauver les droits et créances du Roi, d'un registre où seraient copiés les règlements de finances, les contrats passés par le Roi avec les partisans et les acquéreurs de portions du domaine, les ordonnances de comptant et les ordres de paiement de l'Epargne[4]; la confection, ordonnée par le règlement du 18 janvier 1630 (art. 10), d'un registre des requêtes déboutées et affaires résolues pour être mis sur la table du Conseil devant le chancelier, afin d'en « tirer éclaircissement par les résolutions prises au Conseil sur semblables affaires ». Quelques-uns seulement de ces registres, semble-t-il, furent dressés. Il y eut surtout de nombreuses transcriptions de minutes d'arrêts et de « résultats » anciens, qui, aux mains d'un garde des Sceaux comme Marillac, ou d'un chancelier

1. R. Mousnier, *Règlements...*, XXV.
2. Guillard, *Hist. du Conseil du Roi*, 1718 (B.N.F. 11957, in-4°), p. 150-151; Isambert, 17; édits de septembre 1643, janvier 1644, août et novembre 1646, septembre 1650.
3. *Inventaire des arrêts du Conseil d'Etat*. Règle de Henri IV, p. 142-144.
4. R. Mousnier, *Règlements...*, XXIV.

comme Séguier, étaient communiqués par eux à des maîtres des requêtes comme Lefèvre de Lézeau et à des conseillers comme Lebret.

Donc, un progrès sensible a été fait dans la répartition des affaires par catégories à des sections distinctes. Cette spécialisation n'est pas de pure forme. En 1643, il est acquis de ne pas traiter dans un Conseil d'affaires qui soient de la compétence d'un autre, de n'introduire même pas dans une séance d'un Conseil d'affaires qui doivent bien être traitées dans ce Conseil, mais un autre jour, et même les princes du sang ne s'y risquent plus. Par ailleurs, la préparation du travail des Conseils fut améliorée et il y eut des efforts intéressants pour l'organisation matérielle de ce travail.

II

Réduire le nombre des membres du Conseil d'Etat et des Finances et du Conseil privé, ceux par lesquels un conseiller d'Etat commençait ses fonctions et d'où l'on avançait ensuite au Conseil des Finances, au Conseil des Dépêches, parfois même au Conseil d'en Haut, fut un des buts du gouvernement. Ici les résultats obtenus furent toujours précaires et passagers. Non seulement les Régentes, Marie de Médicis, Anne d'Autriche, durent satisfaire le plus de monde possible par l'entrée au Conseil, mais le Roi lui-même, dans les moments de crise, devait se résigner à ouvrir le Conseil à une foule, aux uns définitivement, aux autres pour un temps. Témoin l'affaire de Saumur en 1621. Le Roi se juge obligé de reprendre cette place de sûreté pour trois mois au gouverneur protestant du Plessis afin d'assurer ses arrières en s'engageant dans le Midi; il offre en compensation à du Plessis l'entrée au Conseil d'Etat[1].

La mort de Henri IV fut suivie d'une invasion des Conseils et l'on vit jusqu'à quarante conseillers ordinaires, sans compter les autres qui devaient bien monter en double. Le règlement de Compiègne du 1er juin 1624 réduisit cette multitude à dix ordinaires, dix semestres, quatorze quadrimestres, en tout trente-deux. C'était l'élément actif. Mais il pouvait s'y ajouter les princes du sang, les cardinaux, les autres princes, les ducs et pairs, les officiers de la Couronne y compris les maréchaux de France, les gouverneurs et lieutenants généraux des provinces qui avaient déjà fait le serment de conseillers au Conseil, ceux des archevêques et évêques qui étaient

1. Arnauld d'Andilly, 17 mai 1621.

honorés de cette qualité lorsqu'ils seraient de passage à la Cour, enfin un certain nombre de conseillers déjà titulaires de brevets. Tous ceux-là ne devaient pas être souvent présents ni faire beaucoup de travail effectif. Néanmoins, le Conseil restait fort nombreux.

Le brevet de Châteaubriant porta à douze les ordinaires « à cause que sa Majesté les emploie ordinairement aux plus grandes et importantes affaires de son Etat, tant dedans que dehors le Royaume ».

Mais, pendant les guerres, une multitude obtint des brevets de conseillers, quelques-uns par choix du Roi, beaucoup par la facilité du chancelier et des secrétaires d'Etat, ceux-ci rédacteurs des brevets. Par le règlement de La Rochelle du 3 janvier 1628, tout brevet dut être signé du Roi qui dut ajouter « pour un tel », afin que sa signature ne pût être surprise dans un moment d'inattention. Le chancelier ne dut admettre au serment que les titulaires de tels brevets et les recevoir en plein Conseil, après lecture publique du brevet, devant au moins six conseillers anciens. Le greffier du Conseil dut tenir un registre des actes de serment. Le nombre des conseillers serait réduit au fur et à mesure de leur décès à huit ordinaires, seize trimestres, quatre conseillers d'Eglise et quatre d'épée servant par quartier, en tout trente-deux. L'ordonnance de Marillac en janvier 1629 annula tous les brevets précédents, et ordonna que le Roi donnerait de nouvelles lettres à ceux qu'il retiendrait pour le servir. Ce fut exécuté. En 1633, il ne restait plus que quarante-huit conseillers.

Mais, après la mort du Roi, les formes ne furent plus observées. Ce fut une ruée; Séguier grondait : « Chaque jour produisait un Conseiller d'Etat... C'estait comme après un naufrage que la mer jetait quelque ballot à terre... la grande confusion et désordre... »[1]. Tous furent faits ordinaires, les nombreux nouveaux directement. C'était une telle cohue qu'en mai 1644, tout travail devenant impossible, le Prince, Monsieur et Séguier firent représenter tous les brevets et lettres. Ils gardèrent quand même cent vingt conseillers « sans en ce comprendre aulcuns qui sont obmis... et les autres qui ont fait le serment et n'ont pris place... ». Là-dessus vingt-deux furent retenus pour siéger avec voix et suffrage, presque tous anciens conseillers de Louis XIII. Mais peu à peu, presque tous les membres du Parlement reçurent des lettres de conseillers d'Etat et en touchèrent les appointements. Les titulaires de brevets s'infiltrèrent dans le Conseil sans y être appelés, au point que le Conseil des Finances lui-même fut envahi. Après les troubles, l'ordre fut long à rétablir. Le règlement

1. Olivier Lefèvre d'Ormesson, I, p. 152; Lefèvre de Lézeau, ms. fr. 18155, f° 14 v°-20 r°.

du 1er avril 1655 était prématuré et dut être repris mot pour mot par celui du 1er mai 1657. Le Conseil fut réduit à trente-deux conseillers, dix huit ordinaires (12 de robe longue, 3 d'Eglise, 3 d'épée) et quatorze semestres. Les douze intendants de Finances furent réduits à quatre, le 17 octobre 1658. Peu à peu, ces règlements reçurent exécution. Les Conseils purent fonctionner plus normalement. Louis XIV acheva le travail après la mort de Mazarin[1].

Les conseillers d'Etat sont pris surtout parmi les gens de robe. Dès Henri IV, ils dominent dans tous les Conseils. Le temps où, sous Henri III, le Conseil comprenait quinze gentilshommes, six ecclésiastiques et seulement quatre robins est bien passé. Le Roi gouverne non plus avec les hommes d'épée, mais avec ceux de plume, avec des officiers commis au Conseil d'Etat souvent anoblis, mais, le plus souvent aussi, d'origine bourgeoise.

Il faut distinguer ceux qui ont eu entrée au Conseil alors qu'ils étaient maîtres des requêtes et ceux qui l'ont obtenue après avoir été présidents, procureurs du Roi, avocats généraux des Cours souveraines. Les maîtres des Requêtes n'ont fait en général qu'un court séjour au Parlement comme conseillers, et, encore, s'ils sont fils de conseillers d'Etat, sont-ils devenus directement maîtres des requêtes. Ils travaillent toutes leur vie au Conseil d'Etat dont ils préparent les arrêts par leurs rapports. Leur importance ne cesse de s'accroître au fur et à mesure du nombre et de la multiplication des affaires. D'ailleurs, compagnie très unie, très remuante et indispensable (lorsqu'ils font grève, les Conseils ne peuvent se tenir faute de rapports), ils ne cessent de travailler à acquérir de nouvelles fonctions. Enfin les changements d'attributions des Conseils obligent à les faire entrer dans de nouvelles sections. En 1610, ils ont le monopole des rapports des instances et requêtes au Conseil privé. Dans les autres Conseils et dans les commissions, ils n'entrent qu'à l'occasion, pour rapporter une affaire qui touchait à la justice et ressortent avant la délibération sans opiner. En 1615, trois d'entre eux entrent régulièrement chaque trimestre au Conseil d'Etat et des Finances. Depuis 1624, c'est tous les maîtres des requêtes en quartier qui y entrent et qui, bientôt, y opinent. Depuis 1628, le doyen de chaque quartier (trimestre) siège au Conseil d'Etat et des Finances pendant trois mois après avoir fini son quartier. Après 1630, ils

1. R. Mousnier, *Règlements...*, XIV, XX, XXII; ms. fr. 18152, fos 119-125; ms. fr. 16218, fo 13 vo; André d'Ormesson (Chéruel, *Olivier d'Ormesson*, Int., p. 103-106); Olivier Lefèvre d'Ormesson, I, p. 424; ms. fr. 4583, fo 229 vo; Clairambault 651, fo 351 vo-353 ro; Cinq Cents Colbert 194, fos 293-298; ms. fr. 18155, fos 103, 121; ms. fr. 23675, fos 216 vo; Gourville, p. 531; ms. fr. 18158, fo 155 sq.

obtiennent l'entrée régulière au Conseil des Finances. Depuis longtemps ils sont dans toutes les commissions; sous la Régence d'Anne d'Autriche, leurs progrès sont immenses. Après la mort de Louis XIII, ils reçoivent le pouvoir d'opiner au Conseil des Finances, dans les affaires qui touchent à la justice. En 1644, ils obtiennent le droit de rapporter toutes les affaires de justice, à l'exclusion des conseillers d'Etat, même les procès-verbaux des rébellions contre l'exécution des édits. Leur doyen a séance et voix délibérative en tous les Conseils, comme les ordinaires, avec le droit comme eux d'opiner assis et couvert et de rapporter toutes sortes d'affaires. Ils entrent, exceptionnellement, au Conseil des Dépêches et au Conseil d'en Haut; ils y rapportent même certaines affaires d'Etat et parfois assistent à la délibération. Ils ne s'occupent que d'affaires de justice, mais, par ce biais, ils touchent à tout; étant partout, ils entendent les conseillers rapporter et délibérer sur tout. Ils sont souvent envoyés dans les provinces comme commissaires et intendants. Ils sont donc admirablement préparés au rôle de conseillers d'Etat. La majeure partie des conseillers aurait dû être prise parmi eux[1].

Beaucoup d'entre eux reçoivent de bonne heure un brevet de conseiller d'Etat et font le serment. Certains sont appelés ensuite à siéger au Conseil. André d'Ormesson reçoit son brevet en avril 1615, entre au Conseil comme quadrimestre en janvier 1626, après avoir été intendant en Champagne, est fait semestre en janvier 1633, après avoir été commissaire aux Etats de Bretagne. Il entre ensuite au Conseil des Finances; le chancelier le fait siéger comme ordinaire à partir de juillet 1634, et, en avril 1635, il a son brevet d'ordinaire. C'est le type de la carrière[2]. Mais beaucoup n'entrent jamais au Conseil malgré leurs brevets, et, même, les maîtres des requêtes ne fournissent pas le plus grand nombre de conseillers d'Etat.

Si nous examinons les listes des conseillers d'Etat retenus en 1633 et en 1643[3], nous constatons que, de 1610 à 1622, sont entrés au Conseil quinze maître des requêtes et treize autres personnes (cinq présidents de Cours souveraines — deux présidents du Parlement de Paris, un de la Cour des Aides, un du Grand Conseil, un d'une

1. André d'ORMESSON (CHÉRUEL, *Hist. de l'adm. mon. en France*, p. 351); CLAIRAMBAULT 651, f°s 340, r^o^, 343 r°, ms. fr. 16218, f° 405 r°; Cinq Cents Colbert 194, f° 218 r°; Omer TALON, p. 209; Olivier d'ORMESSON, I, p. 105, 180, 295, II, p. 874; les règlements déjà cités.

2. André d'ORMESSON (CHÉRUEL, *Olivier d'Ormesson*, Intr., p. CIII-CVI).

3. Ms. fr. 18152, f°s 119-125; ms. fr. 16218, f°s 330-337. Ces listes ne nous donnent pas un état réel des nominations parce qu'il faudrait connaître les conseillers décédés et ceux qui n'ont pas été retenus après avoir déjà siégé au Conseil. Mais elles permettent une connaissance approchée.

Chambre des Comptes de province —, deux ambassadeurs, le garde des livres du Cabinet du Roi, un homme d'épée, quatre ecclésiastiques). De 1622 à 1633, quatorze maîtres des requêtes et vingt conseillers d'origine différente (dix membres des Cours souveraines — cinq présidents du Parlement de Paris, un président du Parlement de Provence, deux membres de la Cour des Aides, deux du Grand Conseil —, un trésorier de France, deux ambassadeurs, un homme d'épée, cinq ecclésiastiques, un lieutenant criminel). Enfin, entre 1633 et 1643, il n'aurait été admis que six conseillers nouveaux : un maître des requêtes, un intendant, quatre présidents de Parlements (trois de Paris, un de province). Contrairement à ce qu'on attendrait, la proportion des maîtres de requêtes diminue dans les promotions.

Si nous cherchons ceux de chaque catégorie qui ont été faits ordinaires, après avoir siégé comme quadrimestres et semestres, nous trouvons, de 1610 à 1622, un homme d'épée, un ancien maître des requêtes, deux anciens membres des Cours souveraines; de 1622 à 1633, un ecclésiastique, un homme d'épée, trois anciens maîtres des requêtes, deux anciens membres des Cours souveraines; de 1633 à 1643, trois ecclésiastiques, trois hommes d'épée, huit anciens maîtres des requêtes, huit anciens membres des Cours souveraines. Il y a une volonté, tout en faisant prédominer les robins sur les hommes d'Eglise et d'épée, de maintenir un équilibre entre les conseillers issus des Cours souveraines et ceux venus du corps des maîtres des requêtes.

La raison que donnent les documents, c'est la nécessité de garder un nombre suffisant de maîtres de requêtes expérimentés, vieillis dans leur charge[1]. Il y avait peut-être aussi le besoin pour le Roi, en lutte contre les grands corps d'officiers, de s'attacher par un lien personnel de fidélité des hommes qui avaient conservé relations et influence dans ces corps et de diminuer l'ardeur combative des chefs des Cours souveraines par l'espérance d'un avancement honorable et fructueux. D'ailleurs les Cours souveraines avaient encore de vastes pouvoirs de « police », c'est-à-dire d'administration. Leurs présidents, habitués d'autre part aux négociations entre les Cours et le Conseil, avaient une expérience administrative qui n'était pas négligeable. Ce n'en était pas moins introduire au Conseil des hommes d'un esprit différent, habitués à un travail autre. On peut se demander si, à ne considérer que l'esprit de corps et la compétence, le Roi n'aurait pas dû prendre dans les Cours souveraines moins de conseillers.

Le rang des conseillers fut péniblement fixé. Non sans contestations, il fut admis de plus en plus que disputer la première place

1. Règlement du 16 juin 1644, art. 3, et Mémoire à Séguier, ms. fr. 18158, f° 155 r° sq.

au chancelier était attenter à l'autorité du Roi. Il fut reconnu en 1643 que le chancelier ne devait céder sa place qu'à un chef du Conseil nommé par le Roi et non aux princes et aux grands comme tels. La fonction au Conseil, plus que la naissance et la qualité, finissait par déterminer le rang.

L'importance croissante des techniciens se montre par une promotion des surintendants : ils obtinrent de siéger immédiatement après les officiers de la Couronne, au-dessus des plus anciens conseillers d'Etat, depuis le président Jeannin, en même temps qu'ils devenaient ministres d'Etat. Les secrétaires d'Etat essayèrent, sans y parvenir, d'obtenir la même faveur[1].

Les conseillers qui faisaient toute leur carrière au Conseil obtinrent par brevet de Montpellier, le 12 octobre 1622, que les conseillers d'Etat prissent tous rang et séance « du jour où ils serviront effectivement après avoir résigné » (leurs offices). Le brevet fut appliqué à partir de janvier 1623. Les conseillers d'Etat entrés en Conseil après une longue carrière dans les Cours souveraines durent reculer « et se dépitèrent et ne se pouvaient résoudre d'y obéir ». Depuis 1624, les conseillers ordinaires précédèrent tous les autres. L'ancienneté de services au Conseil et la valeur personnelle comme conseiller d'Etat se trouvaient ainsi récompensées.

Mais, peu à peu, des exceptions furent faites à ces règles. Dès 1624, les maîtres des requêtes, les secrétaires d'Etat, les archevêques, les évêques, les gouverneurs et lieutenants généraux obtinrent de prendre leur rang et séance du jour de leur serment. Le 18 novembre 1624, la même faveur fut accordée aux présidents du Parlement de Paris et toutes les Cours souveraines le réclamèrent en 1627, d'ailleurs sans résultat. Les règlements de 1628 et de 1630 enlevèrent même la préséance aux ordinaires sur les semestres ou trimestres plus anciens qu'eux, et il fallut, pour ne pas trop défavoriser ceux qui n'avaient pas été maîtres des requêtes, leur accorder par clause de leurs lettres la faculté de prendre rang depuis leur serment. Sous la Régence, les présidents de la Chambre des Comptes de Paris, les présidents et gens du Roi du Grand Conseil obtinrent rang de leur serment, malgré le chancelier. Peu à peu la plupart des conseillers en étaient revenus à siéger ainsi. Les règlements du 1er avril 1655 et du 4 mai 1657 ordonnèrent que tous les conseillers prendraient rang et séance du jour de leur serment. Ainsi l'on était revenu à

1. O¹, fos 65-66; O¹ 9, fos 128, 285 v°, 286 v°, 287, 292 v°, 294, 346; ARNAULD D'ANDILLY, 7 septembre 1619, Nouvelles acquis. franç. 7226, f° 365 r°, 406; Olivier d'ORMESSON, II, p. 670.

la situation antérieure à 1622. Sur ce point, le progrès fut nul[1].

En somme, en ce qui concerne le nombre, le recrutement et l'avancement des conseillers d'Etat, il y eut amélioration par la prépondérance des gens de robe longue et les honneurs accordés à certaines fonctions. Autant que le permettraient les conditions politiques et sociales, le Roi s'efforça de reconnaître les services rendus au Conseil même, l'expérience de ses affaires, et la valeur personnelle montrée comme conseiller d'Etat, et de se rapprocher de l'idéal d'un corps qui fût uniquement de spécialistes.

III

La question de l'autorité du Conseil sur les Cours souveraines et, en particulier, sur les Parlements, qui troubla toute la vie du royaume et qui est un des aspects du problème de la monarchie absolue et de la monarchie tempérée, mériterait d'une part d'amples développements juridiques, de l'autre l'examen d'une grande partie de la politique intérieure. Il faut se borner ici à quelques indications.

« Les Parlements ont sur eux le Roy, assisté de son Chancelier et de son Conseil d'Etat, pour en recevoir la correction, si en quelque chose ils outrepassent la puissance qui leur a été donnée, ou s'ils viennent à faire quelque chose qui soit contraire au bien du service de Sa Majesté et à l'utilité du Royaume... »[2]. Cette formule du conseiller d'Etat Le Bret, publiée en 1632, exprime bien la conception des Parlements et, en général, de toutes les Cours souveraines. Elles reconnaissent l'autorité supérieure du Roi qui a « la suprême puissance déférée à un seul » avec « le droit de commander absolument »[3], mais non pas l'autorité de son Conseil seul et en corps. Elles refusent même au Conseil de former un corps. Elles ne voient en lui que les « commis » du Roi, des hommes de confiance, des « domestiques », non une « compagnie ». Lorsque le Roi n'est pas avec ses conseillers, les Cours ne reconnaissent aucune supériorité du Conseil. Pratiquement c'était ne se soumettre qu'à l'autorité du Conseil d'en Haut et seulement lorsque le Roi était majeur.

1. Ms. fr. 18152, f°s 119-125; ms. fr. 16218; R. MOUSNIER, *Règlements...*, XII, XIV (8), XVII, XIX; Cinq Cents Colbert 194, f° 283 r°, 287 v°, 293-295; CLAIRAMBAULT 651, f°s 351 v°, 353; ARNAULD D'ANDILLY, 29 janvier 1623; André d'ORMESSON (CHÉRUEL, *Hist. de l'adm. mon. en France*, I, p. 362-367); J. PETIT, *L'Assemblée des Notables de 1626-27*, p. 266.

2. LE BRET, *De la Souveraineté du Roi*, Livre II, chap. II, p. 157.

3. LE BRET, Livre I, chap. Ier, p. 1.

Au contraire, les conseillers d'Etat se considèrent comme une « compagnie » d'officiers. Ils ont une commission « perpétuelle » et qui attribue aux commissaires « rang et dignité pour toujours ». Ils ont « toutes les marques des plus grands Officiers du royaume; leurs provisions sont signifiées en commandement et scellées du Grand sceau; ils font le serment accoutumé aux autres Officiers; le choix particulier que le Roy fait de leurs personnes vaut un examen et de leurs mœurs et de leur suffisance. Et enfin, leur fonction n'est bornée ny limittée par aucun temps... ». Bien plus, ils ont encore une supériorité : leur charge n'est pas vénale. Ils doivent donc avoir rang et qualité hors du Conseil, préséance dans les Cours souveraines, alors que les simples commis n'ont aucun rang par eux-mêmes en dehors de leur commission[1]. Le Roi admet officiellement cette théorie. Depuis 1616, il accorde à son garde des Sceaux, simple commis, le droit de présider le Parlement comme s'il était chancelier, donc officier de la Couronne; la fonction de chef des conseillers entraîne la préséance et l'autorité en dehors des Conseils sur les membres des Cours souveraines. Il distribue, surtout depuis 1632, à ses plus fidèles et plus anciens conseillers d'Etat, des lettres de conseillers d'Etat d'honneur, qui leur permettent de siéger et de donner leur avis dans toutes les Chambres et Assemblées du Parlement, y compris le Conseil secret, avec le même rang qu'ils ont dans le Conseil, montrant bien ainsi que la fonction de conseiller entraîne avec elle une prééminence qui se garde partout. Le règlement de mai 1643 impose aux avocats des Parlements qui veulent exercer auprès du Conseil de prêter un nouveau serment entre les mains du chancelier ou garde des Sceaux, malgré celui qu'ils ont fait au Parlement, parce que le Conseil est un « tribunal supérieur au Parlement ». Les règlements du Conseil de 1654, du 1er avril 1655 et du 4 mai 1657 prononcent, au nom du Roi, le mot décisif et qualifient le Conseil, dans ses trois sections de Conseil d'Etat et des Finances, Conseil privé et Conseil des Finances, de « première compagnie du Royaume ».

Le Parlement se débat, parvient à éviter que le garde des Sceaux ne prenne effectivement la présidence, décide en 1632, après avoir enregistré les lettres de Bouthillier et de La Ville-aux-Clercs, de ne plus recevoir de conseillers d'Etat d'honneur qui ne soient ni de robe longue ni d'épée, puis, en 1654, après celles de Jean d'Estampes de Valençay et de Jacques de Mesgrigny, de ne pas recevoir plus de six conseillers d'Etat d'honneur d'épée et six de robe longue et de n'en pas laisser siéger en même temps plus de quatre de chaque

1. Le Bret, Livre II, chap. II, p. 149, 159-160.

ordre[1]. Il limite ainsi ses pertes, puisque le fait seul d'être conseiller d'Etat n'entraîne pas ces avantages, qu'il y faut un acte de la volonté royale et qu'il a pu limiter le nombre de ces actes. Il n'a pu cependant empêcher cette volonté de se manifester, de proclamer « combien est relevée la dignité de Conseiller d'Etat » et de faire apparaître l'accroissement d'importance de tout le Conseil[2].

Première compagnie du royaume, « ... l'autorité desdits Conseils est telle qu'il plaît aux Rois, lesquels ont toujours voulu que les arrêts de leur Conseil eussent pareille authorité que s'ils avaient été donnez en leur présence ainsy qu'ils le témoignent en toutes occasions... »[3]; termes qui montrent bien que c'est tout le Conseil, en corps, qui a toute l'autorité du Roi. Les Cours souveraines furent obligées de reconnaître au Conseil tout pouvoir sur leurs arrêts. Vers 1632, le Conseil estime que, armé de l'autorité du Roi, souverain justicier, il peut déclarer nul et casser tout arrêt donné contre les ordonnances, contre l'autorité royale, contre l'utilité publique et contre les droits de la Couronne[4]; il était difficile de ne pas trouver nombre d'arrêts entrant dans les limites d'une définition aussi large et aussi commode.

Toutes les sections du Conseil cassèrent des arrêts des Cours souveraines. Le Parlement, à cause de sa prétention de s'occuper de politique générale, se trouve en lutte d'abord avec le Conseil d'en Haut. Le Roi ne pensait pas à écarter complètement le Parlement des affaires d'Etat. Outre la nécessité de faire enregistrer les édits, ordonnances et déclarations en général, le souverain trouvait commode de lui faire enregistrer les déclarations contre ses sujets révoltés, membres de sa famille, grands de son royaume, et leurs partisans, de faire approuver sa politique et d'avoir l'aide de ses fidèles vassaux. Le Roi trouvait commode de pouvoir confier à l'occasion à son Parlement, par commission spéciale, le soin d'une affaire d'Etat et ne songeait nullement à se priver de ce moyen d'action. Mais il voulait que le Parlement n'agît que sur son ordre. Le Parlement avait d'autres ambitions. Il prétendait au droit d'intervenir spontanément dans de telles affaires, au moins quand le Roi était mineur, de pouvoir convoquer de sa seule autorité les princes du sang, les ducs et pairs,

1. ISAMBERT, 17, n° 263, p. 313, résume mal l'arrêté du 17 juin 1654 et pourrait laisser croire à tort que le Parlement réduisait de sa propre autorité le nombre des conseillers d'Etat.

2. O[1] 9, f°s 1 r°, 2 v°, 4 r°; X[1]B 8858 (17 juin 1654); ARNAULD D'ANDILLY, 23 août 1632; LE BRET, Livre II, chap. II, p. 159-160; GUILLARD, *Hist. du Cons. du Roi*, p. 150-151; Olivier LEFÈVRE D'ORMESSON, I, p. 662; ms. fr. 16218, f° 308 v°.

3. *Traité* attribué à Marillac, deuxième quart du XVIIe siècle, Cinq Cents Colbert 194, f° 55 r°.

4. LE BRET, *op. cit.*, Livre IV, chap. XIII, p. 496.

les officiers de la Couronne, pour délibérer sur l'Etat et les réformes à y apporter. C'est ce qu'il fit, par exemple, par arrêt du 28 mars 1615, expliqué dans les remontrances du 22 mai, par arrêt du 22 septembre 1648 et, d'une façon moins grave, en principe sinon en fait, lorsque par l'arrêt d'Union du 13 mai 1648 il convoqua à la Chambre Saint-Louis les députés des quatre compagnies souveraines de Paris. Réunir au Parlement les princes, ducs, pairs et officiers de la Couronne était reconstituer l'ancienne Cour le Roi, l'assemblée des vassaux; poser en principe qu'ils pouvaient se réunir d'eux-mêmes et prendre des décisions valables, c'était faire une monarchie tempérée par l'aristocratie, alors que la monarchie se voulait absolue et populaire : « Les premiers hommes se voyans exposez aux injures de leurs ennemis, que les plus riches abusaient de leur authorité, et que les lois estaient méprisées et foulées aux pieds par les plus puissants, pour remédier à ces maux, ils establirent des Roys et leur donnèrent la souveraine authorité sur eux »[1]. Aussi le Roi n'admit jamais cette prétention du Parlement ni sa réunion avec les grands et les officiers de la Couronne, redoutée de Richelieu lui-même, véritable réunion des Ordres du royaume. Des arrêts du Conseil d'en Haut, du 23 mai 1615, du 23 septembre 1648 par exemple, cassèrent les arrêts du Parlement. En effet, pour le Roi, le Parlement n'est « établi que pour rendre la justice à ses sujets, et non pour connaître des affaires d'Etat, sinon lorsqu'il leur était commandé ». En 1615 le chancelier feignait encore d'admettre pour l'utiliser une théorie du Parlement : Conseil et Cours souveraines avaient des fonctions distinctes mais non hiérarchisées, « que comme ils — les parlementaires — n'avaient que voir sur les Chambres des Comptes, Cour des Aides, et, pour ce que leurs juridictions étaient toutes séparées, de mesme ils n'avaient que voir sur le Conseil du Roy... ». Mais, en 1648, le Roi se contente de dire que le Parlement allait « contre son service et celuy de son Etat ». La victoire resta au Roi et aux arrêts du Conseil d'en Haut[2].

D'autre part, le Parlement pouvait prendre une influence politique par les édits « bursaux », ceux qui accroissaient le montant des impôts, en créaient de nouveaux, érigeaient et mettaient en vente de nouveaux offices. Même Le Bret reconnaît que les Cours souveraines ne doivent enregistrer ces édits que s'il y a « nécessité pressante pour le bien public ». Sinon, elles doivent faire de « sérieuses remontrances »; « persévérer jusqu'à ce qu'elles aient obtenu quelque chose ou qu'elles en aient du tout perdu l'espérance », détourner la volonté du Roi

1. LE BRET, *op. cit.*, Livre Ier, chap. Ier, p. 3.
2. MOLÉ, I, p. 52-57; ARNAULD D'ANDILLY, 9 avril-22 mai 1615, 15 janvier 1621; Olivier d'ORMESSON, I, p. 579; O. TALON, p. 228.

par « toutes sortes de moyens »[1]. Les Cours ne sortaient donc pas de leur droit, vers 1632, lorsqu'elles refusaient indéfiniment l'enregistrement et présentaient six ou sept fois de suite des remontrances. Elles pouvaient ainsi manifester indirectement leur opinion sur une politique, et même l'entraver par cette sorte de refus des crédits. En fait, l'opposition des Cours aux édits bursaux eut surtout pour motif le souci d'en éluder les conséquences financières pour leurs membres, les clientèles et les fermiers de ceux-ci. Le Conseil d'en Haut cassa leurs arrêts en matière bursale et leva par arrêt les modifications apportées aux édits bursaux, lorsqu'il put le faire sans trop de risques de révolte. L'on sait comment, par édit du 21 février 1641, le Roi, après avoir rappelé qu'ils se réservait de connaître des affaires d'Etat et d'en donner connaissance éventuellement au Parlement par lettres patentes, réduisit le nombre des remontrances à deux avant l'enregistrement en matière de finances et les rejeta après l'enregistrement en matière d'Etat.

Enfin, la question de l'autorité du Conseil d'en Haut se posait accidentellement, à propos de procès entre particuliers, qui devenaient affaires d'Etat, par exemple un procès entre un grand et un dévoué du Roi, un procès entre un particulier et un traitant au sujet d'une ferme d'impôt et dont l'issue pouvait intéresser les droits du Roi, etc. Au début de notre période, il y avait hésitation dans le Conseil à ce sujet. Les uns, comme le garde des Sceaux du Vair, voulaient agir « par les voies ordinaires de la justice », renvoyer ces affaires au Parlement par commission en lettres patentes, pour que le Parlement cassât lui-même ses propres arrêts. D'autres, comme Barbin, Mangot, Concini, voulaient au contraire que le Conseil agît d'« *autorité absolue* », puisque c'était « *l'affaire du Roy* » et cassât lui-même les arrêts. Donc, les premiers ne voulaient pas priver le Parlement de ses fonctions mais seulement les régler, les seconds prétendaient que le Conseil pouvait juger lui-même, comme une Cour supérieure, et ce fut leur avis qui prévalut. Mais, encore en 1648, des conseillers d'Etat appuyaient les prétentions du Parlement[2].

L'autorité du Conseil d'en Haut fut ainsi établie, entière, totale, sur tous les arrêts du Parlement, et, à plus forte raison, sur ceux des autres Cours souveraines.

Les autres sections du Conseil prirent aussi toute autorité sur les arrêts de justice et de « police » des Cours souveraines. Celles-ci ne discutaient pas les pouvoirs du Conseil privé, du Conseil d'Etat et des Finances dans quelques cas bien déterminés et prévus par les

1. Livre II, chap. VI, p. 195-197.
2. PONTCHARTRAIN, p. 376; BRIENNE, p. 9, 10, 98; ARNAULD D'ANDILLY (*Journal*, 1615-1620, p. 235-241).

ordonnances. Les Conseils pouvaient suspendre leurs arrêts, après requête d'une des parties en proposition d'erreur de fait ou sur requête civile fondée sur le dol et la surprise de la partie. Les maîtres des requêtes examinaient le dossier du procès. S'ils jugeaient la requête fondée, ils en faisaient rapport au Conseil. Celui-ci, s'il admettait les conclusions du rapporteur, ne jugeait pas l'affaire : il la renvoyait à la Cour, auteur de l'arrêt incriminé, qui faisait à nouveau juger le procès[1]. Le Conseil privé pouvait également évoquer une affaire à lui sur requête d'une partie, si l'adversaire avait des parents ou des alliés dans la Cour intéressée (père, enfant, gendre, beau-frère, oncle, neveu, cousin germain), si les présidents ou les conseillers avaient un intérêt dans les procès, s'ils avaient consulté, écrit ou sollicité pour les parties : le Conseil alors renvoyait l'affaire à une autre Cour ou jugeait lui-même. Quant il y avait incertitude sur le point de savoir quelle Cour souveraine devait juger, le Conseil privé en décidait par « règlement de juger ». Enfin, le Conseil privé connaissait des oppositions au sceau des lettres d'office, parce qu'il ne dépend que du Roi de choisir et d'instituer les officiers.

Sur tous ces pouvoirs, imposés par la nécessité, fortifiés par la coutume, consacrés par les ordonnances, il n'y avait pas de discussion. Mais les Conseils retenaient les requêtes civiles et en propositions d'erreurs, et, au lieu de renvoyer les affaires à un nouveau jugement, cassaient de leur propre autorité les arrêts des Cours et jugeaient ensuite eux-mêmes l'affaire au fond. Ils suspendaient l'exécution des arrêts ou les cassaient sur simple requête au Conseil. D'autre part, le Conseil privé retenait les affaires qui lui étaient envoyées pour « règlement de juger » et les jugeait lui-même. Le Roi donnait des évocations générales et de son propre mouvement à des traitants, des courtisans, des révoltés, nobles ou protestants, villes ou individus, qui capitulaient, pour que tous leurs procès fussent jugés souverainement au Conseil. Tout cela allait loin, car les arrêts des Cours souveraines, ne l'oublions pas, étaient souvent rendus sur des affaires que nous considérerions aujourd'hui comme d'administration. Les Cours souveraines avaient la « police » et tout ce qui concernait l'observation des édits et ordonnances et les contraventions qui y étaient faites. Mais les Conseils devenaient les vraies Cours souveraines, ils dépossédaient les Cours de leur juridiction et ne leur laissaient plus que le vain honneur de leur titre. Les Cours ne se résignaient pas. Les progrès du Conseil contribuèrent à accroître leur hostilité et à déchaîner en 1648 leur insurrection.

1. Ordonnance d'Orléans, janvier 1560, art. 45; Blois, mai 1579, art. 92 *(Etudes d'histoire moderne et contemporaine)*.

Maintes fois, en 1615, en 1630, en 1644, en 1657, les règlements du Conseil renvoyèrent aux Cours souveraines et aux juges ordinaires la « juridiction contentieuse », les procès entre particuliers. L'habile Séguier essaya même d'obtenir en 1644 la vérification pure et simple des édits par le renvoi aux Cours de toutes les affaires qui regardaient l'exécution des édits vérifiés dans ces compagnies, sauf si elles y avaient apporté des modifications que le Conseil eût levé par arrêt. Maintes fois règlements, arrêts, déclarations promirent que les « arrêts ainsy donnez aux Cours souveraines ne pourront estre cassez ni surciz, synon par les voies de droit qui sont permises par les Ordonnances », c'est-à-dire requête civile et proposition d'erreur, non sur simple requête au Conseil, ce qui aurait permis de sauver l'autorité administrative du Parlement. L'Assemblée de la Chambre Saint-Louis réclama à nouveau l'observation des ordonnances sur ce point, le 17 juillet 1648, et en obtint la promesse par déclaration du 24 octobre 1648.

Mais ce fut en vain. Toutes ces pratiques persistèrent et s'amplifièrent insensiblement. Evocations générales et de propre mouvement, jugement souverain d'affaires particulières en premier et dernier ressort, suspension et cassation d'arrêts de toutes espèces, en particulier de ceux qui concernaient l'observation des édits et ordonnances, se multiplièrent. Déjà, en 1632, tous les arrêts donnés dans toutes les Cours souveraines, sauf le Parlement de Paris, étaient cassés « dans le Conseil d'Etat ou privé, bien que le Roy n'y soit pas présent ». Le Parlement de Paris jouissait encore du privilège que ses arrêts ne pouvaient être cassés que par le Conseil d'en Haut, après audition de son premier président et des gens du Roi. Mais, en 1645, c'est même le Conseil des Finances qui casse un arrêt du Parlement interdisant l'érection d'un président à Saint-Quentin sur requête des habitants, et le Parlement ne put obtenir du Roi la cassation de l'arrêt du Conseil des Finances par le Conseil d'en Haut. Le Parlement s'entêta, appuyé par les autres Cours. Même après l'échec de la Fronde, jusqu'en 1661, les Cours bataillèrent, ripostèrent, rendirent des arrêts contraires à ceux du Conseil, firent défense d'exécuter les arrêts du Conseil du Roi, condamnèrent ceux qui s'y pourvoyaient. Peu à peu, elles durent reculer. Louis XIV, au début de son gouvernement personnel, consomma leur défaite. Toutes durent reconnaître sur leurs arrêts la suprême autorité du Conseil comme corps, sa supériorité générale et universelle.

Non moins qu'au Conseil, les Cours souveraines s'en prenaient aux commissions du Conseil, chargées par le Roi de juger certains procès qui intéressaient l'Etat, et aux maîtres des requêtes et conseillers d'Etat commissaires départis dans les provinces avec le pouvoir de juger en dernier ressort, vite transformés en intendants. Les Cours disaient que la connaissance de toutes les matières qui « gisaient en juridiction contentieuse » et de tout ce qui concernait l'observation des édits et ordonnances appartenait aux juges ordinaires en premier ressort, et à elles-mêmes en appel, qu'aucune commission particulière ou générale, collective ou individuelle, ne pouvait la leur ôter. Les Notables de 1617, en majorité membres des Cours souveraines, l'Assemblée de la Chambre Saint-Louis de 1648, proclamèrent ces principes, réclamèrent la révocation de toutes ces commissions, et promesse en fut donnée par la déclaration royale du 24 octobre 1648.

Mais Le Bret avait expliqué que, par l'édit de Blois (art. 98), le Roi avait voulu le renvoi de chaque matière aux officiers qui en devaient naturellement connaître pour les affaires privées, celles des particuliers, mais non « quand il s'agit des affaires publiques et qui touchent l'Etat »; alors, « il peut commettre telle personne que bon luy semblera pour en connaître ». Ces personnes sont supérieures aux officiers pendant leurs fonctions, parce que, « c'est une maxime du droit canon que, *Omnis delegatus major est ordinario in re delegata* ». Un secrétaire de Colbert ajoutait que l'ordonnance de Blois et celle du 24 octobre 1648, ayant été « extorquées des rois par la violence des peuples, sont nulles, de toute nullité ». Le Roi, qui avait maintenu avant 1648 commissions et commissaires contre toutes réclamations, les rétablit après 1648, dès qu'il le put[1].

Irrésistiblement se superposait aux corps des officiers, cet ensemble de commissaires royaux, le Conseil et les intendants, émanés de lui et lui faisant rapport, qui exerçaient, à la place des ordinaires, les principales fonctions et permettaient au Roi de reprendre son pouvoir sur des compagnies affaiblies et énervées par la vénalité des charges et le droit annuel[2].

En 1661, au lieu de la conception d'un ensemble de Cours, démembrées de la *Curia Regis*, en faisant les différentes fonctions, sous la haute surveillance du souverain assisté de quelques hommes de confiance, et qui s'occupe surtout des affaires étrangères et de la guerre, nous trouvons un Conseil aux multiples attributions, politiques, administratives, fiscales et judiciaires, supérieur à toutes les Cours, divisé en nombreuses sections au travail beaucoup mieux organisé et remplies d'un personnel mieux recruté et mieux formé qu'en 1610, bien que ce soit encore là le point le plus faible du Conseil d'Etat.

1. LE BRET, Livre IV, chap. XIII, p. 493-500 et p. 149-150; MOLÉ, I, p. 52, 57, 166, 175, II, 79, 97; ARNAULD D'ANDILLY, 13 juin 1620, 11 décembre 1631; ISAMBERT, 17, nº 297, p. 341, nº 375, p. 403; CLÉMENT, *Lettres... de Colbert*, I, p. 253-257; Omer TALON, p. 150-154, 243-244, 296; Olivier d'ORMESSON, I, p. 298-300.

2. R. MOUSNIER, *La vénalité des offices sous Henri IV et Louis XIII*, Livre III, chap. IV.

ÉTAT ET COMMISSAIRE

Recherches sur la création des intendants des provinces (1634-1648)

Il peut étonner de voir paraître un nouvel écrit sur les intendants. Il y en a tant déjà ! Tout n'est-il pas dit ? L'origine et la création des intendants ne sont-elles pas des problèmes résolus[1] ? L'origine des intendants se trouverait dans les chevauchées des maîtres des requêtes, déjà constantes à la fin du XVe siècle, et dans les nombreuses commissions que les Rois donnaient à des maîtres des requêtes, à des conseillers d'Etat ou à des membres des Cours souveraines, pour la justice ou les finances ou la politique, soit dans les provinces, soit dans les armées. Ces commissaires se seraient multipliés, surtout depuis la période 1580-1600, auraient pris les titres de superintendant ou d'intendant de justice, ou d'intendant des finances, plus tard même (1621-1628) d'intendant de justice, police et finances[2]. Mais ces personnages ne se seraient trouvés en même temps qu'en quelques endroits du royaume, n'auraient eu que des missions temporaires, réduites à la durée variable d'une inspection ou d'une remise en ordre dans des

Publié dans *Forschungen zu Staat und Verfassung, Festgabe für Fritz Hartung*, 1958.

1. Rappelons quelques œuvres fondamentales : J. CAILLET, *De l'administration en France sous le ministère du cardinal de Richelieu*, Paris, 1857, in-8°, chap. IV, « Les intendants ». — G. HANOTAUX, *Origines de l'institution des intendants des provinces*, Paris, 1884, in-8°, 387 p. O. HINTZE, Der Commissarius und seine Bedeutung in der allgemeinen Verwaltungsgeschichte. Eine vergleichende Studie, dans *Historische Aufsätze*, K. Zeumer zum 60 Geburtstag dargebracht, 1910, p. 493-528; aussi dans *Gesammelte Abhandlungen*, édit. par F. HARTUNG, I, Leipzig, 1941, p. 232-264. E. ESMONIN, L'origine des intendants jusqu'en 1665, *Bulletin de la Soc. d'Hist. mod.*, 6 avril 1910, n° 22, p. 122-124. *La taille en Normandie au temps de Colbert*, Paris, 1913, in-8°, 552 p., p. 43-60, « Les intendants ». R. DOUCET, *Les institutions de la France au XVIe siècle*, Paris, 1948, in-8°, I, chap. XIX, « Les intendants ».

2. Commission d'intendant de justice, police et finance dans l'armée de Limousin, de Saintonge et d'Aunis pour M. Séguier d'Autry, maître des requêtes, 4 juillet 1621; commission au sieur de La Thuilerie d'intendant de justice, police et finance, en la ville et gouvernement de La Rochelle, pays d'Aunis, Poitou, Saintonge, 6 novembre 1628, dans HANOTAUX, *op. cit.*, p. 248 et 282.

circonscriptions diverses, et ces missions n'auraient visé qu'au contrôle et à l'amendement des actes accomplis par les officiers ordinaires et généralement qu'au contrôle et à la surveillance d'une catégorie seulement d'actes, justice ou finances, ou exécution d'un édit ou d'un groupe d'édits. Ce serait seulement entre 1635 et 1648 que les intendants auraient été mis dans tout le royaume d'une façon permanente. Ils auraient embrassé, d'après leurs commissions, l'ensemble de la justice, de la police et des finances, et probablement, en fait, ils auraient surveillé, comme représentants du Conseil dans les provinces, toutes les parties du gouvernement et de l'administration. Tel est, semble-t-il, le schéma que l'on peut tracer des conceptions actuellement admises sur l'origine et le développement de l'institution jusqu'au milieu du XVIIe siècle.

En réalité, ces conceptions, tous les spécialistes le savent bien, renferment une bonne part d'hypothèses. Nous sommes loin de bien connaître les intendants, loin de connaître les différents commissaires. Parce qu'on a beaucoup écrit, beaucoup parlé, il ne faudrait pas s'imaginer beaucoup savoir. Densité, succession, pouvoirs et fonctions réels aux différentes époques nous échappent, faute de dépouillements suffisants dans les archives. Papiers des municipalités, des bailliages et des sénéchaussées, des bureaux de finances ont encore beaucoup à livrer, mais aussi papiers des membres du Conseil du Roi. Si les archives locales ont été peu étudiées, les archives parisiennes sont loin d'avoir été complètement exploitées.

Deux sources importantes sont restées, jusqu'ici, non pas inconnues certes, mais pratiquement pas utilisées. Il s'agit d'abord des « lettres adressées au chancelier Séguier » de 1633 à 1649, qui renferment de nombreuses lettres d'intendants et de maîtres de requêtes en mission, véritables rapports[1]. Les intendants tiennent Séguier au courant des détails de leurs missions. Ils insistent sur ce

1. Une partie des « lettres adressées au chancelier Séguier » se trouve à la Bibliothèque Nationale de Paris, manuscrits français 17367 à 17412, 28 vol. in-f° de 1633 à 1649, 46 vol. de 1633 à 1669, avec une grande interruption de 1649 à 1659, période pendant laquelle Séguier se trouvait en disgrâce. Les lettres de Séguier avaient été léguées en 1732, avec la bibliothèque du chancelier, par Henri de Cambout, duc de Coislin, à l'abbaye de Saint-Germain-des-Prés. En 1791, pendant les troubles de la Révolution, une partie de ces lettres fut volée et tomba entre les mains d'un secrétaire de l'ambassade russe à Paris, Pierre Dubrowski, ainsi que d'autres manuscrits de Saint-Germain-des-Prés. Dubrowski rapporta en 1800 les manuscrits en Russie et les céda en 1805 au gouvernement russe. Les papiers de Séguier, recélés par Dubrowski, se trouvent aujourd'hui à Léningrad (Léopold DELISLE, *Le Cabinet des manuscrits de la Bibliothèque Nationale*, II, p. 52). B. F. PORSCHNEW, *Die Volksaufstände in Frankreich vor der Fronde, 1623-1648*, Leipzig, 1954, in-8°, traduit du russe, reproduit en appendice, p. 487-539, un certain nombre des lettres, adressées à Séguier, qui se trouvent en Russie.

qui concerne la justice et passent plus rapidement sur le reste, puisqu'ils étaient aussi en correspondance avec le secrétaire d'Etat chargé de leur province, avec le surintendant des finances et avec le principal ministre d'Etat. Mais Séguier prenait au sérieux son rôle de chef du Conseil et contrôlait toute l'administration, même les finances. Nous avons dans les rapports qui lui sont adressés des renseignements sur toutes les activités des intendants. J'aurais souhaité néanmoins pouvoir utiliser une semblable série de rapports adressés par les intendants des provinces aux surintendants des finances.

L'autre source est constituée par un curieux recueil de lettres envoyées par les trésoriers de France des différentes généralités au bureau de leur syndicat siégeant à Paris pendant la Fronde[1]. Plusieurs de ces lettres renferment des renseignements intéressants sur les relations des trésoriers de France avec les intendants avant 1648.

A l'aide de ces deux sources, je me propose d'abord de confirmer que la période 1635-1648 a été décisive dans le développement de l'institution des intendants, de montrer en outre que, si le nom d'intendant a continué d'être employé comme auparavant, il y a eu, en réalité, l'équivalent de la création d'une institution nouvelle, et que la nouveauté ne consiste pas seulement dans la permanence des intendants, dans leur ubiquité, et dans l'union en la même personne d'attributions de justice, police et finances, mais dans le fait que l'intendant désormais n'a plus seulement contrôlé et redressé les officiers de finances mais a effectué de façon permanente les principaux actes qui leur revenaient et les a remplacés dans leurs principales fonctions. D'inspecteur réformateur, l'intendant des provinces devient un administrateur.

Les historiens avaient fait un sort à des affirmations célèbres de l'avocat général au Parlement de Paris Omer Talon et du chancelier Séguier, qui permettaient, avait-on pensé, de dater la création des intendants. Omer Talon, s'adressant le 6 juillet 1648 au Parlement de Paris et parlant au nom du gouvernement royal contre la demande de suppression des intendants et des autres commissaires présentée par le Parlement, s'exprimait ainsi : « Ce n'est pas depuis la Régence que les intendants ont été envoyés dans les provinces; il y a quinze ans que selon les occasions ils y ont été ordonnés et depuis onze ans entiers il y en a dans toutes les provinces »[2]. Omer Talon plaçait

1. Bibl. Nat., man. français 7686, « Missives envoyées des généralités du Royaume à Messeigneurs les députés des Bureaux des Finances du Royaume assemblés en la Chambre du Trésor à Paris, 1648-1653 », 289 lettres.

2. Omer Talon, *Mémoires*, II, p. 210, Coll. des Mém. relatifs à l'Hist. de France de A. Petitot et Monmerqué, t. LXI, 1827, in-8°.

ainsi le début de l'institution en 1633 et sa généralisation en 1637. Le chancelier Séguier, dans la conférence qui réunit le 8 juillet 1648, avec le duc d'Orléans, Mazarin et les députés des cours souveraines, disait « que l'arrêt donné pour la révocation des intendants était juste; que c'est un mal qui ne luy peut estre imputé (à la Reine), les ayant trouvez establis par le feu Roy en 1635... »[1].

Mais la découverte de commissaires qui avaient porté le nom d'intendant avant 1633 et jusqu'en plein XVIe siècle fit ensuite considérer, surtout depuis l'ouvrage de Gabriel Hanotaux, les affirmations légèrement divergentes de Talon et de Séguier comme des erreurs.

Cependant, il aurait peut-être fallu se demander si la titulature avait une telle importance à une époque où l'imprécision règne dans la dénomination des institutions[2]. Peut-être aurait-il fallu aussi regarder de près le texte d'Omer Talon et se demander si celui-ci parlait, sous le nom d'intendant, de gens qui avaient les mêmes fonctions que les intendants avant 1633. Omer Talon nous dit, dans le même discours : « ... Quant aux deniers de la taille qui se reçoivent du peuple, si l'ordre établi depuis onze années est changé, que les intendants soient révoqués et les trésoriers de France et élus tous rétablis dans l'exercice de leurs charges, cette mutation, qui est grande et soudaine, ne peut pas s'exécuter en peu de temps, car il y a grande différence entre l'emploi de trente-cinq personnes qui sont établies dans toute l'étendue du royaume pour donner ordre à la levée des deniers du Roi (qui sont les intendants)[3], et celui de trois mille personnes, car le nombre des trésoriers de France et des élus se monte à cette quantité, lesquels étant rétablis et payés de leurs gages et droits cette année, le peuple se trouvera surchargé de plus de neuf millions, lesquels suffiraient pour achever la campagne... »[4]. Ainsi Omer Talon nous affirme que, depuis 1637, 35 intendants font toutes les fonctions des trésoriers de France et des élus en matière d'impôts, qu'ils ont l'essentiel de l'administration financière.

Les trésoriers de France affirment aussi avoir été dépossédés de leurs fonctions, eux, les élus et les receveurs des finances, avant la déclaration royale du 13 juillet 1648 portant révocation de toutes

1. *Journal contenant ce qui s'est fait et passé en la Cour de Parlement de Paris, toutes les chambres assemblées, et autres lieux sur le sujet des affaires du temps présent, ès années 1648 et 1649*, Paris, Alliot et Langlois, 1649, in-4°, p. 28, Bibl. Nat., Lb 37-8 A.

2. R. Mousnier, Le Conseil du Roi, de la mort de Henri IV au gouvernement personnel de Louis XIV, *Etudes d'hist. mod. et contemporaine*, la Société d'Histoire Moderne, I, 1947, p. 30.

3. Il y avait 22 généralités et certaines intendances en comptaient plusieurs; qu'entend O. Talon par « intendant » ?

4. O. Talon, *op. cit.*, p. 207-209.

commissions extraordinaires et en particulier des intendants. Dans toutes les provinces les intendants auraient « fait » les impositions, le « département » des tailles surtout, et les commis des traitants auraient joué le rôle de receveurs. La mise des impôts en traités, c'est-à-dire l'affermage des impôts, aurait été la cause de la généralisation des intendants, nécessaires aux traitants pour que les impôts excessifs soient rapidement répartis et la perception des commis aidée par une justice sommaire et par la force des armes. Les trésoriers de France, opposés à l'écrasement des contribuables, vitupèrent les traitants et « leurs intendants »[1].

Ainsi, entre 1637 et 1648, quelque chose de nouveau serait apparu en France. Une administration financière d'intendants et de traitants se serait substituée à l'administration financière des officiers ordinaires, les trésoriers de France et les élus. L'intendant, non plus seulement inspecteur réformateur, non plus seulement contrôleur et redresseur, mais administrateur des finances, aurait pris des caractères tout nouveaux. Certes, auparavant, l'intendant, même lorsqu'il n'était que de justice, s'occupait de finances. A preuve l'instruction de Vertamont, « intendant de la justice en Guyenne » en 1630, « des affaires qu'il aura à traiter en ladite province concernant les finances »[2]. Mais de Vertamont n'a, en finances, que des missions extraordinaires : négocier avec de grands seigneurs pour installer de nouveaux bureaux de douane et procéder à l'installation, acte unique du pouvoir souverain; obtenir du Parlement de Bordeaux l'enregistrement d'édits bursaux, des trésoriers de France et des élus l'accomplissement rapide des formalités nécessaires à la levée des impôts, etc. Négocier, obtenir des accords, stimuler, voilà de quoi il est question, pas du tout de remplir les fonctions à la place des officiers.

Certes, il a pu arriver antérieurement que des commissaires départis, envoyés pour redresser la situation financière dans une province, aient été amenés à effectuer pendant un temps très court des opérations appartenant normalement aux officiers. Mais il ne semble pas qu'il se soit jamais produit ce phénomène : des commissaires départis joignant dans tout le royaume, de façon permanente, l'administration financière à leurs autres attributions, et dépossédant de leurs principales fonctions les officiers ordinaires. Ceci serait nouveau et changerait la nature de l'intendant, équivaudrait même à la création, sous un nom ancien, d'un commissaire nouveau. Il vaut

1. Ms. fr. 7686, lettres des trésoriers de France du 21 juillet au 29 octobre 1648, n°s 6, 9, 10, 12, 22, 29, des généralités de Riom, Limoges, Poitiers, Bordeaux, Montauban. Voir aussi la *Requête des Trésoriers de France*, imprimée, s.l.n.d., Bibl. Nat. Lf 31-18, in-4°.

2. Archives Nationales, K-891, pièce n° 1, 12 avril 1630.

donc la peine de vérifier les affirmations de Talon, de Séguier et des trésoriers de France et, si ces affirmations s'avèrent exactes, de voir comment cette transformation a pu s'opérer. C'est ce que nous pouvons faire grâce aux lettres adressées au chancelier Séguier.

Les besoins d'argent du Roi de France allèrent croissant avec sa participation à la guerre de Trente ans. Ils devinrent particulièrement grands depuis 1632, à mesure que s'intensifiait le glissement vers le Rhin, que Richelieu multipliait les alliances nécessaires et coûteuses, et enfin lorsque le ministre fit succéder, le 19 mai 1635, à la guerre « couverte » la guerre « ouverte » contre l'Espagne. Il fallut un effort financier correspondant à l'effort diplomatique et militaire. D'après Mallet, les recettes de l'Epargne, qui avaient oscillé autour de 40 millions de livres par an, avec quelques pointes, passent à plus de 57 millions en 1632, à plus de 72 millions en 1633, dépassent 120 millions en 1634 et 208 millions en 1635, lors de la mise de fonds pour la guerre, pour osciller ensuite autour de 100 millions de livres par an[1].

A cet effort, les officiers ordinaires de finances dans les provinces, trésoriers de France, élus, receveurs généraux et particuliers, participèrent de façon insuffisante. Le Roi incrimine leur action dans son édit de mai 1635 : « ... Depuis quelques années, ils (les trésoriers généraux de France) se sont rendus tellement difficiles à l'exécution de nos édits et commissions qu'il semble qu'ils s'y soient voulu directement opposer et les traverser, dont nous avons reçu un très grand préjudice au bien de nos affaires par le retardement qu'ils y ont apporté... »[2]. A cette attitude, il y avait des raisons, les unes honorables, les autres moins.

Les trésoriers de France avaient le respect des formes, garanties pour les sujets du Roi et pour le Roi lui-même. Vertamont allant en 1630 prendre la charge d'intendant de justice en Guyenne reçoit la mission d'obtenir des trésoriers de France de Bordeaux de cesser leur opposition à la levée de la taille et de la crue des garnisons, bien que les édits n'en eussent pas encore été vérifiés[3]. Les trésoriers de France de Bordeaux ne pouvaient pas ordonner la levée d'impôts décidés de pleine puissance, sans édit vérifié en Parlement. Tous leurs collègues étaient dans le même cas. Et les trésoriers de France formaient des « compagnies », qui avaient le pouvoir de remontrances. Ils retardaient ainsi les rentrées fiscales. Ils n'avaient pas tort, mais

1. R. Mousnier, *La vénalité des offices sous Henri IV et Louis XIII*, 1945, in-8°, p. 392.
2. Isambert, *Recueil des anciennes lois françaises*, XVI, p. 442-450.
3. Arch. Nat., K. 891, 1.

en temps de guerre, où il faut aller vite, le Roi ne le pouvait supporter.

Il semble que l'insuffisance des officiers ait eu aussi d'autres raisons moins avouables. Les révoltes sont endémiques dans tout le royaume et dans toutes les classes de la société[1]. Les impôts en sont une des principales causes. Certaines paroisses, certains contribuables sont écrasés. Or il semble qu'il faille incriminer moins la masse des impôts, même en période de crises de subsistances, que leur mauvaise répartition et que les défauts de la perception. De cela, des officiers sont responsables. Il y a négligence chez certains. En 1634, l'intendant de Vertamont trouve à Bordeaux des trésoriers de France qui ne peuvent lui donner aucun renseignement sur la force et la faiblesse des paroisses taillables et qui n'avaient rien changé à la répartition de l'impôt depuis soixante ans[2]. Il y a chez d'autres, élus, asséeurs-collecteurs (ces derniers qui ne sont pas des officiers), favoritisme. Les impôts sont de répartition, ce sont des sommes globales à distribuer entre les contribuables. Or les paroisses où les élus comptent des parents, des amis, sont déchargées, les autres accablées. Les contribuables riches et influents, les riches « laboureurs » ou « coq de paroisse », les fermiers des gentilshommes et des seigneurs sont allégés, les plus pauvres écrasés. Les biens des contribuables favorisés n'étaient parfois pas évalués au quart de leur valeur réelle[3]. L'impôt étant assis sur des impuissants ne rentre pas. Il y a des non-valeurs. Les receveurs et commis à la recette sont trop nombreux et usent de trop de contraintes et d'exécutions par huissiers et archers. Ils accablent les contribuables de frais qui les empêchent de payer les impôts. Des receveurs prévariquaient. Dans l'élection de Mortagne-en-Perche, l'intendant La Ferté avait « recongneu les plus grandes voleries et la plus grande quantité et des plus insignes dont j'ay jamais ouï parler, car je pense que l'on a volé en cette élection plus de cent mil escus en diverses années, les plainctes des pauvres gens et la preuve m'en vient de toutes parts... »[4]. L'intendant de Sève, en Auvergne, trouve les comptes de plusieurs receveurs dans le plus grand désordre et en un seul compte, pourtant vérifié à la Chambre des Comptes, une dissimulation de vingt-cinq mille livres[5]. L'Epargne ne reçoit pas ce qui était attendu, sans que pour

1. G. Pagès, Autour du Grand Orage, Richelieu et Marillac : deux politiques, *Revue historique*, Mémoires et études, janvier-mars 1937, p. 67-73. B. F. Porschnew, *op. cit.*, R. Mousnier, art. à paraître dans la *Revue d'Histoire moderne*.
2. Ms. fr. 17369, f° 186 r°, 25 octobre 1634.
3. De Chaponay, Lyon, 19 juin 1635, ms. fr. 17369, f° 23.
4. 7 août 1636, ms. fr. 17372, f° 152 r°.
5. 18 janvier 1644, ms. fr. 17381, f° 25 r°.

autant les forces contributives réelles du pays soient dépassées.

La nécessité de tirer davantage de l'impôt, tout en soulageant les « plus faibles et impuissants », pour éviter les révoltes, fit songer le gouvernement royal, dès le mois de décembre 1633, à user de commissaires qui iraient dans les provinces afin de « régaler » les tailles et autres impositions directes, c'est-à-dire afin de les répartir également entre les paroisses et entre les contribuables en proportion de leurs facultés. Cette mission fut confiée souvent à des maîtres des requêtes et, de préférence, aux intendants de justice dans les provinces. Une instruction fut donnée le 16 mai 1634 à ces commissaires[1]. Ils devaient chercher les causes des inégalités avec les trésoriers de France sans être tenus de suivre leurs avis, pourvoir sur-le-champ aux inégalités par procédure d'action d'office, en laissant aux juges ordinaires, élus et Cours des Aides en appel, le jugement des surtaux, c'est-à-dire des procès intentés aux paroisses par les contribuables qui se jugeaient trop imposés, refaire les « départements » de tailles, c'est-à-dire les répartitions effectuées par les élus entre les paroisses[2], enfin les commissaires devaient s'enquérir très exactement des facultés des paroisses et des individus, des manufactures, labourages, commodités des rivières, usages, pâturage, fertilité des lieux, et tenir la main à ce que les élus fissent leurs chevauchées, pour servir de base dans l'avenir à un nouveau « régalement » des tailles par le Conseil du Roi entre les généralités et les élections. Nous trouvons les intendants se conformant à cette instruction dans les généralités de Lyon, Amiens, Bordeaux, Moulins, Rouen, et il est donc probable qu'elle a été exécutée dans tous les pays d'élections. Les intendants subdéléguèrent parfois leurs pouvoirs. L'exécution fut parfois vigoureuse puisqu'elle aboutit à Péronne à des « ventes de meubles des premiers de la ville », et dans la généralité de Rouen à des procès criminels en concussion.

Il y eut naturellement parfois choc entre les intendants et les trésoriers de France. A Moulins, les trésoriers de France voulurent empêcher l'intendant Le Faivre-Caumartin de réformer le département des tailles en refusant de reprendre avec lui en Bureau ce qu'ils avaient fait, et il fallut un arrêt spécial du Conseil pour les y contraindre. A Lyon, les trésoriers de France lancèrent deux ordon-

1. Instruction aux commissaires des tailles, 16 mai 1634, dans Lazare Ducrot, *Nouveau traité des aydes, tailles et gabelles*, Paris, chez Jean Bessin, in-8°, 1636, p. 475-488. Règlement pour la levée des tailles de l'année 1642 (27 novembre 1641), dans Pierre Néron et Etienne Girard, *Recueil d'édits et d'ordonnances royaux sur le fait de la justice*, 1720, II, p. 663.

2. La répartition entre les élections, faite à l'origine par les trésoriers de France, était effectuée par le Conseil du Roi avec l'avis des trésoriers.

nances, les 18 et 21 mai, que l'intendant qualifie de « manifestes ou libelles », et usèrent de « violences avec port d'armes ».

Mais si les commissaires refirent le travail des officiers leur commission était essentiellement temporaire. D'ailleurs, dès juillet 1635, elle était sursise dans la généralité de Lyon, bien que les procès criminels continuassent encore dans celle de Rouen en novembre 1636. Il n'y a donc, dans cette commission du régalement des tailles, rien, semble-t-il, d'essentiellement nouveau, bien que ce fût peut-être à son exécution que Séguier se référait lorsqu'il datait de 1635 la création des intendants[1].

Le gouvernement royal n'avait pas en 1635 l'intention de remplacer, même pour un temps, les officiers ordinaires. Il ne songeait qu'à obtenir d'eux de bons services, comme en témoigne l'édit de création des intendants présidents et généraux aux bureaux des finances, de mai 1635, que l'on prit jadis à tort pour l'édit de création des intendants.

Cherchant pourquoi les trésoriers de France ne rendaient pas tous les services attendus, le Roi concluait que c'était faute de personnages pour le représenter directement dans les bureaux des finances. Il créait donc quatre intendants généraux et présidents dans chaque bureau des finances, pour présider comme les présidents des Chambres des Comptes dans ces Chambres, faire observer et exécuter les édits, ordonnances, règlements et commissions et au besoin, en cas de mauvaise volonté des trésoriers de France, les faire seuls enregistrer et exécuter pour que les deniers royaux ne subissent aucun retard. Le Roi maintenait les trésoriers de France dans toutes les fonctions de leurs charges, y compris la juridiction contentieuse du domaine et de la voirie et la vérification des frais des étapes et passage des gens de guerre, mais il imposait à la moitié d'entre eux chaque année d'être en « chevauchées » dans les élections[2]. Ayant des hommes à lui pour imposer sa volonté dans les bureaux des finances et les trésoriers parcourant sans cesse les généralités, le Roi pouvait espérer voir les impôts rapidement répartis, levés et intégralement reçus dans les recettes particulières et générales pour être acheminés sans délai à l'Epargne.

1. Lettres de Brandon, 10 décembre 1633, ms. fr. 17368, f° 159 r°; de Chaponay, Lyon, 11 août 1634, ms. fr. 17369, f° 158 r°, et 19 juin 1635, f° 23 r°; de Vertamont, Bordeaux, 16 décembre 1634, ms. fr. 17369, f° 164 r° et 4 juin 1635, ms. fr. 17368, f° 207 r°, et Périgueux, 18 juin 1635, ms. fr. 17639, f° 19 r°; de Le Faivre-Caumartin, Moulins, 20 octobre 1634, ms. fr. 17369, f° 172 r°; de Noyer, Péronne, 21 juin 1635, ms. fr. 17369, f° 33 r°; de La Ferté, Bernay, 2 novembre 1636, ms. fr. 17370, f° 122 r°, et Mortagne, 7 août 1636, ms. fr. 17372, f° 152 r°.

2. ISAMBERT, *op. cit.*, XVI, p. 442-450.

L'institution des intendants généraux et présidents des bureaux des finances ne donna pas les résultats escomptés peut-être parce que l'autorité était diluée entre quatre personnes égales au lieu d'être concentrée dans les mains d'une seule et parce que ces officiers restaient les membres de compagnies régionales au lieu d'être des émanations du Conseil du Roi. Un an après l'édit, les mécontentements étaient toujours attribués aux abus des officiers de finances non moins qu'aux violences des gens de guerre[1]. En septembre 1636, le chancelier Séguier faisait expédier aux intendants, par les surintendants des finances Bouthillier et Bullion, une commission pour le contrôle général des finances, sur laquelle je n'ai pas de renseignements[2]. En 1637, un édit institua un emprunt forcé sur les villes. Le Conseil en répartit la somme par généralité, dans chacune par ville, et envoya la taxe aux trésoriers de France avec ordre de la transmettre aux élus. Mais il se douta des oppositions que rencontrerait cet emprunt, considéré comme une véritable taille et qui est appelé dans les lettres des intendants les « tailles de l'emprunt », et il décida d'en confier le soin à des maîtres des requêtes et aux intendants. Les intendants Le Prévost, à Lyon, Le Maistre de Bellejambe en Picardie, Luillier d'Orgeval pour la généralité de Soissons et l'Ile-de-France, de Villemontée à La Rochelle, Dupré pour la généralité de Montauban et peut-être pour celle de Toulouse, Harouys en Champagne, de Sève à Abbeville, et deux personnages dont j'ignore s'ils étaient intendants, le maître des requêtes Pinon à Bourges, et M. Gobelins dans la généralité d'Orléans, reçurent de mai à juillet une commission pour « vacquer au fait des emprunts ». En même temps, les intendants eurent peut-être mission de faire eux-mêmes le « département » des tailles. En tout cas, de Villemontée, intendant de Poitou, Angoumois, Saintonge et Aunis, l'effectue en juillet 1637. Il vient « ... travailler aux départements des tailles et des emprunts des provinces de mon intendance », et il retient des troupes, « le régiment de Monsieur de la Meilleraye et la compagnie de carabins du sieur de Courbisan, sans lesquelles *(sic)* je ne puis vous assurer du payement des tailles et de la conservation des fermes du Roy... »[3].

Il semble que, pour faciliter ces opérations financières, le nombre des intendants ait été accru. Jusqu'alors, ils avaient de fort grandes circonscriptions, qui comprenaient plusieurs généralités, et ils devaient être peu nombreux. De Laubardemont est intendant de

1. De Laubardemont, Le Mans, 15 mai 1636, ms. fr. 17372, f° 118 r°.
2. Du Houssay, Paris, 30 septembre 1636, ms. fr. 17371, f° 133 r°. Mais s'agit-il bien des intendants des provinces ou des intendants des finances ?
3. 19 juillet 1637, ms. fr. 17373, f° 186 r°.

justice « ès provinces de Touraine, Anjou, Le Mayne et Loudunois »[1]; de Villemontée contrôlait l'Ouest, de la Loire à la Gironde[2]. Ces circonscriptions n'avaient rien de fixe. Le Conseil aurait bien confié à deux intendants différents le Haut et le Bas-Poitou, bien qu'ils fissent partie d'une même sénéchaussée[3]. Plus tard, l'Angoumois devait être rattaché au Limousin et à la Basse-Marche, dans la même intendance[4]. En 1637, il y a tendance à fragmenter ces grandes circonscriptions. Le Laonnois et la Thiérache, placés sous l'autorité de Le Maistre de Bellejambe, qui avait la Picardie, sont confiés, à l'occasion de l'emprunt sur les villes, à Luillier d'Orgeval, intendant de la généralité de Soissons et de l'Ile-de-France. Bellejambe proteste contre ce nouveau démembrement : on lui a déjà retiré la région d'Abbeville et le Boulonnais, pour de Sève. D'Orgeval l'invite à se calmer, ajoutant qu' « au reste il aurait le mesme combat à faire avec M. de Thou et M. Lasnier »[5], ce qui semble indiquer d'autres démembrements de l'immense circonscription de Bellejambe. Dans le Laonnois et à Guise, Orgeval ne s'occupe pas seulement de l'emprunt des villes mais fait toutes les fonctions d'intendant. Il s'agit bien d'un démembrement d'intendance.

Les villes montrèrent une mauvaise volonté telle que le gouvernement fut réduit à mettre l'emprunt en traité, c'est-à-dire à l'affermer, pour en avoir vite de l'argent, les commissaires de l'emprunt conservant leurs fonctions. A Lyon, l'intendant Le Prévost se heurta aux trésoriers généraux de France, qui lui refusèrent l'entrée dans leur bureau, criant que sa commission « leur ostait la plus grande et honorable fonction de leurs charges », la répartition des impôts et la surveillance de la levée[6].

Il n'est pas possible de donner plus de précisions car il y a une grande lacune dans les lettres adressées au chancelier Séguier de juillet 1637 à juin 1640[7]. Mais ce que les documents permettent de voir nous paraît aller dans le sens des affirmations d'Omer Talon[8].

1. Ms. fr. 17372, f° 66 r°.
2. Ms. fr. 17373, f° 120 r°.
3. Ms. fr. 17371, f° 208 r°, 18 octobre 1636.
4. Ms. fr. 18479, f° 63 r°, 13 octobre 1644.
5. Ms. fr. 17373, f° 83 r°, 10 juin 1637, voir autres lettres d'Orgeval, 28 mai, f° 57 r°; 28 juin, f° 126 r°; 5 juin, f° 73 r°; 5 juillet, f° 152 r°.
6. 10 mai 1637, ms. fr. 17373, f° 45 r°.
7. Cette lacune existe aussi dans les documents publiés par B. F. Porschnew, *op. cit.*
8. Sur l'ensemble des événements de 1637, série de lettres dans le ms. fr. 17373 : Orgeval, lettres citées; de Laubardemont, Tours, 1er juin, f° 63 r°, de Villemontée, La Rochelle, 26 juin, f° 120 r°; Le Prévost, Lyon, 10 mai et 12 juin, fos 45 et 87 r°; Le Maistre de Bellejambe, Saint-Quentin, 20 mai, f° 51 r°; Pinon, Bourges, 4 juin, f° 69 r°; Du Pré, Toulouse, 1er juillet, f° 130 r°; Harouys, 10 juillet, f° 170 r°; de Sève, 14 juillet, f° 174 r°; Gobelins, 19 juillet, f° 187 r°.

Le « département » des tailles et autres impositions par l'intendant a-t-il été une mesure générale et définitive ? S'agissait-il encore en 1637 de commissions temporaires ? Peut-être, de 1637 à 1641, les intendants n'ont-ils fait que sporadiquement, quand la nécessité l'imposait, les fonctions ou des trésoriers de France ou des élus ou des asséeurs-collecteurs. En effet, le règlement royal du 27 novembre 1641 pour la levée des tailles de l'année 1642[1] contient les mêmes plaintes sur l'inégalité « depuis quelques années » dans la répartition des impositions, cause de non-valeurs, les mêmes reproches aux officiers des élections et aux receveurs, jugés responsables de ces maux, une réglementation stricte des actes des trésoriers de France, des élus, des huissiers et des receveurs, à qui leurs fonctions sont expressément maintenues, mais avec menace de les remplacer par des commissaires, s'ils ne s'amendent pas (art. 13) : « et d'autant que l'observation du présent arrêt et règlement est très importante... et que, pour cette exécution et observation, il ait été proposé à S. M. d'établir des commissaires en chacune Election, au lieu des Officiers d'icelle (sur ce que lesdits Officiers, jusques à présent, n'ont tenu compte d'observer l'égalité et ont favorisé et déchargé chacun en leurs Elections une partie des meilleures paroisses et des plus puissants contribuables), néanmoins Sadicte Majesté, voulant maintenir lesdits officiers... leur a enjoinct et ordonné d'icelui (arrêt) exécuter et observer de point en point : leur déclarant qu'à faute de ce et d'y tenir la main ponctuellement à faire l'assiette et imposition avec égalité ladite année prochaine 1642, il y sera pourvu pour l'année 1643, soit pour l'établissement de commissaires au lieu desdits Officiers ou autrement, ainsi qu'il sera résolu et arrêté par Sadicte Majesté. »

Après cet ultimatum le gouvernement royal commença officiellement la révolution par son règlement du 22 août 1642 pour la levée des tailles et subsistance de l'année 1643[2]. Mais, déjà, des intendants faisaient les fonctions des officiers de finances, puisque, le 10 février 1642, l'intendant Charreton écrit à Séguier, de Muret, à propos du département des tailles : « Je me suis trouvé dans l'eslection de Comminges à parachever l'imposition... »[3]. Par son règlement du 22 août, le Conseil confiait à l'intendant l'essentiel de la répartition et de la surveillance de la levée des tailles, taillons, crues et subsistance

1. Néron et Girard, *recueil cité*, 1720, II, p. 663, et suiv.
2. *Ibid.*, 1720, II, p. 673 et suiv. J. Caillet, *op. cit.*, 1857, p. 52-53, et E. Esmonin, *La taille...*, 1913, ont déjà signalé au passage l'importance de ce texte.
3. Ms. fr. 17374, f° 104 r°.

des troupes. Les commissions pour ces impôts devaient être adressées aux intendants et aux trésoriers de France conjointement. Les trésoriers de France étaient réduits à l'accomplissement des formalités juridiques et au rôle de conseillers techniques. L'intendant devait présider le bureau des finances, faire expédier par les trésoriers leurs attaches et ordonnances nécessaires à l'exécution des commissions. Si les trésoriers de France refusaient ou adoptaient une attitude dilatoire, la seule ordonnance de l'intendant suffisait pour l'exécution des commissions royales.

C'était l'intendant qui était chargé de se transporter dans les élections. Les trésoriers de France devaient élire quelques-uns des leurs, un par élection ou par groupe d'élections, pour l'accompagner. L'intendant devait choisir dans chaque élection trois élus de confiance et, avec eux, avec le trésorier de France député, le procureur du Roi, le receveur des tailles et le greffier de l'élection, faire le « département » des tailles sur les villes, bourgs et paroisses. Si les élus faisaient des difficultés, l'intendant pouvait effectuer un « département » valable avec d'autres officiers ou des notables. L'intendant devait taxer d'office les officiers, les privilégiés remis aux tailles, les « coqs de paroisses », les fermiers des gentilshommes et seigneurs. L'intendant, avec les trésoriers de France, n'admettrait les receveurs des tailles à la recette qu'après vérification de leurs comptes depuis 1635; sinon, ou si les comptes n'étaient pas bons, il établirait à leur place des commis. L'intendant pourrait nommer, à la place du contrôleur de l'élection, un élu pour faire le contrôle. L'intendant pourrait faire le procès, souverainement et en dernier ressort, aux gentilshommes et aux seigneurs de paroisse, et, en général, à tous ceux qui empêcheraient la levée des tailles.

En somme, en matière de finances, l'intendant se substituait à tous les officiers de finances et juges ordinaires, ou se les surbordonnait directement. Les « compagnies » d'officiers étaient annulées en fait, avec leurs pouvoirs de remontrances et de résistance. Les officiers redevenaient des individus devant l'intendant. En outre, les officiers ordinaires n'auraient plus de fonction en raison de leur office, mais seulement lorsque, ayant été jugés, individuellement et comme hommes, loyaux et capables, ils seraient choisis par l'intendant à titre d'auxiliaires temporaires, de commissaires.

C'était une révolution, qui faisait de l'intendant, émanation directe et toujours révocable du pouvoir central, l'administrateur de l'impôt dans les provinces.

Cette révolution, dans l'esprit des membres du Conseil, était définitive. Par déclaration royale et règlement du 16 avril 1643[1], Louis XIII voulut donner au règlement du 22 août 1642 pleine force de loi : les vingt premiers articles de la déclaration le reproduisaient mot pour mot. D'autres articles étaient ajoutés pour éviter les fuites devant l'impôt.

Mais la déclaration, pour avoir pleine valeur légale, devait être enregistrée et « vérifiée » par la Cour des Aides. Celle-ci essaya de profiter de la mort de Louis XIII, survenue le 14 mai 1643, et de la minorité de Louis XIV pour essayer de limiter la portée de la révolution royale, par son arrêt de vérification du 21 juillet 1643. La Cour des Aides imposait aux intendants de justice de lui faire enregistrer leurs commissions. Elle pourrait ainsi modifier celles-ci, les réduire, et, en tout cas, elle établissait le principe de la subordination du commissaire royal au juge ordinaire, du contrôle du commissaire par le pouvoir judiciaire. Elle affaiblissait ainsi l'instrument de l'absolutisme, car le commissaire, dans ce cas, aurait été vite réduit à un rôle d'inspection et d'information. C'était ce que souhaitaient tous les officiers.

La Cour des Aides prenait la défense des officiers de finances et leur garantissait leurs fonctions. Les commissions des tailles seraient expédiées en la manière accoutumée, selon les ordonnances, en présence des intendants. Et, donc, les intendants assisteraient à la séance des bureaux de finances, mais ne la présideraient pas. Ils ne pourraient pas imposer leur décision, ni se passer des trésoriers de France, en expédiant seuls leur ordonnance, en cas de refus ou délai : les trésoriers de France retrouvaient leur liberté et leur autorité.

Et de même pour les élus. Les intendants devaient travailler avec six des élus et non plus trois, et surtout ils ne pouvaient plus les choisir; les élus seraient pris à tour de rôle, « à l'ordre du tableau et l'un des gens du Roi alternativement ». D'autre part, il ne pouvait plus être question de se passer d'eux en les remplaçant par des notables. Les élus recouvraient leur fonction en tant qu'officiers et s'imposaient à l'intendant. En matière contentieuse, les élus reprenaient leur compétence « en l'absence de l'intendant », et, comme l'intendant ne pouvait être partout, les élus, pratiquement, retrouvaient toute leur juridiction dans la plupart des cas. Quant aux gentilshommes et aux seigneurs qui empêchaient la levée des tailles, ils étaient protégés, car les intendants, au lieu de les juger eux-mêmes, assistés de gradués en droit de leur choix, souverainement et en dernier

1. *Nouveau Code des Tailles*, éd. de 1761, t. I, p. 370-406, Bibl. Nat. F. 25566.

ressort, pourraient seulement instruire les procès, les juger avec les élus, à charge d'appel en la Cour des Aides.

La Cour des Aides rendait en grande partie leurs fonctions aux officiers et réduisait considérablement le pouvoir des intendants en matière d'impôts.

Il nous faut donc voir si le règlement du 22 août 1642 a été exécuté, si la déclaration du 16 avril 1643 l'a été avant l'arrêt de vérification par la Cour des Aides et quel effet a produit l'arrêt de vérification du 21 juillet 1643.

Le règlement du 22 août 1642 a reçu exécution. En effet, l'intendant de Dauphiné de Chazé dénonce en juillet 1643 « une contention qu'ont recherchée contre moi Messieurs les Trésoriers de France de ce Bureau, lesquels, en haine de ce que, par le règlement qui fut fait au moys d'août dernier (1642) pour le faict des tailles, il vous pleust en attribuer l'imposition et la connaissance aux intendants et non à eux, mesmes avec pouvoir de commettre en la place des receveurs des tailles qui seraient en demeure de compter depuis 1636... ». L'intendant a découvert que le receveur des tailles de Vidime malversait. Il a nommé à sa place en décembre 1642 un commis « avec celuy de leurs confrères (les trésoriers de France de Grenoble) qu'ils avaient député avec moy... ». L'intendant ordonne au receveur des tailles de compter devant lui et le trésorier de France député. Louis XIII meurt. Les trésoriers de France prennent résolution, avec les autres « compagnies », de ne plus souffrir d'intendant, défendent aux commis de faire recette, veulent faire compter le receveur des tailles devant leur bureau, cassent par ordonnance toutes les ordonnances de l'intendant et obtiennent un arrêt du Parlement de Dauphiné en leur faveur[1]. Il ne fait donc pas de doute que, jusqu'à la mort du Roi, l'intendant avait pris effectivement l'administration des finances en Dauphiné. De même en Provence, d'où l'intendant de Vautorte parle, le 7 avril 1643, des trésoriers de France avec lesquels « ... j'ay procédé au département des tailles et de la subsistance de la présente année »[2]. De même en Touraine : l'intendant de Heer écrit de Saumur, le 12 février 1643 : « J'achéveray le département des tailles dans peu. Il ne me reste que l'élection de Richelieu »[3]. De même dans la généralité de Montauban, où, dit l'intendant Charreton, le 18 février 1643 : « Le département des tailles m'a toujours obligé depuis deux mois et plus à me tenir hors la ville de Montauban »[4].

1. 1er et 12 juillet 1643, ms. fr. 17377, f° 145 et 14 r°.
2. Ms. fr. 17376, f° 28 r°.
3. Ms. fr. 17374, f° 108 r°.
4. Ms. fr. 17374, f° 119 r°.

Le règlement du 22 août 1642 a-t-il été exécuté partout ? Une remontrance des présidents et trésoriers généraux de France à Lyon au chancelier Séguier, de juillet 1643, pourrait en faire douter : « On nous a donné advis, Monseigneur, d'un règlement fait au Conseil le 16 avril dernier, lequel toutefois ne nous a esté envoyé, par lequel l'on donne aux intendants de la justice le pouvoir que appartient aux Trésoriers de France et nous oste on la principale fonction de nos charges, mesme le département des tailles, dont nous avons toujours jouy »[1]. Les trésoriers de France ont l'air de se trouver devant une nouveauté; il n'y a pas d'allusion au règlement du 22 août 1642, et on ne trouve aucune protestation antérieure des trésoriers de France à Lyon. Mais tout cela ne signifie pas qu'ils n'aient pas dû subir le règlement. La mort du Roi changeait tout. Les officiers retrouvaient un courage et un esprit de résistance qu'ils n'avaient pas toujours eu au même degré avant le 14 mai.

La déclaration et le règlement du 16 avril 1643 ont été exécutés avant l'arrêt de vérification de la Cour des Aides du 21 juillet. A preuve une « instruction » du conseil d'Etat « aux intendants de justice, police et finances de chacune généralité sur le fait des tailles et impositions », du 10 juillet 1643[2]. Constatant que les contribuables ne peuvent payer à la fois les arriérés et les impôts de 1643, le Roi charge les intendants et les trésoriers de France d'empêcher les receveurs des tailles de faire des poursuites pour 1635, 1636 et 1637. Les intendants et les trésoriers de France devront viser et délivrer toutes les contraintes pour 1638, 1639, 1640 et 1641, et vérifier la recette et la dépense des receveurs. Pour 1642 et 1643, les receveurs continueront leurs diligences selon la déclaration du 16 avril 1643, « encore qu'elle ne soit registrée ès Cours des Aides ». Les intendants veilleront à ce que les receveurs fassent leur recette de ces deux années et s'en feront donner chaque mois un état. Les intendants iront dans les paroisses où les impôts ne sont pas répartis entre les contribuables pour 1642 et 1643 et feront en leur présence nommer les asséeurs-collecteurs, dresser les rôles, etc. Il est remarquable de constater que les intendants jouent le rôle d'administrateurs des finances, que les trésoriers de France disparaissent dès qu'il est question des impôts de 1642 et qu'il est donné ordre d'exécuter la déclaration du 16 avril 1643 sans enregistrement.

L'arrêt de vérification de la Cour des Aides du 21 juillet 1643

1. Ms. fr. 17377, f° 1 r°.

2. Archives Nat., K. 891, pièce 4, signée Gaston (duc d'Orléans, lieutenant gén. du royaume), Séguier, de Bailleul (surintendant des finances).

ne semble pas avoir eu d'effet. Nous savons déjà que les commissions des intendants n'ont pas été présentées à la Cour des Aides. Pour les impôts, le gouvernement semble avoir passé outre à l'arrêt de vérification. De Vautorte, devenu intendant de Limousin et d'Angoumois, cherchant pourquoi beaucoup de paroisses de son intendance payaient si mal, écrit à Séguier, le 10 septembre 1643 : « J'adjouste encore le peu de soin des esleus, *lesquels, se voïans interdits de leur pouvoir, remis à trois*, ne sont fâchés de ce désordre et y contribuent sous main... » Les termes *en italique* impliquent bien l'exécution de la déclaration du 16 avril 1643.

De nombreuses lettres d'intendants ou de trésoriers généraux de France permettent de voir que l'intendant agit lui-même à chaque stade de l'imposition. Et tout d'abord pour ordonner l'application dans la province des décisions générales d'imposer prises par le Conseil. C'est à de Ris, intendant de la justice en Lyonnais, en même temps qu'aux trésoriers généraux de France à Lyon, que sont adressés, selon l'article 1° de la déclaration, les arrêts du Conseil ordonnant d'imposer diverses taxes conjointement avec les deniers des tailles et subsistances[1].

Ensuite, l'intendant exécute le département des impôts dans chaque élection entre les villes, bourgs et paroisses taillables, avec le trésorier de France député. De Heer a même l'habitude de décider lui-même, au point de soulever une révolte des élus de La Flèche en 1645 : « Les Elus de la Flesche se sont tellement oubliés qu'estans en leur bureau pour travailler au département des tailles, ils m'ont franchement dit qu'ils ne signeraient point le département si je ne suivais leurs advis, avec plusieurs insolences, ... je n'ay laissé de faire le département avec le Trésorier de France qui y estait venu...; leur dessein est de faire un autre département et d'envoyer leurs commissions par les paroisses, à quoy je tascheray, Monseigneur, de remédier... »[2]. De Lauson écrit en 1648 : « Attendant que le calme rentre dans Bordeaux, je prends résolution, sur l'advis de Monseigneur le Duc

1. Remontrance des trésoriers de France, pour vice de forme, Lyon, 1er avril 1644, ms. fr. 17381, f° 138 r°. Dans le même sens, de Heer, d'Angers, 9 janvier 1644, f° 15 r° : « J'espère me rendre dans peu de jours à Tours... pour porter les commissions des tailles au bureau des finances... »

2. 2 février 1645, ms. fr. 17383, f° 99 r°. Dans le même sens, de Lauson, Bordeaux, 17 mars 1644 : « Comme nous achèverons les départements des tailles je me rendray auprès de M. le duc d'Epernon. » De Sève, Clermont en Auvergne, 9 février 1644, ms. fr. 17381, f° 25 r° : « Or, Monseigneur, je vas maintenant achever le département des tailles, que j'ay desjà expédié en partye des eslections de la playne »; 13 mars 1644, f° 112 r°: « Après avoir achevé l'assiette des tailles pour le courant, je continue à faire la guerre pour le passé... »

d'Epernon, de faire icy le département, d'envoyer quérir les éleux à cette fin »[1]. Mais il faut reconnaître que les termes employés par les intendants autres que de Vautorte ne permettent pas de reconnaître si les intendants opéraient avec les trois seuls élus choisis par eux selon les termes de la déclaration ou avec les six élus selon l'ordre du tableau, comme le prescrivait l'arrêt de vérification.

L'intendant fait au besoin lui-même les rôles de répartition des tailles entre les contribuables dans les bourgs et paroisses rebelles. Il répartit les sommes dues pour la subsistance entre les paroisses des villes à la place des maires et échevins, parfois à la demande des habitants. Il impose parfois et répartit sur les villages des taxes en fourrage et fait valider ensuite sa levée par arrêt du Conseil. Il demande une imposition sur l'élection de Limoges pour réparer le temple de la « Religion prétendue réformée » et les trésoriers de France le pressent de faire le département de cette somme, etc.[2].

L'intendant, avec des soldats, ou des troupes spéciales de fusiliers ou d'arquebusiers, ou de la cavalerie, poursuit lui-même le recouvrement des impôts, que ne peuvent plus faire les huissiers et sergents. « Je suis en Périgord à la tête d'une compagnie de carabins pour la levée des deniers royaux »[3]. De telles indications sont fréquentes dans la correspondance des intendants.

L'intendant enfin est chargé des arriérés. « J'envoie à M. le Surintendant les estats des impositions de ceste généralité pour les années 1639, 1640, 1641, qui sont ceux desquels on me pressait davantage. Les autres seront aussy bientôt prests; non si tost et si bien qu'il serait à souhaiter, mais j'espère qu'on excusera mon incapacité, principalement en ce mestier, lequel je n'avais jamais fait... » confesse Vautorte en 1644[4].

L'action constante, personnelle, prépondérante de l'intendant donne à penser, malgré les imprécisions de lettres, qui ne sont pas des rapports financiers techniques, que l'arrêt de vérification de la Cour des Aides, autant en a emporté le vent. Bien mieux, la déclaration du 16 avril 1643 aurait été dépassée par les agents du pouvoir

1. Bourg-sur-Mer, ms. fr. 17389, f° 244 r°; 14 mai 1648, f° 285 r° : « J'ay icy les Esleus de Bordeaux, avec lesquels je travaille au département »; 18 mai, f° 295 r° : « J'achève en ce lieu de Bourg le département des tailles avec les Eleus de Bordeaux. »

2. Du Boulay-Fabvier, Bernay, 5 août 1643, ms. fr. 17377, f° 61 r°; de Heer, Angers, 9 janvier 1644, ms. fr. 17381, f° 15 r°; de Chaulnes, Limoges, 3 juillet 1648, ms. fr. 17388, f° 142 r°.

3. De Lauson, 2 août 1644, ms. fr. 17380; dans le même sens : de Heer, Angers, 2 janvier 1644, ms. fr. 17381, f° 1 r°; de Sève, Clermont, 1er avril 1644, ms. fr. 17831, f° 140 r°; de Vautorte, Limoges, 9 janvier 1644, ms. fr. 17381, f° 13 r°.

4. Limoges, 9 janvier 1644, ms. fr. 17381, f° 13 r°.

royal eux-mêmes dans l'intérêt du Roi : la déclaration prévoyait que les trésoriers de France devaient élire quelques-uns des leurs, un par élection ou par groupe d'élections, pour accompagner l'intendant au département des tailles. Or l'intendant de Moulins, Phélypeaux, écrit au chancelier, le 28 juin 1647 : « A mon retour de la Marche et des autres eslections où j'estais allé travailler au département des tailles, j'ay appris que quelques officiers du Bureau des Finances de ceste généralité vous ont faict plaincte du choix que j'avais fait des commissaires pour travailler avecque moy, ens ce qu'ils préttendent que j'ay entrepris sur eux et que j'ay choisy des plus jeunes et des derniers du Bureau... Je ne croy pas, Monseigneur, avoir rien entrepris de nouveau, puisque tous ceux qui sont dans la mesme fonction où j'ay l'honneur de servir en choisissent toujours lorsqu'il n'y en a poinct de destinez par arrest du Conseil... Le subject de cette plainte vient de ce que Messieurs de Palierne, de la Croix, Brinon et de Villainnes, ayant fait leur possible auprès des intéressez au recouvrement de ceste généralité[1] pour estre commis, ils ne l'ont jamais peu obtenir, et espéraient, ayant la brigue la plus forte dans le bureau, de ce faire députter par la compagnie. Mais l'intérêt du service du Roy et celuy des intéressez m'a obligé d'en choisir d'autres que ceux-là... »[2]. D'où il résulte que, malgré la déclaration, le Conseil du Roi ou les intendants nommaient souvent les trésoriers de France qui devaient accompagner les intendants dans les élections. D'ailleurs, si parfois l'intendant devait entrer en lutte avec les compagnies d'officiers, imposer à coups d'ordonnances aux trésoriers de France la levée d'un nombre invraisemblable de taxes affermées par les traitants[3], le Conseil et les intendants trouvaient partout des individus, trésoriers ou élus, empressés à servir, qui briguaient les commissions et étaient du plus grand secours pour les intendants[4]. De Chaulnes, tombé malade, pouvait faire remplir ses fonctions d'intendant d'armée par « Monsieur Piètre, Trésorier de France de cette généralité »[5]. La volonté du gouvernement faisait la loi. Quel compte a-t-on tenu de l'arrêt de vérification de la Cour des Aides ? Probablement aucun. Ainsi les plaintes des trésoriers de France sur ce que les officiers de finances étaient dépossédés de leurs fonctions par les intendants

1. C'est-à-dire des traitants des tailles.
2. Ms. fr. 17387, f° 24 r°.
3. De Corberon, en Limousin, Basse-Marche, Angoumois, Saintonge, 13 octobre 1644, ms. fr. 18479, f° 63 r°. Du Verger à Moulins, 4 novembre 1643, ms. fr. 17375, f° 39 r°.
4. De Sève, Riom, 18 janvier 1644, ms. fr. 17381, f° 25 r°; 16 novembre 1643, ms. fr. 17375, f° 61 r°; Donguy, 2 novembre 1644, ms. fr. 17382, f° 23 r°.
5. Amiens, 12 juin 1646, ms. fr. 17385.

se trouvent confirmées par les lettres adressées au chancelier Séguier.

Donc, l'intendant s'était profondément transformé de 1634 à 1648. Ce commissaire, tout en restant un juge, était devenu un administrateur des finances. Certes, la présente étude est loin d'être exhaustive. Il nous faudrait encore suivre dans le détail ces fonctions de l'intendant, voir les procédures employées, préciser les relations avec les différents officiers, discerner dans quelle mesure Conseil et intendants s'écartaient de la législation et innovaient, distinguer les différences selon les provinces. Toutes ces connaissances ne pourront s'obtenir que par nombre d'études locales, dans les provinces, les généralités, les élections, les villes, bourgs et paroisses, au moyen des archives des Cours souveraines, des papiers des bureaux des finances, des élus, des bailliages et des sénéchaussées, des municipalités. Au moins, le fait de la transformation semble-t-il maintenant incontestable.

Cette transformation a été durable et de grande conséquence. Les fonctions de finances sont devenues désormais les plus importantes et les plus caractéristiques fonctions des intendants. Après l'éclipse de la Fronde et les incertitudes du gouvernement personnel de Louis XIV à son début, lorsque l'institution des intendants se consolida, l'administration des finances fut la première de leurs obligations. Présider au département des tailles avec voix prépondérante dans les bureaux des trésoriers de France ou dans ceux des élus, taxer d'office les principaux habitants, vérifier les comptes des receveurs de finances, etc., toutes les principales fonctions de finances figurèrent désormais dans les commissions des intendants[1]. Et, dans la pratique, les intendants dépassèrent leurs commissions, sur l'ordre du Conseil, s'occupèrent eux-mêmes de tous les impôts, en passant par-dessus les officiers, réduits à un rôle de subalternes et d'exécutants partiels, parfois sans aucun rôle quand il s'agissait d'impôts nouveaux. De cette tâche d'administrateurs des finances, de la nécessité d'assurer le rendement des impôts, donc la capacité des contribuables, sortit peu à peu toute l'immense fonction économique et sociale des intendants[2]. C'est dans la période 1634-1648 que les intendants ont

1. Voir la commission de Le Tonnelier de Breteuil en Picardie, p. p. de BOYER DE SAINTE-SUZANNE, *Les intendants de la généralité d'Amiens*, in-8°, Paris, 1865, app. IV, p. 567-582, 13 août 1674; les commissions de Phélypeaux pour la généralité de Paris, 13 décembre 1690, Arch. Nat. O 34, f° 332 r°-335 v°; de Félix Le Pelletier de La Houssaye pour l'intendance de Soissons; de Bouville pour celle d'Orléans, 2 janvier 1694, O 38, f° 59 v°.

2. Pierre CLÉMENT, *Lettres, instructions et mémoires de Colbert*, Paris, 1861-1882, 10 vol. in-4°. De BOISLISLE, *Correspondance des contrôleurs généraux des finances avec les intendants, 1683-1715*, Paris, 1874-1898, 3 vol. in-4°. Ch. de BEAUCORPS, Une province sous

pris leur aspect le plus caractéristique, qui devait durer presque jusqu'à la fin de l'Ancien Régime. C'est à cause de ce qui s'est passé entre 1634 et 1648 que la source principale de l'histoire des intendants depuis 1665 est leur correspondance avec les contrôleurs généraux des finances. Bien que leur nom soit plus ancien, ces faits autorisent, je crois, à parler, avant la Fronde, de création des intendants.

Serait-il permis de dire, en outre, que, à ce moment, grâce au commissaire, l'Etat français serait passé de la prépondérance de l'administration judiciaire à la prépondérance de l'administration exécutive ? Ce serait à examiner.

Louis XIV. L'administration des intendants d'Orléans, de Creil, Jubert de Bouville, de La Bourdonnaye, 1686-1713, *Mémoires de la Soc. Arch. et Hist. de l'Orléanais*, t. 33, 1911, p. 37-520. P. Dubuc, *L'intendance de Soissons sous Louis XIV*, thèse de Lettres de Paris, 1902, in-8°. H. Fréville, *L'intendance de Bretagne, 1689-1790*, Rennes, 1953, 3 vol. in-8°. G. Livet, *L'intendance d'Alsace sous Louis XIV, 1648-1715*, Publications de l'Institut des Hautes Etudes Alsaciennes, XV, Strasbourg, 1956, in-8°, 1 084 pages, etc.

LES RAPPORTS ENTRE LES GOUVERNEURS DE PROVINCE ET LES INTENDANTS

dans la première moitié du XVIIe siècle

Ce sont des questions restées obscures que celle de la délimitation des tâches entre gouverneurs de province et intendants et celle de leurs relations dans le service du Roi. L'opinion la plus répandue est que les gouverneurs de province ont été réduits par les intendants partout à un rôle décoratif et même que Richelieu a mis des intendants partout dans ce dessein[1]. Mes dépouillements des papiers du chancelier Séguier, à Paris, m'ont permis d'établir que la multiplication des intendants a des raisons surtout financières et sociales[2]. Mais, d'autre part, mes recherches à Léningrad, dans les papiers du chancelier Séguier, rapportés en Russie au moment de la Révolution française par le secrétaire à l'ambassade russe à Paris, Pierre Dubrowski, me conduisent à douter de l'opinion admise sur les relations entre gouverneurs de province et intendants. La Bibliothèque de Paris renferme beaucoup plus de papiers du chancelier Séguier que Dubrowski n'a pu en rapporter à Léningrad. Sur beaucoup de points et notamment sur les révoltes des provinces, les collections de Paris offrent une meilleure documentation. Sur certains autres, la collection de Léningrad donne des renseignements qu'on ne trouve pas ailleurs.

La nature des pouvoirs des gouverneurs et leur étendue n'étaient pas claires, même pour les contemporains. Le juriste Loyseau, qui

Publié dans *Revue historique*, CCXXVIII, 1962.

1. C'est ce que soutenait, entre autres, Gaston ZELLER, dans son mémoire, L'administration monarchique avant les intendants, *Rev. hist.*, avril-juin 1947, p. 214.

2. Roland MOUSNIER, Etat et commissaire. Recherches sur la création des intendants des provinces, 1634-1648, dans *Forschungen zu Staat und Verfassung, Festgabe für Fritz Hartung*, Berlin, Duncker und Humblot, 1958.

écrivait au début du XVIIe siècle avant 1609, était d'autant plus confus que la puissance de ces grands seigneurs dans leurs gouvernements l'effrayait. Il ne pouvait lui échapper que leur charge portait des caractères d'office : elle était conférée par lettres de provision; elle était laissée en fait à vie au possesseur; la résignation en était admise, et, de toute façon, le Roi avait pris l'habitude de donner la charge vacante au fils du précédent titulaire, ou à un membre de sa famille, comme il se vit, plus tard, pour les d'Epernon en Guyenne, ou pour les Schomberg dans le Languedoc. Aussi des juristes déclaraient ces fonctions office. Mais les officiers n'étaient plus révocables et Loyseau aurait bien voulu que les gouverneurs le fussent *ad nutum*. Alors, se fondant sur ce que les gouverneurs n'avaient pas été créés par édit vérifié et que leur fonction était extraordinaire, puisqu'elle comportait l'usage de la force pure, il les déclare commission. Mais c'est pour tomber dans une autre difficulté. D'après ses propres définitions, « la propriété de la puissance publique demeure toujours au Roi... et le Commissaire le fait (ce qu'il fait) pour et au nom de son déléguant ainsi que le Procureur agit au nom de son maître : car, enfin, ce qu'est le Procureur en fait privé, cela est le Commissaire en fait public... ». Or, notre gouverneur de province est « lieutenant général » du Roi. Il représente donc en tout la personne du souverain. Commissaire, il devrait donc disposer de toute l'autorité qui appartient au Roi quand celui-ci est présent, non seulement au fait des armes, mais encore en justice, « police » et finances. Cette conséquence fait bondir notre juriste. Pour lui l' « état » de gouverneur est seulement militaire. « Les gouverneurs estans les vrais et particuliers officiers des armes, ils ne se doivent mesler en façon quelconque n'y de justice, n'y des finances, sinon de leur prester main-forte, pour le service du Prince et repos de l'Estat. » Il reconnaît que « la force qu'ils ont en main les enhardit bien souvent à faire le contraire » mais c'est une usurpation[1].

La pratique des agents du Roi va-t-elle nous apporter quelque clarté ? Le fonds Dubrowski nous offre des lettres de gouverneurs et d'intendants adressées au chancelier Séguier, et qui sont de véritables rapports sur toutes sortes d'affaires[2]. Celles qui concernent notre problème sont particulièrement nettes pour le Languedoc, pays d'Etats, et province d'institutions fort particulières.

Les gouverneurs successifs, les maréchaux de Schomberg, le père

1. LOYSEAU, *Traité des offices*, livre IV, chap. IV, nos 35, 36, 80 ; chap. V, nos 11, 20, 39.
2. Léningrad, Bibliothèque Saltykow-Stschedrin, Gosudarstwennaja Pualistschnaja Biblioteca Awtografy.

en 1643, son fils qui lui succéda, en 1644-1645, travaillent avec deux intendants, Baltazar et Bosquet. La province n'est d'ailleurs pas divisée en deux intendances. Les deux commissaires s'occupent indifféremment de toutes sortes d'affaires et constituent à eux deux un seul intendant, un « intendant double ». Il avait été question, en 1643, de séparer deux intendances, une pour le Haut-Languedoc et une pour le Bas. Le vieux Schomberg s'était obstinément refusé à changer « l'ordre ancien de la province ».

Les lettres dont nous disposons montrent d'abord que Loyseau et les historiens n'ont pas porté attention à ce cas. En Languedoc, le gouverneur détient et exerce officiellement tous les pouvoirs royaux. Par ses ordonnances, dont l'appel ne peut être relevé qu'au Conseil du Roi, le gouverneur établit des règlements de police valables dans toute la province; permet le commerce et la traite des *bleds* à un moment d'abondance; saisi par les protestants d'une requête aux fins de rétablir un prêche, il les renvoie à la Chambre de l'Edit de Castres; il ordonne l'exécution d'une ordonnance royale sur les monnaies; interdit des réunions publiques protestantes; fait surseoir à la levée du quartier d'hiver, des taxes de ban et arrière-ban, à l'assiette des tailles. En outre, on le voit négocier personnellement avec les marchands pour assurer l'approvisionnement en blé en période de rareté, avec les Etats de Languedoc pour les impôts; enfin, marcher lui-même contre des révoltés. Finances, approvisionnements, commerce, monnaie, religion, règlement de juges, c'est de toute l'administration au sens le plus large que s'occupe le gouverneur, en liaison constante avec le chancelier et le Conseil du Roi, exécutant les ordres qui lui sont envoyés par lettres, arrêts du Conseil et ordonnances royales, mais prenant aussi les initiatives nécessaires dans les cas urgents.

Quelles sont ses relations avec les deux intendants de la province ? Une collaboration constante d'hommes qui concourent à une même fin, dans un esprit de confiance et d'estime réciproques, sans ombre de rivalité.

Lorsque, le 4 juin 1644, les « lettres de provisions » de gouverneur de Languedoc, décernées au second maréchal de Schomberg, furent présentées au Parlement de Toulouse, l'avocat général en requit l'enregistrement au nom du Roi, et l'intendant Baltazar, siégeant comme maître des requêtes, prit la parole pour l'appuyer. Les deux intendants, Baltazar et Bosquet, siègent au Conseil du gouverneur et participent aux débats. Ce Conseil règle toutes sortes d'affaires, mais était-il comme le Conseil du Roi un organe judiciaire et rendait-il arrêt ? « L'ordre pour l'expédition des affaires dans le Conseil de

M. le gouverneur est estably maintenant en sorte que l'on vuide le tapis de jour à autre et que cette facilité et diligence satisfait Mond. sr. Le Maréchal, Mons. du Bosquet et moy, mais encore plus ceux qui y ont recours, qui sont pour les intérêts particuliers en assez bon nombre »[1]. Les deux intendants visent les ordonnances du gouverneur qui ne seraient pas valables sans leur signature. Ils transmettent ses ordonnances et ses ordres et en suivent l'application. Ils sont des agents d'exécution de ses décisions. Ils se chargent notamment des opérations judiciaires, informations et jugement en présidial pour voies de fait, port d'armes, assemblées illicites et paroles séditieuses. Leur compétence de juristes et d'administrateurs était indispensable au gouverneur et, certes, ce fait, non moins que l'obligation du visa par les intendants des ordonnances du gouverneur, empêchait une trop grande indépendance et une trop grande autorité de celui-ci. Mais il semble que le vieux Schomberg en ait vu surtout les avantages, car son principal argument contre la division de l'intendance, c'est qu'il courrait le risque de se trouver souvent seul, sans intendant. Bonne affaire, s'il jugeait l'intendant une entrave : il pourrait alors agir librement. Mais le vieux Schomberg voit dans l'intendant un auxiliaire. « Si l'intendant qui sert au Bas-Languedoc avait ordre d'aller vers le Pont-Saint-Esprit ou vers la frontière (comme il arrive d'ordinaire) je demeurerais destitué d'intendant, ainsi mes ordonnances ne seraient point visées... D'ailleurs, comme il se présente entre les ordonnances cent occasions où il faut que nous travaillions d'une commune main, je vous laisse à penser, Monsieur, le désordre qu'il leur pourrait ensuivre... »[2].

Ainsi, en Languedoc, d'une part le gouverneur a une large compétence et une grande autorité « de police » et peut-être de justice, c'est lui qui a l'initiative et la décision, c'est lui qui reçoit d'innombrables requêtes des particuliers et, lorsqu'il ne tranche pas lui-même, qui renvoie ces requêtes aux juges compétents, intendants, Chambre de l'Edit, Cour des Comptes, etc. D'autre part, les intendants sont ses conseillers, ses aides et ses agents d'exécution, certainement aussi ses contrôleurs. Il va sans dire que gouverneurs et intendants sont soustraits à toute autorité des Cours souveraines et de tout juge même du Parlement. Ils ne relèvent que du Conseil du Roi. Celui-ci seul peut recevoir l'appel de leurs jugements et décisions[3].

1. Baltazar à Séguier, Montpellier, 27 octobre 1643, fonds Dubrowsky, 75, pièce 2.

2. Schomberg à Séguier, Montpellier, 20 décembre 1643, fonds Dubrowsky, 107/II, pièce 63.

3. Sur le Languedoc, fonds Dubrowsky, vol. 75 : pièce 2 et pièce 3, Baltazar à Séguier, Montpellier, 27 octobre 1643; pièce 14, Baltazar à La Brillière, Agde, 12 avril 1644;

Le cas du Languedoc est peut-être très particulier. Les lettres de provision de gouverneur du Languedoc obtenues en 1515 par Charles de Bourbon et en 1527 par le connétable de Montmorency leur conféraient la justice en dernier ressort, et les gouverneurs de Languedoc ont pu conserver des pouvoirs de justice plus étendus qu'ailleurs. Malheureusement, les textes que renferme le fonds Dubrowsky sur d'autres provinces sont, pour cette question, moins nombreux et moins nets.

Pour le Dauphiné, une lettre de Sully à Séguier nous montre ce gouverneur dans le rôle du général responsable de l'ordre public, qui prend lui-même des mesures militaires et se contente de provoquer l'action des magistrats chacun dans sa sphère. « La misère et la nécessité des peuples en cette province ont presque causé une révolte en cette ville... de mes amis sortant de souper de chez moy rencontrèrent les carfours des rues ramplis de placards pour esmouvoir le peuple contre quelques partisans... » Sully fait déchirer les affiches, met les partisans à l'abri chez lui, puis à l'Arsenal, fait patrouiller par toutes les nuits, provoque l'assemblée du Parlement qui rend deux arrêts contre les perturbateurs, convoque les notables et fait donner ordre aux capitaines de quartier de tenir leurs gens prêts. « Depuis ce désordre, j'ay offert à M. l'intendant les ordres nécessaires pour faire marcher les gens de guerre aux lieux qui n'ont pas paié afin qu'il ne puisse s'excuser que c'est moy qui retarde le paiement des deniers du Roy... » Mais il va à la source du mal : « Il serait à souhaiter que l'on voulust avoir esgard au Conseil à la pauvreté et à la misère du peuple de cette province laquelle... est extrême »[1]. Cette lettre nous ramène au schéma classique du gouverneur n'ayant que le *merum imperium*, que « la voye de la force et la charge des armes », et ne pouvant se mêler de justice ou de finances qu'afin « de leur prester main-forte pour le service du Prince et repos de l'Estat »[2], du gouverneur pour qui l'intendant est un gêneur et un adversaire.

Pour la Provence, deux maigres textes ne nous éclairent guère. En 1633, M. du Périer, conseiller au Parlement de Provence, est accusé par deux habitants auprès du gouverneur, le maréchal de Vitry, d'avoir tenu « de mauvais discours ». Le gouverneur les renvoie

pièce 15, Baltazar à Séguier, Toulouse, 8 juin 1644; vol. 80 : pièce 17, Bosquet à Séguier, Toulouse 29 juin 1644; pièce 19, Bosquet à La Vrillière, 1er août 1645; pièce 50, Bosquet à Séguier, 30 mai 1645; pièce 58, Bosquiet à Séguier, Narbonne, 12 mai 1645; vol. 107/II : pièce 63, Schomberg à Séguier, Montpellier, 20 décembre 1643; pièce 79, Schomberg à Séguier, Montpellier, 20 décembre 1643; pièce 79, Schomberg à Séguier, Montpellier, 4 juillet 1645.

1. Sully à Séguier, Grenoble, 16 juillet 1645, fonds Dubrowsky, 107/II, pièce 78.

2. LOYSEAU, *Offices*, livre IV, chap. IV, nos 38, 39, 80.

à l'intendant de La Potherie. Mais celui-ci n'ose rien faire « d'aultant que Sa Majesté a toujours retenu en son Conseil ce qui concernait Messieurs des Compagnies souveraines ». Il renvoie les accusateurs au Conseil et demande au chancelier s'il faut informer[1]. Le gouverneur ne se reconnaissait-il donc pas de pouvoirs judiciaires ? Voulait-il simplement se débarrasser sur de La Potherie du soin d'informer et de préparer le jugement ? A-t-il estimé que l'affaire pourrait avoir des suites politiques, exciter le Parlement et requérait la prudence ?

En 1643, le gouverneur, comte d'Alais, et l'intendant de Champigny cherchent ensemble un candidat pour un office de président à mortier, vacant par la mort au Parlement d'Aix, et se mettent d'accord pour proposer au chancelier le lieutenant criminel d'Aix[2]. Ici nous retrouvons la collaboration du gouverneur et de l'intendant pour recruter les hauts magistrats. L'affaire était d'importance politique : l'office avait appartenu en 1630 au président de Coriolis, chef de la sédition des Cascaveoux, et il s'agissait d'empêcher cette famille remuante de recouvrer une des principales charges d'un Parlement rebelle.

Les exemples précédents sont ceux de pays d'Etats, en même temps pays frontières. La situation pouvait être très différente dans les pays d'Elections et dans les provinces de l'intérieur. A Moulins, en novembre 1633, les fonctions du lieutenant du Domaine ont été supprimées et la juridiction du domaine attribuée aux trésoriers de France. Le lieutenant du Domaine provoque une sédition. L'intendant d'Argenson va rencontrer à Vichy le gouverneur du Bourbonnais, Saint-Géran, pour aviser et maintenir le calme en attendant les instructions du chancelier sur le châtiment. En décembre, l'intendant d'Argenson reçoit commission d'informer sur l'affaire[3]. Nous voyons ici l'intendant dans son rôle classique de stimulant des agents ordinaires, y compris le gouverneur, et de juge, de collaborateur du gouverneur qui, lui, s'occupe plus particulièrement du maintien de l'ordre, de l'aspect politique, militaire et policier des affaires. En 1640, dans la très grave insurrection de Moulins, le même gouverneur, le comte de Saint-Géran, arrête et emprisonne des rebelles, mais il ne les juge pas : il presse les magistrats du siège de les juger. En vain : « Je suis obligé de vous dire, Monseigneur, que je n'ay aucun secours de ceux qui doivent agir en ce rencontre icy et qu'il n'y en a pas un qui y travaille comme il faut, soit pour la crainte qu'ils ont ou pour

1. De La Potherie à Séguier, Aix, 14 octobre 1633, fonds Dubrowsky, 114/I, pièce 24.
2. Champigny à Séguier, 22 octobre 1643, fonds Dubrowsky, 84, pièce 2.
3. Argenson à Séguier, Riom, 11 novembre, 19 décembre 1633, fonds Dubrowsky, 107/I, pièces 73, 74.

leur intérêt particulier... Si j'avais icy des commissaires... les affaires seraient plus avancées... » Caractéristique est ce soupir du gouverneur pour des commissaires et Saint-Géran respira lorsque, peu après, le gouvernement lui envoya un intendant. Mais il en ressort que le gouverneur n'exerçait pas normalement des pouvoirs de justice. Nous le voyons bien, avec sa compagnie de gendarmes, saisir le chef de la sédition, se barricader dans le château et faire pendre le criminel aux fenêtres. Mais il s'agit ici d'un cas très spécial, d'un coupable pris en flagrant délit de rébellion, au cours d'une opération militaire, et, dans ce cas exorbitant, le chef de guerre se reconnaissait le droit de condamner à mort et d'exécuter[1]. Plus instructif, sans doute, est un rapport du duc de Ventadour, gouverneur du Limousin, en 1637. Le Roi demande un prêt aux villes. Celles-ci, comme dans les autres provinces, attendent la décision de la ville principale pour s'aligner sur elle. Ventadour va donc lui-même à Limoges, demande aux consuls 20 000 livres en prêt, et se heurte à une mauvaise volonté entière. N'en concluons pas que le gouverneur s'occupait habituellement des finances. Il s'agit, dans la démarche du gouverneur au sujet de cet emprunt, d'une affaire politique, non seulement en raison de l'urgence pour les besoins des armées, mais aussi parce que c'est l'obéissance au Roi qui est en cause et l'exemple. Mais bien remarquable est la fin du rapport. « J'estime estre à propos qu'il vous plaise d'envoyer maintenant en cette province, M. le Tonnelier ou tel de Messieurs les Maîtres de Requêtes que vous adviserez, lequel fera cognoistre à son arrivée qu'il y sera pour l'intendance de la justice... » Le gouverneur réclame l'envoi d'un intendant, voilà qui ne s'accorde guère avec la thèse de l'opposition entre ces deux agents royaux[2].

Ainsi ces textes, trop peu nombreux, nous font apparaître en Languedoc un gouverneur qui exerce, en collaboration avec les intendants, de très larges pouvoirs de gouvernement et d'administration, les intendants conservant plus particulièrement ce qui est de la justice; ailleurs, et surtout dans les pays d'Elections, un gouverneur qui est surtout un chef politique et militaire, maintenant l'ordre, assurant force aux décisions de justice et intervenant soit par autorité, soit comme négociateur, arbitre et conciliateur, soit à main armée, pour l'exécution des ordres du Roi, donc plutôt un agent de gouvernement, collaborant avec l'intendant, qui est un juge et qui s'occupe plus

1. Saint-Géran à Séguier, Moulins, 15 août, 26 août 1640, fonds Dubrowsky, 114/III, pièces 12, 13.
2. Ventadour à Séguier, Limoges, 24-30 juillet 1637, fonds Dubrowsky, 114/II, pièces 94; 124/III, pièce 1.

particulièrement de ce qui ressort à la justice, aux finances et à la « police » c'est-à-dire à l'administration[1].

Ces distinctions, qui imposaient la collaboration, me semblent confirmées par deux textes parisiens, de la collection Godefroy, que l'on trouvera en appendice. Il s'agit des « provisions » pour le gouvernement d'Auvergne, décernées à Mazarin le 26 février 1658, et de la commission de Garibal pour l'intendance d'Auvergne, en date du 15 janvier 1656. Bien que ces textes soient postérieurs à la Fronde et que tous les autres soient antérieurs, je crois qu'on peut les utiliser dans le même dessein, car, si la guerre civile est terminée, le royaume, dans les années 1656-1658, n'est pas encore sorti de la période des troubles.

Le gouverneur et lieutenant général du Roi en Auvergne doit maintenir les habitants en obéissance, « les faire vivre en bonne union et concorde les uns avec les autres », pacifier leurs querelles, ce qui implique une intervention constante dans une multitude d'affaires de toute espèce, avec un rôle de négociateur et d'arbitre. Il doit « adviser et pourvoir aux affaires occurrentes desdits pays », c'est-à-dire intervenir dans tout ce qui peut menacer le bien public, disette, peste, déplacement de population, menées des traitants, aussi bien, que rixes, mutineries ou agression étrangère. Le gouverneur doit aussi assembler les trois Ordres pour transmettre la volonté royale, et recueillir les vœux des habitants. Cette intervention dans les affaires exceptionnelles qui intéressent l'unité politique, cette surveillance des grands intérêts royaux et de l'application des lois, est bien ce qui distingue les actes de gouvernement proprement dits de la satisfaction des besoins courants, réguliers et particuliers du public, qui regarde l'administration.

Les pouvoirs militaires et policiers du gouverneur sont, bien entendu, considérables : levée de troupes, ravitaillement et discipline des armées, commandement des troupes, sécurité des chemins, police des vagabonds et malfaiteurs, exécution des ordonnances de justice, de la levée des impôts, répression des rébellions, défense contre l'agression étrangère.

« Et généralement faire et ordonner en toute chose qui concerne le bien de notre service esdits païs tout ce que nous mêmes ferions s'y present en personne y étions. » Le gouverneur, chef de guerre, est ici un agent de gouvernement.

1. De Pontac à Séguier, Bordeaux, 13 février 1643, Bibliothèque de l'Institut, fonds Godefroy, nº 272, fol. 207 : « Que led. sieur de Lauzon (l'intendant) n'y autre juge délégué extraordinairement n'entreprenne à l'advenir de pareilles actions. »

L'intendant, maître des requêtes, président en cette cour souveraine qu'est le Grand Conseil, « Commissaire de notre Conseil », doit faire observer les ordonnances sur la justice, la « police » et les finances, et empêcher les abus. Dans le cadre de cette mission d'inspection et de réformation, il doit assister aux conseils tenus par le gouverneur, y donner ses avis et conférer avec le gouverneur; mener les enquêtes sur les rébellions que le gouverneur doit combattre et en juger souverainement les coupables; en l'absence du gouverneur, assurer les cantonnements, le ravitaillement et la discipline des troupes; maintenir les villes en tutelle, en présidant leurs assemblées, surveillant leurs élections, vérifiant leurs comptes et leurs dettes; présider à la répartition des impôts avec voix prépondérante qui va jusqu'à imposer sa décision à la majorité, réformer cette répartition, taxer d'office; poursuivre la levée de l'impôt, contrôler les comptables, inspecter les officiers de justice et de finances; « et, généralement, pourvoir à tout ce qui regarde le bien de notre service », en ce qui concerne la justice, la « police » et les finances, avec permission de nommer des subdélégués et des commissaires, et donc de se créer un réseau d'agents locaux, pouvoir de décerner des ordonnances ayant force de contrainte, dont on ne peut appeler qu'en Conseil, et autorisation de requérir la force armée des gouverneurs, chefs de guerre, seigneurs, magistrats royaux et municipaux. L'intendant, juge délégué, est donc collaborateur du gouverneur, inspecteur réformateur en justice, « police » et finances et, très largement, administrateur.

Il me semble donc que la thèse selon laquelle les gouverneurs n'ont plus eu, dans la première moitié du XVIIe siècle, qu'un rôle d'apparat et que les intendants ont été les instruments de leur déclin et leurs ennemis est à revoir de très près. Elle ne paraît pas exacte, faute de distinguer suffisamment les lieux, les temps, les fonctions du gouverneur et celles de l'intendant. Bien des obscurités subsistent. Elles ne pourraient être dissipées que par des études régionales sur le rôle des gouverneurs et des intendants des provinces et sur leurs rapports, en distinguant pays d'Elections et pays d'Etats, et parmi ceux-ci les provinces anciennes de celles mises le plus récemment sous l'autorité du Roi.

APPENDICE

« Provisions du Gouvernement d'Auvergne pour Monseigneur le Cardinal Mazarini par le décès de Mr de Candalle »

(Bibliothèque de l'Institut, coll. Godefroy, nº 310, fº 17-18)

26 février 1658.

Louis, par la grâce de Dieu Roy de France et de Navarre, à tous ceux qui ces présentes verront, salut.

Nostre très cher et très aimé cousin, le cardinal Mazarini, nous rend continuellement et depuis longtemps de sy bons et recommandables services, tant dans le maniement de nos plus importantes affaires que dans l'administration des provinces dont nous luy avons donné le gouvernement, que nous ne saurions les recognoistre assez.

Et comme celluy de nostre païs du bas et Hault-Auvergne, qu'il a cy-devant tenu, est à présent vaquant par le décèdz de feu notre cousin le duc de Candalle qui en avait esté pourvu par la démission de nostre dit Cousin le Cardinal, nous avons non seulement estimé estre de justice de luy remettre cette charge entre les mains, mais encore ne la pouvoir remplir de personne qui puisse mieux que luy conserver notre authorité dans ledit pays et contenir nos sujets en repos soubz notre obéissance.

Scavoir faisons que nous pour ces causes et autres à ce nous mouvans, nous avons nredit Cousin le Cardinal Mazarini fait, constitué, ordonné et establissons par ces présentes signées de notre main, gouverneur et notre lieutenant général de nosdits païs du bas et hault Auvergne et lad. charge luy avons donnée et octroyée, donnons et octroyons pour en jouir aux honneurs, authoritez, prérogatives, prééminences, franchises, libertez, gages, estats, appointements, droits, fruits, revenus, et esmoluments accoustumez et qui y appartiennent, tels et semblables que les avait et prenait feu nostre dit cousin le duc de Candalle,

Avec plein pouvoir et authorité de contenir nos sujetz, manans et habitants desdits païs en l'obéissance qu'ils nous doibvent,

Les faire vivre en bonne union et concorde les uns avec les autres, et en cas qu'entre eux survînt quelque querelle et débat, pourvoir promptement à la pacification d'iceux.

Avoir soin que les chemins, ponts et passages soient libres et asseurez,

Faire punir par nos juges les volleurs et vagabonds, malvivans et aultres coupables de crimes et contraventions à nos édits et ordonnances,

Icelles faire garder et observer inviolablement,

Tenir la main et donner toute assistance à l'exécution des arrêts et ordonnances de notre justice,

Comme aussy à la levée, payement, et recouvrement de nos deniers, les fère conduire ès mains des receveurs et de là à notre Espargne par le Prévost des Maréchaux ou donner telle autre assistance que besoing sera,

Mander et assembler par devant luy toutes fois et quantes que besoing sera les gens d'églize, la noblesse, eschevins, Consuls et habitans des villes et lieux dudit gouvernement, pour leur faire entendre, ordonner et enjoindre ce qu'ils auront à faire pour le bien de notre service et leur repos et conservation, recevoir et entendre d'eux leurs plaintes et doléances si aucunes ils ont à nous fère pour nous en advertir,

Adviser et pourvoir aux affaires occurentes desdits païs.

Commander aux gens de guerre qui sont ou seront cy-après en garnison ez villes et lieux dudit gouvernement,

Ordonner de la garde et conservation d'icelles,

Avoir l'œil à ce qu'il ne s'y fassent aucune entreprise par nos ennemis, entreprendre à force ouverte sur celles qui seraient par eux occupées,

Empescher les levées de troupes sans notre permission, et où aucunes rébellions ou désobéissances surviendront audit gouvernement, courir sus aux autheurs et coupables et en faire fère la punition selon l'occurrence,

Mander et mettre ensemble en telles occasions le nombre de gens de guerres qui sera audit gouvernement et qu'il jugera nécessaire, convoquer le ban et arrière-ban et employer les prévôts des maréchaux, se faire assister de la noblesse et autres personnes.

Ordonner du déportement des gens de guerre, passans et séjournans dans ledit païs, mesmes de leurs vivres, soit par estappes ou autrement, le plus au soullagement que faire se pourra,

Et générallement faire et ordonner en toute chose qui concerne le bien de notre service esdits païs tout ce que nous-mêmes ferions s'y présent en personne y étions, jaçoit que le cas requit mandement plus spécial qu'il n'est porté par cesdites présentes,

Tant qu'il nous plairra, s'y donnons mandement à nos amés et féaux les gens tenans nostre Cour de Parlement de Paris, Sénéchal d'Auvergne et tous autres sénéchaux, baillifs, et autres officiers, justiciers et sujets, s'y comme à eux il appartiendra, que lesdites présentes ils fassent enregistrer et nostre dit Cousin le Cardinal Mazarini, duquel nous nous sommes réservez de prendre et recevoir le serment en tel cas requis et accoustumé, ils aient à faire, souffrir et laisser jouir plainement et paisiblement de ladite charge de gouverneur et notre lieutenant général desdits païs de bas et hault Auvergne, ensemble de tout ce qui en dépend et à luy obéir et entendre de (?) et ainsy qu'il appartiendra ez choses touchant et concernant icelle, cessans et faisans cesser tous troubles et empeschemens au contraire.

Mandons à nos amez et féaux les trésoriers de notre espargne et de l'extraordinaire de nos guerres présens et advenir, ils aient doresnavant par chacun an, à commencer du jour et date des présentes, à faire payer, bailler et délivrer comptant à nostre dict Cousin le Cardinal Mazarini, aux termes et en la manière accoustumée, les gages, estat et appointemens et rapportant ces presentes ou copies d'icelle deuement collationnée pour une fois seullement avec quittance de nostre dit cousin sur ce suffisante, nous voulons iceux gages, estat et appointemens et tout ce que payé, baillé et dellivré luy aura esté à l'occasion susd. estre passé et alloué en la despense de leurs comptes, de ceux qui en auront fait le payement et desduit et rabatu de la recepte d'iceux par nos amis et féaux les gens de nos comptes, ausquelz mandons ainsy le fère sans difficulté.

Car tel est nostre plaisir. En tesmoing de quoy nous avons faict mettre nostre scel à ces présentes. Données à Paris, le XXVIe febvrier, l'an de grâce 1658 et de nostre règne le quinziesme.

Signé Louis.

et sur le reply par le Roy Phelypeaux.

F^{o} 18-22, texte identique, daté du 15 juin 1659, signé Louis, par le Roy de Loménie, scellé sur double queue du grand sceau de cire jaune.

F^{o} 21 : Sur le reply est écrit : « Aujourd'huy XXIIII juin 1659, Monseigneur le Cardinal Mazarini, a presté le serment ez mains de sa Majesté qu'il devait à cause de la charge de gouverneur et lieutenant général ès Pais de Hault et Bas Auvergne, moy son Con^{er} et Secrétaire d'Estat et de ses commandements prnt, signé de Loménie. »

Commission pour l'intendance d'Auvergne, 15 janvier 1656
(Bibliothèque de l'Institut, coll. Godefroy, n° 310, f° 326-328)

Louis, par la grâce de Dieu, Roy de France et de Navarre, à notre amé et féal Con^{er} en nos Conseils, M^{e} des requestes ordinaires de nostre hostel, Président en nostre grand Conseil, le sieur Garibal, salut.

Estant nécessaire pour le bien de nos affaires et de nostre province d'Auvergne d'y envoyer un commissaire de nostre Conseil pour y faire observer nos ordonnances touchant la justice, police et finances, et tenir la main à ce qu'il ne s'y passe aucun abus, et ne pouvant faire un meilleur choix que vous dont la fidélité et capacité nous a paru dans toutes les fonctions de nos charges et emplois.

A ces causes, nous vous avons commis et député, commettons et députons par ces présentes signées de nostre main pour vous transporter en nostre généralité de Ryom et Province d'Auvergne avec pouvoirs de vous trouvez et assister aux Conseils qui seront tenus pas nos Gouverneurs et lieutenants généraux de ladite province pour nos plus importantes affaires, leur donner vos advis, conférer avec eux selon que le bien de nostre service le requerra,

Informer de tous désordres, pratiques et menées secrettes qui se pourraient faire contre nostre service, de tous ports d'armes et assemblées illicites, levées de gens de guerre sans nostre ordre, du déportement et façon de vivre, délicts et abus des gens de guerre, qui pourraient passer ou estre en garnison dans ladite province, vous donnant pouvoir de faire et parfaire le procès auxdits gens de guerre coupables et à tous ceux qui commettraient des rébellions, empescheront ou s'opposeront directement ou indirectement à la levée de nos deniers, jusques à jugement déffinitif et exécution d'iceluy inclusivement, souverainement et en dernier ressort, appelé avec vous le nombre des juges ou gradués des lieux portés par nos ordonnances.

Et de donner tous ordres nécessaires auxdits gens de guerre en l'absence de nos gouverneurs et lieutenants généraux de ladite province, leur faire fournir les estapes, ordonner de leurs logements, leur faire suivre leurs routes et garder en tout nos règlements et la discipline militaire.

Vérifier les debtes de toutes les communautés dudit pais, juger les procès meuz et à mouvoir pour raison desdites debtes des Communautez et de leurs cautions ou coobligés, dont elles sont garanties, et leur accorder les surcéances que vous estimerez nécessaires, nous en attribuant à cette fin toute juridiction et recognoissance, sauf l'appel à nostre Conseil et icelle interdite à tous autres Juges,

Tenir la main à la levée de nos deniers, décerner pour cet effect touttes ordonnances, et viser touttes contrainctes nécessaires, mesme faire compter pardevant vous tous les Receveurs généraux et particuliers de nos finances et autres qui ont faict le maniement de nos deniers, assister et présider aux départemens d'iceux, tant au Bureau des Trésoriers de France qu'aux Elections dans lesquelles compagnie vostre voix prévaudra, réformer les abus qui pourraient avoir esté commis auxdits départemens, taxer d'office les principaux habitans des paroisses, empescher l'abus des frais que font les sergents des tailles,

Recognoistre si les officiers de justice ou de finances font le devoir de leurs charges, ouir les plaintes et doléances de nos sujects, convoquer touttes assemblées des villes, y présider en touttes affaires publiques et particulières mesmes aux élections de leurs Maires et eschevins, vous faire représenter les comptes de ceux qui ont le maniement de leurs deniers communs et d'octroy, et en prendre cognoissance,

et généralement, pourvoir à tout ce qui regarde le bien de notre service, l'observation de nos ordonnances touchant la justice, Police et Finances, et le bien et devoir de nos sujets dans toutte l'estandue de ladite généralité de Riom et Province d'Auvergne.

Avec pouvoir de subdéléguer et commettre ez affaires et lieux que bon vous semblera

et seront vos ordonnances, et tout ce qui sera par vous et vos subdélégués, décerné, exécutté, nonobstans oppositions ou appellations quelconques, dont, si aucunes interviennent, nous en avons réservé la cognoissance à nous et à nostre Conseil et icelle interdite à tous autres juges,

de tout ce que dessus vous donnons pouvoir, authorité, commission et mandement spécial par ces présentes, par lesquelles mandons aux Gouverneurs et Lieutenans Généraux en nostre Province d'Auvergne et tous gouverneurs particuliers des villes et places, à tous Capitaines, chefs et conducteurs des gens de guerre passans en ladite province, à tous nos officiers de justice et finances, à tous gentilshommes, Maires, Eschevins et officiers des Villes, Prévosts des Maréchaux, leurs Lieutenans et archers, et tous autres nos sujects qu'il appartiendra, qu'en tout ce qui dépendra de l'exécution de la présente commission, ils ayent chacun en droit soy à vous recognaistre et vous départir toute assistance, main forte et prison, selon qu'ils en seront par vous requis.

Car tel est nostre plaisir. Donné à Paris, le quinze jour du mois de janvier, l'an de grâce mil six cens cinquante six et de nostre Règne le treiziesme, signé Louis, et plus bas, par le Roy, Phélippeaux, et scellée du grand sceau.

L'ÉVOLUTION DES INSTITUTIONS MONARCHIQUES EN FRANCE

et ses relations avec l'état social

C'est un grand honneur pour moi d'être introduit dans un cycle d'études juridiques, car je ne suis qu'un simple historien. Certes, la grâce m'a été donnée de ne pas partager l'étrange dédain que certains historiens professent pour le droit. Une bonne partie des documents dont l'historien des institutions ou l'historien des sociétés doivent se servir, tels qu'arrêts du Conseil du Roi ou minutes notariales, sont des documents juridiques et il est sage de se mettre d'abord à l'école des juristes, même si l'on doit viser d'autres objectifs que les leurs et dépasser leurs points de vue. Pour mon compte, j'ai pris soigneusement connaissance des écrits des juristes du XVIIe siècle et de ceux des principaux historiens du droit du XIXe siècle et du XXe, et je dois à leurs auteurs un tribut de reconnaissance et d'admiration. Mais, avec tout cela, je ne suis pas juriste, et si je suis sensible à l'aimable pensée de M. François Dumont, directeur de ce cycle, de m'appeler à y collaborer, si je suis touché de l'honneur qui m'a été fait, j'en ressens aussi tout le poids.

J'ai bien vu, croyez-moi, le beau sujet qu'il faudrait traiter : par comparaison avec quelques Etats européens choisis comme types, dégager les relations nécessaires entre les formes sociales fondamentales de la France du XVIIe siècle, et ses principales formes politiques et administratives. C'est seulement le raisonnement expérimental, l'usage des fameuses tables de présence, d'absence et des variations concomitantes, qui permettraient, en effet, de discerner et faire apparaître ces fonctions. J'ai reculé, je dois l'avouer, devant la perspective d'aborder dans le temps d'une heure un pareil sujet, même devant un public aussi averti que celui de la Société d'Etude du XVIIe siècle. La tâche que je me propose aujourd'hui est plus modeste. Je voudrais seulement choisir quelques grands changements institutionnels sur-

Conférence prononcée à la Société d'Etude du XVIIe siècle, le samedi 20 janvier 1962.

venus au cours du XVIIe siècle et essayer de discerner les rapports de ces changements avec des modifications sociales ou avec des mouvements sociaux périodiques. Il s'agit d'un choix. Je m'expose donc à ne pas satisfaire tout le monde et à encourir le reproche d'arbitraire. Mais comme je ne vois pas le moyen de l'éviter, je m'y expose, non certes d'un cœur léger, mais en espérant l'indulgence.

Le premier grand changement institutionnel que je souhaiterais rappeler, c'est la disparition des Etats généraux. Les derniers Etats généraux, au XVIIe siècle, furent ceux de 1614-1615. Ensuite, jusqu'en 1789, il n'y eut plus de représentation générale de l'ensemble du royaume auprès du Roi. Entendons-nous bien : il n'y a pas eu de modification juridique; en droit, rien n'est changé; les Etats généraux existent toujours. Simplement, le Roi ne les convoque pas. Il en avait le droit : ce n'était pas abusif. Depuis les Etats généraux de 1439, il est admis que le Roi convoque ces Etats à son gré. Donc, rien n'est changé à la constitution coutumière du royaume. Mais nous nous trouvons en présence d'un changement institutionnel important, qui accomplit un singulier renforcement de l'autorité royale.

Y a-t-il des raisons sociales à ce bouleversement, non constitutionnel, mais institutionnel? Oui, ce sont les luttes d'intérêts entre les ordres du royaume, l'impossibilité d'un front commun national contre le Roi, qui aurait pu imposer au Roi l'autorité et la périodicité des représentants du royaume. Le tiers état se trouve en opposition constante avec la noblesse d'une part, le clergé de l'autre, et ces divisions firent du Roi l'arbitre puis le maître.

La noblesse aux Etats généraux, c'est la gentilhommerie d'épée; le tiers état, c'est avant tout une sorte de bourgeoisie « bureaucratique ». Sur 187 représentants du tiers, nous en trouvons 115 qui sont de purs bourgeois, 156 sont en fait des bourgeois, bien que 41 soient propriétaires de seigneuries, et, bien que 31 aient à la fois des titres de noblesse dus à leurs fonctions et des seigneuries, tous, les 187, sont considérés par les gentilshommes comme des bourgeois. Mais cette bourgeoisie est avant tout « bureaucratique ». Sur 187 députés du tiers, il y a 121 officiers royaux, presque tous magistrats des bailliages et des sénéchaussées; avec les officiers municipaux, nous atteignons 139 sur 187; avec les fonctionnaires des Etats provinciaux, 147; avec les avocats, qui sont proches des officiers par leur profession et qui aspirent presque tous à un office, 177 sur 187. Il y a deux « marchands » et un « laboureur », c'est-à-dire un paysan aisé, propriétaire de trains d'attelage[1].

1. H. Grelin, *Ordre de la Convocation des Etats*, 1615, Bibl. Nat., Le 17-34.

Or, les gentilshommes sont très montés contre cette bourgeoisie « bureaucratique ». Ils lui reprochent d'abord de les déposséder des seigneuries et des fiefs. En effet, beaucoup de nobles sont ruinés par les guerres de religion et encore plus par le genre de vie noble. Un gentilhomme doit être follement généreux, dépenser beaucoup pour les mariages, les funérailles, la guerre, s'interdire comme infamante toute activité exercée pour le lucre. Les nobles sont obligés d'emprunter de grosses sommes aux officiers. Ils ne peuvent rembourser et doivent céder aux officiers leurs seigneuries et leurs fiefs pour éteindre leurs dettes[1]. Les gentilshommes reprochent encore aux officiers de les priver des charges et des fonctions publiques. Dans leur esprit, une grande partie des offices devraient être réservés aux gentilshommes : tous offices de la police des chemins, prévôts des maréchaux, leurs vice-baillis et vice-sénéchaux; tous offices des eaux et forêts, grands maîtres et maîtres particuliers; premier office municipal de chaque ville; la moitié des offices de trésoriers de France; un tiers au moins des magistrats des cours souveraines, Parlements, Chambres des Comptes, Cours des Aides, Grand Conseil, et des magistrats de tous les corps de justice[2]. Les gentilshommes incriminent la vénalité des offices, la coutume qu'a le Roi de vendre les fonctions publiques et de laisser les particuliers en trafiquer entre eux, le haut prix qu'atteignent les offices et qui les interdit à la gentilhommerie. Ils mettent en cause la paulette ou droit annuel, cette prime d'assurance qui permettait à la famille d'un officier de conserver l'office ou sa valeur en cas de décès prématuré et rapide de l'officier. Ils attribuent au droit annuel la hausse rapide du prix des offices et un accroissement prétendu de l'hérédité.

Aussi, pendant la tenue des Etats généraux, le 13 novembre 1614, la noblesse réclame que le Roi surseoie à l'envoi des quittances du droit annuel dans les provinces, comme prélude à l'abolition de ce droit. Le clergé accepte. Le tiers ne peut refuser des mesures contre un droit impopulaire. Mais il trouve la parade : il demande en même temps que le Roi diminue les tailles, qui pesaient sur le pauvre peuple, de quatre millions. Et, comme le Roi perdrait déjà 1 600 000 livres avec la suppression du droit annuel, le tiers réclame un retranchement de 5 600 000 livres sur les pensions. Or les pensions allaient pour la plupart à la gentilhommerie, qui ne pouvait s'en passer.

Les nobles qualifièrent les propositions du tiers de « ridicules ».

1. P. GOUBERT, *Beauvais et le Beauvaisis, de 1600 à 1730*, Paris, 1958, in-8°, p. 206-221.

2. Cahiers de la noblesse, dans Aug. THIERRY, *Recueil des Mon. inéd. hist. tiers état*, 1850, I, p. CLXVIII.

Ils réclamèrent la disjonction de ces demandes. Le tiers la refusa. Alors, le 17 novembre, noblesse et clergé d'une part, tiers de l'autre, allèrent trouver le Roi. Ce fut une journée décisive. Les ordres avaient présenté séparément des ensembles différents de demandes. Ils avaient donné au Roi un rôle d'arbitre entre eux. Le gouvernement sait désormais comment garder les ordres divisés et comment rester le maître. Le Roi répondit évasivement, et invita les ordres à dresser leurs cahiers de remontrances, pour pouvoir disperser ensuite les députés.

La querelle du tiers état et de la noblesse alla s'envenimant. Le président Jean Saveron, parlant le 17 novembre pour le tiers au sujet du droit annuel, avait dit : « Aussi n'a-t-il pas (le droit annuel) donné sujet à la noblesse de se priver et retrancher des honneurs de judicature, mais l'opinion en laquelle elle a esté depuis de longues années que la science et l'étude affaiblissaient le courage et rendaient la générosité lâche et poltronne. » Il avait attaqué les pensions et dit « qu'il n'était n'y séant ni juste que le service de la noblesse qui estoit deub naturellement au roi et en fidélité fut acceptée par argent comme elle estoit au moyen des pensions ». C'était piquant. Ce fut encore amplifié. On attribua à Saveron des paroles outrageantes : « Que Sa Majesté avoit été obligée d'acheter à prix d'argent leur fidélité et que ces dépenses excessives avoit réduit le peuple à paître et brouter l'herbe comme les bêtes. » Les nobles bondirent. Quelques-uns insultèrent et menacèrent de livrer M. Saveron aux pages et aux laquais. La noblesse réclama une députation du tiers et une déclaration, que l'ordre n'avait pas voulu offenser l'ordre des nobles. Le clergé se porta médiateur. Le tiers consentit et envoya le lieutenant civil de Paris, Henri de Mesmes, le 24 novembre. Mais alors, de Mesmes, mal inspiré, prononça devant l'ordre de la noblesse les paroles fameuses : « Que les trois Ordres étaient trois frères, enfants de leur mère commune, la France... que le Clergé estoit l'aîné, la Noblesse le puisné, le Tiers Etat, le cadet. Que pour cette considération, le Tiers Etat avait toujours reconnu Messieurs de la Noblesse estre élevez de quelque degré par dessus luy... mais aussi que la Noblesse devait reconnaître le Tiers Etat comme son frère et ne le pas mépriser de tant que de ne le compter pour rien, estant composé de plusieurs personnes remarquables qui ont des charges et dignitez... et qu'au reste il se trouvait bien souvent, dans les familles particulières, que les aisnez revalairent les maisons et les cadets les relevairent et les portairent au point de la gloire. » Ce fut un tumulte chez les nobles. La noblesse, en corps, alla, le 26 novembre 1614, se plaindre au Roi. Son orateur, le baron de Sénecey, en appela au Roi de ces comparaisons injurieuses : « Rendez-en, Sire, le jugement et, par une déclaration pleine de justice, faites-les mettre en leur devoir. » Les nobles, en se retirant, disaient : « Nous ne voulons pas que des fils de cordonniers et de savetiers nous appellent frères. Il y a de nous à eux autant de différence qu'entre le maître et valet. » Sur l'ordre du Roi, des députés du tiers allèrent exprimer des regrets à la noblesse. Le gouvernement prit des mesures dilatoires : surséance de l'envoi des quittances du droit annuel, retranchement du quart des pensions. Pour la seconde fois, les ordres avaient dû recourir à l'arbitrage du Roi. La noblesse avait même invoqué le secours de sa puissance absolue. Jusqu'à la fin des Etats, la question de l'annuel et de la vénalité allait maintenir les ordres divisés[1].

Le tiers état en voulut au clergé d'avoir fait cause commune avec la noblesse. D'autre part, les députés du tiers étaient, dans leur grande majorité, des dépositaires de l'autorité du Roi. Ils éprouvaient une hostilité, traditionnelle, contre les immunités du clergé, qui réduisaient leur influence. Ils profitèrent donc d'une grande controverse européenne, au sujet du problème du pouvoir pontifical sur le Roi, pour porter un coup au clergé et, dans le clergé, aux Jésuites, partisans de la juridiction des papes sur les rois. Le 15 décembre 1614, le tiers état prit dans le cahier de l'Ile-de-France et plaça en tête de son cahier général l'article suivant : « Le Roi sera supplié de faire arrêter en l'assemblée des Etats, pour *loi fondamentale du Royaume*, qui soit inviolable et notoire à tous, que, comme il est reconnu souverain en son Etat, ne tenant sa couronne que de Dieu seul, il n'y a puissance en terre, quelle qu'elle soit, spirituelle ou temporelle, qui ait aucun droit sur son royaume pour en priver les personnes sacrées de nos Rois ni dispenser ou absoudre leurs sujets de la fidélité et obéissance qu'ils lui doivent, pour quelque cause ou prétexte que ce soit. Tous les sujets, de quelque qualité et condition qu'ils soient, tiendront cette loi pour sainte et véritable, *comme conforme à la parole de Dieu*, sans distinction, équivoque ou limitation quelconque, laquelle sera jurée et signée par tous les députés des Etats et, dorénavant, par tous les bénéficiers et officiers du Royaume... »[2].

Le clergé s'émut et envoya au tiers état le cardinal du Perron, le 2 janvier 1615. Du Perron, dans sa harangue, distingua trois points dans l'article du tiers. Le premier concernait la sûreté de la personne des rois. Le clergé et la noblesse étaient d'accord : « pour

1. R. MOUSNIER, *La vénalité des offices sous Henri IV et Louis XIII*, 1945, livre III, chap. IV.
2. Aug. THIERRY, *op. cit.*, p. CLVIII.

quelque cause que ce soit, il n'est permis d'assassiner les Roys », même tyrans (Concile de Constance, session 15). C'est une certitude divine et théologique. Sur le second point, la dignité et la souveraineté temporelles des rois de France, clergé et noblesse étaient aussi d'accord : « Nos Roys sont souverains de toute sorte de souveraineté temporelle en leur royaume et ne sont feudataires ni du Pape, ... ni d'aucun autre prince; mais qu'en la nüe administration des choses temporelles, ils dépendent immédiatement de Dieu et ne recognaissent aucune puissance par-dessus eux que la sienne. » Le pape Innocent III l'affirme. C'est une certitude aussi, toutefois humaine et historique. Mais le troisième point était disputé. La question se posait ainsi : « Les Princes ayant fait, ou eux ou leurs prédécesseurs, serment à Dieu ou à leurs peuples de vivre et mourir en la religion chrétienne et catholique, viennent à violer leur serment et se rebeller contre Jésus-Christ et à luy déclarer la guerre ouverte; c'est-à-dire viennent non seulement à tomber en manifeste profession d'hérésie ou d'apostasie de la religion chrétienne, mais mesmes passent jusques à forcer leurs subjets en leurs consciences et entreprennent de planter l'arianisme ou le mahométisme ou autre semblable infidélité en leurs Estats, et y destruire et exterminer le christianisme, leurs subjets peuvent estre réciproquement déclarez absous du serment de fidélité qu'ils leur ont fait et, cela arrivant, à qui il appartient de les en déclarer absous. » Le tiers était pour la négative : « Il n'y a nul cas auquel les subjets puissent estre absous du serment de fidélité qu'ils ont fait à leurs princes. » Au contraire, toute l'Eglise catholique est pour l'affirmative « à savoir que quand un Prince vient à violer le serment qu'il a fait à Dieu et à ses subjets de vivre et mourir en la religion catholique... Ce prince là peut être déclaré décheu de ses droits, comme coupable de félonnie envers celuy à qui il a fait le serment de son Royaume, c'est-à-dire envers Jésus-Christ; et ses subjets estre absous en conscience et au tribunal spirituel et ecclésiastique du serment de fidélité qu'ils luy ont presté et que, ce cas-là arrivant, c'est à l'authorité de l'Eglise résidente ou en son chef, qui est le Pape, ou en son corps qui est le Concile, de faire cette déclaration ».

Négative, affirmative, étaient l'une et l'autre problématiques. L'article du tiers n'allait pas contre la foi. Mais il était dangereux d'aller contre la grande majorité de l'Eglise catholique. Ce qui était, par contre, tout à fait inadmissible dans l'article du tiers, c'était de le déclarer conforme à la parole de Dieu et de vouloir l'imposer à la foi des fidèles. En effet, c'était « forcer les âmes et jeter des lacs aux consciences », c'était « renverser de fond en comble l'authorité de l'Eglise et ouvrir la porte à toutes sortes d'hérésies que de vouloir que les laïques, sans estre guidez et précédez d'aucun Concile général ny d'aucune sentence ecclésiastique, osent entreprendre de juger de la foy et décider des parties d'une controverse et prononcer que l'une est conforme à la parole de Dieu et l'autre impie et détestable. Cela donc nous soutenons que c'est usurper le sacerdoce... ». C'était « nous précipiter en un schisme évident et inévitable. Car tous les autres peuples catholiques tenant cette doctrine, nous ne pouvons la déclarer pour contraire à la parole de Dieu et pour impie et détestable, que nous ne renoncions à la communion du chef et des autres parties de l'Eglise et ne confessions que l'Eglise a esté, depuis tant de siècles, non l'Eglise de Dieu mais la synagogue de Satan, non l'épouse du Christ, mais l'épouse du Diable... ». Enfin « au lieu d'assurer la vie et l'Estat de nos Roys, c'est mettre en plus grand péril l'un et l'autre par la suite des guerres et autres discordes et malheurs que les schismes ont accoutumé d'attirer après eux... »[1].

Le clergé en appela au Roi, qui, après en avoir examiné l'affaire en son Conseil, décida de faire retirer l'article du cahier du tiers. Ce fut un scandale dans la Chambre du tiers état, dont le mauvais vouloir à l'égard du clergé s'accrut, et une des grandes raisons pour lesquelles le tiers tantôt refusa de s'associer, tantôt s'associa avec répugnance et pour peu de temps aux efforts du clergé et de la noblesse pour imposer au gouvernement l'exécution des réformes demandées et pour y participer, une des grandes raisons pour lesquelles le clergé et la noblesse négligèrent le deuxième article du tiers sur la périodicité des Etats.

Au-dessus de ces ordres divisés, le Roi resta le maître. C'étaient les ordres eux-mêmes qui avaient fait appel à sa toute-puissance. C'étaient eux qui avaient proclamé qu'il n'avait pas de supérieur au temporel et qui l'avaient supplié d'opposer son autorité absolue, chacun aux prétentions rivales des autres. Aussi le gouvernement put renvoyer les députés le 24 mars 1615.

Pendant la Fronde, il fut encore question des Etats généraux. Ils furent même convoqués en 1649. Mais le gouvernement, aidé par les divisions des révoltés, réussit à en éviter la réunion. C'est volontairement, en 1614 et 1615, que les représentants du royaume ont voulu, non seulement l'absolutisme, mais encore la monocratie[2].

1. *Harangue faite de la part de la Chambre ecclésiastique en celle du Tiers Etat sur l'article du serment par Mgr le Cardinal du Perron*, Paris, Antoine Estienne, 1615, in-4°, Bibl. Nat., Le 17-20, p. 9-15.

2. P. Pierre BLET, S.J., *Le clergé de France et la monarchie*, 1959, I, p. 3-133.

Le second grand changement, c'est l'établissement définitif et la généralisation des intendants royaux dans les provinces. Vous savez déjà que le Roi se servait beaucoup de commissaires qui allaient porter directement sa volonté aux intéressés. Le XVIIe siècle a vu se constituer un véritable réseau permanent de ces commissaires, dont les principaux furent les intendants des provinces. Ces commissaires se superposèrent aux officiers, les surveillèrent, les stimulèrent, remplirent même parfois les fonctions de certains d'entre eux à leur place. L'emploi des commissaires était fort ancien. L'on aimait au XVIIe siècle rattacher les commissaires aux *missi dominici* comme l'on aimait faire remonter la monarchie à Charlemagne. Outre le prestige attaché au titre impérial, outre la nécessité d'étayer les prétentions du Roi de France à la souveraineté, à l'indépendance totale et à l'Empire contre les prétentions à la domination universelle de l'Empereur du Saint-Empire romain germanique, il y avait la tendance permanente de ces sociétés fondées sur la coutume à considérer comme bon ce qui était ancien parce qu'il était ancien. C'est le contraire dans les nôtres.

Les commissaires sont connus sous le nom d'intendants dès le milieu du XVIe siècle. Depuis le début du ministère de Richelieu, ils devinrent fort nombreux, leurs pouvoirs s'accrurent, et même, depuis 1642, ils remplirent les principales fonctions des trésoriers de France à la place de ceux-ci. Il se produisit un changement radical. Les intendants ne furent plus seulement des sortes d'inspecteurs-réformateurs. Ils furent, en quelque manière, substitués à certains officiers, administrant à leur place. Et ceci est d'autant plus remarquable que Richelieu n'aimait pas les intendants et qu'il aurait voulu s'en servir le moins possible[1]. Les intendants soulevèrent contre eux l'opposition des corps d'officiers, trésoriers de France, élus, Cours souveraines. Ce fut une des raisons de la Fronde et les révoltés obtinrent leur suppression, sauf dans les provinces frontières, par la déclaration du 24 octobre 1648. En fait, le gouvernement parvint à les maintenir sous diverses formes. Ils furent peu à peu rétablis officiellement après la Fronde, depuis 1654[2]. Mais, entre la paix des Pyrénées de 1659 et le début de la guerre de Hollande en 1672, Louis XIV s'efforça de donner satisfaction aux désirs populaires exprimés pendant la Fronde. Il continua d'utiliser les intendants,

1. Roland MOUSNIER, Etat et commissaire. Recherches sur la création des intendants des provinces (1634-1638), *Forschungen zu Staat und Verfassung, Festgabe für Fritz Hartung*, Berlin, Duncker und Humblot, 1958, p. 325-344.

2. R. MOUSNIER, Recherches sur les syndicats d'officiers pendant la Fronde, dans *XVIIe siècle*, 1959, p. 76-117.

mais il voulut les ramener au rôle de simples inspecteurs. Il essaya de leur confier des circonscriptions plus vastes, au moins deux généralités à chacun; de les laisser moins de temps dans chaque circonscription et de les faire tourner rapidement pour leur faire faire à chacun tout le royaume. Il les contint dans les limites d'une compétence assez étroite : les intendants devaient procéder à des informations, à des enquêtes, envoyer des rapports au Conseil, mais en aucun cas ils ne devaient se substituer aux officiers pour remplir leurs fonctions. Colbert y tint la main énergiquement. Mais la guerre de Hollande ramena les difficultés financières, la nécessité des décisions promptes exécutées rapidement. L'intendant devint l'homme à tout faire. Il conserva ce caractère, malgré les efforts de Colbert (mort en 1683), dans la période de paix armée qui suit la guerre de Hollande (1679-1688), et le caractère devint définitif pendant les longues guerres de la ligue d'Augsbourg et de la succession d'Espagne.

Ce changement est considéré comme une étape importante dans la voie d'une grande transformation, le passage de l'administration judiciaire à l'administration exécutive. Il y a administration judiciaire lorsque c'est le juge qui accomplit des tâches d'administration publique par ses arrêts de règlement et ses arrêts entre partie, et lorsqu'il fait orienter les uns et les autres par ministère de justice, par exemple par ministère d'huissier. Il y a administration exécutive lorsque les tâches d'administration publique sont confiées par le détenteur du pouvoir exécutif à des agents d'exécution dont les ordonnances ont force contraignante, et qui sont soustraits à l'action du juge dans l'exercice de leurs fonctions. Peu à peu, dans toute l'Europe, du XIIe au XXe siècle, l'administration judiciaire, qui donne plus de garanties de respect de leurs droits aux individus, a cédé progressivement le pas à l'administration exécutive, plus rapide et plus efficace. En France, le XVIIe siècle a beaucoup avancé dans cette voie. Mais il faut bien remarquer que dans la France du XVIIe siècle l'administration reste encore judiciaire. Le Roi est le grand justicier et c'est son rôle en justice qui lui donne pouvoir de commandement. Pour les contemporains, le Roi « juge » les affaires de l'Etat, même celles qui concernent la politique extérieure, comme il juge entre particuliers[1]. L'intendant aussi est un juge, et pas seulement parce que, le plus souvent, il est maître des requêtes ordinaires de l'hôtel du Roi, parce qu'il est magistrat, mais, en tant qu'intendant, délégué

1. R. MOUSNIER, Le Conseil du Roi, de la mort de Henri IV au gouvernement personnel de Louis XIV, *Etudes d'hist. mod. et cont.* p. p. la Société d'Histoire moderne, I, 1947, p. 29-67.

du Roi, grand justicier, il est juge. Ses ordonnances sont celles d'un juge. Il emploie les procédures judiciaires pour administrer. Il a auprès de lui un procureur de l'intendance qui requiert pour le Roi, représentant de l'intérêt public, et sur ces requêtes l'intendant juge et par sa sentence ordonne ce qui est nécessaire au bien commun. Au XVIIe siècle, nous ne sommes donc encore que dans les phases préliminaires de la transformation, mais l'étape n'en est pas moins importante avant l'acte décisif, la création des préfets par Napoléon Bonaparte, Premier Consul.

Ici encore, la transformation institutionnelle correspond à des mouvements sociaux. La première et principale raison de la multiplication des intendants, c'est la difficulté accrue de faire rentrer les impôts de plus en plus lourds dans un siècle de longues guerres et de récession économique. Devant la masse croissante des impôts de toute espèce, les trésoriers de France et les élus se montrèrent insuffisants. Ils créaient des non-valeurs ou des arriérés, en déchargeant les paroissses où eux, leurs parents, alliés et amis avaient des fermiers et des métayers, et en surchargeant les autres paroisses. Ils accablaient les contribuables par les frais de la perception judiciaire des impôts, au moyen d'huissiers ou de sergents porteurs de contrainte. Les intendants opérèrent une répartition plus équitable et firent lever l'impôt par des fusiliers, perception par voie d'exécution militaire, moins coûteuse finalement[1].

Le poids des impôts, qui allait s'aggravant, semble d'autant plus insupportable que, depuis 1625 environ, la France entra dans une longue période de « mortalité ». Il s'agit de périodes de disette, de famine, de cherté, accompagnées d'épidémies de « peste » et du décès d'une partie de la population qui peut aller jusqu'à 30 % en un an. Ces disettes ont pour cause principale des calamités atmosphériques : le XVIIe siècle est une époque de refroidissement de la température et d'augmentation des précipitations et il s'y produisit une crue glaciaire. La « mortalité » déclencha une grave crise économique et sociale car les producteurs, paysans et artisans, sont les principales victimes; les municipalités interdirent les foires et marchés, la circulation des marchandises, de peur de contagion; les riches fuient dans leurs maisons de campagne; les petits propriétaires sont vite transformés en miséreux, vagabonds et mendiants, errant par milliers; le prix des terres cultivables s'effondre et de grands transferts de propriété ont lieu; les municipalités s'endettent pour soigner les malades et empêcher les affamés de mourir de faim.

1. R. MOUSNIER, Création des intendants, syndicats d'officiers, *art. cit.*

Or ces mortalités ont été nombreuses et étendues. Les principales sont celles de 1630-1632, 1648-1653, 1660-1662, 1693-1694, 1709-1710. Elles furent d'autant plus graves qu'elles eurent des effets cumulatifs, c'est-à-dire que les effets de l'une n'étaient pas réparés quand survenait la suivante. Comme ces mortalités ajoutèrent leurs effets à ceux de la raréfaction des métaux précieux d'Amérique et à ceux de la baisse séculaire des prix, dont l'étiage se place vers 1675, et qui décourage les producteurs dont elle amoindrit les profits, la France en arriva, au temps de Colbert, à une véritable détresse avec un véritable manque d'homme[1].

Un des résultats graves, c'est l'impuissance des contribuables. Elle accroît la rivalité permanente de l'impôt royal et des redevances seigneuriales, de l'impôt royal et du fermage, car, dans les années difficiles, si le paysan paie les unes il ne peut plus payer l'autre. Aussi le gouvernement doit-il multiplier les efforts pour accroître le nombre des contribuables, par exemple par la recherche des faux nobles, ou pour faire payer la noblesse par le moyen détourné de divers droits domaniaux et impôts indirects. La noblesse s'en plaignait, soulignait sa solidarité avec les paysans, qui la faisaient vivre, les soutenait contre le fisc royal, les excitait à refuser l'impôt, à courir sus aux huissiers porteurs de contrainte, aux commis chargés du recouvrement des taxes, à les massacrer, à les supplicier, à se révolter enfin contre le Roi. Les officiers, quand ils étaient propriétaires de seigneuries, faisaient de même dans les campagnes et dans les villes. Les nouveaux impôts violaient les privilèges municipaux ou provinciaux, et déclenchaient des révoltes de villes et de provinces entières, animées d'un esprit de particularisme, tous les groupes de la population unis, contre le fisc et contre le Roi. Plus rarement les efforts des seigneurs pour accroître leurs redevances en période de crise économique provoquaient des révoltes paysannes contre eux, comme en Basse-Bretagne, en 1675. Les révoltes, citadines et paysannes, étaient donc extrêmement fréquentes et souvent très graves[2].

L'emploi des intendants, ces commissaires d'une fidélité à toute épreuve, munis le cas échéant de pouvoirs de décision et d'exécution sommaires, le plus souvent d'une énergie farouche, s'imposa donc pour réprimer les révoltes et surtout pour supprimer les causes de révoltes, par une meilleure organisation financière d'abord, ensuite,

1. R. MOUSNIER, Etudes sur la population de la France au XVIIe siècle, dans *XVIIe siècle*, 1952, n° 16, p. 527-543.
2. R. MOUSNIER, Recherches sur les soulèvements populaires en France avant la Fronde, dans *Revue d'Histoire moderne et contemporaine*, V, 1958, p. 81-113.

vers la fin du siècle, surtout par les tentatives pour accroître la matière imposable en développant l'économie.

Le troisième changement remarquable, c'est le développement du régime seigneurial et du système féodal. Non seulement l'un et l'autre se maintiennent, non sans se modifier, mais encore ils semblent s'étendre et se systématiser, en droit.

Le Roi s'efforça d'en tirer parti pour accroître l'autorité royale et les revenus royaux par la théorie de la « directe universelle ». Vous vous rappelez que, vers la fin du XVe siècle, les efforts des théoriciens étaient parvenus à distinguer sur une tenure déterminée deux droits de propriété hiérarchisés : la « seigneurie directe », propriété du seigneur, qui lui donnait droit au cens, aux lods et ventes, à diverses redevances et à une fidélité des services, la possibilité de vendre, léguer, donner ce droit; la « seigneurie utile », qui était celle du paysan, et qui constitue pour nous la véritable propriété, avec droit d'exploiter la tenure, de jouir de ses fruits, de la transmettre par héritage, de la vendre, de la donner. Or le Roi se prétend seigneur universel du royaume, il proclame que toutes les terres sont mouvantes de lui. Mais, en Languedoc, et dans d'autres pays de droit écrit, il existe des terres libres, franches de toute dépendance envers un seigneur quelconque, possédées en pleine propriété, des « franc-alleux ». La maxime du pays, c'est « Nul seigneur sans titre ». Pour les théoriciens au service de la monarchie, cette maxime est insupportable. Elle frustre le Roi de sa supériorité sur les propriétaires, et des droits féodaux qui lui sont dus en vertu de sa « seigneurie directe ». Le Roi ne reconnaît pas la pleine propriété. Pour lui, les alleutiers ne sont que « seigneurs utiles » et c'est lui, le Roi, qui est le « seigneur direct ». Depuis 1626, au fur et à mesure qu'il participe davantage à la guerre de Trente ans, le gouvernement royal accroît un effort pour étendre la « directe » du Roi. L'effort fut particulièrement poussé sous Colbert. L'édit de 1667 obligeait le propriétaire d'un franc-alleu noble, muni de juridiction, à présenter le titre royal en vertu duquel la terre était un franc-alleu. C'était impossible puisque ce régime était juridiquement le régime normal des pays de droit écrit, et donc que le titre de concession n'avait jamais existé. Pratiquement, l'édit de 1667 abolissait sans le dire le franc-alleu noble muni de juridiction, au profit du Roi. L'édit toutefois admettait la présomption d'une concession antérieure pour le franc-alleu roturier[1].

1. R. Boutruche, *Une société provinciale en lutte contre le régime féodal. L'alleu en Bordelais et en Bazadais du XIe au XVIIIe siècle*, Rodez, 1947, p. 278.

Partout, nous retrouvons la même tendance royale à utiliser seigneurie ou fief au profit du Roi. Le canal du Midi fut érigé en seigneurie. Le Canada fut partagé en seigneuries. Les contemporains considéraient que, étant donné le degré de développement de la puissance royale, seigneurie et féodalité offraient un moyen simple de rattacher directement au Roi toutes sortes de propriétés ou d'organisations, par un lien de fidélité et de service et d'assurer la supériorité du Roi et ses possibilités d'intervention au nom du bien public.

En ce qui concerne les particuliers, il faut distinguer les gentilshommes, en service à l'armée ou à la Cour, souvent négligents, d'une part, d'autre part les gentilshommes campagnards, résidant sur leurs terres, les seigneurs provenant des milieux bourgeois ou appartenant encore à ces milieux ou au monde des offices.

Les seigneurs de la deuxième catégorie manifestent souvent une véritable âpreté, lorsqu'ils acquièrent un fief ou une seigneurie, à demander au Roi des lettres les autorisant à charger un notaire de procéder à une enquête, d'obliger les feudataires et censitaires à représenter leurs titres, de refaire les papiers terriers, qui énuméraient les fiefs et tenures, leurs possesseurs, les droits, redevances et services seigneuriaux ou féodaux qu'ils devaient acquitter.

Les archives nous offrent des collections de procès, multiples, longs, interminables, pour un cens de quelques sols, pour un suffrage d'une vie : Vous me devez une oie de coutume. — Mais je vous l'ai fait porter. — Mais par un valet de pied en costume ordinaire, alors que votre valet doit être revêtu de livrée à vos armes ! Et voilà, il y en a pour vingt ans de discussions, avec consultations d'avocats, mémoires de procureurs, que chaque partie fait imprimer.

Cet acharnement s'explique-t-il par l'intérêt économique de tels droits ? En fait, les procès sont aussi nombreux, aussi longs dans les régions où ces droits seigneuriaux étaient devenus extrêmement faibles. A Paris, l'Hôtel-Dieu est « seigneur utile » de la maison « Le Chaudron », rue de la Huchette. Il la loue 350 livres par an. Il doit au « seigneur direct », les religieux de Longchamps, deux deniers de cens par an.

L'Hôtel-Dieu a acheté la maison dite « Le Couperet », rue de la Bûcherie. Il l'a payée, en 1646, 13 500 livres tournois. Il doit au « seigneur direct » 12 deniers parisis de cens, et 8 livres 15 sous tournois de rente foncière annuelle.

Dans les campagnes parisiennes, le cens est d'habitude de quelques deniers ou de quelques sous à l'arpent. Le 1er septembre 1633, un « héritage » à Saclay comprend la maison, jardin, 100 arpents de terre labourable, 2 arpents et demi de pré, affermé 500 livres tournois, vendu 13 000 livres tournois, doit 16 sous parisis de censive annuelle, c'est-à-dire une livre tournois.

Aussi les « seigneurs directs » attendent-ils parfois vingt-neuf ans avant de les réclamer, la prescription des arrérages étant trentenaire. Il s'ajoute au cens des redevances en nature, dites champarts, terrages, agrières, beaucoup plus intéressantes, mais néanmoins proportionnellement assez faibles. Au sud de Paris, à Thiais, à Avrainville, le champart est de 4 gerbes par arpent, alors que les rendements sont de 72 à 140 gerbes par arpent. Naturellement, il y a des régions, telle la Bretagne, où la proportion est beaucoup plus forte.

La seigneurie apparaît, dans les régions où il y a des possibilités de vente sur un marché de quelque importance, et où se développe le capitalisme commercial, plutôt comme une entrave au développement normal de l'économie. Dans le sud de la région parisienne, comme dans la Gâtine poitevine, *inégalement d'ailleurs*, la tendance est de constituer de grosses unités d'exploitation, par achats de parcelles, échanges et remembrements, dans la Gâtine des « métairies » de 30 à 60 hectares, dans le sud de Paris des exploitations de 200 à 500 arpents en plusieurs fermes. La tendance est de les confier, moyennant un bail à terrage à moitié fruits ou un bail à métayage en Gâtine, moyennant un bail à loyer en argent dans le sud de Paris, à des entrepreneurs qui ont des avances, qui sont propriétaires de trains d'attelage et se livrent à l'exploitation pour la vente. Leur rôle est de nourrir les villes, les alimenter en viande et en céréales, de fournir des matières premières, surtout la laine, à des industries textiles qui vendent au loin, jusque dans le Levant, aux Indes, en Amérique. Il s'agit d'une agriculture intégrée au capitalisme commercial.

Or les exploitations, « métairies » ou fermes, sont composées d'une multiplicité de tenures et parfois de fiefs, relevant de plusieurs fiefs et superfiefs différents. Il n'y a plus aucune ressemblance entre l'étendue de l'unité d'exploitation d'une part et celle de la seigneurie de l'autre. Les seigneurs et leurs hommes d'affaires ont le plus grand mal à s'y reconnaître, malgré des ventilations périodiques aux fins de reconnaître, dans l'unité d'exploitation, les différentes tenures anciennes, déterminer de quelle seigneurie ou de quel fief chacune relève, et les droits qu'elle doit. La perception des droits seigneuriaux devient une affaire très épineuse et cause de grandes pertes de temps. D'ailleurs, il vaut mieux l'affermer à un fermier laboureur ou à un homme de loi. Au fond, seigneuries et fiefs n'auraient-ils pas constitué une gêne, même pour les seigneurs[1] ?

Mais alors pourquoi cet intérêt, cet amour passionné des seigneuries et des fiefs. Peut-être ces sentiments peuvent-ils s'expliquer par deux attitudes mentales convergentes. Tout d'abord par un défaut d'esprit économique. Les seigneurs, en général, ne cherchent pas à obtenir le rendement maximum de leurs seigneuries. Ils limitent leur coopération capitaliste à des opérations de remembrement, de clôture, à des avances de semences, à des baux à cheptel. On ne les voit guère intervenir dans la fourniture d'autres moyens de production, marnage, outillage, procédés techniques. Il leur manque l'esprit du progrès matériel.

Mais surtout, ils tiennent aux seigneuries et aux fiefs, parce qu'ils sont source de foi et hommage, de cens et redevances, parce qu'ils sont signe de la supériorité sociale d'un homme sur un autre, qui doit, dans une certaine mesure, au moins moralement, fidélité et services. Le terme de « supériorité », suggéré par d'innombrables textes, se trouve dans un contrat de vente de deux arpents de terre labourable, à Sens, le 20 avril 1616 : « chargés de deux sols tournois en signe et remarque de supériorité, payables chacun envers ledit prieur de Saint-Loup et aultre de douze deniers tournois de rente envers qui il appartiendra pour tout droit de supériorité... ». D'autres textes précisent que les censitaires d'un seigneur sont « ses hommes », « ses sujets ». Recevoir le cens était devenu le symbole du classement dans la société, d'un rang, d'une autorité. Voilà pourquoi on y tenait tant.

D'autre part, fiefs et seigneuries avaient servi longtemps de solde pour des services militaires. Le souvenir s'en était conservé. Or, la société française du XVIIe siècle reste profondément militaire. L'archevêque d'Embrun, messire Georges d'Aubusson de La Feuillade, président de l'assemblée de Messieurs du Clergé, disait le 15 mars 1651, dans sa réponse aux députés de l'assemblée de la Noblesse : « C'est donc cette noblesse, non pas du sang, mais de vos âmes héroïques qui n'est pas ensevelie dans les tombeaux de vos ancêtres, mais qui revist dans la suite de vos actions généreuses qui vous a inspiré la pensée de vous assemblér pour la conservation de vos privilèges ».

1. Louis MERLE, *La métairie et l'évolution de la Gatine poitevine de la fin du Moyen Age à la Révolution*, Paris, S.E.V.P.E.N., 1958. M. VENARD, *Bourgeois et paysans au XVIIe siècle, Recherche sur le rôle des bourgeois parisiens dans la vie agricole au sud de Paris au XVIIe*, Paris, 1957, 126 p. Michel FONTENAY, Paysans et marchands ruraux de la vallée de l'Essonnes dans la seconde moitié du XVIIe siècle, *Paris et Ile-de-France*, Mémoires p. p. la Fédération des Soc. Hist. et Archéol. de Paris et d'Ile-de-France, t. IX, 1958, p. 157-288.

« C'est cette vieille gloire... qui n'a peu souffrir plus longtemps qu'on décidast sans vos suffrages toutes les affaires d'un Estat *qui est militaire dans sa fondation* et dont vous composez la plus éclatante et la plus puissante partie... »[1].

L'abbé François-Timoléon de Choisy, membre de l'Académie Française, renchérit : « Ma mère, qui était de la maison de Hurault de l'Hospital, me disait souvent : Ecoutez, mon fils, ne soyez point glorieux et songez que vous n'êtes qu'un bourgeois. Je sais bien que vos pères, que vos grands-parents ont été maîtres des requêtes, conseillers d'Etat; mais apprenez de moi qu'en France, on ne reconnaît de noblesse que celle de l'épée. La nation, toute guerrière, a mis la gloire dans les armes »[2]. Une estime particulière en demeurait pour le fief et pour la seigneurie, récompense ancienne du soldat.

La survivance du régime seigneurial et du système seigneurial serait donc avant tout la survivance dans les esprits et les sensibilités du principe militaire de la société. Comme le rang dans l'armée et donc dans la société aurait été longtemps lié à la hiérarchie des terres, il en serait résulté que posséder des terres d'un rang hiérarchique plus élevé, ç'aurait été monter dans la société. Ainsi, on aurait conservé la hiérarchie des terres, comme source d'estime sociale et de prestige social, même si les intérêts nationaux avaient souffert d'un manque à gagner. Ainsi le principe fondamental d'une société dominerait tout, même les activités économiques.

1. *Journal de l'Assemblée de la Noblesse*, S.L.N.D., B. N., Lb 37, p. 79.
2. Choisy, *Mémoires*, éd. Michaud-Poujoulat, p. 554.

LA PARTICIPATION DES GOUVERNÉS A L'ACTIVITÉ DES GOUVERNANTS

dans la France des XVIIe et XVIIIe siècles

Il convient de distinguer trois parties :

I. — L'état des choses au début du XVIIe siècle, avant la crise ouverte vers 1630; cet état a duré dans ses structures fondamentales jusqu'en 1789;

II. — L'accroissement du pouvoir arbitraire et de la tutelle administrative au cours du XVIIe siècle;

III. — Les transformations du XVIIIe siècle.

I. — Gouvernés et gouvernants dans le premier tiers du XVIIe siècle

Les Français jouissent d'une Constitution coutumière dans laquelle l'Etat, détenteur de la souveraineté, incarné dans la personne d'un Roi, doit exercer ses pouvoirs pour le bien commun et respecter les commandements de Dieu, les lois fondamentales du royaume, les propriétés et les libertés des personnes. Les droits des sujets sont garantis par leur participation à la législation, à la « police » ou administration, à un degré moindre au gouvernement, par l'intermédiaire d'ordres et de corps de diverses sortes.

Les sujets du Roi ne sont pas représentés dans le principal organe de justice, de législation, de gouvernement, et d'administration, le Conseil du Roi. En dehors des membres de la famille royale et des princes du sang, le souverain compose à son gré son Conseil, dont

Publié dans *Etudes suisses d'histoire générale*, 20, 1962-1963.

les membres les plus actifs sont de simples commissaires. L'idée n'a jamais disparu d'imposer au Roi l'introduction dans son Conseil de représentants des ordres du royaume[1].

1/ *Etats généraux*

Pour l'ensemble du royaume, les trois grands ordres, clergé, noblesse, tiers état, sont représentés dans les Etats généraux et dans des assemblées de notables. Les Etats généraux n'ont pas de périodicité. Ils sont convoqués à la volonté du Roi. Ils furent assemblés du 27 octobre 1614 au 24 mars 1615. Leur rôle est purement consultatif. Les élus viennent remplir auprès du Roi le service de conseil, faire entendre les remontrances, plaintes et doléances des ordres, indiquer les moyens qui leur semblent les plus convenables pour le bien public. La décision demeure entièrement au Roi en son Conseil. Selon les lettres de convocation royales, pour le bailliage de Troyes et pour la sénéchaussée de Guyenne[2], tous les doyens, abbés, bénéficiers, prieurs, curés du diocèse devaient s'assembler au palais du chef de lieu de bailliage, dresser cahiers et élire député pour l'ordre du clergé. Les gentilshommes devaient faire de même pour l'ordre de la noblesse. Pour le tiers état les habitants de la ville de Troyes ou de celle de Bordeaux devaient procéder de même. Mais pour les campagnes les désignations étaient à trois degrés, pour les villes secondaires à deux degrés. Dans chaque ressort de juridiction inférieure, les communautés d'habitants formaient une assemblée qui élisait un ou deux députés et rédigeait un cahier. Les députés des ressorts des juridictions inférieures se réunissaient en une assemblée au chef-lieu de chaque châtellenie. L'assemblée de châtellenie rédigeait un cahier commun. Elle n'avait pas à élire de député. C'était le bailli de la châtellenie ou son lieutenant qui était député d'office de la châtellenie et qui apportait son cahier à l'assemblée générale du tiers état du bailliage à Troyes. L'assemblée générale fondait les cahiers des châtellenies en un cahier unique et élisait les députés du tiers autres que ceux des chefs du lieu de bailliage aux Etats généraux. Il semble que les choses se soient passées à Troyes conformément

1. Voir les pamphlets de la Fronde ou Mazarinades, par exemple *Le Politique universel*, 1652, in-4°, B. N., LB 37-3078 ; *Le Formulaire d'Etat*, 1652, in-4°, B. N., LB 37-2659; Claude JOLY, *Recueil de Maximes véritables et importantes pour l'Institution du Roy...*, Paris, 1652, in-8°, B. N., LB 37-3182; etc. Au XVIIIe siècle, l'idée reparaît maintes fois.

2. *Lettres du Roy contenant le mandement de S. M. pour la convocation des Etats-généraux de ce royaume en la ville de Sens, 7 juin 1614 à Troyes, chez Pierre Chevillot, l'imprimeur du Roy, 1614*; mêmes lettres pour le sénéchal de Guyenne, imprimées à Bordeaux, par Simon Millanges, imprimeur ordinaire du Roy, 1614.

aux lettres du Roi[1]. Il n'en a pas été de même à Bordeaux pour le clergé bordelais. C'est une commission nommée par le cardinal-archevêque de Bordeaux, de Sourdis, et composée de son vicaire général, de sept doyens et chanoines, d'un curé de Bordeaux et du recteur du collège des Jésuites, qui a dressé le cahier de l'ordre du clergé. C'est une assemblée restreinte de 6 députés en tout, 4 des chapitres de Bordeaux, 2 des curés et autres bénéficiers du diocèse, qui a élu le cardinal-archevêque comme député de l'ordre du clergé aux Etats généraux. Cette élection a été agréée ensuite par les représentants des abbayes du diocèse et par les archiprêtres[2].

De telles procédures électorales amenèrent la prédominance aux Etats généraux d'une oligarchie. L'ordre du clergé comprit, sur 135 membres, 59 évêques ou archevêques, 34 chanoines, 5 curés seulement, 33 religieux, abbés ou prieurs, 4 titulaires d'offices de Cour (aumôniers du Roi). Sur les 59 évêques, 32 avaient effectivement le droit de siéger au Conseil d'Etat et c'était aussi le cas de trois chanoines. Sur 5 curés, 4 avaient de grosses cures et 2 étaient des curés de Paris. Un seul était peut-être réellement du bas clergé, le curé de Buncey (bailliage de La Montagne, Bourgogne). Le bas clergé était donc représenté par le haut clergé.

Sur 138 députés, la noblesse comptait 60 grands nobles sans fonctions (marquis, comtes), 6 baillis d'épée et 1 sénéchal d'épée, 40 militaires (capitaines de compagnie de gens d'armes d'ordonnance, mestres de camp commandant des régiments) et gouverneurs de provinces et de villes, dont 13 conseillers d'Etat, ayant séance effective, 12 conseillers d'Etat ayant séance effective sans autre fonction, 19 titulaires d'offices de cour, généralement gentilshommes de la Chambre du Roi, dont 1 conseiller d'Etat à séance effective, ce qui faisait en tout 26 membres effectifs du Conseil d'Etat et 78 nobles au service du Roi. La noblesse est donc représentée par la haute noblesse et par une majorité de nobles au service du Roi.

Sur 187 représentants du tiers état, l'on trouve 58 lieutenants généraux de bailliages ou de sénéchaussées, 56 autres officiers de justice des bailliages ou des sénéchaussées, 5 magistrats des bureaux des finances et des élections, 1 receveur des aides et tailles, 1 gruyer des eaux et forêts. Les avocats, soit auprès des parlements, soit auprès des Conseils de bailliage ou de sénéchaussée, sont 30. Il y a 18 magistrats municipaux, maires, juristes, consuls, etc., et en outre

1. G. Herelle, *Documents inédits sur les Etats généraux, 1482-1789*, in-8°, p. 109.
2. *Archives historiques du département de la Gironde*, X, 1868, p. 1-11 : procès-verbal des assemblées du clergé bordelais pour la nomination des députés aux Etats généraux.

5 officiers de justice et 6 avocats exercent en même temps des fonctions municipales. Restent 18 députés parmi lesquels 6 syndics, 1 secrétaire et 1 greffier d'Etats provinciaux (Dauphiné, Provence), 3 « bourgeois » (Orléans, Limoges, Pays de Gex), 2 « marchands » (Poitiers, La Rochelle), 1 « laboureur », Constantin Housset, de la paroisse de Flamanville, bailliage de Caux. Sur tous ces députés du tiers état, 31 sont nobles (barons, chevaliers, écuyers, dont 12 lieutenants généraux, 9 autres officiers, 5 magistrats municipaux), 72 sont propriétaires de seigneuries, dont 31 lieutenants généraux, 22 autres officiers, 6 avocats, 9 magistrats municipaux. Ainsi les députés du tiers état ne proviennent pas du peuple, des artisans et des paysans. Bien qu'ils comprennent des nobles, surtout de fonctions, mais à qui les gentilshommes ne reconnaissent pas « la qualité », « la race », et des seigneurs par tolérance, la plupart soumis au paiement des francs-fiefs, la majorité de ses membres sont de purs bourgeois (115 sur 187), la grande majorité sont en fait des bourgeois (156 sur 187) et tous sont considérés par la noblesse comme des bourgeois. Mais c'est avant tout une bourgeoisie bureaucratique, surtout une bourgeoisie d'offices royaux (121 sur 187), de fonctions municipales (avec celles-ci 139 sur 187), de fonctions bureaucratiques auprès des Etats provinciaux (avec celles-ci 147 sur 187) et d'avocats, qui sont proches des officiers par leur profession et aspirent presque tous à un office (avec eux 177 sur 187). Les négociants et fabricants ne figurent presque pas[1].

Selon la volonté du Roi, exprimée dans ses lettres de convocation, c'était des notables qui composaient les Etats généraux. La valeur représentative d'une telle assemblée était grande pour les contemporains. Les députés venaient de la *sanior pars*.

Chaque ordre, représentant une des grandes fonctions sociales dans l'Etat, délibère à part dans sa salle. Chaque ordre a son président, son secrétaire, son bureau. Il a l'initiative de son ordre du jour. Le tiers état réparti en 13 gouvernements, chacun avec son président, vote par gouvernement, non par bailliage ou sénéchaussée. Chaque gouvernement dispose d'une voix. De graves décisions furent prises ainsi en fait par une minorité de bailliages et de sénéchaussées, car les gouvernements étaient très inégaux. Les ordres communiquaient entre eux par ambassades. Un orateur officiel, mandaté, escorté de députés, allait exposer le point de vue de son ordre aux autres.

1. H. Grelin, *Ordre observé en la convocation et assemblée des Etats-généraux de France, tenus en la ville de Paris en l'année 1614 avec les noms, surnoms et qualités des députés des Trois-Ordres*, Paris, s. d., in-8°, 56 p., B. N., in-8°, Le 17-34.

Ceux-ci remerciaient, délibéraient, répondaient de la même façon. La procédure était lente et ne facilitait pas le rapprochement des points de vue. Les ordres communiquaient séparément avec le Roi par des délégations qui présentaient au Roi, en son Conseil, leurs doléances et faisaient du Roi le juge et l'arbitre de leurs différends. Le clergé et la noblesse ne purent faire admettre par le tiers état que les trois ordres s'entendissent pour présenter au Roi des résolutions communes, « au nom de toute la France », comme si les Etats avaient constitué une Assemblée nationale, qui aurait été d'immense autorité morale; que les résolutions fussent présentées une à une, et que l'on attendît la réponse du Roi et les actes législatifs et réglementaires avant d'en présenter une autre, afin que les Etats ne se séparassent pas sans avoir obtenu satisfaction et participassent effectivement à la législation et à l'administration. Les ordres furent contraints de présenter au Roi toutes leurs demandes d'un coup, en « cahiers », et en cahiers séparés, un par ordre, procédure d'impuissance. Les cahiers restèrent de simples recueils de vœux. Clergé et noblesse ne purent décider le tiers état à une action commune pour obtenir du Roi au moins la permission de s'assembler en corps jusqu'à la réponse royale aux cahiers, de nommer au Roi des députés qui siégeraient en commission avec les commissaires royaux pour « juger » les cahiers, et entreraient au Conseil avec voix délibérative. Les députés furent seulement autorisés à rester à Paris, comme personnes privées, et à envoyer des délégués avec voix consultative, pour expliquer les articles aux commissaires royaux, quand ceux-ci le jugeraient bon. Les députés furent congédiés à l'arbitraire du Roi, sans avoir obtenu de réponse à leurs cahiers qui, dans l'immédiat, ne donnèrent lieu qu'à peu de décisions législatives ou réglementaires. La périodicité des Etats fut laissée à la discrétion du Roi. Aucun organe permanent ne fut créé pour suivre la réalisation des vœux des Etats. Le pouvoir royal resta arbitraire[1].

2/ *Assemblées de notables*

Les assemblées de notables (Rouen 1617-1627) sont convoquées à la décision du Roi. Elles sont composées de personnages nommés par le Roi, grands nobles, ducs et pairs, maréchaux de France, cardinaux, archevêques et évêques, présidents et procureurs généraux des parlements de Paris et des provinces, des Chambres des Comptes

1. Augustin THIERRY, *Recueil des Monuments inédits de l'histoire du tiers état*, t. I, Introduction, Coll. Doc. inéd. sur l'Histoire de France, Paris, 1850.

et des Cours des Aides de Paris et de Rouen, en 1626, 55 membres, 13 pour le clergé, 12 pour la noblesse, 28 pour les officiers représentant le tiers état. Les assemblées ont un rôle uniquement consultatif : exprimer leur avis sur les questions posées par le Roi. Elles sont présidées par le frère du Roi ou un prince du sang. Le procureur général du Roi au parlement de Paris présente par écrit au président les questions du Roi à poser à l'assemblée. L'assemblée peut faire comparaître ceux dont elle désire des renseignements, même les ministres, même Richelieu. Chacun de ses membres opine en commençant par le bas de la hiérarchie. Un greffier, nommé par le Roi, lit les propositions, enregistre dépositions, délibérations, décisions. Les membres votent par tête. L'avis de l'assemblée est dressé par écrit après chaque proposition. Le procès-verbal des travaux de l'assemblée est remis au Roi en fin de travail. Le Roi congédie l'assemblée à son gré et tient compte de son avis dans la mesure où il le juge bon. Les membres de l'assemblée accomplissent le service de conseil que doit leur fidélité. La composition des assemblées, les procédures sont analogues à celles du Conseil du Roi. Les assemblées de notables ne sont qu'un conseil du Roi élargi[1].

3/ *Les ordres : le clergé*

Le seul ordre juridique du royaume qui soit représenté auprès du Roi est le clergé de France. Bien que prétendant à l'immunité en matière d'impôts, le clergé consent, par des contrats périodiques, à aider le Roi à payer ses dettes, au moyen de décimes, et à subvenir à des dépenses de guerre pressantes au moyen de dons gratuits. La périodicité des contrats assure celle des assemblées.

Louis XIV réunit, en outre, des assemblées extraordinaires pour des affaires bien délimitées comme celles concernant l'Eglise gallicane, en 1682. Avec quelques exceptions et variantes, toutes les années se terminant par un cinq, se tient une « grande assemblée » de contrat, toutes les années se terminant par un zéro, une « petite assemblée » de comptes et de don gratuit. Les élections aux assemblées se font à deux degrés. Dans chaque diocèse, les curés d'une part, les collégiales, abbayes, prieurés de l'autre, élisent les députés à une assemblée diocésaine présidée par l'évêque. Les assemblées diocésaines élisent des députés à une assemblée provinciale présidée par l'archevêque.

1. Jeanne PETIT, *L'Assemblée des notables de 1626-1627*, Paris, 1936, in-4°, Ecole prat. Hautes Etudes, Sciences Hist. et Philol. Charles-Joseph MAYER, *Des Etats généraux et autres assemblées nationales*, t. XVIII, Paris, 1789, in-8°.

Il y a 14 provinces, 15 depuis 1622, 16 depuis 1678. Chaque diocèse y a une voix. L'assemblée provinciale élit à l'assemblée générale un député du premier ordre (évêque), un du second ordre (chanoine, abbé, ou autres bénéficiaires); depuis 1619, deux de chaque. Les chanoines formaient la majorité dans le second ordre. Le clergé était donc ainsi représenté par ses notables, par la *sanior pars*. Les députés recevaient un mandat impératif. Les assemblées générales se tenaient à Paris, au couvent des Grands Augustins, bien placé pour les négociations avec l'Hôtel de Ville et avec le Conseil du Roi. Chacune élisait deux secrétaires, deux promoteurs chargés de régler ses séances et un président. Elle désignait les membres de ses commissions permanentes ou « bureaux » (19 en tout) qui préparaient les dossiers. Les commissions, composées d'un nombre égal de députés du premier et du second ordre, nommaient chacune un rapporteur. Celui-ci et des députés de la commission conféraient avec le chancelier, le contrôleur général, des conseillers d'Etat, avant de présenter à la commission les projets que celle-ci proposait à la décision de l'assemblée générale. Sur les propositions des commissions, les députés des provinces votaient par tête à l'intérieur de chaque province, puis l'assemblée votait par province, chaque province votant la première à son tour. Le mode de vote assurait la prépondérance du premier ordre. C'est seulement dans les cas très graves que l'on procédait à un vote nominal et motivé.

Le clergé maintint le principe de son immunité et conserva en France le droit à consentir l'impôt mieux que les Etats provinciaux. Il passait avec le Roi des contrats de décimes ordinaires pour le remboursement des dettes du Roi et consentait des dons gratuits pour la nécessité des guerres. L'Etat se déchargeait sur le clergé de l'assiette, de la levée et du contentieux de ses contributions. L'assemblée générale répartissait les sommes à lever en conséquence entre les diocèses. Dans chaque province, une chambre supérieure des finances, composée de députés élus, jugeait le contentieux fiscal. Dans chaque diocèse, un bureau diocésain de 6 députés élus répartissait la quote-part du diocèse entre les bénéficiers, surveillait la perception, jugeait en première instance le contentieux fiscal. Pour la perception le clergé nommait des officiers de finances, à qui le Roi octroyait leurs lettres de provision, et qui formaient une hiérarchie : receveurs diocésains, receveurs provinciaux, receveur général du clergé, un banquier, qui versait les décimes à l'Hôtel de Ville de Paris pour le paiement des rentes, et les dons gratuits au Trésor royal.

Le clergé défend ses intérêts tant spirituels que temporels. Il participe au travail législatif, au rôle judiciaire et aux décisions exécutives du gouvernement. Il sollicite et souvent obtient du Roi des édits, des déclarations, des lettres patentes, des arrêts du Conseil. Ces textes, législatifs et réglementaires, portent sur les entreprises des protestants, sur les entreprises du Conseil, des parlements ou autres juges royaux, sur les sermons, les vœux de religion, les sacrements, etc. Les députés de l'assemblée du clergé discutent avec les conseillers d'Etat les textes nécessaires, souvent les rédigent, les font voter par l'assemblée, puis signer par le chancelier et les secrétaires d'Etat. Le Conseil d'Etat laisse même à l'assemblée générale du clergé des pouvoirs juridictionnels. Il accorde aux règlements généraux du clergé de France la même force qu'aux déclarations royales et énonce dans le dispositif de ses arrêts les unes et les autres au même titre. Le Conseil renvoie pour jugement à l'assemblée de nombreuses contestations se rapportant à la discipline du clergé et à ses finances.

Les assemblées se séparent normalement lorsque les contrats sont établis. Elles rendent compte de leurs travaux par lettres circulaires aux diocèses. Depuis 1625, leurs procès-verbaux sont imprimés. Les députés rendent compte de leur mandat dans les assemblées provinciales.

Dans l'intervalle des sessions, deux agents généraux du clergé de France veillent à l'exécution des contrats et défendent les droits, libertés et privilèges du clergé. Ils sont élus pour deux ans, chaque fois par deux assemblées provinciales, une du Nord et une du Midi, selon un roulement. Les agents généraux ont entrée au Conseil du Roi, y interviennent, prennent « fait et cause » pour les ecclésiastiques qui y ont procès, obtiennent arrêts, déclarations et édits royaux. Ils se font représenter tous les trimestres les comptes du receveur général du clergé et de ses commis. A la fin du siècle, les agents généraux disposaient d'un bureau avec un chef de bureau, des commis, des avocats du clergé, une imprimerie du clergé, des archives. Ils sont en relations constantes avec des agents semblables à eux pour les provinces et les diocèses, le syndic métropolitain, et le syndic diocésain.

L'ordre du clergé dispose ainsi d'une assemblée représentative périodique, de représentants permanents, d'une administration, d'une juridiction administrative, de toute une bureaucratie tendant à l'unité, à l'uniformité, à la régularité plus et mieux que celle du Roi. Il participait, dans la défense de ses intérêts spirituels et temporels, de ses droits, privilèges et libertés, à la législation, à la justice, au gouvernement et à l'administration du Roi et déchargeait l'Etat d'une partie de ses fonctions.

4/ *Les territoires : Etats provinciaux*

Après la représentation des ordres pour tout le royaume, vient la représentation de certains territoires : des provinces, des villes, des communautés d'habitants groupées en villages.

Un certain nombre de provinces avaient encore des Etats provinciaux, surtout à la périphérie du royaume. Avaient déjà disparu la plupart des Etats du Centre : Orléanais, Anjou, Maine, Touraine, Berry, Marche, Limousin, Haute-Auvergne, Périgord.

Il restait les Etats de Normandie, de Bretagne, du Rouergue, de Guyenne, du Quercy, du Velay, du Béarn, du Labour, de Basse-Navarre, des vallées pyrénéennes (Nebousan, Quatrevallées, Bigorre, Soule), du comté de Foix, du Languedoc, de Provence, de Dauphiné, de Bourgogne. Des Etats existants, le type semblait sous l'Ancien Régime les Etats de Languedoc. Ceux-ci étaient réunis chaque année, mais, en principe, sur convocation du Roi. Ils consentaient l'impôt. « Il ne peut être imposé ni levé aucune somme dans la province du Languedoc que du consentement des gens des Trois Etats »[1]. Ce droit était reconnu par des lettres patentes de Charles VII, de mars 1483. Les Etats se chargeaient à la place de l'administration royale de la répartition, de la perception et du contentieux de l'impôt; des travaux publics, réparation ou construction des ponts, chaussées, chemins, qu'ils décidaient et finançaient; enfin, ils provoquaient édits, déclarations et arrêts royaux par la rédaction et la remise d'un cahier de doléances. « La députation aux Etats languedociens est... la jouissance d'une propriété »[2], vingt-deux barons entrant aux Etats en vertu d'un droit adhérant aux baronnies dont ils sont propriétaires, mais qu'il faut quatre quartiers de noblesse tant du côté paternel que du côté maternel pour posséder. Vingt et un siègent ou se font représenter tous les ans. Les douze barons du Vivarais et les huit du Gévaudan entrent tour à tour aux Etats, pour y faire le vingt-deuxième. Pour le clergé, les archevêques et les vingt évêques entrent en qualité aux Etats. Le tiers est représenté par les consuls de certaines villes, en raison de leur charge : pour chaque diocèse, la ville épiscopale, parfois la ville principale, qui députent tous les ans; parfois quelques villes moindres qui députent tour à tour. Chaque ville a une voix. En 1675, les Etats comprenaient ainsi 111 personnes, portant 87 suffrages, dont pour le tiers 65 députés et 41 suffrages.

1. MARIOTTE, *Mémoire concernant la forme des assemblées des Etats de Languedoc*, Toulouse, 1er octobre 1704, in-4°, B. N., LK 2-848, p. 15.

2. P. GACHON, *Les Etats de Languedoc et l'édit de Béziers*, thèse de Lettres, Paris, 1887, in-8°, p. 20.

La représentativité d'une telle assemblée ne semblait pas douteuse. « Les députés des trois ordres... sont regardés comme un abrégé de la province et les procureurs des peuples... » Ce sont les « Pères de la Patrie »[1], sans doute parce que, seigneurs terriens, ou représentants de seigneurs terriens, leurs intérêts sont étroitement liés à la prospérité de tous. Les trois ordres formaient une assemblée unique, délibéraient ensemble dans le même local, sous la présidence de l'archevêque de Narbonne. Pour opiner, un évêque, un baron, les députés de deux villes prenaient successivement la parole et ainsi de suite. L'on pensait ainsi obtenir le plus de lumière et le plus grand respect de l'intérêt public. Pour consentir l'impôt, il fallait la moitié des voix plus une. L'on additionnait les voix de ceux qui proposaient la somme la plus élevée, puis de ceux qui proposaient des sommes moindres, jusqu'à ce que cette majorité absolue fût acquise. Etait retenue la somme énoncée par le dernier dont la voix formait la majorité. D'abord, les commissaires du Roi (le gouverneur de la province, les intendants, un ou deux conseillers d'Etat) remettent leurs lettres de créances et commissions. Ils rendent compte des actions du Roi pour la sécurité et le repos du royaume. Ensuite, les Etats vérifient les pouvoirs des députés. Ceux-ci prêtent serment. Les commissaires viennent demander le don gratuit et les impositions annuelles. Ils visitent le président, les barons, les évêques et font venir les principaux du tiers pour conférer avec eux, avant les votes. Les Etats votent les impositions annuelles dont le produit est employé dans la province pour les dépenses de l'Etat, et le don gratuit qui est envoyé à Paris pour les coffres du Roi. Les Etats répartissent les sommes à lever l'année suivante sur les diocèses, conformément à un tarif qui indique ce que chaque diocèse doit porter, selon la quantité et la qualité des terres roturières taillables, le commerce et la nature des denrées. Les Etats acquittent les frais des étapes des troupes traversant la province. Ils traitent avec les étapiers pour que soient constitués des magasins fournis de tout le nécessaire aux soldats. Les Etats décident de tous les travaux publics et nomment des commissaires pour donner les ordres nécessaires aux officiers royaux. Les Etats contrôlent les impositions que lèvent les diocèses et communautés soit pour leur cotisation aux impôts votés par les Etats, soit pour leurs dépenses particulières, ordonnent au besoin restitution du trop-perçu et jugent tout le contentieux fiscal. Les Etats participent au travail des commissaires du Roi, qui vérifient les dettes contractées par les 2 500 communautés de la province à cause des passages des

1. Mariotte, p. 20 et Epître dédicatoire.

troupes ou des maladies contagieuses. Les Etats envoient chaque année en cour un évêque, un baron, deux députés du tiers pour remettre au Roi un cahier de doléances et défendre les privilèges de la province. Les députés confèrent avec le contrôleur général des finances et le secrétaire d'Etat chargé de la province des édits, lettres-patentes et arrêts nécessaires.

Un mois après la tenue des Etats, dans chaque diocèse, une assemblée ou assiette répartit les impôts du diocèse entre les communautés. L'assiette est présidée par un membre des Etats, élu par eux et subdélégué par les commissaires du Roi. Chaque communauté répartit l'impôt entre ses contribuables, selon ses cadastres, les fait lever par un collecteur, celui-ci verse les sommes au receveur du diocèse. Les receveurs diocésains, officiers royaux, transmettent le produit de l'impôt au trésorier de la bourse, nommé par les Etats, et qui rend ses comptes chaque année devant un « bureau des comptes », composé de députés des Etats.

Dans l'intervalle des sessions des Etats, l'exécution de leurs décisions et les affaires de la province sont suivies par trois syndics généraux en correspondance avec un agent permanent des Etats, résidant près de la Cour et du Conseil du Roi.

Ainsi les Etats provinciaux participent eux aussi à la législation, à la justice, au gouvernement et à l'administration. Ils collaborent avec le Conseil du Roi et avec les officiers royaux pour concilier les intérêts de la province avec l'intérêt général du royaume, assurer la coopération avec les autres provinces, empêcher soit un égoïsme provincial, soit l'oppression par les autres provinces ou par l'Etat agissant au profit d'autres provinces.

5/ *Les territoires : les villes*

Les villes, sous diverses formes juridiques, forment « corps et collège ». La partie essentielle de leurs habitants, ceux qui ont le titre de « bourgeois de tel endroit », forment une communauté, dotée de la personnalité juridique et qui est représentée par un groupe de magistrats et d'officiers municipaux, « le corps de ville ». Prenons l'exemple de Bordeaux. Les « bourgeois de Bordeaux » sont un groupe restreint de privilégiés recruté par cooptation. On devient « bourgeois » sur demande acceptée par le maire et par les jurats. Il faut être propriétaire d'une maison dans la ville et y avoir séjourné deux années consécutives. La qualité de bourgeois est héréditaire, mais, attachée au domicile, elle se perd lorsque le domicile est transporté pendant deux ans hors de la ville ou de la banlieue. Le titre est recherché même par des gentilshommes. En fait, les « bourgeois de Bordeaux » sont un groupe de vignerons, propriétaires récoltants. En effet, exempts de tailles, habiles à acquérir terre noble même s'ils sont roturiers, ils jouissent surtout du privilège de vendre les vins de leurs crus dans la ville avant toute autre personne, et de vendre seuls leurs vins en taverne, de Saint-Michel à la Pentecôte. Dans la ville ne peuvent entrer que les vins de la sénéchaussée et du diocèse de Guyenne. Les vins du haut pays ne peuvent descendre jusqu'à Bordeaux qu'après Noël et ne peuvent entrer dans la ville.

Les « bourgeois de Bordeaux » ont « la justice et la juridiction politique » sur la ville et une banlieue de 16 paroisses, plus 7 paroisses, à titre de « comtes d'Ornon » et 6 paroisses à titre de « barons de Veyrines », collectivement, en tout 29 paroisses. Considérés comme « procureurs » de tous les autres habitants de la ville et de la banlieue, ils exercent ainsi de nombreuses fonctions pour le compte de l'Etat, en collaboration avec le Conseil du Roi dont ils provoquent les arrêts et en collaboration avec les agents du Roi, gouverneur, parlement, intendant, différents officiers royaux. Les « bourgeois de Bordeaux » sont chargés d'assurer la sécurité de la ville contre toute agression du dehors et l'ordre intérieur. Ils ont la garde des clefs des portes et des tours. Ils disposent de la juridiction « politique », du pouvoir réglementaire et du pouvoir de châtier les contraventions à leurs règlements. Ils règlent ainsi l'hygiène et la salubrité, l'approvisionnement en denrées et les prix, la voirie et les travaux publics, le commerce et l'industrie, l'instruction publique et l'assistance, les spectacles. Les « bourgeois de Bordeaux » exercent la juridiction criminelle, mais en concurrence avec le lieutenant criminel en la sénéchaussée de Guyenne, qui a la prévention sur eux. Ils rendent la justice civile, non dans la ville où siège le parlement, mais dans les 29 paroisses de banlieue dont ils sont seigneurs. Ils tranchent le contentieux fiscal relatif aux taxes municipales.

Les « bourgeois de Bordeaux » exercent leurs pouvoirs par l'intermédiaire de représentants. Ceux-ci entrent dans une série de collèges, recrutés par cooptation, et où chaque « bourgeois » peut espérer entrer à son tour. Un maire est élu pour deux ans par les jurats. Il y a six jurats, un par quartier de la ville, choisis pour deux ans, renouvelés par moitié tous les ans. Chaque jurat désigne son successeur dans sa jurade, mais les jurats opèrent avec l'aide d'un conseil de 24 « prudhommes » qu'ils désignent eux-mêmes. Les jurats doivent compter dans leurs rangs un nombre égal de gentilshommes, d'avocats et de marchands. Les jurats prennent l'avis pour les « petites affaires », s'ils le jugent bon, d'un « Conseil des Trente » désignés chaque année par les jurats nouveaux qui y font entrer leurs prédécesseurs, pour les affaires plus importantes d'un « Conseil des Cent » recrutés de la même façon, pour les affaires très importantes, des deux Conseils unis, une « Assemblée des Cent-Trente », représentant toute la communauté.

Les jurats utilisent les services de fonctionnaires permanents : un *solliciteur* auprès de la Cour et du Conseil du Roi, un *procureur syndic*, nommé par le maire et les jurats, pourvu par le Roi; un *clerc de ville*, greffier, chef des bureaux et archiviste; un *trésorier*, *des conseillers pensionnaires* ou avocats gagés. Les jurats disposent d'un guet, de 12 commissaires de police, des « troupes bourgeoises » commandées par le maire assisté d'un major, divisées en 6 régiments, un par quartier, chacun avec son colonel, et en 40 compagnies. Les jurats nomment tous les officiers de cette bourgeoisie en arme. Les jurats nomment de nombreux « officiers de police » : « poissonniers, taverniers, mesureurs de sel, compteurs de poissons, jaugeurs, empacqueurs, marqueurs de vins, visiteurs de grains, sacsquiers, visiteurs de rivières, enquanteurs, taxeurs de poissons, raffineurs, marqueurs de poids et mesure ». Les jurats placent des préposés au nettoyage des fontaines et des rues. Pour les travaux publics et le service des incendies, ils ont des « intendants de haute fuste et de maçonnerie »[1].

Les « bourgeois de Bordeaux » constituent donc un puissant « corps intermédiaire ». Leur cas a valeur d'exemple dans le royaume.

6/ *Les territoires : les communautés rurales*

Les habitants des villages et bourgs ruraux formaient des communautés naturelles qui s'organisaient et s'administraient comme de grandes familles pour le bien commun. Leur existence était nécessaire et elles n'avaient pas besoin de titres[2]. Les décisions étaient prises par des assemblées composées des chefs de feux et des veuves chefs de familles, propriétaires, inscrits sur le rôle des tailles, et ayant métier ou fonction, présidée par le juge du seigneur ou par le syndic de la communauté, l'assemblée délibérait valablement si elle comprenait au moins dix personnes. Après discussion les membres votaient à haute voix ou par division. L'assemblée décidait à la pluralité des voix, pourvu que cette majorité fût en même temps la plus saine

1. Archives municipales de Bordeaux, *Livre des privilèges*, t. II, Bordeaux, H. Barckbausen, édit., 1878, in-4°.
2. Denisart, *Coll. de décisions nouvelles et de notions relatives à la jurisprudence*, art. « Communautés d'habitants ».

partie des habitants et manants dudit lieu », et cette exigence fut reprise par l'édit de 1683[1].

Les communautés d'habitants ont un rôle politique et administratif. Pour les élections aux Etats généraux, elles élisent des députés au premier degré et rédigent des cahiers, fondus ensuite dans le cahier de la châtellenie ou de la juridiction équivalente. Les membres de quelques communautés de l'Ile-de-France et de celles de quelques provinces de l'Est, Champagne, Lorraine, Alsace, participent encore à l'exercice de la justice et de la police dans les assises des seigneurs en mars ou en mai. Les communautés soulagent l'administration royale en élaborant leurs règlements de police rurale, en choisissant les agents chargés de répartir et de percevoir, ou de percevoir seulement, les tailles et les gabelles, en estimant le produit moyen des vignes du terroir pour le fermier des aides, enfin, entre 1688 et 1691, en élisant ceux qui devaient faire partie de la milice royale. Les communautés déchargeaient l'Etat d'une partie importante de l'administration locale. Elles déterminaient l'opportunité, l'importance, les voies et moyens de leurs dépenses. Elles entretenaient les ponts, les rues, les chemins d'intérêt local, les fossés de drainage, les digues, les chaussées, etc. Elles administraient leurs biens communaux, en passaient des baux, vendaient leurs bois, levaient, avec l'autorisation du Roi, des taxes locales, empruntaient, ou aliénaient leurs biens. Elles nommaient pour les servir un procureur (syndic, conseil), des gardes, des bergers, un maître d'école et les rétribuaient. Chaque communauté formait une ou plusieurs paroisses; la paroisse est l'universalité du curé, de ses vicaires et des fidèles sur un territoire circonscrit et délimité. Le curé, chef de la paroisse, préside l'assemblée paroissiale, composée des mêmes personnes que l'assemblée de la communauté. L'assemblée paroissiale administre les biens de fabrique, ou biens et revenus affectés à l'entretien de l'église, et aux frais du culte. Elle élit un ou plusieurs marguilliers qui sont pour la paroisse ce qu'est le procureur pour la communauté. Les paroisses riches détiennent des biens des pauvres, administrés par un bureau de charité et un procureur de charité. L'assemblée paroissiale décide des mesures contre les épidémies, de l'accueil des maisons religieuses depuis l'édit de 1666.

Ainsi, communauté et paroisse constituent l'unité locale de base, qui groupe les éléments essentiels de satisfaction des besoins fondamentaux et participe à des tâches publiques de religion, d'instruction, d'assistance, de police, de finance, de sécurité.

1. Henry Babeau, *Les assemblées générales des communautés d'habitants en France, du XIIIe siècle à la Révolution*, thèse de Droit, Paris, 1893, p. 43. Pour un emprunt il faut un quorum des deux tiers; pour une aliénation de biens, la totalité des habitants.

7/ *Les corps d'officiers*

Les différentes unités territoriales comprenaient des corps des divers métiers et fonctions. Beaucoup d'officiers du Roi étaient groupés en corps, surtout les magistrats formaient corps et joignaient au titre de leur fonction la qualité de « conseiller du Roi », les officiers des cours souveraines, parlements, Chambres des Comptes, Cours des Aides, Grand Conseil, Cours des Monnaies, trésoriers généraux de France dans chaque généralité; les officiers de justice des bailliages, sénéchaussées et sièges présidiaux; les élus dans les élections, d'autres encore. Ces officiers pensaient qu'ils devaient au Roi la fidélité, et donc l'obéissance; mais à leur conscience, le respect de leur intégrité professionnelle, et donc le refus d'obéir aux ordres contraires à cette intégrité; à la justice, le respect de sa dignité, et donc maintenir de justes rapports entre le Roi et ses sujets, au besoin protéger ses sujets[1]. Cette conception impliquait un jugement porté sur les édits, déclarations, lettres-patentes, arrêts, envoyés par le Roi; un sursis à l'obéissance; des observations adressées au Roi pour obtenir le retrait des décisions prises, ou des amendements aux textes législatifs et réglementaires ou aux ordres envoyés. C'est ce que faisaient quotidiennement tous ces corps par la procédure de remontrances, qui était partie intégrante de leurs fonctions. Elle aboutissait à une collaboration constante entre le Roi, son Conseil et les corps d'officiers, pour la législation, la justice et l'administration. En outre, les corps réglaient eux-mêmes leur recrutement grâce à leur droit de réception et d'installation des nouveaux officiers, après enquête sociale et examen professionnel, et exerçaient sur leurs membres des pouvoirs disciplinaires. Les syndicats et les associations de certaines catégories d'officiers participèrent quelquefois aux affaires publiques, mais seulement dans les moments de crise, comme la Fronde[2].

8/ *Corps et communautés de métiers*

Dans de nombreuses villes, existaient des corps et communautés de métiers. Néanmoins, ces métiers organisés étaient certainement une minorité. Ils n'existaient sans doute pas dans les campagnes. Dans les villes, la plupart des métiers étaient inorganisés et simplement

1. Les officiers du présidial de Montauban au chancelier Seguier, 4 mai 1633; les présidents et trésoriers généraux de France au bureau des finances étably à Caen au chancelier Seguier, 24 octobre 1636, Léningrad, Bibliothèque Saltykov-Stschedrin, fonds Doubrowsky, 108/1, pièces 1 et 32.

2. Roland MOUSNIER, Recherches sur les syndicats d'offices pendant la Fronde. Trésoriers généraux de France et élus pendant la Révolution, *XVIIe siècle, Bulletin de la Société d'Etude du XVIIe siècle*, n° 42-43, 1959, p. 76-117.

réglés par la police générale du juge royal, du juge seigneurial ou du magistrat municipal. Les métiers « ayant droit de corps et communauté » s'appelaient « métiers jurés », « maîtrises et jurandes », la jurande étant l'ensemble des jurés élus par les maîtres. Le métier juré était une personne morale avec sceau, armoiries, oriflamme et bannière, rang fixé dans les cérémonies publiques. Il lui est confié des tâches d'ordre public, qui ont pour but, d'une part, d'assurer au public les services continus de gens de capacité professionnelle reconnue, fabriquant et vendant en quantité suffisante des produits de bonne qualité au juste prix. Pour ce faire, les maîtres du métier juré forment un « corps politique », « aristo-démocratique », géré par l'assemblée des maîtres de métier, à l'exclusion des compagnons et apprentis, par un conseil consultatif élus par cette assemblée, par un bureau de jurés ou syndics, élus par cette assemblée et mandatés par elle pour la représenter et agir en son nom. Les jurés interviennent au nom du corps auprès du Conseil du Roi, du Parlement, du bailliage, de la prévôté, etc. Le métier juré remplit ainsi des tâches publiques : recruter les maîtres du métier pour assurer la capacité professionnelle, défendre l'intérêt commun des maîtres contre les diverses concurrences; assurer le loyal exercice de la profession dans l'intérêt du public; participer à la législation, à la « police », en collaboration avec le Conseil du Roi et avec les officiers royaux, répartir et lever des contributions spéciales en temps de guerre; dans les cas graves, fournir et équiper des hommes pour l'armée. Le métier juré collabore avec l'Etat, lui suggère des lois et des règlements, le décharge de tâches d'administration.

9/ *Les protestants*

Une minorité religieuse, les protestants, fut traitée un moment comme un ordre du royaume. En vertu de l'ensemble de textes que nous appelons l'édit de Nantes, les protestants bénéficièrent d'une organisation religieuse analogue à celle du clergé de France, d'une organisation de justice et de police (Chambre de l'Edit) et même, en dépassant les textes en pratique, d'une organisation politique et militaire, qui fit des protestants plus qu'un ordre, une république protestante dans la monarchie française.

10/ *Conclusion de la première partie*

Ainsi, par les Etats généraux, l'assemblée du clergé, le syndic national des Eglises réformées, le conseil général et les députés généraux des protestants, par les Etats provinciaux, les corps de ville, les communautés de bourgs et de villages, les corps d'officiers, les corps et communautés de métier, auxquels il faudrait joindre les universités, les Français participaient aux activités de leurs gouvernants, à la législation, à la justice, à la « police » ou administration, parfois aux décisions exécutives du gouvernement. Dans tous les cas, c'est, en droit ou en fait, un groupe de privilégiés, le plus souvent une faible minorité, qui délègue des représentants à une assemblée. Cette assemblée n'a donc pour nous aucune valeur représentative. Elle en avait au contraire une grande, pour les contemporains, qui auraient sans doute méprisé notre suffrage universel et auraient jugé ses élus fort peu représentatifs. Constituent l'assemblée en effet, dans tous les cas, des gens dont l'intérêt est tellement lié à la prospérité générale qu'ils expriment parfaitement la volonté profonde de tous et même mieux que ne le feraient les intéressés; ou des gens qui, par leur fonction, comme les officiers royaux, sont les protecteurs et les interprètes de tous, l'image même de la justice, de parfaits procureurs de tous, gouvernants et gouvernés. Il y a toujours comme une vie cachée de l'idée de *sanior pars*. Les représentants de tous ces ordres et corps peuvent user auprès du Roi et de son Conseil des mêmes procédures : *la requête* en Conseil du Roi « aux fins d'arrêt », mémoire citant faits, pièces et actes; le *placet* au Roi qui renferme plaidoiries et conclusions et saisit le Roi directement en tant que loi vive et justicier suprême; l'*opposition* à des lettres patentes royales ou à des arrêts du Conseil, signifiée par un huissier des requêtes ordinaires de l'Hôtel du Roi au secrétaire du Conseil et au grand audiencier de France pour obtenir un nouvel examen sur des bases nouvelles d'information; les *remontrances* au Roi ou en Conseil du Roi, qui est un appel au Roi mieux informé, une sollicitation pour qu'il accomplisse son devoir de justice, en même temps l'accomplissement du devoir de ses sujets de l'informer, de le conseiller, ce qui détermine un nouvel examen avec un rapport d'un maître des requêtes, ou, dans les cas graves, un rapport direct au Roi du chancelier de France, du surintendant ou du contrôleur général des finances, d'un secrétaire d'Etat; s'il s'agit de graves affaires et de corps importants, les *conférences* avec des conseillers d'Etat, parfois avec le chancelier d'Etat ou un ministre, dans les cas très graves, dans le Conseil même; enfin, pour tous les ordres et corps, l'*intervention* dans les procès d'un membre du corps, d'un corps subordonné, ou d'un autre corps, avant le prononcé de l'arrêt, ou la voie de la *tierce opposition* après le prononcé de l'arrêt[1].

1. Ces procédures ont été bien étudiées à propos du clergé de France, par Julien Coudy, *Les moyens d'action de l'ordre du clergé au Conseil du Roi, 1561-1715*, thèse de Droit. Paris, 1952; Sirey, 1954, gr. in-8°. Ce qu'il en dit est valable pour tous les ordres et corps,

Etats généraux, ordres, Etats provinciaux et corps ne disposent d'aucun pouvoir de contrainte. Le Roi est souverain, suprême justicier, loi vivante, commandement d'en haut. Tout est en dernier ressort recours à sa justice ou à sa grâce. L'appel n'a lieu que de lui à lui-même et c'est lui finalement qui tranche, souverainement. Le pouvoir royal n'est limité que par le risque de révolte, alors que noblesse et bourgeoisie sont en armes et peuvent entraîner paysans et artisans.

II. — L'accroissement du pouvoir arbitraire et de la tutelle administrative au cours du XVIIe siècle

La participation des gouvernés aux activités des gouvernants n'a jamais disparu entièrement. Mais, entre 1630 et 1715, elle s'est affaiblie. Les ordres et les corps sont devenus en fait surtout des moyens d'action du Roi, des agents royaux.

Les premières causes de cette transformation sont probablement d'abord les guerres. Participation croissante de la France à la guerre de Trente ans, « guerre couverte », importante surtout depuis le « grand choix » du Roi d'avril 1630, « guerre ouverte » contre les Habsbourg d'Espagne et l'Empereur de 1635 à 1648, puis contre l'Espagne seule jusqu'en 1659, guerre contre la Hollande, puis contre une coalition de 1672 à 1679, maintenue du royaume sur le pied de guerre de 1679 à 1688, enfin, les grandes guerres générales de la Ligue d'Augsbourg (1688-1697) et de la Succession d'Espagne (1701-1714), où la France fut comme une grande place forte assiégée. L'effort de guerre imposa la concentration du pouvoir, la rapidité des décisions et de l'exécution, incompatibles avec les longues délibérations des ordres et des corps, les lentes procédures de relations entre eux et le gouvernement, le respect des droits acquis et des privilèges. Une seconde série de causes réside dans la grande récession économique du XVIIe siècle français au moment même d'un effort fiscal démesurément accru. Le ralentissement de l'arrivée des métaux précieux d'Amérique, le resserrement monétaire, la stagnation puis la diminution progressive des prix, le déclin du profit, la timidité de l'entreprise, l'appauvrissement des salariés en furent les premières manifestations. De nombreuses séries de mauvaises récoltes entraînèrent des disettes, des épidémies, et favorisèrent la « peste » qui se répandit en France depuis 1626. Il en résulta des « mortalités ». Les plus terribles furent celles de 1629-1632, 1641-1653, 1662-1663, 1693-1694, 1709-1710. Ensuite, les entreprises industrielles reprennent de la vigueur. Il fallut une intervention croissante du gouvernement dans la vie économique et sociale. Mais ce mercantilisme imposa lui aussi un accroissement du pouvoir central. L'effort de guerre, les « mortalités », les résistances à l'action du gouvernement multiplièrent les révoltes, qui entraînèrent le gouvernement à accroître ses pouvoirs et son contrôle de toute la vie des sujets. Les gouvernements français du XVIIe siècle furent des gouvernements de guerre, de dépression économique, de troubles sociaux. Ils prirent donc des aspects dictatoriaux.

1/ *La disparition des Etats généraux, des assemblées de notables, de nombreux Etats provinciaux, de l'état et de l'ordre protestants*

Après 1615, il n'y eut plus d'Etats généraux jusqu'en 1789. La Constitution coutumière ne fut pas modifiée en droit. Simplement, le Roi ne convoqua plus les Etats. Il n'y eut pas de changement juridique, mais une profonde transformation institutionnelle. Elle fut voulue, sinon désirée, par les notables des Etats. Les ordres entrèrent en lutte les uns contre les autres, les légistes et les bureaucrates du tiers contre les militaires de la noblesse et contre le clergé. Dans leurs conflits, les ordres recoururent à l'arbitrage du Roi et chacun le supplia d'user de sa toute-puissance contre les autres. Les Etats s'en remirent au pouvoir arbitraire.

Après 1627, le Roi ne convoqua plus d'assemblées de notables jusqu'en 1787.

De nombreux Etats provinciaux disparurent, souvent dans l'indifférence générale. Le plus souvent, ils ne furent pas officiellement supprimés. Seulement, le Roi cessa de les convoquer. Ce furent les Etats de Dauphiné, de Normandie (1655), de la Basse-Auvergne (1672), du Quercy et du Rouergue (1673), d'Alsace (1683), de Franche-Comté (1704). Les Etats de Provence furent remplacés en 1639 par une « assemblée de communautés » où siégèrent les députés des communautés d'habitants, avec deux prélats et deux gentilshommes, sous la présidence de l'archevêque d'Aix.

L'organisation politique et militaire des protestants, d'essence féodale, fut achevée par l'édit de Grâce (juillet 1629), les places de sûreté étaient supprimées, les fortifications des villes rasées. Les assemblées et conseils politiques des protestants disparurent. Leurs députés généraux en Cour devaient être désormais élus par leur assemblée religieuse, le synode national. L'organisation de justice et de police fut progressivement démantelée et disparut lorsque l'édit de juillet 1679 supprima les dernières chambres « mi-parties », celles de Languedoc, Guyenne et Dauphiné. De leur organisation religieuse, les synodes nationaux ne se réunirent plus après celui de Loudun (1659). Les Eglises et les synodes provinciaux disparurent après l'édit du 18 octobre 1685, révoquant celui de Nantes.

2/ Les corps d'officiers, simples exécutants

Sans guère changer la théorie de la fonction publique, en fait, le Roi réduisit les corps d'officiers, par l'emploi de commissaires, tels les intendants, et par les lettres de cachet, transmettant directement les ordres personnels du souverain, au rôle de simples exécutants, et non plus de conseillers et de collaborateurs. Les procédures de remontrances et d'opposition se raréfièrent, et, semble-t-il, finirent par disparaître. Le cas du Parlement de Paris est le plus typique. Cours de justice, le Parlement prétendait intervenir spontanément dans les affaires de l'Etat, comme héritier du *Parlamentum* ou Assemblée générale des Francs, et comme abrégé des Etats généraux. Il prétendait reconstituer à son gré le *Parlamentum*, en convoquant, de sa seule autorité, les princes du sang, les ducs et pairs, les grands officiers de la Couronne, les conseillers du Roi, pour délibérer sur l'Etat. Il entravait l'application des édits royaux, et la politique du gouvernement lorsqu'il s'agissait d'édits de finances, en présentant indéfiniment des remontrances sur les édits et en ajournant leur enregistrement qui les rendait exécutoires. Un édit du 21 février 1641 réserva la connaissance des affaires d'Etat au Roi, réduisit les remontrances avant l'enregistrement à deux seulement en matière de finances, et rejeta les remontrances après l'enregistrement en matière d'Etat, l'édit royal étant exécutoire immédiatement et par provision. La mort de Louis XIII annula pratiquement l'édit. Des lettres patentes de février 1673 imposèrent l'enregistrement immédiat des édits, rejetèrent les remontrances après l'enregistrement et les réduisirent à une. Le Parlement aima mieux ne plus présenter de remontrances et enregistrer purement et simplement les décisions du Roi.

3/ La tutelle des ordres et des corps

Les ordres et les corps subsistants furent mis pratiquement en tutelle. A tous pourraient s'appliquer les termes de la déclaration du 22 juin 1659, sur les communautés et les paroisses « réputées mineures »[1]. Tout se passa comme si le Roi traitait les ordres et les corps en mineurs. Il employa deux moyens principaux : le contrôle du choix de leurs principaux représentants, une véritable tutelle administrative exercée par les commissaires royaux.

Louis XIV écarte par lettre de cachet les candidats indésirables à l'assemblée du clergé et recommande les bons candidats, qui sont presque toujours élus. Le Roi désigne en fait le président de l'assemblée. L'élection est un simulacre, et les archevêques de Paris, Harlay (président de 1660 à 1695), Noailles (1700-1715), furent les agents du Roi et de véritables ministres des cultes, dont les propositions étaient toujours ratifiées par l'assemblée. Louis XIII nomma le 30 août 1641 un agent général du clergé par lettre de cachet. Louis XIV s'arrangea pour que le clergé élût toujours des agents généraux fidèles au Roi. Les Etats provinciaux de Bretagne, depuis 1626, devinrent bisannuels. Le Roi désigna lui-même par lettres les nobles admis à y siéger et les villes qui pouvaient y députer. En Languedoc, l'édit de Béziers (1632) enleva aux Etats le droit de discuter l'impôt et transforma leur trésorier en officier royal surveillé par des commissaires royaux et par le Conseil du Roi. En 1649, pendant la Fronde, les Etats retrouvèrent leurs privilèges, mais se montrèrent désormais dociles. Le Roi veillait à l'entrée aux Etats de « bons » députés, entretenait toute une correspondance avec les députés, les influençait et récompensait les services des fidèles par des lettres de remerciement, des gratifications, des pensions, des charges à la Cour pour leurs enfants[2]. Dans les villes, le Roi nomma fréquemment lui-même les maires, les échevins, consuls, jurats. Au moins intervint-il dans les élections par lettre de cachet pour faire élire ses candidats. Les expédients financiers des grandes guerres de la fin du règne imposèrent la transformation des magistrats municipaux en officiers royaux pourvus d'offices vénaux, échappant aux électeurs et ne relevant que du Roi. Il en fut de même dans bien des bourgs ruraux[3]. Depuis les lettres patentes de juillet 1658, le procureur du Roi au Châtelet à Paris, depuis 1667, ce procureur conjointement avec le lieutenant de police, et, en province, les juges de police et les intendants, doivent présider à l'élection des jurés des métiers.

1. Déclaration du 22 juin 1659 portant défense aux communautés d'aliéner leurs droits d'usage sans permission du Roi et décret de justice, ISAMBERT, 17, p. 370.

2. Lettres p. p. J. ADHER, La préparation des séances des Etats du Languedoc, *Annales du Midi*, 25, 1913, p. 453-471.

3. Edits d'août 1692 (ISAMBERT, 20, p. 158), de mai 1702 (ISAMBERT, 20, p. 410), de mars 1702 (ISAMBERT, 20, p. 408).

Sur tous les corps s'exerça une véritable tutelle administrative. L'ordre du clergé, les Etats provinciaux étaient suffisamment soumis par les mesures de choix et de contrôle de leurs membres, présidents et agents. Les édits de juin 1635 et de juillet 1690 créèrent des procureurs du Roi dans chaque ville et communauté[1]. Les villes et communautés furent de plus en plus administrées de Paris, puis de Versailles, par une multitude d'arrêts du Conseil rendus sur rapport des intendants. Les passages et séjours de gens de guerre, les famines et pestes, la nécessité de nourrir les indigents et de soigner les malades avaient causé l'endettement des villes et des communautés. Prétendant la mauvaise administration de leurs finances, le Roi fit vérifier leurs dettes, leurs biens et revenus, décida des octrois et taxes extraordinaires qu'elles pouvaient lever, des emprunts qu'elles pouvaient contracter, des aliénations qu'elles pouvaient effectuer. Il fit vérifier leurs comptes par les intendants ou leurs subdélégués, limiter leurs dépenses de banquets, voyages en Cour et procès, pour qui il fallut l'autorisation du Roi. Il en fut de même pour les communautés rurales. Depuis la Fronde, juges de police et intendants autorisent et souvent président les assemblées des corps et communautés de métier, vérifient les comptes des jurés. Il faut des arrêts du Conseil, rendus sur rapport des juges de police ou des intendants, pour autoriser les procès, nombreux entre les corps de métier, onéreux et dont il était nécessaire de limiter le nombre, et pour permettre les emprunts.

Par contre tous les corps apportèrent le plus utile secours au Roi pendant les guerres de la Ligue d'Augsbourg et de la Succession d'Espagne pour ses emprunts, ses ventes d'offices, la perception des impôts normaux (capitation, dixième). Une pluie d'arrêts du Conseil, rendus sur le rapport de commissaires, surtout des intendants, régla de plus en plus toutes les activités des sujets du Roi.

III. — Les hésitations du XVIIIe siècle

Par rapport au XVIIe siècle, le XVIIIe est une période de guerres moins nombreuses et moins graves (Succession de Pologne, 1733-1738, Succession d'Autriche, 1740-1748, Guerre de Sept ans, 1756-1763), bien que la guerre d'Indépendance américaine (1778-1783) ait coûté particulièrement cher à cause des spéculations de Necker. Une hausse séculaire des prix recommença en 1730, probablement en relations

1. ISAMBERT, 20, p. 106.

avec la reprise de production des mines d'argent américaines. La hausse sécréta le profit, l'entreprise fut encouragée : ce fut une période d'essor économique spontané. Les conditions climatiques furent meilleures, les disettes moins nombreuses et moins graves; les « mortalités » avec leurs séquelles économiques et sociales se raréfièrent, puis disparurent. Le capitalisme commercial se développa; la population augmenta, l'urbanisation s'accrut, la bourgeoisie prit du nombre, de l'importance, de l'influence. Son idéologie s'imposa peu à peu. Dans ces conditions, le type de gouvernement du XVIIe siècle n'était plus nécessaire, au moins de façon permanente. Or, la Cour conserva le gouvernement de guerre. La Polysynodie (1715-1718), d'ailleurs masque des ambitions personnelles du duc d'Orléans, aurait été au mieux la mise du gouvernement de guerre au service d'un groupe d'aristocrates. D'autre part, la Cour ne prit pas nettement conscience de la nécessité de forcer à une transformation de l'impôt, d'impôt de répartition sur la base du privilège en impôt de quotité sur la base de l'égalité, et à une transformation libérale de la propriété, par abolition de ce qui restait juridiquement de régime féodal et seigneurial. Le maintien d'un gouvernement de guerre, sans volonté persistante de réforme, dans une période de paix relative et de prospérité, fut une des causes des oscillations du XVIIIe siècle français. La hausse fut momentanément interrompue, de 1770 à 1787, par une baisse intercyclique. Celle-ci rendit insupportable l'impôt monarchique et acheva, pour sa part, de compromettre tout le système politique et social dont il semblait une expression. La conviction i'imposant que l'homme était naturellement bon et que son intérêt sndividuel coïncidait avec l'intérêt général, l'idée se répandit de plus en plus sous diverses formes de substituer à la société d'ordres et de corps, une société de classes, ouverte, dont les membres, libres et égaux en droit, ne seraient plus distingués les uns des autres que par la fortune, les talents et le genre de vie.

1/ *Villes et communautés d'habitants*

La Cour oscilla perpétuellement entre le régime de la vénalité et de l'hérédité des offices municipaux, par lesquelles une poignée de propriétaires confisquaient héréditairement la puissance publique, et le régime des élections contrôlées, accusé périodiquement de susciter brigues, cabales et désordres et de porter aux fonctions des incapables et des passionnés. La tendance alla de plus en plus à réduire les assemblées générales, déjà oligarchiques dans la plupart des villes, à un petit nombre de notables, désignés en raison des talents et de la fonction sociale, plus encore qu'en raison de la fortune. Caractéristique est à ce point de vue l'édit de Marly (mai 1765) dont le but était d'unifier le système municipal sur la base d'élections. L'assemblée des notables de chaque ville ou communauté d'habitants est composée du maire, des échevins, des conseillers de ville et de quatorze notables pris, un dans le chapitre principal, un dans l'ordre ecclésiastique, un parmi les « personnes nobles et officiers militaires » un dans le bailliage ou sénéchaussée, un dans le bureau des finances, un parmi les officiers des autres juridictions, deux parmi les commensaux de la Maison du Roi, les avocats, les médecins, les « bourgeois vivant noblement », un parmi les notaires et procureurs, trois parmi les négociants en gros, marchands ayant boutique ouverte, chirurgiens et autres pratiquant les arts libéraux, deux parmi les artisans. S'il manquait une ou plusieurs des « classes d'habitants » indiquées, le notable qu'elle devait ou qu'elles devaient fournir était remplacé par quelqu'un ou quelques-uns de la première classe trouvée en descendant cette hiérarchie. Il s'agit d'assurer la prépondérance des officiers et des professions libérales[1]. L'édit de Fontainebleau (novembre 1771) rétablit la vénalité et l'hérédité des offices[2]. La tutelle administrative resta rigoureuse.

2/ *Les corps et communautés de métiers*

Ils subsistèrent sans changement essentiel jusqu'à Louis XVI. Inspiré par les physiocrates, le contrôleur général des finances Turgot voyait dans « la faculté même, accordée aux artisans d'un même métier de s'assembler et de se réunir en un corps » la source de plusieurs maux : pour l'Etat, une diminution du commerce et des « travaux industrieux », puisque le monopole des corps réduit le nombre des fabricants, pour les ouvriers, une perte de salaires et de moyens de subsistance, à cause de la réduction de la concurrence, pour les habitants des villes, la nécessité de recourir à des ouvriers de différentes communautés pour le travail le plus simple, une moindre qualité et des prix plus élevés. Considérant que le « droit de travailler » est « la propriété de tout homme et cette propriété, la première, la plus sacrée et la plus imprescriptible de toutes », Turgot fit déclarer « libre à toutes personnes de quelque qualité et condition qu'elles soient, même à tous étrangers », « d'embrasser et d'exercer dans tout notre royaume, telle espèce de commerce et telle profession d'arts et métiers que bon leur semblera, même d'en réunir plusieurs », et

1. Art. 32, 33, Isambert, 22, p. 434-447.
2. Isambert, 22, p. 539.

supprimer « tous les corps et communautés de marchands et artisans, ainsi que les maîtrises et jurandes » (édit de Versailles, février 1776)[1].

Après son départ du Contrôle général, l'édit d'août 1776 modifia sa réforme mais ne l'abolit pas. A Paris, 21 groupes de métiers restaient libres, 44 corps et communautés nouveaux réunissaient « les professions qui ont de l'analogie entre elles » et qui formaient jusqu'alors des corps séparés. L'édit ouvrait les nouvelles communautés aux femmes et aux filles, aux étrangers dispensés d'ailleurs du droit d'aubaine. Il donnait la possibilité de cumuler plusieurs métiers, le droit d'exercer dans tout le royaume. Il prévoyait de nouveaux statuts et règlements et il n'était pas question de chef-d'œuvre. Par contre, les confréries et compagnonnages étaient interdits[2].

Le Roi espérait ainsi conserver ce qu'il y avait de bon dans l'ancien système des corps : la discipline intérieure, l'autorité des maîtres sur les ouvriers, l'aide à l'Etat; et ce qu'apportait de bon l'édit de Turgot : la liberté, l'émulation, la concurrence. L'édit était d'ailleurs nettement au profit des maîtres contre les ouvriers. Les dispositions de l'édit d'août 1776 furent étendues à Lyon (janvier 1777), au ressort du Parlement de Paris, où un certain nombre de villes reçurent de nouvelles communautés d'arts et métiers, après suppression des anciennes, et où le travail et l'entreprise restèrent libres ailleurs (avril 1777), aux ressorts du Parlement de Normandie (édits de février 1778 et d'avril 1779), des parlements de Nancy et de Metz, du Conseil souverain de Roussillon (édits de mai 1779 et juillet 1780)[3]. L'œuvre de Turgot ne fut donc pas ruinée.

3/ *Les corps d'officiers*

Pour obtenir modification du testament de Louis XIV, le Régent leva, dès septembre 1715, les restrictions aux remontrances. Les parlements purent reprendre leur opposition. Ces corps s'étant élevés socialement, et leurs membres ayant de plus en plus confondu leurs intérêts et leurs sentiments avec ceux des gentilshommes, les parlements reprirent et développèrent toutes leurs prétentions antérieures sur leur contrôle des affaires de l'Etat. Mais ils ne se servirent de leurs pouvoirs d'arrêter, de repousser, de modifier les édits, déclarations et lettres patentes du Roi que pour une opposition inintelligente et stérile à toutes les réformes tentées par le gouvernement. A diverses

1. *Ibid.*, 23, p. 370-386.
2. *Ibid.*, 24, p. 74-88.
3. GUYOT, *Répertoire universel et raisonné de jurisprudence*, t. V, 1784, art. « Corps et Communautés d'arts et métiers », et ISAMBERT, *passim*.

reprises des édits limitèrent à nouveau le nombre des remontrances et interdirent aux parlements de s'occuper spontanément des affaires de l'Etat. Appuyés par une opinion publique aveugle et face à un gouvernement hésitant, les parlements n'en tinrent pas compte. Bien mieux, tous les parlements considérèrent qu'ils ne formaient qu'un seul corps, le seul et unique Conseil du Roi. Ils finirent par obtenir au cours de la guerre de Sept ans, en matière de finances, un véritable monopole, dont ils ne surent pas se servir. Le procès du duc d'Aiguillon, pair de France, accusé d'abus d'autorité comme gouverneur de Bretagne, fut pour le Parlement l'occasion d'essayer de « soumettre à l'inspection des tribunaux le secret de l'administration, l'exécution de ses ordres » (du Roi)[1], de rendre les agents du Roi, gouverneurs, intendants, etc., responsables devant les juges pour les actes effectués dans l'exercice de leurs fonctions, de soumettre le gouvernement et l'administration au contrôle d'un pouvoir judiciaire. Le chancelier Maupeou dispersa donc le Parlement de Paris (janvier 1771). Is réduisit son ressort par l'institution de six conseils supérieurs composél non d'officiers, mais de commissaires révocables à volonté. Il ramena à une simple formalité automatique sa fonction d'enregistrement des lois. Enfin, en cas de vente d'un office par l'officier, le Roi se réserva le choix du successeur pourvu qu'il versât le prix de l'office au vendeur (février 1771). L'opposition à ces utiles réformes fut vaincue. Au début de 1774, la partie était gagnée. Mais le 27 avril Louis XV mourut. Louis XVI n'avait aucun sens de l'Etat. Il était pénétré des idées de l'opposition aristocratique, jadis groupée autour du duc de Bourgogne, et exprimées, entre autres, par Fénelon. Il remit tout dans l'état antérieur. Les parlements reprirent leur opposition réactionnaire. Ils arrêtèrent tous les édits réformateurs. Le Roi fut contraint de faire enregistrer, en lit de justice, le 8 mai 1788, un édit supprimant le pouvoir des parlements de vérifier les ordonnances, édits, déclarations et lettres patentes royaux, tant en matière de législation que d'administration générale, et confiant cette fonction à une cour plénière, unique pour tout le royaume, composée de représentants des parlements, des princes du sang, des pairs de France, de grands officiers de la Couronne, d'archevêques, d'évêques, de maréchaux de France, de gouverneurs de province, de conseillers d'Etat et d'autres notables, tous nommés par le Roi. Un autre édit supprimait les tribunaux d'exception, les bureaux des finances, les élections, la juridiction des traites, la Chambre du Domaine et du Trésor à Paris,

1. Cité par J. FLAMMERMONT, *Le chancelier Maupeou et les parlements*, p. 86, Discours de Maupeou, le 27 juin 1770.

séparait partout la « juridiction contentieuse » de la « partie administrative », remettait tout le contentieux aux présidiaux et grands bailliages, et toute l'administration au Conseil d'Etat, aux Etats provinciaux et aux assemblées provinciales[1]. Les officiers conservés, ceux des eaux et forêts, des greniers à sel, désormais simples administrateurs, perdaient la possibilité d'user des procédures de remontrances et d'opposition. Ces édits déclenchèrent une révolte aristocratique qui commença la Révolution. L'arrêt du Conseil du 8 août 1788, fixant la date de convocation des Etats généraux au 1er mai 1789, suspendit la Cour plénière.

4/ *Les assemblées provinciales de 1778 à 1787* *Les Etats provinciaux*

Deux courants d'idées se manifestèrent. Le plus ancien, venu du groupe des amis du duc de Bourgogne sous Louis XIV, de Saint-Simon, de Fénelon, consistait à étendre le régime des Etats provinciaux aux pays d'élections, et à le faire revivre là où il avait disparu. L'on aurait renforcé la structure d'ordres de la société, la prééminence de l'aristocratie, les sentiments particularistes et les aspirations autonomistes. Le plus récent, exprimé d'abord par d'Argenson dès 1737, mais vivifié surtout par les physiocrates depuis 1756, par Mirabeau, par Turgot et Dupont de Nemours (mémoire sur les municipalités, 1775), allait à créer des assemblées de provinces, d'élections, de villes et de communautés d'habitants, élues parmi les propriétaires sans distinction d'ordres. C'était confier l'administration et des projets de législation aux représentants de la classe aisée d'une société de classes. Dans l'un et l'autre plan, les Etats ou assemblées auraient été compétents pour la répartition, la perception et le contentieux des impôts, les travaux publics, la rédaction de projets de réforme et de créations à soumettre au gouvernement royal.

Le Roi songea à utiliser les assemblées provinciales et locales comme agents de son pouvoir, partageant ses responsabilités. Un premier essai eut lieu en 1766 dans le comté de Boulonnais. Le gouvernement n'osa pas le généraliser en raison de l'hostilité des financiers. Necker, par arrêts du Conseil de 1778 à 1779, crée deux « administrations provinciales », l'une en Berry, l'autre en Haute-Guyenne (Montauban). Leur compétence s'étendait à la répartition de l'impôt, au développement des voies de communications, à des « représentations » au Roi. Elles étaient constituées essentiellement par une assemblée siégeant tous les trois ans. Sa composition était un compro-

1. ISAMBERT, 28, p. 560-567, 550-553.

mis entre la structure d'ordres et la structure de classes : le tiers état avait autant de députés que les deux autres ordres réunis, il était doublé, et le vote se faisait par tête. Dans l'intervalle des sessions une « commission intermédiaire » veillait à l'exécution des décisions de l'assemblée et assurait l'administration.

Les « administrations provinciales » ne furent pas généralisées à cause de l'opposition du Parlement. Elles furent compromises dans l'opinion publique parce qu'elles n'étaient pas élues. Le Roi avait nommé le premier tiers des membres et ceux-ci se complétèrent par cooptation. Elles furent composées de privilégiés soucieux surtout des privilèges. Le gouvernement ne considérait pas ces « administrations » comme représentant la province, mais comme des « délégués » du souverain. Enfin, elles avaient contre elles la méfiance des ministres et l'hostilité des intendants qu'elles auraient pu remplacer. Des règlements de 1782 et 1783 les placèrent sous la tutelle de l'intendant. Néanmoins, elles durèrent et dressèrent d'utiles programmes de réformes.

Loménie de Brienne fit créer des assemblées provinciales et municipales par l'édit du 17 juin 1787, sur la base du compromis entre structure d'ordres et structure de classes, avec doublement du tiers et vote par tête, dans toutes les généralités où il n'y avait pas d'Etats provinciaux. Ces assemblées devaient répartir les impositions d'une part, d'autre part des taxes pour la construction d'édifices et d'ouvrages publics. Elles devaient rédiger des vœux et des projets. Leurs réunions étaient annuelles. Par règlement du 23 juin, l'assemblée municipale devait être composée de membres de droit : le seigneur de la paroisse, qui pouvait être un roturier, et le curé, plusieurs membres élus. Pour être électeur, il fallait payer 10 francs d'imposition foncière ou personnelle, pour être éligible, 30 francs. L'assemblée élisait un syndic pour exécuter ses décisions. Dans les grandes villes, les élections se firent selon le régime des édits de 1764 et 1765. L'assemblée d'élection ou de « département » était composée de 16 à 24 membres élus parmi les membres des assemblées municipales. Son président était nommé par le Roi. L'assemblée élisait deux procureurs syndics, dont un noble ou clerc, et une « commission intermédiaire » de quatre membres, dont deux nobles ou clercs, pour exécuter ses décisions. Seuls les seigneurs de paroisse étant considérés comme représentants de la noblesse, la prépondérance était donnée en fait aux propriétaires, même roturiers.

Les assemblées provinciales, prévues pour 26 généralités, n'existèrent que dans 17, à cause du refus des parlements de Besançon, Grenoble et Bordeaux. Les assemblées ne tinrent qu'une seule session, celle de 1787. Celle de novembre 1788 fut supprimée. En effet, l'opinion publique resta méfiante et hostile. Le gouvernement commit deux fautes : d'abord, il ne voulut faire procéder aux élections prévues qu'en 1790. Pour 1787 le Roi nomma la moitié des membres de l'assemblée provinciale sur avis de l'intendant et l'assemblée se compléta elle-même sur avis de son président, toujours un archevêque ou un grand seigneur. Les assemblées provinciales furent donc surtout composées de haut clergé, grands vicaires, abbés, chanoines, de peu de curés; de noblesse de Cour : officiers supérieurs et officiers généraux, sans noblesse de robe. Quant au tiers état, il comprit surtout des magistrats royaux, des maires propriétaires de leurs charges, des avocats, de nombreux écuyers et chevaliers, des seigneurs, des procureurs fiscaux de seigneurs, pas plus d'une vingtaine de négociants en tout, une énorme majorité de gens au service du Roi ou intéressés au maintien des privilèges. La seconde faute fut de soumettre les assemblées et leurs commissions intermédiaires à une étroite tutelle des intendants. Il n'y eut en fait pas de décentralisation. A la fin de 1788, l'opinion publique se plaignait qu'aucun résultat bien important n'eût été obtenu, ni en finances, ni en économie. Elle incriminait la composition des assemblées et leurs pouvoirs insuffisants. Le 15 octobre 1788 Necker annonça que la session des assemblées provinciales n'aurait pas lieu. Les commissions intermédiaires durèrent jusqu'en juillet 1790.

L'échec des assemblées provinciales ramena la faveur de l'opinion aux Etats provinciaux. Le Roi avait déjà permis le rétablissement des Etats provinciaux en Hainaut et en Provence, dispensés d'appliquer l'édit de juin 1787. Après l'édit du 8 mai 1788, brisant les pouvoirs politiques des parlements, les provinces réclamèrent d'autres garanties. En Dauphiné, le mouvement de révolte des aristocrates obligea le gouvernement à tolérer l'assemblée spontanée de Vizille, réunie le 21 juillet 1788. Elle décida la reconstitution des Etats provinciaux, mais sur de nouvelles bases. Une nouvelle assemblée à Romans réorganisa les Etats provinciaux sur la base du compromis entre structure d'ordres et structure de classes. La division en ordres était maintenue, mais la représentation du tiers doublée, et le vote devait avoir lieu par tête. Pour les élections du tiers, le pouvoir électoral était réservé aux aisés; il fallait payer 6 à 10 livres d'impôt dans les campagnes, 40 à Grenoble pour être électeur. Les pouvoirs des Etats devaient dépasser ceux des assemblées provinciales. Le président devait être élu. Les Etats devaient avoir toute l'administration et le contentieux de l'impôt et des travaux publics, la tutelle des communautés, l'examen de tout ce qui intéresserait la province.

Toute loi générale devait leur être soumise. Mais le vote annuel de l'impôt resterait réservé aux Etats généraux. Les Etats devaient être annuels. Ils devaient nommer des procureurs-syndics et une commission intermédiaire. L'arrêt du Conseil du 22 octobre 1788 sanctionna ces décisions. Le 12 décembre 1788, les Etats de Dauphiné se réunirent. Partout, l'opinion publique réclama des Etats provinciaux sur le même modèle. Le 27 décembre 1788, le Conseil du Roi déclara que les Etats généraux en organiseraient dans toutes les provinces.

5/ *Les assemblées de notables de 1787 et de 1788*

Elles ne diffèrent pas essentiellement des assemblées de notables du XVIIe siècle. Comme elles, elles ne sont qu'un Conseil élargi. Les différences résident dans le plus grand nombre de notables convoqués (144), dans la représentation des chefs municipaux des villes (25) et des pays d'Etats (12); si cette différence n'est pas due à nos ignorances sur les assemblées de notables du XVIIe siècle : dans la répartition des notables en 7 bureaux, présidés chacun par un prince du sang, sans division du travail, pour un examen préalable des affaires, ce qui accrut l'influence des princes du sang et facilita leur opposition; enfin, avec la même réserve, dans l'existence de « groupes de pression », les opposants se réunissant en dehors des séances pour arrêter leur tactique, les magistrats chez le garde des Sceaux, la haute noblesse dans le salon de Mme de Beauvau, dont le mari, « neckériste », était ennemi de Calonne, le contrôleur général des finances, les prélats chez l'archevêque de Narbonne[1]. Ainsi le Conseil élargi devint source d'opposition.

6/ *Les Etats généraux de 1789*

Malgré quelques différences de vocabulaire, bien qu'il fût parfois question dans les textes royaux d' « assemblée vraiment nationale » et de « représentants de la Nation », les Etats généraux de 1789 devaient avoir, dans l'esprit du Roi, la même structure d'ordres, et la même compétence, purement consultative, et les mêmes procédures que ceux de 1614-1615[2]. Mais des dispositions électorales, malheu-

1. Pierre RENOUVIN, *L'Assemblée des notables de 1787*. La conférence du 2 mars. Texte publié avec introduction et notes, thèse complémentaire de Paris, 1920, p. IX.

2. Lettre du Roi du 24 janvier 1789 pour la convocation des Etats généraux à Versailles, 27 avril 1789, Armand BRETTE, *Recueil de documents relatifs à la convocation des Etats généraux de 1789*, Coll. des Doc. inéd. sur l'Hist. de France, t. I, in-4°, Paris, 1894, p. 64-65; arrêt du Conseil du 5 juillet 1788, *ibid.*, p. 19-22; du 8 août, *ibid.*, p. 23-25. Discours du Roi le 5 mai 1789, p. p. G. LEFEBVRE et A. TERROINE, *Documents relatifs aux Etats généraux*, t. I, Paris, 1953, p. 285.

reuses de ce point de vue, permirent le passage de la structure d'ordres à la structure de classes[1]. Finalement, sur 1 318 députés ayant siégé, l'ordre du clergé en compta 326, la noblesse 330, le tiers état, doublé, 661. Mais, à la différence des Etats de 1614-1615, les curés sont non seulement très largement représentés dans l'ordre du clergé, mais encore y disposent de la majorité : ils sont 220 sur 326. Or, leurs sentiments et leurs intérêts vont le plus souvent avec ceux du tiers état. Dans la noblesse, la proportion de ceux qui ont leur principale fonction dans les armées du Roi, qui sont des militaires avant tout, a augmenté : ils sont 166 sur 331, plus de la moitié, au lieu de moins d'un tiers en 1614-1615. Dans le tiers état, les officiers royaux de justice ne forment plus la majorité, ils ne sont plus presque les deux tiers de la représentation du troisième Etat. Le groupe le plus important est celui des professions libérales, 214 députés dont 180 avocats. Les professions productrices de biens matériels (agriculture, commerce, industrie), d'intérêts voisins des précédents, sont maintenant bien représentées, 115 députés. Les officiers constituent d'ailleurs encore un groupe considérable : 173 officiers de justice et, si on y ajoute 27 officiers de finance et 7 officiers seigneuriaux, 207 officiers en tout[2].

Ce changement de composition sociale permit aux députés du tiers d'imposer finalement une de leurs idées essentielles : la destruction de la structure en ordres et en corps, la réduction des gentilshommes, des prêtres, des incorporés à la condition de simples citoyens. Pour eux, la « distinction d'ordres », l' « esprit de corps » étaient le « péché originel » de la Nation. Ce fut le sens de leur lutte contre le cérémonial. Ce fut le but de leur effort pour un changement de procédure : la substitution à la délibération en ordres dans des salles séparées, de la délibération en commun, dans une seule salle, en « Assemblée », car « l'essence de l'Assemblée est l'égalité ». Une lacune de l'organisation royale servit le tiers état. Aucune salle particulière n'avait été prévue pour cet ordre. Il siégea donc dans la grande salle, où les trois ordres se réunissaient pour les séances royales. Le tiers appela cette salle « Salle nationale ». Il y admit le public. Pour celui-ci, le tiers apparut bientôt comme figurant à lui seul les Etats généraux. Ceci aida le tiers à passer de la structure d'ordres à la structure de classes, ce qui fut réalisé lorsque, le 17 juin, le tiers se proclama Assemblée Nationale, lorsque, après la séance

1. Règlement fait par le Roi pour l'exécution des lettres de convocation du 24 janvier 1798, A. Brette, *Recueil* cité, p. 66-87.

2. D'après A. Brette, *Recueil*, t. II, 1896, Liste alphabétique des députés qui ont siégé aux Etats généraux et à l'Assemblée Nationale.

royale du 23 juin, les membres des autres ordres le rejoignirent, et lorsque, le 9 juillet, l'Assemblée Nationale put se proclamer constituante.

Une autre transformation parallèle s'était produite dès la fin d'avril. Les députés de plusieurs provinces avaient commencé de tenir, en dehors des séances, des conciliabules particuliers : Bretons, Dauphinois, etc. L'événement capital, ce fut lorsque des députés d'autres provinces rejoignirent les Bretons et qu'il se forma un « club breton », qui n'avait plus de breton que le nom, au café Amaury, avenue de Saint-Cloud. Sa constitution marquait le passage du corps intermédiaire au parti, nouvelle forme de groupe de pression[1].

Ainsi, avec le passage des Etats généraux à l'Assemblée Nationale, s'était manifestée la volonté de passer de la société d'ordres à la société de classes, sur la base de la domination de la classe bourgeoise, classe de la fortune et des talents, recueillant la souveraineté, avec un autre type de représentativité, la « pluralité » ou majorité comme on commençait à dire à l'imitation des Anglo-Saxons, la loi du nombre se substituant définitivement à la *sanior pars*, mais la majorité étant dégagée dans une sorte de *sanior pars*, désignée par le montant de sa participation à un impôt égal, c'est-à-dire approximativement par ses moyens d'existence. La nouvelle *sanior pars* prenait une forme matérialiste.

1. G. Lefebvre et A. Terroine, *Documents relatifs aux Etats généraux de 1789*, t. I, 1953, p. 13-36, 47-78.

TROISIÈME PARTIE

Les réactions du corps social au développement de l'Etat

QUELQUES RAISONS DE LA FRONDE

Les causes des journées révolutionnaires parisiennes de 1648

Les 26, 27 et 28 août 1648, journées des Barricades à Paris, font apparaître en crise aiguë une guerre civile latente. Moyennement connues quant à la succession chronologique des événements, elles le sont mal dans leurs causes. Les historiens qui en ont traité[1] sont, avant tout, des narratifs, qui décrivent, mais n'expliquent guère. Ils sont satisfaits quand ils ont réussi à tirer de textes confus et souvent contradictoires une suite vraisemblable d'événements pittoresques. Mais ils ne se posent pas de questions, aussi leur description même manque de précision et est incomplète sur des points importants, alors qu'elle surabonde en détails inutiles. Ils résument leurs textes avec soin, mais sans chercher à se représenter nettement et distinctement les réalités que devraient évoquer les mots. Ils négligent les termes révélateurs qu'il faudrait relever avec fièvre et scruter avec passion. Ils laissent de côté l'étude précise des institutions politiques et administratives, des phénomènes économiques, des mouvements sociaux, religieux, sentimentaux, qui, seule, permettrait de comprendre

Publié dans *XVIIe siècle, Bulletin de la Société d'Etude du XVIIe siècle*, n° 2, 1949, p. 33-78.

1. Le Roux de Lincy et Douët d'Arcq, *Registres de l'Hôtel de Ville de Paris pendant la Fronde*, p. pour la Société de l'Histoire de France, 3 vol. in-8°, 1846, t. Ier, appendice, n. A, p. 445-454, récit des journées des 26 et 27 août, peut-être encore le meilleur.

Feillet, *Œuvres du cardinal de Retz*, « Grands Ecrivains de la France », 1872, t. II, appendice, p. 607-619.

Chéruel, *Histoire de France pendant la minorité de Louis XIV, 1879-1880*, t. III, p. 49-70.

E. D. Glasson, *Le Parlement de Paris, son rôle politique depuis Charles VII jusqu'à la Révolution*, Paris, 1901, 2 vol. in-8°; ne décrit que les événements où le Parlement a été directement mêlé.

Ch. Normand, *La bourgeoisie française au XVIIe siècle, 1604-1661*, Paris, 1908, in-8°; effleure le sujet, mais donne quelques éléments d'explication.

H. Courteault, *La Fronde à Paris*, 1930, in-8°, brillant, pittoresque, superficiel et contestable.

les paroles et les actes, c'est-à-dire de les rattacher à un ensemble, de faire voir comment ils sont fonction de toute la situation du royaume, de toute l'organisation, de toute la vie de cette société, et de toutes leurs transformations, qui se manifestent dans cette crise. D'ailleurs ces historiens aperçoivent volontiers dans les textes ce qui semble répondre à leurs préoccupations politiques de citoyens français du XIXe et du XXe siècle, épris d'un régime libéral et parlementaire, mais passent sur ce qui importait le plus à un homme du XVIIe, faute d'un effort pour se représenter en eux-mêmes la société de l'époque et les sentiments des contemporains[1].

I

Les sources, nombreuses, permettent de distinguer mieux le rôle et les raisons des courtisans, du Conseil, du Parlement, des officiers municipaux, que ceux des autres habitants de Paris, marchands, artisans, manœuvres, mendiants, forains.

Il y a principalement des sources narratives, relations des événements, soit contemporains de ceux-ci, soit sous forme de mémoires. Elles se répartissent en plusieurs catégories. D'abord trois écrits, émanés de personnes qui se trouvaient à la Cour sans avoir aucune

1. Exemples :

LE ROUX DE LINCY et DOUËT D'ARCQ écrivent : « A la nouvelle de l'enlèvement de Broussel... on s'assembla, on cria aux armes !, on tendit les chaînes » (p. 447). *On* ! Qui ? Quels hommes ? Quels corps de métiers ? Quelles classes sociales ? Comment, sans le savoir, discerner ce que représentait l'arrestation du conseiller au Parlement et les raisons de l'insurrection ?

CHÉRUEL résume les déclarations royales étroitement liées aux événements parisiens (t. III, p. 19 et 90), celle du 31 juillet 1648 : « Elle prescrivait l'exécution des anciennes ordonnances de Moulins, d'Orléans et de Blois, pour assurer le cours régulier de la justice »; celle du 22 octobre : « Quant à l'administration de la justice, toutes les commissions extraordinaires et les évocations de procès étaient interdites. Les maîtres des requêtes ne pourraient plus juger en dernier ressort. » Qui verra, dans ces abrégés à peu près exacts, l'immense problème des relations des Conseils et des Parlements, de l'administration par officiers ou par commissaires, le problème de la monarchie absolue et bureaucratique ou de la monarchie tempérée par la vénalité des offices ? Chéruel a-t-il compris ?

Ch. NORMAND intitule le numéro quatre de son sixième chapitre : « Insignifiance réelle des vingt-sept propositions de la Chambre Saint-Louis », ces propositions qui allaient à une révolution dans le royaume !

Et Henri COURTEAULT, après avoir énuméré toutes les concessions de la Reine, s'écrie : « ... et qu'avait-elle demandé en échange, la pauvre Reine ?... Que la Chambre Saint-Louis... cessât ses réunions, que le Parlement se renfermât dans ses attributions judiciaires... » (p. 5). Mais c'était énorme, c'était le nœud de la question !

Par contre, tous attachent à la liberté individuelle et au consentement des impôts une importance disproportionnée.

part au gouvernement, mais qu'il faut placer avant les autres parce qu'ils sont les plus étendus et les plus détaillés[1]. Ensuite, quatre textes provenant de gens qui entraient dans les Conseils ou étaient les familiers de gens qui y entraient[2]. Puis trois sources provenant du Parlement de Paris, partiales et à contrôler de près, mais riches en discours, remontrances, arrêts, déclarations, lettres de cachet, récits d'entrevues avec la Reine et les ministres et de séances du Parlement[3].

1. Mme de MOTTEVILLE, *Mémoires*, p. p. F. RIAUX, Paris, 1891, t. II. Cette femme de chambre d'Anne d'Autriche n'est pas sortie du Palais-Royal mais elle a vu beaucoup de personnes qui avaient agi, par exemple de Comminges, qui arrêta Broussel. Ses *Mémoires* exempts de passion, sauf parfois d'une tendance à dénigrer la Reine, ont été rédigée d'après des notes prises au jour le jour.

Bibl. Nat., ms. fr. 20290, f°s 332 v°-335 v°. Relation anonyme, elle émane d'un homme de guerre qui a participé aux combats de rues (abondance et précision des détails sur les mouvements des troupes royales et sur leurs adversaires). Elle a été rédigée peu après les événements : l'auteur emploie le passé défini, parle du 31 août, puis passe brusquement au présent à la fin : « Cependant, Messieurs travaillent incessamment au règlement du tarif. » Messieurs y travaillèrent du 6 au 20 septembre.

Marie DUBOIS, écuyer, gentilhomme servant, valet de chambre du Roi : *Relation*, p. p. FEILLET, *Revue des Sociétés savantes*, 4e série, t. II, 1865, p. 324-337.

Les autres textes de même catégorie sont moins intéressants. Le *Journal* de Jean VALLIER, maître d'hôtel du Roi (éd. COURTAULT, S.H.F.), rédigé longtemps après les événements, est peu sûr dans le détail et ne fournit que quelques vues générales. Les *Mémoires* du marquis de MONTGLAT (MICHAUD-POUJOULAT, 3e série, t. XXVIII, p. 194-201) sont sommaires. Il n'y a presque rien dans ceux de Mlle de MONTPENSIER (éd. CHÉRUEL, Paris, 1891).

2. La note du conseiller d'Etat André d'ORMESSON, écrite le 18 septembre, insérée par CHÉRUEL dans les *Mémoires* d'Olivier LEFÈVRE D'ORMESSON, son fils (t. I, p. 556, n. 2, Coll. de Doc. inéd. sur l'Histoire de France), est précieuse, bien qu'André n'entrât pas au Conseil d'en Haut.

Mémoires de GOULAS, gentilhomme ordinaire de la Chambre du duc d'Orléans (S.H.F.).

Journal des guerres civiles de DUBUISSON-AUBENAY, attaché à la personne du secrétaire d'Etat Duplessis-Guénégaud (Maison du Roi et Paris), en bonnes relations avec l'entourage de Gaston d'Orléans et qui prenait ses notes au jour le jour (p. p. SAIGE, 1883-1885, Soc. de l'Hist. de Paris et de l'Ile-de-France).

Mémoires d'Olivier LEFÈVRE D'ORMESSON, maître des requêtes au Conseil d'Etat, qui n'était pas à Paris au moment des événements et donne les résultats de son enquête (éd. CHÉRUEL, citée plus haut).

Sauf Dubuisson-Aubenay, ces auteurs nous fournissent plus sur les causes que sur les événements eux-mêmes.

Les *Mémoires* du comte de BRIENNE, secrétaire d'Etat (MICHAUD-POUJOULAT, 3e série, t. XXVI, p. 99-100), sont inutilisables pour cette question : une page confuse où les souvenirs se mélangent.

3. Omer TALON, premier avocat général au Parlement de Paris, *Mémoires* (MICHAUD-POUJOULAT, 3e série, t. XXIX, en particulier p. 262-273). Talon, partisan des prétentions du Parlement, était cependant relativement modéré et mal vu des conseillers des Enquêtes.

Pierre LALLEMANT, conseiller au Parlement de Paris, *Journal* inédit (Bibl. de l'Université de Paris, ms. 64). C'est un récit, d'après les pièces officielles, de ce qui s'est passé au Parlement et lors de la sortie du Parlement, le 27 août. Il présente les actes du Parlement sous le jour le plus favorable. Il est la source du *Journal contenant tout ce qui s'est passé aux Assemblées des Compagnies souveraines de la Cour du Parlement de Paris en l'année 1648*, imprimé en 1649 (Bibl. Nat., Lb 37-12, in-4°).

Mathieu MOLÉ, premier président au Parlement de Paris, *Mémoires* (p. p. Aimé CHAMPOLLION-FIGEAC, S.H.F., 1856, au t. III).

Quatre sources seulement proviennent de personnes qui ont été mêlées de plus près à l'existence de la ville pendant ces trois jours, mais l'une de première importance : les *Registres de l'Hôtel de Ville de Paris*, où la municipalité a consigné les rapports qu'elle recevait des officiers municipaux à différentes heures sur les différents quartiers, les avis de certains bourgeois, ses propres démarches à travers la ville, ses ordres[1].

Les sources sur la vie économique et sociale sont rares. Les *Registres des appréciations des grains vendus es places publiques de cette Ville de Paris* sont aux Archives Nationales[2]. Une statistique de la population parisienne par professions et du ravitaillement de Paris en 1637 a été publiée[3]. Mais il faut regretter le défaut de renseignements sur le mouvement de prix, l'activité du commerce et de l'industrie, le ravitaillement de la capitale et ses relations avec les campagnes voisines, l'état des populations, ainsi que l'absence d'études précises sur la fiscalité[4].

Il est donc plus facile de discerner nettement les causes politiques, administratives et sentimentales que les causes financières, économiques et sociales. Atteindre la vérité sur quelques points et poser des questions nombreuses est toute l'ambition permise.

1. *Registres de l'Hôtel de Ville de Paris pendant la Fronde*, p. p. Le Roux de Lincy et Douët d'Arcq, 3 vol., S.H.F., 1846, t. I, p. 1-41.

Cardinal de Retz, *Mémoires* (éd. Feillet, « Grands Ecrivains de la France », t. II). Retz a majoré son rôle. Il est à contrôler par :

Guy Joly, conseiller au Châtelet, neveu de Claude Joly, chanoine de Notre-Dame de Paris, dévoué à Retz à ce moment et qui écrivit ses mémoires au temps de leur brouille (Michaud-Poujoulat, t. XXV, p. 8-14).

Aimé de Gaignières, lettre du 28 août, p. p. Ch. de Grandmaison, Gaignières, ses correspondants et ses collections de portraits, *Bibl. de l'Ecole des Chartes*, t. 51, 1890, p. 577-580). Gaignières habitait sans doute chez le comte d'Harcourt, hôtel de Mayenne, près de la place Royale. Gaignières n'a pas seulement enregistré des on-dit, il est allé voir sur place.

2. KK. 992 (1644-1648); 993 (1648-1652).

3. Par R. Fages, *Comit. des trav. hist. et scient. Section hist. et philol.*, 1907, p. 104-113. Fages l'avait datée de 1649. A. Landry a montré qu'elle a été faite en 1637 pour Richelieu (*Journal de la Soc. de Statistique de Paris*, 1935, p. 35 sq.).

4. Les ouvrages bien connus d'Usher, Boissonnade, Martin-Saint-Léon, Clamageran, Normand sont insuffisamment détaillés et précis. Il faut en dire autant des études de A. de Saint-Julien et G. Bienaymé, *Les droits d'entrée et d'octroi à Paris depuis le XIIe siècle*, 1886 (extr. du *Bull. de Stat. et de Législ. comparée*, 1885), et *Histoire des droits d'entrée et d'octroi à Paris*, 1887. Il y a quelques indications précieuses sur les rentes dans G. Martin et M. Bezançon, *Hist. du Crédit en France sous le règne de Louis XIV*, I, 1913, in-4°.

II

Il est nécessaire de retracer les événements principaux des journées pour insister sur des points jusqu'ici négligés et importants pour la recherche des causes : catégories de population que l'on voit agir, mode de leur action, quartiers où se déroulent les épisodes[1].

Le mardi 25 août, le Conseil d'en Haut (la Régente, le duc d'Orléans, oncle du Roi et lieutenant général du royaume, le cardinal Mazarin, le surintendant des finances maréchal de La Meilleraye, le chancelier Séguier, Bouthillier de Chavigny (?)) décide l'arrestation des membres du Parlement de Paris les plus violents contre la Cour : le conseiller en la Grand-Chambre Broussel, le président aux Enquêtes de Blancmesnil, le président Charton. Seront exilés les conseillers Lainé, La Nauve et Loisel. L'opération est décidée pour le lendemain mercredi 26 août. Les circonstances seront favorables; un *Te Deum* doit être chanté à Notre-Dame pour la victoire de Lens. Les régiments des gardes françaises et gardes suisses seront déployés du Palais-Royal à Notre-Dame et pourront contenir le peuple, le cas échéant. Comminges, lieutenant aux gardes de la Reine, est chargé de l'exécution des ordres. Il se réserve l'arrestation la plus difficile, celle de Broussel.

Le mercredi 26 août est la journée des surprises et des réactions désordonnées. C'est jour de marché. Après le *Te Deum*, vers une heure semble-t-il, la Reine confirme ses instructions à Comminges. Mais il tarde quelques instants dans Notre-Dame pour attendre l'exécution d'un ordre. Or les officiers des gardes du corps ne quittent jamais les têtes couronnées. Quelques-uns des membres du Parlement, encore dans l'église, remarquent l'anomalie, prennent peur, fuient avec un tel empressement que les portes n'étaient plus assez grandes pour eux. La foule, sur le parvis, entend le murmure, voit l'inquiétude, l'attention est éveillée, des groupes se forment.

Comminges va au logis de Broussel, dans l'île de la Cité, rue Saint-Landry, près du port Saint-Landry, et arrête Broussel. Mais les cris d'une vieille servante et d'un jeune laquais du conseiller retentissent dans cette rue étroite. Elle est pleine en un moment de gens qui crient qu' « on voudrait emmener leur libérateur »[2]. Quelques-uns

1. Ce n'est pas toujours facile à cause de l'imprécision des auteurs. Cf. MOTTEVILLE, II, p. 177. Le 28 août : Mazarin va lui-même visiter « le corps de garde des *bourgeois* pour entendre ce que disait le *peuple* ».

2. MOTTEVILLE, II, p. 153.

veulent couper les rênes des chevaux, rompre le carrosse, d'autres commencent à tendre les chaînes des rues. Comminges, poursuivi d'une foule hurlante, menaçante et qui se grossit, doit zigzaguer, changer deux fois de carrosse, sur le quai et rue Saint-Honoré. Il parvient enfin à sortir de Paris par les Tuileries et à gagner Saint-Germain. Mais sur son trajet dans Paris, tous ont été ameutés et le bruit de l'arrestation va dans la ville comme la foudre.

C'est le petit peuple qui a essayé de s'opposer à l'arrestation et qui, ainsi, a commencé de s'insurger, les bateliers de la Cité et de la Grève, les artisans du Palais, du pont Saint-Michel, des Halles, auxquels se joignent, probablement très vite, des mendiants et des vagabonds. Les marchands bourgeois sont moins prompts. L'arrestation de Broussel les émeut. Lorsque, vers deux heures, le bruit s'en répand, ils commencent à fermer les boutiques, à former des groupes, à discuter. Mais ils ne semblent pas disposés à faire plus. C'est la crainte du bas peuple et la crainte des soldats qui, les uns après les autres, leur met les armes à la main. Une grosse bande d'émeutiers « avec épées, épieux, pistolets et pavés levés allaient à la charge jusqu'en la rue Saint-Honoré, cassant les vitres des maisons et rompant les portes, criant néanmoins : « Vive le Roi, liberté au prisonnier... » ». La « canaille » s'amassa, avec diverses sortes d'armes, à la Croix-du-Tiroir (à l'angle des rues Saint-Honoré et de l'Arbre-Sec) et « obligea les bourgeois d'alentour à se tenir sur leurs portes avec les armes à la main, ayant rompu les portes et les vitres de ceux qui refusaient de le faire »[1]. Le Bureau de Ville, averti à deux heures de l'agitation par le quartinier[2] de la Cité, envoie quelques personnes. Elles rapportent, vers quatre heures, avoir vu dans les différents quartiers « quantité de vaccabons, qui ne demandaient qu'à piller, donnant des appréhensions et terreurs dans l'esprit des bourgeois, leur disant qu'il y avait des gens de guerre, tant de cheval que de pied, qui devaient venir fondre sur eux, s'ils n'estaient en état de se défendre... ». Vers cinq heures, le désordre s'est étendu en divers quartiers « ... y ayant de certaines gens qui criaient : *aux armes*, à dessein d'intimider les bourgeois et trouver occasion de piller... »[3]. Tout se passe comme si le bas peuple et les mendiants réfugiés à Paris, fort nombreux à cause de la guerre, avaient voulu forcer les « bons bourgeois », les maîtres des différents métiers, à s'armer : le

1. Dubois, p. 327-329; dans le même sens, Dubuisson-Aubenay, p. 51, ms. fr. 20290, f° 333 r°.

2. Officier chargé de la police d'un quartier. Cf. Picot, Recherches sur les quartiniers, *Mém. Soc. Hist. Paris et Ile-de-France*, 1875, p. 132 sq.

3. *Registres de l'Hôtel de Ville*, p. 16-18.

bas peuple dans l'intention de délivrer Broussel, les vagabonds pour trouver dans le désordre, l'hostilité de la population à l'égard de la troupe, l'isolement des différentes rues par les chaînes et les barricades, l'occasion de mauvais coups.

Les bourgeois, pour se préserver des agressions, commencent à tendre les chaînes. Quelques-uns viennent à l'Hôtel de Ville et obtiennent du Bureau de Ville un mandement à tous les quartiers de faire tendre les chaînes dans leurs quartiers. Décision malencontreuse : les chaînes devaient bien s'opposer aux exploits des vagabonds, mais aussi aux mouvements des troupes. Le Bureau de Ville envoie l'ordre au colonel de la Cité de faire tenir prêts les capitaines, mais le colonel, malade, ne peut agir, et, comme l'agitation gagne d'autres rues, le Bureau envoie à tous les colonels l'ordre d'avertir les capitaines de se tenir prêts. Mais il n'en fait pas plus. Sans doute espère-t-il que le calme va se rétablir de lui-même.

Cependant la Cour est évidemment surprise par une réaction aussi violente. Les gardes, les gardes de la Reine, les seigneurs de la Cour avec quantité de leurs « domestiques »[1] sont mandés au Palais-Royal. Un Conseil extraordinaire est tenu. Le maréchal de La Meilleraye sort avec les chevau-légers (50 hommes au plus), quelques gendarmes, quelques gardes de la Reine. Il se heurte à plusieurs reprises aux chaînes, notamment près de Saint-Eustache, au pont Saint-Michel, rue Neuve-Saint-Louis. Il reçoit des pierres. Il se passe alors une suite d'événements très obscurs, très confus, où toute tentative d'accorder les textes paraît vaine. Les seuls faits qui semblent bien établis sont d'abord la venue au Palais-Royal du coadjuteur de l'archevêque de Paris, Paul de Gondi, futur cardinal de Retz, qui essaie en chemin de calmer le peuple, tente de représenter à la Reine la gravité réelle de la situation et est tourné en ridicule. Ensuite, l'arrivée de renforts au Palais-Royal, en particulier de tout ce qu'il y avait de gardes-françaises dans les faubourgs, mandés par la Reine pour se former en bataille devant le Palais-Royal, au Pont-Neuf, centre de communications, et sur le quai du Louvre, où les bateliers étaient très violents. Enfin, une seconde sortie de La Meilleraye, cette fois avec « quantités de gens d'armes et chevau-légers » et une « compagnie de gardes ». Au quartier de la Friperie, il est accueilli par une grêle de pierres lancées des fenêtres, fait faire une décharge par des mousquetaires et n'insiste pas[2]. Il semble que la Cour, elle

1. Gentilshommes et hommes d'épée protégés et entretenus par eux sous condition de dévouement.

2. Cf. Dubois, p. 328-329. Ms. fr. 20290, f° 333 r°.

aussi, escompte un rapide retour au calme, se contente de prendre des mesures de précaution et de montrer les forces royales.

La fin de l'après-midi et la soirée semblent donner raison aux optimistes. Il y a des négociations. Des bourgeois vont trouver le premier président du Parlement, Mathieu Molé et lui demandent de réclamer la liberté de Broussel. Vers le soir il va au Palais-Royal mais est renvoyé sans réponse. Peut-être contraint par le populaire, il y retourne, sans plus de succès. Le coadjuteur, peut-être aussi sous la menace du peuple, va une seconde fois au Palais-Royal. Il est accueilli par des moqueries et sort, dit-il, « enragé ».

Le Parlement est désemparé, Messieurs, « bien estonnés », veulent s'assembler dans l'après-dîner, mais le jour est fort avancé, ils remettent au lendemain[1].

Le peuple, s'il fait intervenir, peut-être sans aucun respect des formes, les représentants naturels de Paris, le premier président du Parlement, l'archevêque par son coadjuteur, ne songe pas à en venir aux extrémités. *Il n'y a pas une seule barricade dans Paris*[2]. D'ailleurs, la Cour, pour calmer les inquiétudes, donne l'ordre aux compagnies des gardes de se replier. Elles abandonnent le Pont-Neuf et se regroupent devant le Palais-Royal. Le « peuple » alors paraît s'apaiser un peu; vers les six heures du soir, chacun rentre chez soi[3].

Les bourgeois, tout au moins les maîtres des principaux métiers, les « bons bourgeois », sont respectueux des autorités et plus soucieux de se protéger des éléments troubles et des soldats que d'attaquer la Cour. Le Bureau de Ville a envoyé le président Fournier au Palais-Royal rendre compte, sans sortir lui-même, parce que, dans la surprise, il n'a pu trouver la vingtaine d'archers nécessaire pour assurer sa sécurité dans les rues. Fournier revient dire que la Cour est satisfaite de Messieurs de la Ville, « lesquels l'on priait néanmoings de faire destendre les chesnes ». En même temps, Fournier annonce « que les *bons bourgeois* n'osaient prendre les armes sans un mandement exprès de MM. les prévôts des marchands et échevins ». Vers le soir, à l'instigation de la Cour, le Bureau envoie l'ordre à tous les quartiniers de faire détendre les chaînes et ouvrir les boutiques le lendemain matin et, de son propre mouvement[4], un mandement à chacun des seize colonels pour tenir tout le monde sous les armes « à ce qu'il ne s'y face aucune assemblée dans l'estendue de cette ville », message malheu-

1. Ms. fr. 20290, f° 333 r°.
2. Contrairement à ce qu'a dit Feillet (*op. cit.*, p. 621) qui n'a pas tenu compte de la chronologie de ses textes.
3. Dubois, p. 327-328. Guy Joly, p. 10. Gaignières, p. 259.
4. *Registres*, p. 19, contre Guy Joly, p. 10, suivi par Feillet, p. 614.

reux qui va autoriser en fait les prises d'armes des révoltés comme celles des éléments d'ordre.

La Cour espère que la nuit va radoucir les esprits. Elle se dispose cependant à achever sa victoire. Le Conseil d'en Haut décide d'envoyer le chancelier au Parlement le lendemain matin, « pour luy deffendre de s'assembler et en cas de désobéissance les interdire »[1].

En apparence, la nuit du 26 au 27 août fut calme, mais chacun agit. Les soldats, qui passèrent la nuit en armes devant le Palais-Royal, s'emparèrent de la porte Saint-Honoré et des avenues du Louvre. Ils s'assuraient ainsi des communications avec l'extérieur pour amener des renforts ou pour faciliter la retraite du gouvernement.

D'après les témoignages de Guy Joly et de Retz, les parents et les amis de Broussel et des autres exilés, avec ceux qui étaient mécontents de la Cour, envoient « toute la nuit chez les officiers et bourgeois de leur connaissance, pour les exhorter à bien faire dans une occasion de cette importance ». Retz fait solliciter ses amis par le chevalier de Sévigné, son parent, par le sieur d'Argenteuil et le sieur de Laigues. Il se met d'accord avec un de ses amis, Miron, maître des Comptes, colonel du quartier Saint-Germain-l'Auxerrois, et avec Martineau, conseiller aux Requêtes, capitaine de la rue Saint-Jacques. Dans la nuit les esprits s'échauffent. Quelques barricades sont dressées[2].

Le 27 août est la journée des barricades. A cinq heures du matin le Bureau de Ville apprend par ses émissaires que tout est mutinerie. Déjà, il y a des chaînes et des barricades « en divers endroits », au cœur de Paris : dans l'île de la Cité, sur la rive gauche au faubourg Saint-Germain et dans l'Université, sur la rive droite à la Grève, aux Halles et autour[3], soit que ce fussent bien les quartiers insurgés, soit que les insurgés eussent voulu s'emparer des principales voies de

1. Olivier Lefèvre d'Ormesson, p. 563. Goulas, II, p. 351. On ne sait à quel dessein, disent les simples courtisans, Dubois p. 329, et anonyme du ms. fr. 20290, f° 333 v°. Motteville (II, p. 160) dit qu'il y allait pour présider, calmer les esprits, empêcher les désordres, et que c'est seulement longtemps après qu'on a dit qu'il allait interdire le Parlement, mais cette femme de chambre n'était pas dans les secrets du Conseil d'en Haut.

2. Dubois, p. 329 et 334. Guy Joly, p. 10. Retz, II, p. 32 sq.

3. *Registres de l'Hôtel de Ville*, I, p. 20, p. 329. Motteville, II, p. 160. O. Talon, p. 265. Ms. fr. 20290, f° 333 v°, qui donne la liste des endroits où se dressent les barricades : ponts Notre-Dame, Saint-Michel, place Dauphine, rue Dauphine, faubourg Saint-Germain, l'Université, la Grève, les Halles, la place Royale, rues Saint-Antoine, Saint-Denis, Saint-Martin, Saint-Honoré. Mais toutes ces rues n'étaient sans doute pas barricadées tôt le matin. Cf. *infra*, p. 274.

Guy Joly (p. 11) prétend contre tous ceux-ci qu'il n'y avait que des chaînes et que c'est l'affaire du chancelier qui fit dresser les barricades.

communication à travers Paris. Hasard ou non, le Palais, où siège le Parlement, est comme le centre géographique de l'insurrection. Les membres du Bureau de Ville auraient affirmé au Parlement le 28 qu'ils s'étaient dispersés par la ville pour faire poser les armes : déjà, les *artisans* en quelques endroits auraient commencé d'ouvrir les boutiques, lorsque l'échauffourée du chancelier aurait tout remis en question[1].

En effet, le chancelier, vers cinq ou six heures du matin, exécute les ordres qu'il a reçus et va en carrosse au Parlement. Il ne peut passer quai des Orfèvres à cause des barricades; il prend le quai des Augustins, va pour franchir le pont Saint-Michel, se heurte encore aux barricades, descend, tente de passer à pied et de faire des remontrances. Le « peuple » se met en fureur, le poursuit, veut le massacrer dans l'hôtel de Luynes[2], où il se cache dans un réduit. La Cour est avertie. La Meilleraye arrive, occupe le Pont-Neuf avec une compagnie de gardes françaises, le quai des Grands-Augustins avec des Suisses, et délivre le chancelier. Dans sa retraite sur le Pont-Neuf, il reçoit des pierres, il essuie des salves de mousqueterie venant de la rue Dauphine; des Suisses et un chevau-léger sont tués. C'est encore le petit peuple qui agit, la « canaille »[3], les portefaix[4].

Les mouvements des soldats et les coups de feu redoublent le désordre[5]. Le déploiement des troupes effraye les habitants de la rue Saint-Honoré qui tendent les chaînes et courent aux armes[6]. Le « peuple », sur le quai de la Mégisserie, accourt au bruit des mousquetades à l'autre bout du Pont-Neuf, mais ne peut empêcher le chancelier de se sauver. Alors cinq à six cents arborent un morceau de linge au bout d'un bâton, prennent un tambour et se mettent en marche vers le Grand Châtelet. Il est neuf à dix heures du matin. Le capitaine du quartier, de peur du pillage, fait tendre la chaîne et battre la caisse pour appeler les bourgeois aux armes. Cet exemple est suivi par toute la ville et les barricades se généralisent. « En moins d'une demi-heure », toutes les chaînes sont tendues, un double rang de barriques pleines de terre, de pierre et de fumier se dresse en de multiples endroits; derrière, tous les bourgeois sont en armes, « en si grand nombre qu'il est presqu'impossible de l'imaginer »[7].

1. *Journal contenant tout ce qui s'est passé aux Assemblées des Compagnies souveraines...*, p. 70. Mais le Parlement a cherché à prouver que Paris s'était soulevé en sa faveur.
2. A l'angle du quai des Augustins et de la rue Gît-le-Cœur.
3. Motteville, II, p. 161.
4. Dubois, p. 330.
5. *Journal*, p. 70.
6. O. Talon, p. 364.
7. Guy Joly, p. 11 sq.

Il fut compté jusqu'à 1 260 barricades dans Paris. Du Palais au Palais-Royal par le quai, le Pont-Neuf, la rue de l'Arbre-Sec, la rue saint-Honoré, huit, constituées par les chaînes, des poutres en travers, des tonneaux remplis de pavés, de terre ou de moellons, se dressaient[1].

Le Parlement s'était réuni vers huit heures. Les esprits étaient « infiniment échauffés ». Un peu avant neuf heures, il est averti que l'on voit « toutes les boutiques fermées et les bourgeois les armes à la main ». Il apprend l'aventure du chancelier. Les conseillers ne s'en occupent pas. Ils décident d'aller en corps au Palais-Royal demander à la Reine les prisonniers et les bannis. « Et à l'égard de la sédition, ils n'en voulurent point parler, disant que le vrai moyen d'apaiser la sédition était de rendre M. de Broussel; et me fut dit par Messieurs les présidents que messieurs étaient résolus de ne point donner ordre à la sédition publique, croyant que cela servirait à leur faire rendre leurs confrères »[2].

La Cour va en robe au Palais-Royal. Sur son passage, le peuple réclame Broussel frénétiquement, les bourgeois gravement, mais en affirmant qu'ils ne désarmeront pas, si on ne le leur rend. Au Palais-Royal, la Reine refuse d'abord toute concession, accuse le Parlement d'avoir provoqué la sédition, le somme de la calmer, le menace de la colère de son fils lorsqu'il sera majeur. Puis, sur les instances de Mazarin, de Molé, du président de Mesmes, de son chancelier Bailleul[3], elle consent à rendre les prisonniers sous condition. Les sources parlementaires affirment qu'elle demanda seulement le sursis des assemblées du Parlement jusqu'à la Saint-Martin[4]. Des sources venant de la Cour affirment qu'elle accorda la demande « à la charge qu'ils renonceraient à leur union, qu'ils ne toucheraient pas à la Déclaration du Roi (du 31 juillet 1648), qu'ils ne se mesleraient plus des affaires du Conseil et qu'ils donneraient au Roi un acte de nullité de toutes leurs procédures faites depuis toutes ces assemblées... »[5].

Le Parlement veut retourner en corps au Palais pour délibérer. Il sort. Des officiers de la Cour lui auraient dit : « Tenez bon, on vous rendra vos prisonniers », et les gardes-françaises auraient déclaré qu'ils ne combattraient pas les bourgeois[6]. Mais, à la Croix-du-Tiroir, Messieurs sont arrêtés par une barricade. Les bourgeois (un rôtisseur,

1. O. TALON, p. 265.
2. O. TALON, p. 265.
3. DUBOIS, p. 331. Ms. fr. 20290, f° 334 r°.
4. *Journal*, p. 67; LALLEMANT, p. 107, appuyés par GOULAS, II, p. 353.
5. Ms. fr. 20290, f° 334 r°. DUBOIS, p. 331, même sens MOTTEVILLE, II, p. 165.
6. O. TALON, p. 266.

un marchand de fer, capitaine de son quartier, avec douze ou quinze bourgeois de sa compagnie, sont cités[1]), réclament Broussel. Le premier président Molé est hué, menacé, brutalisé. Les révoltés veulent le tuer ou le garder comme otage. Le président de Mesmes le tire d'affaire en montrant que, chef du Parlement, il est indispensable à la tête du corps pour porter la parole. Beaucoup de conseillers et de présidents ont fui, assez déconcertés de voir les Parisiens se retourner contre eux. Les autres, cent vingt-quatre encore, doivent retourner au Palais-Royal. Ils vont délibérer dans la grande galerie du Roi. Mais plus personne n'est maître des Parisiens qui croient à une trahison, à l'entente de la Cour et du Parlement. Cour et Parlement sont également menacés. C'est à qui des deux saura résister le dernier aux demandes de l'autre, jusqu'à la minute où serait sur le point de se déclencher l'attaque des Parisiens qui les aurait balayés tous les deux. Le Parlement tint mieux. Par soixante-quatorze voix contre cinquante, il décida de cesser les assemblées et de ne plus délibérer sur les affaires publiques jusqu'à la Saint-Martin, « sans toutefois en faire d'arrêt », pour conserver tout son prestige. Il continuera à délibérer sur le tarif des droits d'entrée des marchandises dans Paris et les rentes de l'Hôtel de Ville. La Reine et son entourage se rendaient compte de la gravité des événements. Ils craignaient que les Parisiens n'en vinssent aux extrémités. Les gendarmes et les chevau-légers se tenaient prêts. Des chevaux furent gardés sellés jusqu'au 28 à midi pour mettre en sûreté le Roi, la Reine et le ministre, le cas échéant[2]. La Reine, pressée, suppliée, ignorant sans doute les derniers sentiments des rebelles à l'égard des parlementaires, jugea enfin devoir se contenter des insuffisantes concessions du Parlement. Elle fit donner des lettres de cachet pour la libération de Broussel et de Blancmesnil. Messieurs sortent, avec deux carrosses, un du Roi, un de la Reine, pour ramener les prisonniers, font voir aux révoltés les lettres de cachet, promettent que Broussel sera à Paris le lendemain matin, à huit heures. Peuple et bourgeois les laissent alors passer, mais avec des imprécations, des serments de demeurer sous les armes, des menaces de tout saccager si la Cour et le Parlement s'entendent pour les tromper.

Pendant ce temps, le Bureau de la Ville est demeuré à peu près inerte. Le matin, il a convoqué les conseillers et les colonels pour une heure. Quatorze conseillers seulement sur les vingt-quatre et huit colonels ou leurs lieutenants sur seize sont venus. Mais la seule

1. Goulas, II, p. 355. Guy Joly, p. 12.
2. Dubois, p. 334.

décision prise est d'attendre le résultat du Palais-Royal et chacun se retire. A cinq heures du soir, Messieurs de la Ville, avec vingt archers et quatre sergents, essaient en vain, au cours d'une tournée, de dissiper les « ombrages » mis dans l'esprit des bourgeois. A huit heures, ils sont au Palais-Royal, apprennent l'ordre de libération et de retour des prisonniers et sont priés de faire ôter les barricades, abattre les chaînes et ouvrir les boutiques le lendemain. Ils envoient aussitôt les mandements nécessaires aux colonels et aux quartiniers.

Pendant la nuit du 27 au vendredi 28 août, l'insurrection s'étendit. Les Parisiens firent de nouvelles barricades « dans l'Université »; les maisons s'y munirent de pierres en dépavant les rues; des sentinelles furent posées jusque dans la campagne au sud de Paris. « Les bourgeois tiraient incessamment »[1]. « On avait fait croire aux bourgeois qu'on les voulait tromper, nonobstant toutes les promesses qu'on leur avait faites, et que ce n'estait que pour gagner du temps et faire venir cependant des troupes pour les forcer »[2] ou pour emmener le Roi à Compiègne ou à Tours[3]. De fait, la Cour avait commandé de la cavalerie du régiment à cheval de La Meilleraye, en résidence à Etampes, 350 à 1 200 chevaux. Arrivée à Bourg-la-Reine, la troupe avait reçu l'ordre d'aller à Saint-Cloud pour emmener le Roi, la Reine et le duc d'Anjou[4]. Mais la Cour avait renoncé à forcer la résistance des Parisiens ou à fuir, à moins d'être contrainte de sortir de Paris par la violence des Parisiens eux-mêmes, qu'elle craignait beaucoup. L'alarme fut grande toute la nuit au Palais-Royal. La Reine même était inquiète, malgré son courage. Les soldats demeurèrent sous les armes. De la cavalerie, peut-être celle de La Meilleraye, était dans le bois de Boulogne pour faciliter l'éventuelle évasion. Le cardinal surtout avait peur, non sans raison. Il resta botté, prêt à monter à cheval.

Le vendredi 28 août 1648, journée du désarmement, fut coupé d'explosions de fureur, dues à la crainte, qui mirent la Cour à plusieurs reprises dans une situation plus dangereuse que la veille.

Vers cinq heures du matin, les bourgeois, en armes et menaçants, refusent aux envoyés du Bureau de la Ville d'abaisser les chaînes et d'abattre les barricades. Ils ont peur d'être trompés par la Cour, et lorsqu'ils constatèrent, vers huit heures, l'absence de Broussel,

1. Motteville, II, p. 171.
2. Gaignières, p. 578.
3. Dubois, p. 334.
4. Dubuisson-Aubenay, p. 55.

en retard, « ce fut de si grands redoublements de cris et de si terribles menaces que Paris, dans cet instant, était quelque chose d'effroyable »[1].

Ils craignent les représailles. Ils ont appris la présence de la cavalerie au bois de Boulogne. Ils s'imaginent qu'il y a là 10 000 hommes pour les châtier de leur révolte et la peur leur tient les armes dans les mains[2]. Ils sont effrayés par des éléments troubles et même les « bons bourgeois » par le danger que le petit peuple se retourne contre eux. Lorsque le Bureau de la Ville sort entre sept et huit heures, les bourgeois s'excusent d'être sous les armes sur la présence de « certains vagabonds et gens qui ne sont point cognus, qui rôdent de toutes parts et s'attaquent effrontément à ceux qu'ils ne trouvent pas les armes à la main pour les voler et piller ». De plus, le Bureau de Ville trouve au pont Marie une barricade de gens sans aveu qui ne laissaient passer que ceux qui leur donnaient à boire et qui disaient être là pour défendre leur vie et leur pain. Le Bureau de Ville, malgré ses archers, n'ose les forcer, « pour la conséquence ». Une autre barricade de même genre, se trouvait devant le couvent des Béguines de l'Ave Maria. Mais, à côté de ces malfaiteurs, le Bureau de Ville, représentant de la grande bourgeoisie, trouve aux environs du Palais, toujours dans la Cité, « quantité de valets sous les armes qui parlèrent fort insolemment » et les capitaines, des « bons bourgeois », avouent n'en être pas maîtres[3]. Le Bureau de Ville rend compte au Parlement et envoie l'ordre aux quartiniers de démentir la présence des troupes.

Cependant, Broussel arrive à dix heures du matin dans le carrosse du Roi. Il traverse Paris par la porte Saint-Denis, la rue de la Ferronnerie, la Croix-du-Tiroir, le Pont-Neuf, le quai des Augustins, le pont Saint-Michel, le Marché-Neuf, la rue Saint-Landry[4]. Sur sa route, ce sont des applaudissements, des exclamations de joie infinie, des mousquetades d'honneur, car chacun décharge ses armes à son passage. L'on peut penser que la révolte maintenant va s'apaiser.

Mais les mousquetades provoquent un redoublement de la crise au faubourg Saint-Antoine depuis la porte Baudoyer jusqu'à la Bastille. Au bruit, certains crient que la cavalerie est arrivée, qu'on se coupe la gorge au quartier Saint-Honoré, au Pont-Neuf et vers le Palais. Une clameur retentit : « Aux armes ! » Les habitants du faubourg les prennent avec chaleur. En une heure, il y a cinquante barricades nouvelles. Le Bureau de la Ville y va. Messieurs « trouvèrent les peuples si escgaufez et en une telle résolution de se dé-

1. Motteville, II, p. 171.
2. *Ibid.*, p. 172.
3. *Registres de l'Hôtel de Ville*, p. 26-27.
4. Dubois, p. 335.

fendre, qu'ils eurent bien de la peine à les désabuser ». Ils réussirent à la porte Saint-Antoine et rue du Petit-Musc[1].

Cependant Broussel allait au Parlement qui, « de son avis », ordonne par arrêt vers midi d'abattre les barricades, d'abaisser les chaînes, d'ouvrir les boutiques, « fait déffences à tous vagabonds et gens sans adveu porter aucunes armes à peine de punition »[2]. L'arrêt est publié à son de trompe : tous obéissent; vers deux heures, tout est calme, les barricades sont ouvertes ou démolies, la circulation aisée. Peu avant six heures du soir, Gaignières, au Pont-Neuf, ne trouve pas un homme en armes et toutes les barricades sont rompues[3]. Peu après cinq heures, le Bureau de Ville, apprenant que partout le bourgeois a mis bas les armes, se porte avec des archers à la barricade du pont Marie et, cette fois-ci, ceux de la barricade s'enfuient. Mais, à ce moment même, le Bureau est averti que tout est en rumeur du côté de la porte Saint-Antoine.

Entre cinq et six heures du soir, trois charrettes chargées de poudre sortent de l'Arsenal pour aller au Palais-Royal. Une tonne crève, la poudre se répand. Le peuple du faubourg la voit, se jette sur les charrettes, les pille. Tout de suite, il dit que c'est pour les gens de guerre dont le bois de Boulogne est plein, qui veulent emmener le Roi, puis assiéger ou affamer Paris, il crie à la trahison[4]. « Cet objet frappa leur imagination de mille frayeurs et fit croire aux bourgeois, comme à des criminels qui craignent le supplice, que la Reine avait quelque dessein de les punir. » En une demi-heure, tout était comme le matin[5]. En effet, après que les barricades eurent été réédifiées faubourg Saint-Antoine, les Parisiens en refirent partout, mais surtout rue Saint-Honoré, où ils mirent de la lumière aux fenêtres, car « on dit » que les cavaliers de Saint-Cloud étaient à la porte Saint-Honoré[6].

Le Bureau de Ville va au faubourg Saint-Antoine mais ne peut en persuader les habitants de désarmer[7]. Messieurs retournent à l'Hôtel de Ville où « leur vint nouvelles de divers endroits qu'il y avait quantité de gens de guerre autour de Paris et que ces provisions de poudres, balles et mesches, qu'on avait fait sortir *de la Bastille*[8] et qui furent pillées par les bourgeois, estaient pour eux, qu'on

1. *Registres*, I, p. 29. DUBOIS, p. 335.
2. *Ibid.*, p. 37.
3. *Op. cit.*, p. 580.
4. DUBUISSON-AUBENAY, p. 55.
5. MOTTEVILLE, II, p. 173.
6. DUBOIS, p. 387.
7. *Registres*, p. 32. DUBUISSON-AUBENAY, p. 55.
8. Déformation de la nouvelle qui a couru la ville.

devait la nuit enlever le Roi et mettre la ville au pillage... ».

Le Bureau de Ville se rend alors au Palais-Royal pour rendre compte et prendre les ordres. La Meilleraye leur dit que la sortie des charrettes de poudre était l'effet d'un ordre donné le mercredi, qui n'avait pu être exécuté et qu'il avait oublié de contremander. Lui-même, la Reine, Villeroy les assurent qu'il n'y a rien à craindre et donnent comme preuve le renvoi du régiment des gardes en ses quartiers. Le Bureau retourne à l'Hôtel de Ville, mais « ils furent extonnez d'y trouver deux mille âmes de l'un et de l'autre sexe, qui se mirent à crier contre eux de ce qu'ils leur avaient osté leurs armes de la main lorsqu'ils en avaient besoing; qu'ils s'entendaient avec la cour pour les perdre et ruiner; qu'on leur donnât permission de les reprendre tant pour se défendre que pour sauver leurs vies et celles de leurs femmes et enfants. Ce qui fust dist avec tant de violences, que tout ce que Messieurs de la Ville leur purent dire ne servit à rien. Si bien qu'à la fin il fallut, pour les satisfaire, promettre d'envoyer fermer les portes de la ville, dont les quartiniers auraient les clefs... »[1].

Le Bureau envoie donc des mandements aux colonels et aux quartiniers. Il dément tous les bruits alarmants, et donne l'ordre de fermer les portes, mais en précisant qu'il n'y a aucune nécessité, qu'il s'agit seulement de satisfaire les bourgeois. Le bruit s'apaise vers huit heures.

Mais, tout à coup, la rumeur reprend dans la rue Saint-Honoré. « Il y avait eu des gens assez méchants pour jeter des billets par les rues et dans les places publiques qui conseillaient aux bourgeois de prendre les armes, et qui les avertissaient charitablement qu'il y avait des troupes aux environs de Paris, avec avis certain que la Reine voulait enlever le Roi, ensuite les faire saccager pour les punir de leurs révoltes... Il y avait des troupes de *bourgeois mêlées de canaille*, qui disaient tout haut qu'ils voulaient le Roi; que leur résolution était de l'avoir entre leurs mains pour le garder eux-mêmes à l'Hôtel de Ville; qu'ils voulaient les clefs des portes de la ville, de peur qu'on ne l'enlevât; qui lui hors du Palais-Royal, ils ne se souciaient guère du reste et que volontiers ils y mettraient le feu. » Au Palais-Royal, sans fossé, sans gardes, c'est une terreur de l'invasion, du viol, du massacre. Mazarin est prêt à fuir. La Reine, presque seule, conserve son sang-froid. Elle donne ordre de porter aux bourgeois les clefs de la ville. Les colonels et les quartiniers vont par les rues toute la nuit, jurant qu'il n'y a rien à craindre.

Après minuit, les bourgeois commencent à se calmer et à se

1. *Registres*, I, p. 33.

retirer; le grand nombre, vers deux ou trois heures; les plus zélés, à quatre[1].

Le samedi 29 août à sept heures, tout est calme. Les boutiques s'ouvrent, les halles et marchés sont bien garnis. Olivier Lefèvre d'Ormesson, qui revient ce matin-ci de sa campagne, ne trouve plus que quelques coins de rues dépavés et quelques tonneaux pleins de pierres[2].

III

C'est l'arrestation de Broussel qui a été la cause immédiate de la révolte parisienne. Broussel était un des meneurs du Parlement. L'emprisonner, avec quelques-uns de ses confrères trop remuants, en exiler quelques autres, c'était priver cette Cour souveraine de ses agitateurs, et modérer les autres magistrats par la menace. L'enjeu en valait la peine. L'opposition du Parlement mettait en cause toute la structure de la monarchie française.

En politique et en législation, le Parlement, cour de justice, prétendait s'ériger en pouvoir indépendant du Roi, agissant de sa propre initiative, délibérant à part, imposant ses décisions[3]. Il voulait prendre de lui-même connaissance des affaires d'Etat, c'est-à-dire de toute la politique extérieure et intérieure, alors que, en vertu d'une longue tradition confirmée par l'édit du 21 février 1641, il ne le peut que si le Roi le lui ordonne. Il prétendait à cette fin convoquer à son gré les vassaux du Roi, princes du sang, pairs laïques et ecclésiastiques, grands officiers de la Couronne, conseiller d'Etat, et se les unir en une vaste assemblée, qui reconstituait la *Curia Regis*, représentant les ordres du royaume, alors que seul le Roi pouvait convoquer ses vassaux pour leur demander service de Conseil, quand il le jugeait bon. Il voulait assembler les autres officiers du Roi, pour connaître des affaires de l'Etat, comme il avait fait le 13 mai 1648, par l'arrêt d'Union qui groupa à la Chambre Saint-Louis les députés des Cours souveraines de Paris[4] pour délibérer en commun sur la réforme de l'Etat. Il s'efforçait d'examiner à nouveau, seul, sans le Roi, les édits vérifiés en présence du souverain, séant en son lit de justice, qui

1. *Registres*, I, p. 34-35. MOTTEVILLE, II, p. 177.
2. *Mémoires*, I, p. 555. *Registres*, I, p. 35.
3. Sur la lutte du Parlement contre le Conseil, cf. les *Mémoires* d'Omer TALON pour l'année 1648 et ceux de Mathieu MOLÉ. Glasson est superficiel sur tout ceci.
4. Parlement, Chambre des Comptes, Cour des Aides, Grand Conseil.

reconstituait la vieille Cour le Roi. L'édit du 21 février 1641 le lui permettait, sous réserve que si le Roi persistait dans sa volonté le Parlement s'inclinât après ses premières remontrances. Mais le Parlement, malgré les avertissements de la Cour, malgré les arrêts du Conseil d'en Haut, avait modifié ou révoqué par ses arrêts des édits ou des articles d'édits vérifiés en lit de justice. Bien mieux, Messieurs n'admettaient le lit de justice que sous forme d'une visite du Roi venant prendre leurs avis sur une question de politique générale. Lorsqu'il s'agissait de légiférer, ils déclaraient que la présence du Roi violait la liberté des suffrages et ils prétendaient délibérer et voter édits et ordonnances, seuls, sans le Roi. Convocation spontanée des représentants du royaume, connaissance de toutes affaires, lois votées sans le souverain, c'était ériger une assemblée distincte du Roi, avec le pouvoir législatif, le contrôle de l'exécutif, c'était une ébauche de séparation imparfaite des pouvoirs. Le Parlement proclamait la puissance absolue du Roi et la limitait seulement par le souci des convenances et la modération chrétienne[1]. Mais, en fait, il allait à une monarchie tempérée et ouvrait même la voie à une république. Son action était contraire aux lois fondamentales du royaume, à l'être même de la monarchie. Roi et royaume formaient un tout. La présence du Roi ne violait pas la liberté d'opinion des membres de la *Curia Regis*, parce que la *Curia*, raccourci du royaume, n'était pas sans le Roi. Le Roi faisait prendre les avis par le chancelier, mais ensuite il dégageait lui-même la volonté profonde de la *Curia* et se l'appropriait. En droit, cette volonté profonde pouvait différer des volontés exprimées, et le Roi pouvait décider contre la majorité des avis. L'attitude du Parlement était donc révolutionnaire; c'était un bouleversement, une séparation par la pensée de deux éléments en réalité unis, inséparables et indispensables : Roi et Royaume, Souverain et Nation, un seul être. C'était une négation de la monarchie.

Mais cette révolution était par ailleurs profondément conservatrice. Seul, ou avec d'autres officiers, le Parlement ne représente rien. Fragment détaché de la *Curia Regis*, il n'a que ses fonctions propres et l'autorité que le Roi a voulu lui donner. Il n'est nullement qualifié pour représenter le royaume. Son action n'avait pour but que de protéger les situations acquises des possesseurs d'offices et de fiefs, celles des pouvoirs provinciaux et locaux, contre une autre révolution, la révolution centralisatrice et, dans une certaine mesure, égalitaire de la monarchie absolue.

1. O. TALON, p. 209-212, lit de justice du 15 janvier 1648, et p. 259, lit de justice du 31 juillet 1648.

Un autre enjeu, en effet, était l'autorité des Conseils sur les Cours souveraines et, de façon plus générale, des commissaires royaux sur les officiers[1]. Très claires sont, sur ce point, les propositions des députés des Cours souveraines de Paris assemblés à la Chambre Saint-Louis[2], imposées au Conseil et reprises en partie par lui dans les déclarations royales des 18 et 31 juillet[3]. Les Cours combattaient la tendance du gouvernement royal à substituer le commissaire à l'officier, en particulier le Conseil aux Cours souveraines et l'intendant aux différents officiers de justice et de finances.

Le Parlement et l'assemblée de la Chambre Saint-Louis réclamaient d'abord que le Conseil fût un simple régulateur de la justice et non un supérieur des Cours souveraines, la vraie Cour souveraine. Ils lui déniaient le droit de casser leurs arrêts à sa volonté ou sur simple requête. Ils lui reconnaissaient seulement le pouvoir d'appliquer les ordonnances, notamment l'article 92 de l'ordonnance de Blois (mai 1579); sur requête d'une partie en propositions d'erreur de fait ou sur requête civile fondée sur le dol et la surprise de la partie, un maître des requêtes est chargé du dossier et en fait rapport à l'assemblée des maîtres des requêtes. Si celle-ci juge la requête fondée, le maître des requêtes en fait rapport au Conseil. Celui-ci, s'il admet les conclusions du rapporteur, renvoie l'arrêt incriminé à la Cour qui en est l'auteur et qui doit faire à nouveau juger le procès. Mais le Conseil cassait à sa guise, selon l'utilité publique, toute espèce d'arrêts des Cours souveraines.

Messieurs protestaient contre la tendance du Conseil à déposséder Cours souveraines et juges ordinaires de leurs fonctions. Organe de la « justice retenue », de celle que le Roi, souverain justicier, et qui tire, en droit, tous ses pouvoirs de son rôle de justicier, se réserve, le Conseil donnait des évocations générales et de propre mouvement à des traitants, des courtisans, des révoltés nobles ou protestants, des villes ou des individus, pour que tous leurs procès fussent jugés souverainement au Conseil. Le Conseil retenait les affaires qui avaient donné lieu à appel et, au lieu de les renvoyer à la Cour intéressée, les jugeait lui-même. Le Conseil privé faisait de même quand une partie dénonçait la présence de parents ou d'alliés de la partie adverse

1. R. MOUSNIER, Le Conseil du Roi de la mort de Henri IV au gouvernement personnel de Louis XIV, dans *Etudes d'histoire moderne et contemporaine*, p. p. la Soc. d'Hist. mod., t. I, 1947, p. 29-67. R. MOUSNIER, *La vénalité des offices sous Henri IV et Louis XIII*, 1945, in-8°, livre III, chap. IV.

2. Omer TALON, p. 241 et suiv., propose des 1er, 10, 14, 17 juillet 1648.

3. Omer TALON, p. 245 et 256. La déclaration du 31 juillet aussi dans NÉRON, *Ordonnances*, éd. LAURIÈRE, 1720, t. II, p. 18-20.

dans la Cour qui allait juger. Quand il y avait incertitude sur le point de savoir quelle Cour souveraine était compétente, le Conseil privé, au lieu d'en décider par « règlement de juges », jugeait lui-même l'affaire au fond. Des commissions spéciales, issues du Conseil d'Etat, jugeaient souverainement de nombreuses affaires d'importance politique, à la place des Cours. Enfin, comme l'appel des jugements des intendants dans les provinces venait au Conseil, les Cours souveraines se trouvaient privées d'une foule d'affaires, qui leur seraient venues en appel, si elles avaient été réglées normalement par les juges ordinaires.

Aussi les Cours réclamaient-elles la suppression des intendants qui, au lieu d'instruire simplement les affaires sur requêtes des parties et de les envoyer aux juges ordinaires, jugeaient eux-mêmes le fond sur commission du Conseil, et dépossédaient de leurs fonctions présidiaux, conseils de bailliages et de sénéchaussées, prévôts, etc., cependant qu'ils faisaient celles des officiers de finance, trésoriers de France, élus et autres. Le Parlement prenait l'intérêt de tous ces officiers. Il demandait que tous fussent rétablis dans l'exercice de leurs charges et dans la jouissance de leurs gages; qu'ils ne pussent plus être privés de leurs fonctions par simple lettre de cachet, mais seulement par procès fait suivant les ordonnances[1]. Il constituait ainsi une union des officiers de toutes catégories contre le gouvernement royal.

Ainsi étaient posées, non seulement la question de la justice, mais celle de toute l'administration du royaume, car justice et administration étaient confondues. C'était le juge qui administrait par ses arrêts de règlement et par ses arrêts entre parties. Il s'agissait de savoir qui allait administrer le royaume, des fonctionnaires royaux, nommés et révoqués à volonté, agissant dans l'intérêt du Roi, qui se confond avec l'intérêt général du royaume, au nom du salut public et de la raison d'Etat, ou des corps d'officiers à responsabilité collégiale diluée, propriétaires en droit de la valeur de leurs charges, en fait de ces charges elles-mêmes, possesseurs de fiefs, jouissant de tous les pouvoirs du seigneur, alliés ou parents de nobles d'épée, devenus des puissances provinciales ou locales, très particularistes. Certes, la guerre imposait un gouvernement absolu, dictatorial même, et le gouvernement royal aux XVIe et XVIIe siècles, est un gouvernement de guerre, qui dépasse de beaucoup en fait ce que le Roi lui-même aurait voulu en théorie. Certes, la monarchie avait une tendance naturelle, comme tous les pouvoirs, à développer sa puissance tant que la résistance n'était pas trop forte. Mais la vénalité des charges

1. Propositions du vendredi 10 et du mardi 14 juillet 1648.

et le caractère de seigneurs terriens acquis par les officiers contraignaient le souverain à l'emploi des commissaires pour ressaisir la puissance publique et faire triompher l'intérêt général sur les intérêts particuliers.

Le Conseil, inspiré par Mazarin, ne jugeant pas la résistance possible, avait bien révoqué toutes les commissions extraordinaires, en particulier celles des intendants, par édit du 18 juillet, il avait bien, par édit du 31 juillet, fait droit aux réclamations des Cours souveraines sur la justice et l'administration. C'était là pour lui des concessions inadmissibles, l'impossibilité de continuer la guerre, la fin de la monarchie, une décision temporaire, prise en désespoir de cause, sur laquelle il fallait revenir le plus vite possible, dès qu'il aurait pu juguler le Parlement.

Le Parlement, d'ailleurs, allait paralyser la conduite de la guerre par son opposition sur les finances, bon moyen de se rendre populaire et de mettre le gouvernement à sa merci. Il prétendait interdire au Conseil de créer des impôts par simple arrêt et, le 3 juillet, demandait que fussent levés seulement les impôts créés par édits vérifiés. Le 1er juillet, il avait demandé la révocation de tous les traités, alors que le gouvernement avait dû affermer même les tailles, et remise du quart des tailles, qui était le bénéfice des traitants. Le 2 juillet, il avait exigé une espèce de banqueroute et une transformation de la dette à court terme en dette à long terme : tous prêts et avances à l'Etat étaient déclarés nuls; ceux qui seraient reconnus réels par enquête seraient remboursés en temps et lieu avec intérêts. La déclaration du 18 juillet fit une remise de 12 % sur les tailles. Le Parlement la vérifia mais insista pour une remise de 25 % sur 1647, 1648 et 1649. Le résultat était une effroyable pénurie d'argent. Plus personne ne payait : les paysans étaient persuadés que le Roi allait supprimer tous les impôts. Les traitants, eux, ne faisaient plus guère d'avances. Les armées, mal payées, commençaient à se désorganiser.

Si le Parlement poussait aussi loin les choses, c'était aussi par intérêt de propriétaire du capital mis dans les offices. Ce souci le détermina à une attitude d'opposition violente qui fut une des principales causes de la révolte parisienne. Il s'agissait d'empêcher les créations d'offices qui accroissaient l'offre et diminuaient leur valeur marchande[1]. Il s'agissait surtout d'obtenir le renouvellement

1. Proposition de la Chambre Saint-Louis, mardi 14 juillet; créations d'offices seulement par « édits vérifiés et Cours souveraines, *avec liberté entière des suffrages* » (sans lit de justice); révocation de toutes les créations d'offices non vérifiées aux Cours souveraines avec liberté des suffrages (création des maîtres des requêtes imposée en lit de justice du 15 janvier 1648).

de la paulette ou droit annuel, prime d'assurance qui permettait aux officiers de conserver leur charge ou sa valeur à leur famille. Concédée pour neuf ans, la permission de payer le droit annuel était expirée le 31 décembre 1647. Son renouvellement avait donné lieu au marchandage habituel : le gouvernement en retardait l'octroi le plus possible pour obliger le Parlement à vérifier des édits; le Parlement affectait l'opposition vigoureuse pour obtenir l'annuel et l'obtenir aux meilleures conditions. Le gouvernement alors accordait l'annuel à des conditions très onéreuses. Les officiers protestaient et accentuaient leur opposition. Le gouvernement supprimait l'annuel : c'était une grâce qu'il n'était pas obligé d'accorder et, si les officiers n'en voulaient pas à ses conditions, il ne le donnait pas. Et puis, après bien des négociations, des menaces et des feintes, gouvernements et officiers finissaient par s'accorder. Cette fois-ci, les événements s'étaient d'abord déroulés comme d'habitude[1]. Lorsque le Parlement parut faiblir, le Conseil, par déclaration du 30 avril 1648, concéda l'annuel moyennant la suppression de quatre années de gages. Le Parlement de Paris seul avait l'annuel pour rien. Mais le Parlement rappela comment, en 1621 et en 1630, le Roi était resté le maître en divisant ses officiers par des conditions différentes pour le droit annuel[2]. Il se solidarisa avec les autres officiers et la conséquence de la déclaration du 30 avril fut l'arrêt du 13 mai, ou arrêt d'Union qui créa l'assemblée de la Chambre Saint-Louis. Le 18 mai, le Conseil supprima l'annuel. Pour le ravoir, le Parlement passa outre aux défenses verbales du chancelier et de la Reine, aux arrêts du Conseil d'en Haut des 7 et 10 juin, qui cassaient l'arrêt d'Union. Il commença à faire des demandes de plus en plus graves, de plus en plus exorbitantes en vue de contraindre la Cour. En même temps que la déclaration du 31 juillet qui leur défendait de s'assembler davantage, la Reine leur accorda le droit annuel aux conditions de 1604, les plus avantageuses. Mais le Parlement se trouva trop avancé; il eut peur de perdre toute sa popularité, toute son autorité sur le peuple de Paris, s'il découvrait par sa retraite qu'il n'avait travaillé que pour soi. Il avait, d'ailleurs, dans son sein, des jaloux des conseillers d'Etat et des envieux des traitants. Il avait découvert

1. O. TALON, p. 208, 209, 222. André d'ORMESSON, dans *Mémoires* d'Olivier LEFÈVRE D'ORMESSON, I, p. 556, n. 2. MOLÉ, III, p. 201. A Talon qui lui conseille le 5 janvier d'accorder le droit annuel au Parlement, irrité sur ce chapitre, Mazarin répond « qu'il était à propos que l'espérance de l'obtenir servît à quelque chose, jusques à ce que toutes les affaires du Roi fussent faites ». MOLÉ, 17 janvier 1648, à propos des édits à vérifier : « ... le droit annuel n'étant point accordé, on conservait dans la Compagnie la fermeté assurée en ces rencontres. »

2. R. MOUSNIER, *La vénalité...*, livre II, chap. IV, livre III, chap. IV.

la faiblesse de la Cour par ses capitulations successives. Il continua donc. Mais les circonstances étaient particulièrement graves et son action faillit ruiner la monarchie et le royaume.

L'exemple du Parlement de Paris amena une révolte générale. Parlements de province, villes se rebellaient. Chacun avait son grief particulier contre le gouvernement et profitait de la situation générale. Le royaume sombrait dans l'anarchie et se décomposait. Si la bataille de Lens avait été perdue, nul ne sait ce qui aurait pu advenir[1]. Or, le 22 août, le Parlement, sur le conseil de Broussel, très échauffé contre les maltôtiers, décida des poursuites contre les principaux partisans : Catelan, Tabouret, Le Fèvre, qui, depuis longtemps, parlaient au surintendant de réprimer l'autorité du Parlement. Ceux-ci poussèrent à l'action par eux-mêmes et par l'intermédiaire de grands personnages qui avaient mis leur argent dans des prêts et avances. Ils excitèrent à l'arrestation des meneurs et à l'interdiction du Parlement, qui devaient rétablir l'autorité absolue du Roi. Lorsque, le 21 août, il apprit à Paris la nouvelle de la victoire de Lens, gagnée le 20, le Conseil pensa que ce triomphe allait lui rendre le prestige nécessaire et n'hésita plus[2].

C'est le menu peuple de Paris, bateliers, crocheteurs, petits artisans, qui s'est soulevé le premier en faveur de Broussel[3]. A première vue ses raisons sont simples : dans la misère, écrasé d'impôts, victime d'une hausse sur les farines, il prend la défense de ceux qui le défendaient contre les édits bursaux. La révolte est un phénomène de pain cher.

Examen fait, la question apparaît comme beaucoup plus compliquée. Il ne semble pas d'abord que ce peuple ait été dans la misère. Le plus haut prix des grains et farines a été atteint en 1644[4]. Ensuite, les prix s'effondrent en 1645 et remontent lentement d'une année sur l'autre jusqu'au 19 août 1648, dernier jour du trafic avant l'insurrection. Par rapport à la période correspondante du mois d'août 1645, les prix au 19 août 1648 sont en hausse de 19,8 % pour le meilleur froment, 14 % pour le moindre méteil, 9 % pour le seigle, 24 % pour

1. Goulas, II, p. 326. Mazarin, *Lettres*, III, p. 127, Motteville, II, p. 150.

2. Vallier, p. 84. André d'Ormesson dans *Mémoires* d'Olivier, I, p. 556, n. 2, et Olivier Lefèvre d'Ormesson, I, p. 555. Motteville, II, p. 117.

3. Mon élève M. Jean-Louis Bourgeon a démontré le contraire dans un mémoire intitulé L'île de la Cité pendant la Fronde. Etude sociale, dans *Paris et Ile-de-France. Mémoires de la Fédération des Sociétés historiques et archéologiques de Paris et de l'Ile-de-France* XIII, 1962.

4. Arch. Nat., KK. 992 et 993, prix du froment, du méteil, du seigle, de l'orge, de l'avoine, des farines, de diverses qualités, le mercredi et le samedi.

la meilleure farine et 15 % pour la moins bonne. Les prix sont les mêmes qu'en 1645 pour la dernière qualité de froment et la meilleure de méteil. L'orge est en baisse de 16 %. La hausse n'est en somme pas très forte, en rien comparable à celle qui a précédé d'autres journées révolutionnaires. Par rapport à la période correspondante de 1644, il y a baisse. La meilleure qualité de farine est de 8 % moins chère qu'en août 1644, la moins bonne de 9 %; le meilleur froment de 18 %, le pire de 24,5 %; le meilleur méteil a baissé de 24 %, le moindre de 40 %, le seigle de 22,5 %, l'orge de 21 %. Mais surtout, depuis le début de l'année, Paris se trouvait en pleine période de baisse. Depuis le 4 janvier, les prix décroissaient. La baisse, lente jusqu'au 16 mai, s'était accentuée ensuite et se précipitait depuis le 18 juillet. Du 4 janvier au 19 août, la meilleure farine avait baissé de 15 %, la moindre de 10 %, le meilleur froment de 18 %, le moindre de 29 %, le meilleur méteil de 30 %, le moins bon de 21 %, le seigle de 28 %, l'orge de 21 %.

Mais le rapport des salaires aux prix m'échappe complètement. Les salaires étaient-ils stables ou en baisse ? Y avait-il ou non du chômage ? Les compagnies assemblées en la Chambre Saint-Louis proposent, le 17 juillet, des mesures de prohibition; la défense d'importer les draperies de laine ou de soie manufacturées en Angleterre ou en Hollande, les passements de Flandres, les points d'Espagne, Rome et Venise, car l'importation réduit au chômage « une infinité de menu peuple ». Il faudrait préciser dans quelle mesure les Parisiens en étaient affectés.

Il n'est guère possible de discerner si les impôts étaient réellement insupportables. Paris était exempt de taille, taillon et crues, et échappait ainsi aux plus lourds impôts directs[1]. Il restait sujet à différentes taxes pour l'entretien des troupes, à des emprunts forcés et à des

1. Les parisiens pouvaient être solidaires des paysans des environs qui viennent aux marchés de Paris, ont des contacts fréquents avec la population artisane et même des alliances de famille. La bourgeoisie parisienne avait des propriétés roturières et des fiefs dans la banlieue, et suivant la coutume du temps un lien de protection et de service s'établissait entre elle et les cultivateurs. Ce Paris de 415 000 habitants avait des relations fréquentes et faciles avec la campagne. Or les paysans étaient aussi mécontents : « Ce jour Lundi 20 (août) 606 paysans entourent le duc d'Orléans allant au Parlement : qui crient à lui qu'il ne veuille empêcher la bonne volonté que le Parlement a de les soulager » (Dubuisson-Aubenay, p. 40-49). En réalité, eux non plus n'étaient pas surchargés. O. Talon qui proclame la misère du royaume dit que les villages proches de Paris sont à l'aise et capables de payer (p. 206). Les revenants-bons des tailles à l'Epargne sont en diminution constante depuis 1643. Mais à partir de 1651, dans un pays ruiné par les guerres civiles et dans une détresse qui dépasse infiniment tous les maux antérieurs, les revenants-bons augmentent et dépassent de 1651 à 1654 ceux de 1647 et 1648. Y aurait-il eu plus de mauvaise volonté que d'incapacité de payer. La crise fiscale serait-elle plus psychologique que financière ?

impôts indirects. Les grandes augmentations de ces derniers paraissent bien antérieures aux événements. Pour le vin, le muid de 272 livres payait, en 1640, 6 livres 7 sols 6 deniers. En 1643, les droits étaient passés à 9 livres 7 sols 10 deniers. Depuis, ils n'avaient pas été sensiblement accrus[1]. Dans l'ensemble, ils ne paraissent pas bien lourds. Mais le Conseil voulait les augmenter et le Parlement semblait prendre la défense du peuple. Un nouveau tarif sur les marchandises entrant dans Paris avait été établi en octobre 1646. L'édit de création avait été enregistré à la Cour des Aides. Le Parlement en prit connaissance par jalousie et il eut un beau terrain pour faire de la popularité car le gouvernement avait créé ce tarif au lieu de 730 000 livres auxquels les marchands des Six-Corps, les grands bourgeois, avaient été taxés comme aisés. Le Parlement protesta qu'il était injuste de faire porter aux petits le fardeau des riches. Menacé d'une création d'offices de police jugée plus onéreuse, il l'enregistra le 7 septembre 1647, en exceptant les grains, le charbon, le vin, le bois à brûler, et toutes les denrées provenant des propriétés des bourgeois[2]. Depuis le début de 1648, la Cour et le Parlement discutaient sur le tarif. Le 20 juillet, le Parlement avait arrêté que la pancarte, affichée aux portes de Paris pour savoir quels droits payer sur les marchandises, serait dressée par deux conseillers. La déclaration royale du 31 juillet supprimait le droit sur le vin, mais ordonnait la levée des autres et ordonnait que la pancarte fût dressée par le Conseil du Roi. Le Parlement avait décidé le 18 août l'exécution de son arrêt du 20 juillet, puis avait accepté que la pancarte fût dressée par le duc d'Orléans, dans son hôtel, avec des commissaires du Parlement. Broussel et Ferrand avaient été désignés comme commissaires. Broussel, l'élément actif, examinait depuis le 20 août non seulement la pancarte mais les baux sur le sel et les différentes fermes.

Le Parlement a fait ainsi de la démagogie. Afin de s'assurer l'opinion dans la lutte qu'il menait contre le gouvernement pour ses intérêts propres, il a persuadé au peuple de Paris, comme aux autres Français, qu'il était taxé trop lourdement, injustement, inutilement, pour la seule gloire du Roi et le seul luxe de la Cour[3], alors que la guerre contre les prétentions des Habsbourg à la domination univer-

1. A. de Saint-Julien et G. Bienaymé, *op. cit.*, tableaux.
2. Omer Talon, p. 198 et sq. A. Clamageran, *Hist. de l'impôt en France*, II, p. 548-549.
3. Discours de l'avocat général Omer Talon, au lit de justice du 15 janvier 1648 (*Mémoires*, p. 210) : « ... la calamité des provinces, dans lesquelles l'espérance de la paix, l'honneur des batailles gagnées, la gloire des provinces conquises, ne peut nourrir ceux qui n'ont point de pain, lesquels ne peuvent compter les myrtes, les palmes et les lauriers entre les fruits ordinaires de la terre... », et, s'adressant au Roi : « ... méprisant toutes sortes de dépenses inutiles et superflus, triomphez plutôt du luxe de votre siècle. »

selle mettait en péril l'existence même du royaume et que la Cour, misérable, n'avait pas d'argent pour sa subsistance[1]. Par jalousie des traitants, le Parlement poussait à leur faire rendre gorge au lieu de lever des impôts, excitait la mauvaise volonté du peuple à payer et sa fureur contre les financiers et le gouvernement, sans considérer que le Roi ne pouvait se passer des crédits des partisans[2]. Sans les excitations du Parlement, le peuple de Paris aurait sans doute supporté des charges que rien ne prouve excessives. C'est l'inutilité et l'injustice imaginées de l'effort fiscal beaucoup plus que l'effort fiscal lui-même qui semblent avoir été insupportables.

Ce petit peuple était-il touché par les mesures du gouvernement à l'égard des rentes : suppression d'une année d'intérêts, création de rentes nouvelles qui faisaient craindre pour le paiement des arrérages des anciennes, édit du 31 juillet prévoyant un règlement qui parut une menace de suppression des paiements pour un temps indéterminé ? C'est possible. Il y avait des possesseurs de quelques petites rentes dans toutes les catégories sociales[3].

Le peuple de Paris avait fini par éprouver pour le Parlement une sorte d'attachement sentimental et de vénération[4]. Mais pour Broussel, c'était une dévotion. Il la devait sans doute d'abord au contraste entre son grand âge, son aspect chétif et l'audace avec laquelle il soutenait toujours les motions les plus opposées aux intérêts du gouvernement. Il passait pour pauvre. Il n'avait, disait-on, que quatre

1. MOTTEVILLE, II, p. 98. La cuisine du Roi est renversée; la Reine doit emprunter de l'argent à quelques particuliers, la Princesse, Mme d'Aiguillon, mettre les pierreries de la couronne en gage. Mazarin doit mettre des diamants en pension pour payer les Suisses, il doit emprunter à ses amis.

2. O. TALON, lit de justice du 31 juillet (*Mémoires*, p. 260) : « ... la multitude des levées et la dureté des exécuteurs, dont Votre Majesté n'a pas reçu la moitié dans l'Epargne, laquelle ils ont rançonné par des usures sanguinaires et introduit dans les familles particulières l'insolence du luxe et de l'excès des dépenses... » qui « ... les accusent de la calamité publique. C'est dans la recherche de ces richesses injustes que se peuvent rencontrer des trésors innocents, des fortunes d'or qui appartiennent à votre Majesté par la loi du royaume; c'est la matière sur laquelle, depuis deux mois, votre Parlement s'est assemblé tous les jours... ».

3. GERMAIN-MARTIN et M. BEZANÇON, *op. cit.*, p. 22-27 à 30.

4. GOULAS, II, p. 321, vers le 15 juillet 1648 : « Des cochers et des laquais ayant pris querelle dans les rues... et les maîtres... étant sortis des carrosses pour mettre le holà (c'étaient deux gentilshommes et un maître des requêtes), l'homme de robe longue eut tout le peuple pour luy, et cette canaille disait tout haut qu'il fallait estre du party du maistre des requêtes à cause du Parlement qui prenait soin de leurs intérêts et empêchait leur oppression. »

MOTTEVILLE, II, p. 98 : « Le peuple, par l'espérance de se sauver des taxes et des impôts, ne respirait que le trouble et le changement, et il paraissait se confier à ceux du Parlement comme à leurs protecteurs. Chaque conseiller leur paraissait un ange descendu du ciel pour les sauver de la prétendue tyrannie du Cardinal, qu'ils s'imaginaient plus grande qu'elle ne l'était en effet. »

mille livres de rente et avait élevé cinq grands enfants. Il n'avait pas de carrosse et allait à pied au Palais par les rues de son quartier. Il était bienfaisant aux pauvres gens, et, dans les réunions de la Chambre Saint-Louis, dans les assemblées du Parlement, dans les conférences à l'hôtel d'Orléans, il avait été considéré comme chef de parti et avait toujours fait les propositions qui passaient pour les plus avantageuses pour le peuple[1]. Qu'il fût une pauvre cervelle, que sa politique fût de nature à causer un désastre militaire et la ruine complète du peuple n'y avait rien fait. Tout ceci d'ailleurs ne semble pas expliquer la violence du sentiment qui portait les Parisiens vers Broussel. Tout se passe comme si ce menu peuple, et beaucoup de bourgeois, avaient eu besoin d'incarner leurs désirs dans un homme, et comme s'il s'était produit sur Broussel un phénomène de « cristallisation ». Il était devenu un personnage surnaturel ou une sorte de fétiche. Les Parisiens eurent un désespoir de l'avoir perdu comme s'ils avaient perdu la protection d'en haut. Le Parlement passa au second plan. Il n'y eut plus que Broussel devant les yeux, dans les esprits et dans les cœurs. Le Parlement fut maltraité lorsqu'il sortit du Palais-Royal sans Broussel. Blancmesnil, revenu avant lui, fut montré aux Parisiens pour les calmer, mais rien n'y fit; ils ne vivaient plus que pour Broussel. Lorsque celui-ci arriva, ce fut une explosion de joie comme si le Messie était descendu sur terre et que tout fût sauvé. Beaucoup de bourgeois étaient dans les mêmes sentiments. Ce phénomène de psychologie collective a joué sans doute le principal rôle au moment décisif[2].

1. DUBOIS, p. 337. O. TALON, p. 263. MOTTEVILLE, II, p. 151. J. VALLIER, p. 84.

2. MOTTEVILLE, II, p. 155, le 26 août : « Quand les Parisiens eurent perdu de vue leur Broussel, les voilà tous comme des forcenés, criant par les rues qu'ils sont perdus, qu'ils veulent qu'on leur rende leur protecteur et qu'ils mourront tous de bon cœur pour sa querelle. »

Lorsque La Meilleraye sort la première fois et leur parle, le peuple répond avec respect pour sa personne, « avec audace et emportement contre ce qu'ils devaient au nom du Roi, demandant toujours leur protecteur, avec protestation de ne s'apaiser jamais qu'on ne le leur rende ».

DUBOIS, p. 335 : « Lorsque Broussel rentre à Paris, il est reçu partout avec des applaudissements, salué d'un nombre infini de mousquetades, chacun veut l'embrasser ou lui toucher la main; il recommande de bien servir le Roy; on crie « Vive le Roi et M. de Broussel » et *parfois* « Vive le Roi et le Parlement ». » Cf. MOTTEVILLE, II, p. 171 : « Et jamais triomphe de roi ou d'empereur romain n'a été plus grand que celui de ce pauvre petit homme... Il est mené à Notre-Dame, le peuple voulait qu'on chantât un *Te Deum* pour lui. »

Le Parlement a cherché à masquer la diminution de son importance. Il a fait écrire dans le *Journal* (p. 66) que lorsqu'il alla au Palais-Royal, le 27, les bourgeois avaient crié « ... *partout* : Vive le Roy et le Parlement, et en *beaucoup de lieux* : Vive le Roy et M. de Brouselles... ». Mais il faut préférer le témoignage de Dubois, car le Parlement se met

Les Parisiens, qui avaient leur fétiche en Broussel, avaient leur bouc émissaire en Mazarin. Fétiche et bouc émissaire, ce sont les objets de deux sentiments joints et qui varient ensemble ou de deux aspects complémentaires d'un même sentiment. L'exécration et le mépris du peuple pour Mazarin croissaient en même temps que son adoration pour Broussel. Mazarin était tenu pour responsable de toutes les imperfections, tout ce qu'il faisait était défectueux et lui était inspiré par les sentiments les plus malicieux. Tout se passait comme si ce peuple et beaucoup de bourgeois avaient éprouvé le besoin d'incarner en un homme tout ce qui leur paraissait mal; comme s'ils avaient mis en l'image qu'ils se faisaient de Mazarin tout ce qu'ils haïssaient. Ils plaçaient Mazarin au rang des plus vils animaux. Son nom était devenu la suprême injure. La haine et le mépris s'étendaient à tout ce qui touchait Mazarin et qu'il salissait par son approche, la Reine, le Conseil, la Cour. Ils reprochaient à Mazarin de n'être pas français, de parler notre langue avec un accent effroyable et d'en faire un galimatias. Ils éprouvaient une répulsion pour ses habiletés. Ils lui en voulaient de n'avoir pas fait la paix. Mazarin était d'ailleurs sur ce point en partie victime de lui-même. Surtout préoccupé de résultats immédiats, il s'était vanté à plusieurs reprises d'avoir la paix en main. Il avait permis ainsi à ses adversaires de faire croire aux Français que la guerre continuait par la seule volonté du gouvernement, qu'elle n'était pas nécessaire, que les Habsbourg ne la voulaient pas. Aussi la victoire de Lens n'avait-elle produit aucun effet. Les Parisiens pensaient et agissaient comme s'il n'y avait pas eu de Habsbourg, presque comme si la France avait été seule au monde. Même, l'Espagnol et l'Autrichien étant lointains, le gouvernement et les conséquences de ses actes immédiats et quotidiens, les Parisiens en étaient venus à haïr plus leur gouvernement que l'ennemi, à se méfier plus de leurs chefs que de l'ennemi. Ils dédaignaient le gouvernement même à cause de ses concessions à l'égard du Parlement, de ses capitulations. Ils méprisaient Reine, ministres et Conseil d'être faibles et de leur céder ce qu'ils demandaient. Les efforts de concilia-

en contradiction avec la fureur du peuple lorsque Messieurs reviennent sans Broussel, les injures, les mauvais traitements dont furent l'objet les présidents et conseillers, et avec son propre récit qui montre que c'est Broussel qui importe aux bourgeois et qu'ils sont partisans du Parlement surtout parce qu'ils croient que le Parlement va chercher Broussel : « Un nombre infiny de bourgeois en armes, qui tous leur ont dit qu'ils avaient les armes pour le service du Parlement, qu'il n'avait qu'à commander et qu'il serait obéi ponctuellement, qu'ils voulaient avoir M. de Broussellés... » (*Journal*, p. 66). Cf. O. TALON, p. 265 : « Tous les bourgeois disaient hautement qu'ils étaient au service du Parlement et criant : Vive le Roi ! Vive le Parlement ! Vive M. de Broussel ! et que nous eussions à le ramener. »

tion accroissaient haine, dégoût et opposition[1]. La nature et la profondeur de pareils sentiments apparaissent sans relation logique et sans proportion avec les raisons économiques et financières de mécontentement.

L'action et les sentiments des bourgeois apparaissent comme complexes. Il faudrait d'ailleurs pouvoir distinguer entre les différentes classes sociales que recouvre ce terme de bourgeois, voir si les « Six-Corps » (draperie, épiciers-apothicaires, merciers, pelletiers, bonnetiers, orfèvres), privilégiés, qui parlaient au nom du commerce parisien, ont réagi comme les autres, si les maîtres marchands-fabricants ont eu la même attitude que les petits patrons, parfois voisins du prolétariat[2]. Or, c'est encore à peu près impossible.

Les bourgeois n'ont pas commencé. Le premier jour, peu d'entre eux prennent les armes et par contrainte[3]. Leur situation était relativement meilleure. Les grands bourgeois avaient été dispensés de l'impôt spécial d'août 1647[4]. Tous semblent échapper, en fait, depuis leur émeute de janvier 1648, à la taxe sur les propriétaires de maisons[5]. Possédants, ils ont d'ailleurs à perdre dans les troubles. Ils se montrent, en général, respectueux de l'ordre public. Beaucoup ne veulent s'armer qu'avec la permission des autorités responsables, le Bureau de Ville et le Parlement[6].

Cependant, le second et le troisième jour, il y a des bourgeois en

1. MOTTEVILLE, II, 19, 130, 156, 170. Guy JOLY, p. 13.

MOTTEVILLE, entre le 1er et le 5 août : « Toutes choses se brouillaient dans les provinces aussi bien qu'à Paris et l'on voyait partout un déchaînement horrible de malédictions contre le gouvernement et une liberté effrénée de médire du ministre. On murmurait contre la Reine; elle était attaquée ouvertement; on la haïssait à cause de celui dont elle soutenait la grandeur. »

Le 27 août : « Le peuple et les bourgeois... parmi leur colère, ce grand déchaînement qu'ils avaient contre la personne de la Reine et du Ministre, était une chose étonnante... si on les trompait, ils iraient saccager le Palais-Royal, chasseraient cet étranger; et ils criaient incessamment : Vive le Roi tout seul et M. de Broussel. »

Guy Joly : le nom du cardinal Mazarin « ... était devenu une injure si odieuse que les juges donnèrent des permissions d'informer contre ceux qui le donnaient à quelqu'un... Ce nom même tomba dans une telle horreur que le menu peuple s'en servait comme d'une espèce d'imprécations contre les choses déplaisantes; et il était assez ordinaire d'entendre les charretiers dans les rues, en frappant leurs chevaux, les traiter de bougre de Mazarin. »

2. P. BOISSONNADE, *Socialisme d'Etat*, p. 289 et 307.

3. C'est une erreur; ce sont les bourgeois qui ont commencé comme l'a montré mon élève Jean-Louis BOURGEON, *Paris et Ile-de-France*, XIII, 1962.

4. E. MARTIN SAINT-LÉON, *Corporation*, 1922, p. 383, présente le tarif qui devait tenir lieu de cet impôt comme remplacé par une création d'offices. Il y eut seulement menace de création pour faire enregistrer le tarif.

5. MOTTEVILLE, II, p. 4-7. J. VALLIER, p. 2 sq. O. TALON, *passim*.

6. Cf. *supra*, p. 271.

action. On en voit parmi les révoltés qui obligent le Parlement à retourner chercher Broussel, parmi ceux qui mettraient bien le feu au Palais-Royal. Il ne semble pas qu'il y en ait eu des Six-Corps parmi ceux-ci et peut-être déjà les Six-Corps se séparaient-ils dans leur ensemble du reste comme ils le firent plus tard[1]. Mais, en tout cas, ils ne le manifestèrent pas car on ne voit nulle part la milice bourgeoise intervenir contre les rebelles.

C'est qu'au moins un grand nombre de bourgeois était atteint comme le peuple; dans leur amour-propre, par les efforts du gouvernement pour faire payer Paris, ville privilégiée; dans leurs intérêts, par les taxes, les emprunts forcés, les impôts divers, par les monopoles commerciaux dont ils demandent la suppression, les importations de produits fabriqués étrangers dont ils réclament la prohibition[2]; dans leur conception de la morale et dans leur sécurité, par l'arrestation de Broussel, le fétiche, au profit de Mazarin, le bouc émissaire. Bon nombre ont pu être ainsi gagnés, dans la nuit du 26 au 27, par les émissaires de Retz et des amis de Broussel au Parlement.

Mais il semble que ce soit la peur qui chez eux ait joué le plus grand rôle et les ait poussés à s'armer. C'est par terreur panique qu'ils sont devenus belliqueux. Ils redoutent d'abord les attentats des vagabonds et du menu peuple contre les personnes et les propriétés[3]. Mais ils craignent encore plus, comme à tout moment de l'Ancien Régime, comme en particulier aux barricades de 1588, les soldats, ces mercenaires dont la seule présence dans une ville était une menace de pillages, brutalités, viols et destructions. Le soulèvement du peuple en faveur de Broussel a signifié pour beaucoup d'entre eux l'arrivée des troupes royales, donc un risque pour leur vie, pour leurs femmes et leurs filles, et pour leurs biens, même si ces troupes ne devaient pas marcher contre eux-mêmes. Et c'est pourquoi ils ont édifié des barricades pour se défendre contre l'armée. L'arrestation de Broussel pouvait d'ailleurs signifier l'intention du gouvernement de vaincre toutes les oppositions et de se venger des opposants. Or, les bourgeois avaient pris les armes en janvier, avaient souvent manifesté depuis. Ils pouvaient craindre pour eux. Et c'est pourquoi, sans

1. D'après Dubuisson-Aubenay, cité par Chéruel, III, p. 79, le 2 octobre 1648, les gardes des Six-Corps de métiers de Paris s'assemblèrent secrètement avec les principaux marchands « résolus d'aller trouver le Roi et de l'assurer de ne point tremper en rien de ce qui se passe et *s'est passé* contre son service ».

2. Proposition de la Chambre Saint-Louis, 17 juillet. O. Talon, p. 243 sq.

3. *Registres de l'Hôtel de Ville*, I, p. 15, 26-27. J. Dubois, p. 328-329. Motteville, II, p. 169 et 182. J. Vallier, p. 88 et 98. O. Talon, p. 268.

doute, bon nombre ont pareillement crié pour la libération de Broussel, symbole de l'abandon par le gouvernement de toute idée de répression. Cette peur, ce détraquement des nerfs qui croît avec l'agitation, les coups de feu, les nouvelles alarmantes, l'alternance de l'apaisement et de l'inquiétude, a pu transformer des bourgeois, paisibles le premier jour, en ces véritables enragés que nous voyons le troisième. Elle a eu aussi la plus grande influence sur le populaire. Il y aurait toute une étude psychologique à faire sur le rôle de la peur dans les journées révolutionnaires.

Les troupes royales n'ont pas réussi à réprimer la révolte ni même sérieusement tenté de le faire. L'étroitesse et souvent la sinuosité des rues mettaient les troupes régulières en état d'infériorité, comme elles ont fait jusqu'aux travaux d'Haussmann. Il était facile et rapide de dresser des barricades, facile de monter des pierres jusqu'aux étages supérieurs des maisons, d'où l'on assommait à coup sûr les soldats. Les armes de la milice bourgeoise étaient à peu près les mêmes que celles de la troupe. L'armée ne pouvait pas le plus souvent faire donner sa cavalerie ni utiliser le canon.

Les troupes étaient peu nombreuses par rapport aux Parisiens. Ceux-ci étaient plus de 400 000, dont 13 à 14 000 patrons et environ 45 000 ouvriers et apprentis. Le nombre des bateliers, des crocheteurs et autres manœuvres n'est pas connu. Il faut y ajouter de nombreux mendiants, non compris dans la statistique de la population. Peut-être s'y est-il joint, dès le 27, des paysans du voisinage, car mercredi était jour de marché, la banlieue a pu être vite avertie. Les bourgeois seigneurs de fiefs ont pu aussi faire venir de leurs hommes. En 1649, il y a à Paris des paysans de Saint-Ouen, venus à l'appel de leurs seigneurs parisiens, et qui se battent dans les rangs des bourgeois[1]. Mais pour 1648 les documents n'en disent rien.

En face les royaux n'étaient pas plus de 11 à 12 000[2]. Il y avait quatre compagnies de gardes du corps à 100 hommes chacune, mais servant par quartier (trimestre), donc au Palais-Royal 100 hommes; les Cent-Suisses, 119 hommes; les gardes de la Porte, 55 hommes; les archers du grand prévôt, 109, servant par quartier, soit 27; les gendarmes, 200 servant par quartier, soit 50; les chevau-légers, 200 servant par quartier, soit 50; les Cent-Gentilshommes au bec de corbin, 200; les mousquetaires, 300; le régiment des gardes fran-

1. Portrait de JANIN dans l'*Agréable conférence de deux paysans de Saint-Ouen et de Montmorency sur les affaires du temps*, 1649, in-4°.
2. D'après les chiffres sur la Maison du Roi, dans l'*Etat de la France* en 1663, I, chap. V, p. 130-185, B.N., Lc 25-14 *a*. Il ne devait pas y avoir eu de grands changements.

çaises, 6 000 hommes; le régiment des gardes suisses, 4 000. Mais rien ne dit que l'effectif réel fût égal à l'effectif nominal. D'ailleurs une bonne partie de ces soldats pouvait être aux armées. Certains étaient médiocres, comme les gardes de la Porte, les archers du grand prévôt, sorte de gardiens de la paix. Enfin, les gardes-françaises ne sont pas sûrs. Omer Talon affirme que, le 27 avril, lorsque le Parlement ressortit pour la première fois du Palais-Royal, les gardes-françaises déclaraient hautement qu'ils ne combattraient pas les bourgeois[1].

Aucun chef n'apparaît dans cette révolte. Mais le changement entre la soirée du 26 et la matinée du 27, le concert qui dès le 26 excite les Parisiens à s'armer de crainte des gens de guerre, les tracts jetés le 28 au soir pour ranimer la lutte, autorisent à poser la question du « chef d'orchestre invisible ».

Le Parlement, en tant que corps, n'a pas organisé ni conduit la rébellion. Le 26, il a été évidemment surpris. Mais, premier responsable de l'ordre dans Paris, le 27, il a décidé d'utiliser la révolte qui paralysait le gouvernement et l'a laissée se développer, ne donnant aucun ordre à la milice bourgeoise pour sa répression. Il a été vite débordé, très étonné à sa première sortie du Palais-Royal lorsqu'il se voit aussi menacé que le Roi. Les membres les plus décidés jouèrent alors une véritable partie de poker, où ils réussirent à se faire toujours considérer comme les intermédiaires entre le peuple et le gouvernement, qu'ils n'étaient plus en fait, et à arracher à la Reine, en même temps que la liberté de Broussel, la reconnaissance de l'essentiel de leur action, alors que les deux choses n'étaient plus liées. Le Parlement a su bénéficier d'un mouvement qui s'est déroulé, pendant ces journées, à côté de lui et sans lui[2].

La municipalité parisienne a une attitude douteuse. Elle est responsable de l'ordre de s'armer, du 26 au soir, mais dont elle n'avait peut-être pas vu toutes les conséquences. Le 27, elle est inerte, elle attend le résultat des négociations entre Cour et Parlement. Son attitude favorise plutôt les insurgés. Le 28 elle est débordée par la contagion de la peur. Au pire, elle a laissé faire. Le prévôt des marchands élu était toujours le candidat du Roi depuis Henri IV. Mais, parmi les 25 conseillers de la Ville, il y avait treize officiers (Parlement, Chambre des Comptes, Châtelet). La municipalité avait peu de moyens d'action. Nous ignorons l'état d'esprit de sa maigre force

1. *Mémoire*, p. 266.

2. On n'exclut pas l'action de membres du Parlement à titre individuel, amis et parents de Broussel, et des autres conseillers, d'autant plus facile que nombre de membres de Parlement étaient colonels et capitaines de la milice.

de police de trois cents hommes. Les quartiniers, qui avaient le commandement des bourgeois armés, achetaient leurs charges et échappaient à l'autorité du prévôt des marchands qui, après ces événements, les écarta du commandement. Les colonels étaient presque toujours les membres des Cours souveraines[1].

La Compagnie du Saint-Sacrement était fort opposée à Mazarin[2]. Elle ne pouvait admettre ses nominations ecclésiastiques inspirées par des motifs politiques plus que religieux. Elle a cherché pendant la Fronde à obtenir de la Reine, qui avait une grande dévotion au Saint-Sacrement[3], le renvoi du cardinal. Or, ce sont de ses membres et de ses amis qui ont le plus poussé Mazarin aux mesures de rigueur avant la révolte et ont le plus insisté pour la capitulation pendant la lutte. Particelli d'Hémery est remplacé à la surintendance des Finances le 9 juillet par La Meilleraye, assisté de deux directeurs, d'Aligre et Morangis : La Meilleraye et Morangis sont membres de la Compagnie. Chavigny, « ami du dehors » de la Compagnie, passa pour avoir excité la Reine et le cardinal aux mesures violentes contre le Parlement, pour avoir conseillé l'emprisonnement de Broussel « et l'avoir fait avec dessein dans la connaissance qu'il avait que cela pourrait produire quelques mauvais effets ». Il fut accusé d'avoir des conférences secrètes chez l'abbé Pierre Longueil, conseiller clerc dans la Grand-Chambre du Parlement, qui pensait à établir le président de Maisons, son frère, dans la surintendance des Finances et y parvint, et qui, disait-on, poussait Broussel pour se rendre considérable auprès des ministres[4]. Chavigny était en relations quotidiennes, souvent secrètes, avec Pierre Viole, président aux Enquêtes, enragé contre le cardinal[5].

Au cours de l'insurrection, le maréchal de La Meilleraye, membre de la Compagnie, a joué un rôle suspect. Nous ne saurons jamais s'il a eu tort ou raison de ne pas insister le 26. Toujours est-il que son action fut molle et qu'il fut accusé de n'avoir pas osé réprimer la sédition. Aurait-il voulu ne pas la réprimer alors qu'il en était temps encore[6] ?

1. *Registres de l'Hôtel de Ville de Paris*, p. 1-10. P. Robiquet, *Organisation municipale de Paris*. G. Picot, Recherches sur les quartiniers, *Mém. Soc. Hist. Paris et Ile-de-France*, 1875, p. 132 et 145. Ch. Normand, *op. cit.*, p. 327.

2. R. Allier, *La Cabale des Dévôts*, Paris, 1902, in-12. A. Rébelliau, Le rôle politique et les survivances de la Compagnie du Saint-Sacrement, *Revue des Deux-Mondes*, t. LIV, p. 200-228.

3. Motteville, II, p. 132.

4. Mais il est possible que ces conférences n'aient commencé qu'après les journées des Barricades.

5. O. Talon, p. 274-275. Retz, p. 4-5 (et n. 2), p. 56-57 (et n. 2).

6. Ms. fr. 20290, f° 333 r°. Retz, p. 16. Aubery, *Hist. du cardinal Mazarin*, éd. 1688, t. I, p. 487.

Le président de Longueil, frère de l'abbé, ne donna dans toutes ces journées au cardinal « que l'avis de se retirer, lequel avis l'on prétendait lui avoir été suggéré par ledit sieur de Chavigny »[1].

Le 27 août, dans la partie de poker du Palais-Royal, la Reine (le seul homme de la Cour dans ces circonstances, et dont la fermeté remplit d'admiration même Mme de Motteville) tient bon. C'est le président de Mesmes, membre de la Compagnie du Saint-Sacrement, déjà accusé par Mazarin de travailler pour le Parlement en ayant l'air de travailler pour le Roi, qui essaie d'impressionner la souveraine, qui pousse le premier président à la suivre dans son cabinet, lorsqu'elle se retire, et qui l'y accompagne avec le duc d'Orléans, « ami du dehors » de la Compagnie, favorable à tous ses desseins, avec le chancelier, membre de la Compagnie, le duc de Longueville, Mazarin, et peut-être le président de Bailleul, chancelier de la Reine, autre « ami du dehors » de la Compagnie. C'est lui, ou de Bailleul, qui aurait finalement arraché à la Reine la capitulation[2].

Il n'est pas possible de conclure. Il faut souhaiter la découverte de nouveaux documents.

Certains estiment qu'à la Cour bien des gens attendaient le désordre. Des courtisans espéraient être plus nécessaires et s'attirer des récompenses. De ceux qui étaient dans les principales charges de l'Etat, quelques-uns espéraient remplacer Mazarin. Le cardinal avait été fort mal conseillé. Poussé aux concessions lorsqu'un peu de fermeté aurait fait taire le Parlement, il fut porté à la violence lorsqu'il était dangereux de l'employer. Le duc d'Orléans ne parut pas trop peiné des troubles[3]. Il ne semble pas toutefois que personne de la Cour ait organisé la révolte, ni que personne en ait pris la direction d'ensemble. On a la trace de velléités et d'actions de détail. Gondi a majoré son rôle, mais il est très probable que le coadjuteur, dans la nuit du 26 au 27, se soit entendu avec le maître des comptes Miron, colonel de la milice, et le conseiller aux requêtes Martineau, capitaine de la rue Saint-Jacques, pour faire édifier les premières barricades[4]. De plus, le 27 au soir, entre 6 et 9 heures, Gondi entra en relations avec le duc de Longueville qui vint le voir au petit archevêché. Il y eut conférence avec plusieurs amis du coadjuteur. L'on envisagea d'entreprendre sur la personne de Mazarin. Mais, finalement, la seule décision prise fut de « suivre les mouvements du Parlement et du

1. O. TALON, p. 274.
2. O. TALON, p. 266. Sorbonne, ms. 64, f° 106.
3. MOTTEVILLE, II, p. 74-75. Guy JOLY, p. 13.
4. RETZ, *Mémoires*, II, p. 32 et suiv. Confirmé dans les grandes lignes par Guy JOLY, p. 9-10, qui écrivait au moment de sa brouille avec Retz. MOTTEVILLE, II, p. 179.

peuple, et tâcher d'engager dans les intérêts publics les personnes de qualité, particulièrement M. le Prince »[1]. Mme de Motteville semble avoir vu juste : « De tant de gens malintentionnés, nul ne voulut se déclarer pour chef de la canaille révoltée... car les grands maux ne se font point tout d'un coup. Les hommes ne s'accoutument au crime que peu à peu; et... il faut avouer qu'ils s'y accoutument fort aisément »[2].

Enfin, il y aurait lieu d'examiner s'il n'y aurait pas eu intervention des cours étrangères. Parmi les mendiants de Paris, qui ont participé activement aux troubles, il semble qu'il y ait eu des Comtois, des Artésiens, des Lorrains. Il pouvait s'y glisser des agents du Roi d'Espagne ou d'autres souverains[3]. Peut-être une trouvaille heureuse dans les Archives de Simancas, de Bruxelles, de Turin, de Venise ou de Vienne nous renseignera-t-elle sur ce point.

Cette absence de direction, les divisions d'intérêts entre révoltés, la capitulation de la Cour expliquent la fin des journées révolutionnaires. Néanmoins, le Parlement restait maître de la situation et put obtenir la déclaration des 22-24 octobre 1648 qui tranchait en sa faveur le conflit avec le Conseil. Le gouvernement ne pouvait admettre cette atteinte à « la meilleure partie de l'autorité royale »[4]. La Reine fit appel au prince de Condé et l'intrusion de l'armée dans la politique, en opposant les ambitions des princes, prolongea et amplifia les troubles.

Conclusion

Des progrès ont été réalisés ici, en particulier grâce à l'étude des institutions, trop souvent négligée et qui éclaire les événements. Il reste beaucoup à faire. Nous voudrions surtout savoir si les questions économiques et financières sont la cause déterminante de tout le reste, sentiments, idées et actes. Dans l'état actuel des travaux, c'est impossible à dire.

L'opposition du Parlement semble avoir été la cause essentielle des journées. C'est son attitude et sa propagande qui semblent avoir inspiré à tous l'idée de l'injustice, de la négligence, de la corruption, de la tyrannie du gouvernement. Ainsi l'opposition générale sur les

1. Guy Joly, p. 12. Dubois, p. 334.
2. II, p. 179.
3. O. Talon, p. 269.
4. Cité par Chéruel, *Histoire de la France pendant la minorité de Louis XIV*, t. III, p. 91, d'après les carnets de Mazarin.

finances serait avant tout idéologique et psychologique. Ce serait l'idée d'un gouvernement défectueux qui aurait rendu insupportable sa politique financière bien plus que la politique financière qui aurait été insupportable et qui aurait inspiré l'idée d'un gouvernement défectueux. Or, le Parlement avait commencé son opposition avant que se posât la question de la paulette et pour des raisons qui dépassaient la paulette : considérations de prestige, d'influence, « volonté de puissance ». Les intérêts matériels, que concernait la paulette, n'auraient fait qu'amplifier l'action d'idées et de sentiments préexistants. Jusqu'ici, pour ces journées, le matérialisme historique ne semble pas rendre compte des faits. Il faut donc maintenant pousser les études sur la situation économique et sociale de Paris à cette époque. Il faudrait aussi comparer les journées d'août 1648 aux autres journées parisiennes pour en dégager complètement les causes[1]. Il faudrait enfin aller plus loin. La Fronde fait partie du groupe des révoltes des minorités royales. Ces révoltes répétées provenaient d'une certaine structure de l'Etat et de la Société. Il faudrait examiner si cette structure n'avait pas pour cause une certaine structure économique.

1. Dans l'hiver de 1947-1948, la Société de l'Histoire de France avait consacré ses réunions mensuelles à des exposés sur les principales journées révolutionnaires parisiennes. Le présent travail y a été esquissé. Il est dommage que ces études n'aient pas été réunies en un volume couronné par un chapitre de comparaison.

RECHERCHES SUR LES SYNDICATS D'OFFICIERS PENDANT LA FRONDE

Trésoriers généraux de France et élus dans la révolution

La Fronde a commencé par ce qu'on est convenu de nommer la « Fronde parlementaire » et le rôle des Parlements dans cette grande tentative de révolution est connu, peut-être moins d'ailleurs qu'on ne se l'imagine communément. Au contraire, à peu près ignorée encore reste l'action des autres officiers royaux, qui fut importante : la Fronde, est, pour une part, une insurrection de ce que nous pouvons peut-être appeler la fonction publique, bien que l'Ancien Régime se soit servi seulement de l'officier et du commissaire, et n'ait connu que vers le milieu du XVIIIe siècle le fonctionnaire. Deux corps d'officiers royaux ont joué un grand rôle, les trésoriers généraux de France, principaux officiers de finances des provinces, et les élus. Ils étaient groupés en syndicats et ce sont les papiers émanés de ces organismes qui constituent des sources précieuses. Une de ces sources, signalée depuis longtemps, a été jusqu'ici curieusement négligée. Il s'agit d'une correspondance syndicale, les originaux de deux cent trente-neuf lettres, envoyées du 22 mai 1648 au 5 septembre 1653, par les trésoriers de France des différentes généralités au bureau de leur syndicat, siégeant à Paris. Ces lettres sont le reste d'un courrier plus étendu, conservé par le secrétaire général du syndicat, Simon Fournival. Elles se trouvent aujourd'hui à la Bibliothèque Nationale, dans les manuscrits français, sous les numéros 7686[1]. La vie et l'action

Publié dans *XVIIe siècle*, n°s 42-43, 1959.

1. Ms. fr., *Missives envoyées des généralités du Royaume à Messeigneurs les députés des bureaux des Finances du Royaume assemblés en la Chambre du Trésor à Paris, commençant en l'année 1648, recueillies et annotées par Simon Fournival, commis général de nosdits Seigneurs, et des années 1649, 1650, 1651, 1652, 1653.* Ces lettres sont toujours signées par plusieurs trésoriers de France de chaque Bureau des Finances. Elles sont classées selon leur ordre d'arrivée et portent à la fois les dates de leur rédaction et de leur réception. Le recueil

des trésoriers généraux de France et de leur syndicat nous y apparaissent presque au jour le jour. Des élus, nous ne connaissons jusqu'à présent que des manifestes et des circulaires, qui ont été imprimés[1].

Il y a enfin à prendre dans les rapports adressés au chancelier Séguier par les intendants des provinces, mais ces rapports s'arrêtent en 1649 un peu avant la disgrâce de Séguier[2].

Lorsque commença l'année 1648, les trésoriers de France et les élus étaient parmi les officiers les plus mécontents. Depuis 1637, une révolution, sanctionnée par la déclaration royale du 16 avril 1643, avait fait passer leurs principales fonctions à des commissaires, les intendants des provinces. Ceux-ci, de simples inspecteurs réformateurs devenus administrateurs, effectuaient toutes les principales opérations de finances : répartition des impôts entre les villes, bourgs et paroisses taillables des élections, et même entre les particuliers,

souffre de lacunes, car les lettres ont été numérotées, or celles qui figurent dans le recueil passent du n° 189 au n° 195, du n° 198 au n° 202, du n° 204, qui est tronqué, au n° 210, du n° 259 au 261. Sur 289 numéros, 239 lettres seulement figurent effectivement dans le registre. Du 20 août au 31 décembre 1650, il y a trois lettres seulement, du 20 août, d'octobre et du 25 décembre. On passe du 24 avril au 8 novembre 1652.

1. *Circulaire des Syndics des Elections de France contre les entreprises des Trésoriers généraux*, 27 avril 1649, Bibliothèque Nationale, LF 38-7, in-4°.

Remontrances des Syndics des Elections de France au Roy et à Nosseigneurs de son Conseil, 1649, LF 38-11, in-4°.

Requête des Elus de France au Roi et à Nosseigneurs de son Conseil, LF 38-9, in-4°.

Remontrances très humbles des officiers des Elections de France à nosseigneurs du Parlement, LF 38-10, in-4°.

Réponse des syndics généraux des officiers des élections du royaume aux observations qui ont été faites par les trésoriers provinciaux de France, LF 38-12, in-4°.

Réfutation des calomnies contenues aux trois mémoires des officiers provinciaux contre les officiers des élections du Royaume, LF 38-13, in-4°.

Les trois mémoires en question sont en manuscrits dans les papiers du chancelier Séguier, B.N. ms. fr. 18479, f°s 31 à 38, avec d'autres pièces concernant les trésoriers de France et les élus.

Sur les fonctions des trésoriers de France et des élus, voir Edmond ESMONIN, *La taille en Normandie au temps de Colbert*, Paris, 1913, in-8°, p. 38-66, 107-133, en particulier.

2. *Lettres adressées au chancelier Séguier*, Bibliothèque Nationale, ms. fr. 17367 à 17412, 46 volumes in-f° de 1633 à 1669, avec une grande interruption de 1649 à 1659. La Bibliothèque Nationale ne possède pas toutes ces lettres. Celles-ci avaient été léguées, en 1732, avec la bibliothèque du chancelier, par Henri de Cambout, duc de Coislin, à l'abbaye de Saint-Germain-des-Prés. En 1791, pendant les troubles de la Révolution, une partie de ces lettres fut volée et tomba entre les mains d'un secrétaire de l'ambassade russe à Paris, Pierre Dubrowski, avec d'autres manuscrits de Saint-Germain-des-Prés. Dubrowski rapporta en 1800 les manuscrits en Russie et les céda en 1805 au gouvernement russe (Léopold DELISLE, *Le Cabinet des manuscrits de la Bibliothèque Nationale*, II, p. 52). Les papiers de Séguier, recélés par Dubrowski, se trouvent aujourd'hui à Léningrad, à la Bibliothèque Satykow-Stschedrin, dans la collection Dubrowski.

B. F. PORSCHNEW, *Die Volkaufstände in Frankreich vor der Fronde, 1623-1648*, Leipzig, 1954, in-8° (traduit du russe), reproduit en appendice, p. 487-539, un certain nombre des lettres adressées à Séguier qui se trouvent en Russie.

lorsque les paroisses refusaient d'élire des asséeurs-collecteurs; levée des impôts, et comme les huissiers et sergents étaient impuissants devant les révoltes fréquentes des contribuables, l'intendant s'aidait des troupes régulières ou de corps spéciaux de fusiliers; recouvrement des arriérés; institution et levée de taxes spéciales, validées ensuite par arrêts du Conseil. L'intendant choisissait tel ou tel des trésoriers de France ou des élus pour lui apporter une collaboration technique, mais les « compagnies » de ces officiers étaient réduites à l'accomplissement de formalités juridiques, comme, pour les trésoriers de France, enregistrer les commissions pour la levée des tailles et y mettre leurs attaches, rendre leurs ordonnances pour l'exécution de ces commissions. Simples formalités, que l'intendant leur faisait accomplir sous sa présidence et si les trésoriers de France avaient refusé ou adopté une attitude dilatoire, la seule ordonnance de l'intendant aurait suffi pour l'exécution des commissions royales[1].

Cette révolution administrative avait été imposée au Roi par les besoins de la guerre de Trente ans. Depuis 1635 et l'entrée de la France dans la « guerre ouverte », il avait fallu créer une multitude d'impôts et de taxes. Les trésoriers de France, « compagnies » jouissant du pouvoir de remontrances, faisaient difficulté pour expédier leurs attaches lorsque les édits n'étaient pas encore vérifiés, ce qui était fréquent, ou simplement lorsque les taxes et impôts leur paraissaient excéder la capacité contributive de leurs généralités. Il en résultait des retards préjudiciables aux opérations militaires. D'autre part, les trésoriers de France étaient accusés de négliger leur service, l'envoi de renseignements au Conseil du Roi, leurs chevauchées, le contrôle des élus, etc. Or, pour tirer le plus possible de l'impôt, il fallait qu'il fût le plus possible proportionnel aux facultés des contribuables. L'impôt était de répartition. C'était des sommes globales, réparties entre toutes les paroisses d'une élection, entre tous les contribuables d'une paroisse. Les élus étaient accusés de décharger les paroisses où ils avaient des parents, des amis, des patrons, de surcharger les autres, de fermer les yeux lorsque les asséeurs-collecteurs dégrevaient les riches laboureurs, les « coqs de paroisses » et les fermiers des gentilshommes et lorsqu'ils accablaient des contribuables pauvres. Ceux-ci, imposés au-delà de leur capacité, ne payaient pas. Il en résultait des non-valeurs sans que pour autant l'impôt dépassât la capacité contributive réelle du pays.

1. R. MOUSNIER, Etat et commissaire. Recherches sur la création des intendants des provinces (1634-1648), dans les *Forschungen zu Staat und Verfassung, Festgabe für Fritz Hartung*, Berlin, Duncker und Humblot, 1958.

L'insuffisance des officiers, leurs lenteurs et leurs irrégularités étaient les raisons invoquées par le Roi pour user des commissaires à leur place. Mais trésoriers de France et élus étaient ainsi atteints dans leur importance et aussi dans leurs revenus, puisqu'une partie de leur rémunération consistait en droits perçus pour leurs actes : contrôle de registres, de quittances, etc. D'autre part, trésoriers de France et élus se plaignaient des sommes excessives levées sur eux par le Roi et de l'amoindrissement de leurs fonctions par la multiplication des offices vénaux. A la mort d'Henri le Grand, disaient les trésoriers généraux de France, ils étaient dix dans chaque Bureau des Finances; en 1648, ils prétendaient être vingt-cinq. Le prix ordinaire de leurs offices en était diminué des deux tiers. Le Roi leur avait imposé des augmentations de gages, de taxes, de droits, contre versement du capital correspondant. Ils avaient fait entrer ainsi aux coffres du Roi plus de trente millions de livres[1]. Les élus prétendaient avoir versé depuis 1624 plus de 200 millions de livres, dont 60 millions de livres depuis 1640, « pour confirmation d'un droit imaginaire ou attribution d'un supplément fictif ». Et, en effet, depuis 1640, le gouvernement royal, aux abois, se mit à effectuer des retranchements sur ces gages et droits, d'abord sur les élus, un quartier de gages, c'est-à-dire un trimestre, 25 %, en 1640, puis, retranchant de plus en plus chaque année, il en arriva, en 1647, à supprimer complètement les gages des élus et à leur prendre trois quartiers de ces droits pour lesquels ils avaient payé de grosses sommes qui les avaient contraints de s'endetter auprès de leurs parents et de leurs amis[2]. Les trésoriers de France étaient victimes de la même spoliation et, depuis 1643, avaient perdu la plus grande partie de leurs gages et droits. Comme leur bien, prétendaient-ils, consistait seulement dans leur office et leurs gages, cinq cents familles qui, avec femmes et enfants, comptaient plus de dix mille personnes étaient, paraît-il, dans la plus extrême pauvreté.

Trésoriers de France et élus haïssaient les intendants, mais encore plus les traitants et partisans. Pour eux, c'étaient ces financiers qui étaient responsables de la généralisation des intendants et de l'extension de leurs pouvoirs. Pour disposer vite des sommes nécessaires à la diplomatie et à la guerre, le Conseil avait mis en fermes, en « traités », peu à peu tous les impôts, même les tailles. Les traitants avançaient

1. *Requête des Trésoriers de France au Parlement*, B.N., LF 31-17, in-4°, s.l.n.d. (après le 13 mai 1648).

2. *Requête des Elus de France au Roy et à Nosseigneurs de son Conseil*, 3 février 1648, B.N., LF 38-9, in-4°. *Discours faits par les Syndics des Officiers des Elections de France sur leur requeste présentée à la Cour des Aydes le 28 mars 1654*, B.N., LF 38-17, in-4°.

de grosses sommes et se chargeaient de recouvrer les impôts par leurs commis. Mais les traitants avaient exigé que l'impôt fût réparti rapidement et que leurs commis fussent aidés par une justice sommaire et par la force des armes. D'où l'emploi des intendants. Les trésoriers généraux de France vitupèrent en toute occasion les traitants et « leurs intendants »[1]. « Les tribunaux ambulatoires dans les provinces de ces Juges extraordinaires avaient ruiné toutes les Justices réglées et renversé toutes les formes de l'administration, non seulement des finances mais aussi de la Justice ordinaire et il est vrai que de ce changement, autant que de la grandeur des impositions, a procédé la destruction des peuples. » La levée des impôts et taxes, « par une infinité de commis affamez, sans les ordres des Trésoriers de France et sans passer par les mains des Receveurs ordinaires a cousté le double ». Par l'emploi de sergent trop nombreux, en troupes entières, les frais de perception sont montés au-delà du principal. Quant aux intendants, « leurs gardes et compagnies de fuzeliers ruinaient les paroisses et désolaient les provinces, plus que si c'eussent esté des troupes ennemies... ». Vendant et revendant offices et domaines, passant les baux des aides et des fermes, sans se soucier des formes qui sont la garantie du Roi et de ses sujets, les intendants ont ruiné le domaine royal et les revenus royaux. « Depuis le ministère de ces intendants, les Trésoriers de France, ayant les bras liés, ont vu périr le Domaine. Il est tout hors des mains du Roy, par des engagements ou des échanges, la plupart supposez. Ceux qui en jouyssent, le démembrent tous les jours, pour augmenter leurs propres héritages. Ils ont trouvé moyen de s'emparer des tiltres, papiers et déclarations, qu'ils suppriment comme ils veulent. Ils ont fait rejeter toutes les charges sur les Tailles pour empescher... que les comptes ne le conservent »[2]. Ainsi, les trésoriers de France renvoyaient aux intendants la plupart des critiques qui leur avaient été adressées. Ils prétendaient qu'eux, lorsque autrefois ils pouvaient exercer leurs fonctions, ils se conduisaient si bien qu'alors qu'il ne se levait dans les provinces que la moitié de ce qui se lève actuellement il en revenait pourtant beaucoup plus dans les coffres du Roi. Il n'y avait aucun intendant qui ne coûtât plus seul que tous les trésoriers de France d'une généralité (1, p. 5).

1. B.N., ms. fr. 7686, lettres des trésoriers généraux de France du 21 juillet au 29 octobre 1648, n°s 6, 9, 10, 12, 22, 29, des généralités de Riom, Poitiers, Limoges, Bordeaux, Montauban.

2. *Requête des Trésoriers de France pour être appelés à l'Assemblée des Députés des Compagnies souveraines*, B.N., LF 31, in-4°, s.l.n.d. (postérieurs à la révocation des intendants du 13 juillet 1648).

Mais la haine devient de l'exécration lorsque les trésoriers de France et les élus songent que ce sont ces traitants et gens d'affaires qui ont suggéré en Conseil du Roi toutes ces ventes d'offices, toutes ces augmentations puis tous ces retranchements de gages et droits, qui, disent ces officiers, les ont ruinés. Bien plus, ces traitants veulent les faire comprendre en des édits qui ne regardent que les officiers de finances, eux qui se considèrent comme des juges, et même qui, comme les trésoriers généraux de France, sont membres des Cours souveraines.

Or, ce mécontentement grandit jusqu'à une lutte d'institutions, compagnies d'officiers contre intendants et traitants. Les trésoriers de France et les élus, en effet, étaient organisés en syndicats pour la défense de leurs intérêts. « Ce syndicat (des élus) a esté estably, sous le bon plaisir de Sa Majesté, par plusieurs assemblées des Députés des officiers des Elections du Royaume » tenues à Paris les 26 octobre 1641, 27 janvier 1642, 7 août 1645, 17 mai, 1er et 3 juillet 1649. Leur établissement fut confirmé par plusieurs arrêts du Conseil qui a fait droit plusieurs fois aux requêtes du syndicat, les 16 avril 1644, 7 janvier 1645, 27 juin 1648. La Chambre des Comptes a entendu plusieurs fois le syndicat en tant que tel, comme en témoignent les arrêts de vérification de la Chambre sur les édits de juillet 1643 et la déclaration du 22 octobre 1648. La Cour des Aides a autorisé le syndicat par ses arrêts des 16 et 30 janvier 1643, 4 janvier 1644, « et finalement par l'arrêt d'homologation dudit Syndicat en ladite Cour du 15 octobre 1649 ». Les syndics sont reçus souvent en tant que tels par le Roi et la Reine, en présence de toute la Cour et en plein Conseil[1]. Le syndicat avait ses statuts, « les articles du Syndicat ». Les « compagnies » des élus payaient une cotisation en mars de chaque année pour les frais du « syndicat » et pour que les syndics soient « modiquement récompensés » de leurs peines. En 1649, la correspondance devait être adressée à M. Boyrot, « Scindic et Secrétaire du Scindicat des Elections de France, demeurant rue de la Tixeranderie, à l'Hostel de la Moque, proche l'Eglise du Saint-Esprit, à Paris »[2].

Les trésoriers généraux de France évitaient le terme de syndicat. Mais leur association pour la défense de leurs intérêts professionnels ressemblait tout à fait à celle des élus. Plus ancienne, elle remontait à 1599. En effet, en 1596, à la suite de l'Assemblée des Notables de Rouen, le Roi avait décidé la suppression des Bureaux des Finances.

1. *Réponse des Syndics généraux des officiers des Elections de France...*, B.N., LF 38-12, in-4°.
2. *Circulaire des Syndics des Elections de France*, 27 avril 1649, B.N. LF 38-7, in-4°.

Ceux-ci avaient député à Paris des représentants qui s'étaient assemblés et avaient obtenu le maintien de leurs droits sous condition d'un prêt au Roi. A la suite d'autres menaces, les trésoriers de France finirent par décider de députer chaque année deux d'entre eux, qui résideraient à la suite de la Cour, avec des appointements suffisants donnés par leurs confrères, « afin que par leur administration nous puissions marcher d'un mesne pied aux affaires par commune intelligence pour la conservation et honneur de nos compaignies »[1]. En fait, dès 1599, le syndicat était constitué. En 1648, les représentants s'appelaient « Messeigneurs les Députés des Bureaux des Finances du Royaume assemblés en la Chambre du Trésor à Paris ». Sur la demande des représentants permanents, depuis la fin de mai 1648, chaque Bureau des Finances avait un député à Paris. Il semble que dix-sept généralités seulement aient été représentées en 1648 : Amiens, Bordeaux, Bourges, Caen, Châlons-sur-Marne, Dijon, Limoges, Lyon, Montpellier, Montauban, Orléans, Poitiers, Rouen, Riom, Soissons, Toulouse, Tours. Il manquait donc Aix, Alençon, Grenoble et Moulins, Rennes, Metz. En 1649, Alençon, Grenoble et Moulins députèrent aussi et correspondirent avec l' « Assemblée de Paris ». Celle-ci avait un secrétaire, qui était, en septembre 1648, M. Le Clerc, trésorier général de France à Poitiers. Elle disposait d'une bourse commune, et chaque Bureau payait par lettre de change 100 livres de cotisation annuelle pour les frais de l'Assemblée et des contributions extraordinaires. L'Assemblée communiquait avec les Bureaux des Finances par des circulaires et des dépêches. Il semble que dans l'Assemblée six membres formaient comme un Bureau, car lorsque des trésoriers de France sont embastillés pour une circulaire jugée impertinente, six sont incarcérés et lorsque l'Assemblée fait faire des robes pour permettre aux députés de se présenter à la Cour en « habit décent », elle fait couper six robes. La représentation de chaque Bureau dans l' « Assemblée de Paris » fut aisée car il était rare qu'un Bureau n'eût pas un de ses membres de séjour à Paris pour les affaires du Bureau.

Ces organisations rendaient les officiers capables de défense énergique et efficace et lorsque le Parlement de Paris donna l'exemple de la résistance aux volontés du gouvernement par l'arrêt du 13 mai 1648, ou arrêt d'Union, qui décidait l'élection de députés par les quatre compagnies souveraines et leur réunion dans la Chambre Saint-Louis pour y délibérer sur la réforme de l'Etat, les trésoriers de France et les élus se joignirent au mouvement. « Les Présidents

1. Lucien ROMIER, *Lettres et chevauchées du Bureau des Finances de Caen*, 1910, in-8°; n°s XXXIII, 11 mars 1596, LIX, 26 juin 1597, LXV, 25 février 1599.

et Trésoriers de France des Bureaux assemblés à Paris » adressèrent à tous les Bureaux des généralités une circulaire en date du 23 mai : « C'est à ce coup que nos charges sont perdues sans ressource, si Dieu ne nous inspire de meilleurs conseils et ne nous donne plus de cœur que nous n'en avons fait paraître jusqu'ici. On expédie les états (de finances) de cette année sans nous y laisser aucuns gages et l'on prétend que nous le souffrirons avec la même docilité qu'on a éprouvée en nous au sujet des retranchements de quartiers; nos fonctions ne nous sont point rendues et il ne nous reste plus qu'une qualité dénuée de tout son emploi et de ce qui la rendait considérable avant le déplorable temps où nous sommes... Notre assemblée prendra ses mesures pour faire en temps et en lieu les choses convenables aux intérêts communs et cependant elle vous demande vos avis et vos ordres. Après les continuelles sollicitations que nous avons faites, il y a peu à espérer et néanmoins nous sommes résolus de les continuer... Vous êtes conjurés aussi de nous envoyer des députés exprès pour nous accompagner partout et rendre nos plaintes plus considérées par leur présence; et nous vous demandons par eux des mémoires, les mieux prouvés qu'il se pourra, de la mauvaise conduite des intendants en l'administration des finances, de leurs exactions et de celles des traitants, par leurs connivences ou autrement. » Dix-sept bureaux répondirent à cet appel en juin et juillet.

La circulaire souleva une grande émotion. « Certains intendants des provinces avec les traitants et partisans » dénoncèrent les trésoriers de France au Conseil. Le Conseil fit embastiller six trésoriers. Les trésoriers de France en appelèrent au Parlement. Le 13 juin 1648, les délégués du Parlement furent reçus au Palais-Royal par la Reine, auprès de qui étaient le duc d'Orléans, Mazarin, Séguier, le surintendant, Chavigny, Guénégaud et Le Tellier, secrétaire d'Etat. Le chancelier attribua à la circulaire des trésoriers de France un effet déterminant dans les actes des ennemis qui étaient parus sur la frontière « pour sonder les affections des peuples et savoir si les nouvelles qui leur sont écrites de la division des esprits sont véritables ». Mais les Cours souveraines poursuivaient leur effort. Leurs députés, assemblés en la Chambre Saint-Louis, proposaient, le 30 juin, la révocation des intendants et de toutes autres commissions non vérifiées; la révocation du traité des tailles, la remise d'un quart des tailles aux contribuables, ce qui était, pensaient les députés, moins que le gain des traitants; enfin, le rétablissement des officiers ordinaires, trésoriers de France et élus, receveurs généraux et particuliers, dans l'exercice de leurs charges. Le Parlement de Paris transforma ces propositions en arrêt le 4 juillet. La Cour essaya de lutter. Au Parlement de Paris l'avocat général Omer Talon, aux députés des quatre compagnies dans des conférences tenues au palais d'Orléans les 8 et 10 juillet, le chancelier, représentaient l'impossibilité de se passer des intendants et des traitants. Mais les trésoriers de France « offraient de faire payer la taille si exactement que tous les mois le Roy aurait en ses coffres quatre millions, ne demandant point la restitution de leurs gages passez, ni la jouissance de ceux pour la présente année ». Le Parlement persista donc. Certains de ses membres avaient d'ailleurs dans leur clientèle des trésoriers de France, comme le sieur Ménardeau, conseiller en la Grand-Chambre, dont un nommé Viallet, trésorier de France à Moulins, « a esté clerq et domestique auquel il est redebvable d'une somme considérable qui luy a presté pour achepter sa charge de Trésorier de France ». Ce Viallet, avec deux autres trésoriers de France, Du Buisson et de Villaines, se pourvoyaient en Parlement contre les ordonnances de l'intendant Phélypeaux depuis 1647, malgré les arrêts du Conseil[1]. A Grenoble, le Parlement de Dauphiné avait une collusion ouverte avec les trésoriers de France. « Mrs du Parlement ont admis les députés de la Chambre des Comptes et du Bureau des Finances pour conférer avec leurs commissaires »[2]. La Cour dut céder. Le 9 juillet, le surintendant des finances, Particelli d'Hémery, fut renvoyé et remplacé par le maréchal de La Meilleraye. Une série de déclarations royales des 1, 13, et 18 juillet 1648, enregistrées par le Parlement, transforma en édits les requêtes de la Chambre Saint-Louis. Les intendants ne furent conservés qu'en Languedoc, Bourgogne, Provence, Lyonnais, Picardie et Champagne, à condition de ne s'occuper ni de la répartition ni de la perception des deniers publics ni d'autre chose que des armées. Les six trésoriers de France embastillés furent relâchés honorablement. C'était le triomphe confirmé, grâce aux barricades parisiennes des 26, 27, et 28 août, par la délibération du 22 octobre 1648[3].

La joie des trésoriers de France et des élus était sans bornes et

1. B.N., ms. fr. 17387, f° 24 r°, 28 juin 1647; ms. fr. 17389, f° 54 r°, dernier février 1648.
2. Ms. fr. 17388, f°s 190-191 r°, 29 juillet 1648.
3. *Requête des Trésoriers de France au Parlement*, B.N., LF 31-17, in-4°.
Omer TALON, *Mémoires*, éd. MICHAUD-POUJOULAT, p. 233, 241, 251.
RETZ, *Mémoires*, éd. A. FEILLET, I, p. 321.
Journal contenant ce qui s'est fait et passé en la Cour de Parlement de Paris, toutes les Chambres assemblées, et autres lieux, sur le sujet des affaires du temps présent, des années 1648 et 1649, Paris, Alliot & Langlois, 1649, in-4°, p. 28 et 29.
B.N., ms. fr. 7686, n° 22, 6 septembre 1648.
A. CHÉRUEL, *Histoire de France pendant la minorité de Louis XIV*, Paris, 1879, in-8°, III, p. 9-26.
R. MOUSNIER, *Quelques raisons de la Fronde. Les causes des journées révolutionnaires parisiennes de 1648, Bull. de la Société d'Hist. du XVIIe siècle*, n° 2, 1949, et, à part, p. 34-78.

elle s'accompagnait de celle du peuple, à qui les officiers avaient fait espérer, avec la suppression des intendants, « le fléau des provinces », que les tailles ne seraient plus exigées par des troupes de cavalerie, qu'il y aurait paix générale et qui, en beaucoup d'endroits, étaient même convaincus d'une imminente remise générale des impôts. Du Perron, procureur du Roi au présidial d'Alençon, annonçait au chancelier Séguier, le 30 juillet 1648, que « la joye du peuple est venue à tel dérèglement que de s'assembler tambour battant par les rues, porter des marmousers avecque des écriteaux fascheux et les brusler dans des feux qu'ils ont allumez, quelque résistance que j'aye peu faire pour les en empescher, n'ayant pas esté secondé par les Juges... Il s'est mesme trouvé, Monseigneur, un Thrésorier de France, nommé La Cointe, lequel a esté si ozé que de distribuer un muy de vin aux plus séditieux de la populace, de faire allumer un grand feu devant sa porte, et d'y faire planter un May, et le curé d'Alençon, qui est une personne peu sensée a fait sonner toutes les cloches, depuis le matin jusques au soir, quelque remonstrance que je luy aye faitte de n'en uzer pas ainsi... »[1].

Le problème, pour les trésoriers de France, était de remplacer les intendants et les traitants, afin de convaincre le gouvernement de l'inutilité des financiers et des commissaires et des bienfaits de l'administration par les officiers ordinaires. Le nouveau surintendant, le maréchal de La Meilleraye, était bien disposé pour les trésoriers de France par l'influence de « Monsieur Frotté ». L' « Assemblée de Paris », ce Conseil syndical, devint une sorte de Conseil des Finances occulte. Ses membres étaient reçus au Conseil de Direction des Finances et y faisaient des propositions[2]. Ils étaient quotidiennement en relation avec les intendants des finances et avec le surintendant, et servaient d'intermédiaires entre eux et les Bureaux des Finances. Ils contrôlaient les actes du gouvernement et la conformité de ses décisions aux déclarations du 22 octobre 1648 et de mars 1649. Ils transmettaient aux trésoriers de France les ordres et les souhaits du surintendant. Ils excitaient les trésoriers de France à travailler avec diligence, ce qui était la condition pour maintenir leurs fonctions. Ils concentraient des renseignements pour le Conseil, états des tailles,

1. De Lauson, de Saintes, 19 juillet 1648, ms. fr. 17388, f° 195 r°; Bertier de Montraud, procureur du Roi, de Toulouse, 9 juillet, f° 197 r°; du Perron, d'Alençon, 30 juillet, f° 164 r°.

2. Ms. fr. 7686, n° 99, Tours, 19 août 1649. Sauf autre indication, toutes les références données désormais sont les numéros des lettres du ms. fr. 7686.

R. Mousnier, Le Conseil du Roi de la mort de Henri IV au gouvernement personnel de Louis XIV, *Etudes p. p. la Société d'Histoire Moderne*, I, 1947, *passim*.

subsistances et autres crues des années 1647 et 1648, états des restes de 1644 et 1646, les extraits des paiements faits par les Bureaux à l'Epargne, etc.

Les Bureaux des Finances entrèrent dans les intentions de leur Conseil syndical. Celui de Limoges promettait, en septembre 1648, d' « agir fortement pour exécuter l'ordre que vous avez reçu de Monsieur le Maréchal de La Meilleraye (duquel vous nous avez fait part), par Monsieur Frotté, qui nous est un appuy très favorable auprès de luy, et faire par l'accélération des derniers et les ponctuels payements que les contribuables feront que sa Majesté se puisse passer des traitants qui tirent... par les remises qu'on leur faict, le plus clair des deniers du Roy et de la subsistance du peuple et mettent l'Estat dans la nécessité... ». Montauban, le 6 septembre, écrivait : « Nous satisffairons avec fidélité et diligence à ce qui despendra de nos charges affin qu'on ne songe pas aux intendants, lesquels ne sont plus à la mode... » Lyon, Montpellier, Amiens, Tours s'exprimaient de la même façon[1]. Les pouvoirs des trésoriers de France subirent d'ailleurs un accroissement notable. Les pouvoirs concédés aux intendants par le règlement du 22 août 1642 et la déclaration d'avril 1643 furent transférés aux Bureaux des Finances, qui reçurent en outre une partie des pouvoirs attribués aux intendants par leurs commissions et par des arrêts du Conseil. Les Bureaux des Finances devinrent des sortes d'intendants collectifs. Ces intendants collectifs, comme les anciens intendants de provinces, choisirent des trésoriers de France pour qu'ils reçussent des commissions du Roi afin d'accomplir telle ou telle mission particulière, mais ils les élurent dans leur sein. Les Bureaux des Finances commencèrent par rétablir l'ancienne administration financière. Ils « se départirent » dans les élections, « pour ranger le peuple à la raison », et, à la place des commis des traitants, ils rétablirent les receveurs qui avaient compté de leur maniement, commirent les autres dans leurs fonctions, donnèrent pouvoir de commis aux gens nommés par les propriétaires des offices de recette quand les propriétaires n'exerçaient pas eux-mêmes. Ils envoyèrent aussitôt à Paris tout l'argent disponible. Sur la demande du surintendant, ils refusèrent que l'on tirât rien des coffres des recettes générales et particulières pour les dépenses locales, ni même de rien verser à quiconque sur présentation de quittances de l'Epargne, mais allèrent dans les élections vérifier l'état des recettes particulières, faire voiturer les espèces à la recette générale et de là au Trésor de l'Epargne. Ils préparèrent les rentrées futures, et pour cela allèrent dans les élec-

1. Nos 22, 25, 28, 33 (20 octobre 1648), 36 (6 novembre), 34 (20 octobre).

tions présider le département des tailles et des subsistances. Ils reçurent par lettres du Roi, en 1649 et 1650, des fonctions naguère dévolues aux intendants, police et discipline des troupes, fournitures des étapes. Ils travaillèrent sur les lieux mêmes à avancer les levées. Ils instruisirent le Conseil de l'état de leur généralité, et, semble-t-il, comme les intendants, ils l'informèrent de tout ce qui se passait d'important dans la province pour le service du Roi[1]. Il y eut des résultats. A la fin d'octobre 1648, le Bureau des Finances de Montauban écrivait : « Les peuples commencent à payer et... dans quatre ou cinq jours et par le premier messager, nous faisons une voiture à l'Espargne... » Celui d'Orléans, le 26 septembre : « Nous apprenons avec grand joye par votre dépesche la satisfaction que reçoyt Monsieur le Maréchal des premiers services de la plupart des bureaux. » Les trésoriers de France en Champagne, le 18 janvier 1650, faisaient remarquer : « Vous connaistrez par l'estat que nous vous envoyons que vos receveurs généraux ont touché depuis trois ans par nos soins, sans frais et sans violences, plus de trois millions trois cent mille livres quoique deux armées très considérables ayant eu leur passage et fait séjour dans trois des principales élections de cette province pendant l'année dernière. » Caen se glorifiait, le 13 août 1653, d'avoir « fait entrer aux coffres du Roy les impositions de notre généralité sans aucunes non-valeurs depuis la révocation des intendants »[2].

En même temps, l'« Assemblée de Paris » entreprenait de relever le prestige des Bureaux des Finances. En août 1649, elle décidait d'aller aux audiences qui lui étaient accordées en robe longue à l'instar des Cours souveraines et elle conviait les membres de chaque Bureau des Finances à siéger et à assister aux cérémonies officielles dans cette tenue. Tous approuvèrent avec louanges. Dans les processions et assemblées publiques, ils étaient seuls en habit court, toques et capots, et en étaient méprisés. Le Bureau de Châlons résumait bien leurs sentiments : il s'agissait de « restablir, avec les fonctions, notre police antérieure des habits, soit dans les députations,

1. Sur l'ensemble de l'activité du Conseil syndical et des Bureaux des Finances, ms. fr. 7686, n°s 17, Bourges, 15 août 1648; 22, 6 septembre; 24, 26 septembre; 29, Montauban, 29 octobre; 26, Orléans, 26 septembre; 27, Bourges, 27 septembre; 34, Lyon, 20 octobre; 50, Poitiers, 3 mai 1649; 65, Bordeaux, *id.*; 66, Toulouse, 5 mai 1649; 67, Grenoble, *id.*; 71, Montpellier, 11 mai 1649; 105, Poitiers, 13 octobre; 116, Limoges, 16 novembre; 121, Rouen, 19 novembre; 131 et 135, Lyon, 7 et 21 décembre 1649; 139, Montauban, 29 décembre 1649; 143, Moulins, 1er janvier 1650; 137, Dijon, 4 janvier; 136, Châlons, 7 janvier; 140, Riom, 4 janvier; 141, Bordeaux, 6 janvier; 147, Orléans, 18 janvier; 145, Bordeaux, 19 janvier; 161, Moulins, 30 mars; 178 et 182, Châlons, 6 et 10 mai; 236, Bourges, 14 septembre 1650; 242, Limoges, 30 décembre 1651. R. Mousnier, *Recherches sur la création des intendants*.

2. N°s 1, 29, 26, 144, 282.

soit dans nos Bureaux. C'est un moyen très utile pour estre distingué du commun des hommes et en recevoir de la vénération du vulgaire qui ne juge que par l'apparence et aussy pour rendre envers les plus honnêtes gens notre ministère plus respectueux *(sic)*. Le premier rang que nous tenons dans les provinces et l'importance des affaires du Roy que nous y traitons mérite bien quelques cérémonies... Il faut à l'avenir nous conformer aux Compagnies souveraines, du corps desquelles nous sommes, et en toutes leurs formalités pour ne leur estre point méconnaissables »[1].

Le Conseil syndical approuvait en octobre 1649 un *Recueil des privilèges de Messieurs les Trésoriers généraux de France* entrepris par M. Le Gorlier, trésorier de France à Châlons, et en envoyait, à la fin de 1649, douze exemplaires de la table imprimée à chaque Bureau, pour que ceux-ci pussent signaler les omissions. Plusieurs le firent et envoyèrent des arrêts du Conseil et d'autres actes en faveur des trésoriers de France, après recherches dans leurs registres et greffes. A la fin de 1650, l'ouvrage était prêt. Il fallait 1 000 livres pour le faire imprimer et chaque Bureau était sollicité d'envoyer 50 livres.

Le Conseil syndical entreprenait un recueil des noms, qualité, armes et blasons des trésoriers de France, pour prouver que leurs compagnies comprenaient autant de gentilshommes que les Cours souveraines, et même prenait « le dessein... d'apposer nos écussons d'armes. Nous estimons même comme elles feraient le premier degré de noblesse à ceux qui n'auraient pas ce titre de naissance. Nous croyons que vous s'en obligerés *(sic)* beaucoup de leur faire commencer par ce tiltre d'honneur qui approche fort de celui de Messieurs qui sont des Cours souveraines puisque nous sommes censés du nombre »[2].

L'« Assemblée de Paris », enfin, veillait au maintien par les trésoriers de France de leur dignité dans le cérémonial. En tout, ils devaient se conduire comme les membres des Cours souveraines et, par exemple, ne pas s'agenouiller devant le Roi. Le Bureau de Tours protestait, le 3 janvier 1651, que « le reproche honteux que vous faites à quelques bureaux d'avoir salué le Roy dans une posture indécente et mal convenable à la dignité de nos charges ne nous regarde point... ayant eu l'honneur de saluer leurs Majesté à leur passage debout et en la mesme façon qu'en usent les compagnies souveraines »[3].

1. N° 100, 20 août 1649.
2. N° 111, Caen, 20 octobre 1649.
3. N° 212, 3 janvier 1651. Sur l'ensemble des mesures de prestige : n° 99, Tours, 19 août 1649; 101, Dijon, 21 août; 102, Lyon, 9 septembre; 103, Orléans, 29 août; 104, Toulouse, 10 septembre; 105, Poitiers, 13 octobre; 107, Châlons, 12 octobre;

Ainsi, sur tous les points, sous l'impulsion de leur syndicat, les trésoriers généraux de France avaient produit un gros effort.

Néanmoins, le gouvernement royal ne renonça jamais à se servir des intendants et des traitants. La période de la Fronde n'est qu'une longue suite d'efforts de la Cour pour rétablir dans tous les pouvoirs les financiers et les commissaires. En effet, malgré les efforts des trésoriers de France, le gouvernement estima toujours devoir recourir aux bons offices des partisans. Tout au long de la Fronde, on les trouve en action partout où le Roi est le maître. Le gouvernement royal usait de la pratique, néfaste mais fréquente en temps de détresse financière, d'affecter des recettes déterminées à des dépenses déterminées. En 1648, la généralité de Montauban avait été assignée pour couvrir les dépenses de la Maison du Roi. Le trésorier de l'Epargne en avait traité en août avec des partisans et le surintendant de La Meilleraye ordonnait le 15 aux trésoriers de France de Montauban de surseoir au rétablissement des receveurs des finances, de maintenir ou de remettre en fonctions les commis des traitants. Ceux-ci continuèrent leurs opérations un peu partout. Mais pour qu'elles fussent fructueuses, il leur fallait des commissaires et ils ne cessèrent d'y travailler au Conseil, décriant la conduite des officiers de finances et poussant au rétablissement des intendants[1].

Le gouvernement s'efforça donc de rétablir en fait les intendants sous diverses dénominations dans les dix-sept généralités où ils avaient été supprimés, lorsque la Fronde parlementaire eut été terminée par le traité de Rueil (1er avril 1649), lorsque la guerre contre l'Espagne eut repris en Flandre et que le siège de Cambrai fut décidé (juin 1649). Il continua pendant les divisions de la Fronde des princes (août 1649, janvier 1650) et, après l'arrestation des princes (18 janvier 1650), pendant cette année 1650 où la prise de Bordeaux sur les insurgés (octobre) et la victoire de Rethel sur les Espagnols (25 décembre) montraient que le gouvernement tenait tête à ses ennemis sur tous les terrains, jusqu'à ce que la coalition des deux Frondes contraignît Mazarin à l'exil (février 1651).

108, Soissons, 13 octobre; 109, Rouen, 30 octobre; 110, Montpellier, 5 novembre; 112, Lyon, 21 octobre; 113, Montauban, 21 octobre; 114, Orléans, 30 octobre; 115, Dijon, 30 octobre; 120, Limoges, 20 octobre; 126,Tours, 28 novembre 1649. Le recueil Le Gorlier est sans doute celui que nous connaissons aujourd'hui sous le nom de Simon Fournival, Paris, 1655, in-folio.

1. Nos 22, 6 septembre 1848; 29, 29 octobre, Montauban, 23 juin 1649; 93, Limoges, 9 juillet (les traitants ont la libre et entière disposition des tailles à cause de leurs avances au Roi); 145, Bordeaux, 19 janvier 1650 (« dans la plus grande partie des élections de cette généralité les traitants font aller les deniers par des voies indirectes »); 177, Limoges, 26 avril 1650 (un commissaire y « fait venir quelques deniers aux traitants par le moyen des gens de guerre »; ces traitants sont les Tabouret); 285, Tours, 24 août 1653.

Dès le mois de juin 1649, le bruit courut que le Conseil du Roi se préparait à envoyer dans les provinces des maîtres des requêtes en chevauchées. La nouvelle souleva une émotion considérable chez les trésoriers de France. « Nous ne doutons pas que la nouvelle de l'envoi des Maîtres des Requêtes n'ait alarmé tous les officiers et les peuples par la crainte qu'ils auront tous qu'ils ne s'ingèrent à faire les mêmes fonctions que faisaient les intendants, dont le nom sera toujours odieux au siècle présent et à la postérité... Nous n'avons pas le droit d'opposition parce que les Ordonnances leur permettent de faire leurs chevauchées dans les provinces. » Le syndicat conseillait aux trésoriers de France de refuser aux maîtres des requêtes communication de leurs papiers afin de les réduire à l'impuissance. Mais que faire « s'ils viennent avec des arrêts de fulmination contre nos greffiers, qu'ils appréhendent comme le feu » ? Les lettres de cachet du Roi, envoyées à chaque Bureau des Finances pour leur annoncer quel maître des requêtes était nommé pour la généralité, avaient beau affirmer que les maîtres des requêtes ne s'ingéreraient en aucune façon dans les charges des officiers, mais seulement enquêteraient sur les désordres, violences, exactions et contraventions aux ordonnances et arrêts du Conseil et en dresseraient procès-verbal qui serait envoyé au chancelier Séguier pour décision, comme il était précisé que les trésoriers de France devaient « rendre compte aux Maîtres des Requêtes qui font lesdites visites de ce qui regarde notre service et l'accélération de nos deniers », les membres des Bureaux des Finances ne se sentaient nullement rassurés. Les trésoriers de Montauban étaient décidés à n'avoir aucun commerce avec les maîtres des requêtes et à veiller à ce qu'ils n'entreprennent rien sur le domaine et les finances. Le Parlement de Toulouse rendait un arrêt contre ces émissaires du Conseil. Le Bureau des Finances de Poitiers se promettait de refuser si leur maître des requêtes voulait prendre quelqu'un d'entre eux pour commis. Devant cette opposition et à la suite des démarches de l' « Assemblée de Paris », le gouvernement annonça en novembre 1649 qu'il renonçait à l'envoi des maîtres de requêtes.

Mais l'on en trouve dans les provinces après cette date. A Bourges, en décembre, Pinon, contre qui les trésoriers de France protestent qu'ils ne doivent compte de leurs fonctions qu'au Roi, au Conseil, « principalement à Nosseigneurs ». Mais ils savent bien que s'ils refusent de rendre compte à Pinon, celui-ci obtiendra un arrêt du Conseil qui les contraindra d'obéir. Le maître des requêtes Gaulmin est à Moulins en 1649 et 1650. Il arbore le titre d' « envoyé par le Roy » en Bourbonnais et agit en intendant. D'autres maîtres des requêtes sont en même temps intendants de justice, police et finances en l'armée du Roi de séjour dans une province, comme La Margrie en Normandie. Le 3 mai 1650, arrive à Montauban le maître des requêtes Moran. Les trésoriers de France refusent de le recevoir parce que les termes de la lettre de cachet marquaient « une espèce d'intendant ». Le Parlement de Bordeaux et la Cour des Aides de Cahors étaient décidés aussi à résister. Tous les Bureaux des Finances trouvaient que l'obligation de rendre compte de leurs charges aux maîtres des requêtes « excède beaucoup celle (L'authorité) qui est attribuée à Messieurs les Maîtres des Requêtes par les ordonnances ». Le gouvernement cherchait d'ailleurs à étendre toujours plus les pouvoirs des maîtres des requêtes en chevauchées. Le Conseil adresse à Gaulmin tout ce qui regarde la police et la discipline des troupes « d'où il doibt estre inféré que Messieurs les Maîtres des Requêtes sont maintenant autant d'intendants dans les Généralités qui, sans en prendre la qualité, en usurpent l'autorité ». Un règlement du 8 octobre 1650 attribue aux maîtres des requêtes des fonctions financières importantes pour les étapes et les garnisons, fonctions que les trésoriers de France avaient exercées à nouveau depuis la révocation des intendants[1].

Le gouvernement se servit aussi en plusieurs endroits au cours de l'année 1650 de conseillers d'Etat ou intendants des finances, ceux-ci supérieurs directs des trésoriers de France. En août et septembre 1650, le conseiller d'Etat de Bezon est dans la généralité de Bourges, envoyé par le secrétaire d'Etat à la Guerre Le Tellier, qui passait pour n'aimer pas les trésoriers de France, afin de s'occuper de la discipline des gens de guerre et du ravitaillement des troupes à la place du Bureau des Finances. En janvier 1650, arrive à Limoges Foullé, maître des requêtes, intendant des finances, qui « a cette généralité en direction ». Foullé voulut travailler avec les trésoriers de France au département des tailles, comme le faisaient les intendants. « Comme intendant des finances, il prétend avoir le droit de nous présider et de faire tout avec le Bureau; à quoy nous disons, Messieurs, que la fonction de Messieurs les Intendants des Finances est dans le Conseil seulement... Que pour la charge de Maîtres des Requêtes il a droit de faire sa chevauchée dans cette généralité qui lui est échue en département, mais non de faire notre charge. » Foullé

1. Nos 85, Bourges, 20 juin 1649; 93, Limoges, 9 juillet; 94, Caen, 12 juillet; 117, 118, 119, Moulins, 13 novembre et lettres de cachet du Roi 22 et 26 octobre; 95, Montauban, 15 juillet; 97, Poitiers, 21 juillet; 122, 23 novembre; 129, Bourges, 10 décembre; 143, 146, Moulins, 1er et 19 janvier 1650; 148, Montauban, 27 janvier; 152, 153, Rouen, 14 février et lettre de cachet du 1er février; 177, Rouen, 29 avril; 180, Montauban, 12 mai 1650; 213, Riom, 10 janvier 1651.

menace, injurie, publie une ordonnance qu'il a proposée dans la compagnie et que celle-ci a refusée, en mettant au bas les noms des officiers comme s'ils l'avaient signée, employant ainsi une sorte de procédure de lit de justice, envoie des gens de guerre loger dans les biens de plusieurs trésoriers de France et met garnison chez le greffier en chef du Bureau, interdit le Bureau, administre les finances à sa place, l'investit avec un régiment de cavalerie et menace d'enlever plusieurs trésoriers[1]. Plus discrète est l'action des commis de l'Epargne envoyés comme contrôleurs généraux des finances dans les généralités. Ils établissaient leurs propres commis dans toutes les généralités et vérifiaient les états et registres des receveurs à la place des trésoriers généraux de France. Deux arrêts du Conseil, des 27 septembre et 12 octobre 1650, donnèrent à ces commissaires pouvoir de prendre l'argent dans les recettes et de le porter à l'Epargne[2].

Enfin, le gouvernement royal utilisa comme commissaires des officiers des Cours des Aides, premier président de la Cour des Aides de Cahors qui, en juillet 1649, examinait les comptes des receveurs dans la généralité de Montauban : « Il fait nos charges et introduit une manière d'intendance... C'est un artifice des partisans pour remettre les choses dans leur première confusion »; en 1650, conseillers de la Cour des Aides de Paris, avec l'approbation de cette Cour, hostile aux trésoriers de France[3].

Dans les provinces frontières le gouvernement essaie d'accroître les pouvoirs des intendants d'armée jusqu'à en faire des intendants de province. En Champagne, en 1650, Pages est à la fois intendant de justice, police et finances en l'armée de Champagne, maître des requêtes en chevauchée, ce qui lui donne un droit de surveillance sur tous les officiers, et commissaire général pour la subsistance des troupes, ce qui lui permet de s'occuper des étapes à la place des trésoriers de France, faire à ce sujet les revues des troupes, ordonner de la fourniture, arrêter la dépense et délivrer les ordonnances de paiement. Pour subvenir aux frais des étapes, Pages voulut lever une imposition spéciale proportionnelle aux tailles. Il demanda donc le département des tailles aux trésoriers. Ceux-ci refusèrent : c'était une prérogative d'intendant et Pages n'avait pas de commission vérifiée en Parlement. Pages fit mettre des troupes en garnison dans trois villages dont trois des trésoriers de France étaient seigneurs, obtint un arrêt du Conseil qui excluait les trésoriers de France de la

1. Nos 202, Bourges, 20 août 1650; 149, Limoges, 29 janvier, 11 février 1650.
2. Nos 212, Tours, 3 janvier 1651; 239, Moulins, 8 novembre 1651.
3. No 95, Montauban, 15 juillet 1649. Pour la Cour des Aides, voir plus bas.

connaissance des étapes et une lettre du secrétaire d'Etat à la Guerre leur enjoignant d'aider l'intendant d'armée dans sa charge, mais en même temps le Conseil continuait d'envoyer aux trésoriers de France les ordres concernant les étapes et ceux-ci persistaient à s'en occuper. Le conflit dura. En Picardie, « le sr. Garin, jouant le rôle d'intendant, a fait impositions de fourrages sur lettres de cachet contraires à la déclaration du Roi abolissant les intendants ». Les trésoriers de France arrêtèrent la levée par une ordonnance et se pourvurent en Parlement, malgré le mécontentement du Conseil. Le Conseil ne reconnaissait pas la compétence du Parlement en cette matière, l'autorité des juges sur les commissaires. Il ne voulut jamais faire vérifier en Parlement les commissions d'intendant d'armée dans les six provinces réservées. D'où des heurts avec les trésoriers de France qui, en matière de finances, se proclamaient « intendants nez »[1].

Cependant, la guerre générale depuis février 1651, l'absence de Mazarin, la nécessité où fut la Reine de négocier avec les Frondeurs, de traiter avec eux et de confirmer le bannissement de Mazarin obligèrent le gouvernement à reculer en 1651 et 1652. A la fin de 1651, un arrêt du Conseil défendit à toutes personnes de s'ingérer aux fonctions d'intendant dans les provinces sans commission vérifiée par les Parlements. Lorsque les Parlements de Paris et de Rouen eurent rendu après le 16 janvier 1652 des arrêts interdisant aux maîtres des requêtes de s'immiscer en aucune fonction d'intendant, le Conseil dut freiner encore davantage les maîtres des requêtes. Le 3 février 1652, les trésoriers de France à Limoges se plaignirent du maître des requêtes Baltazard qui, à peine entré dans la généralité, emprisonnait le receveur de l'élection de Bellac, établissait un contrôleur, installait une garnison dans la recette, faisait ouvrir les coffres et voulait dicter des ordres aux trésoriers de France. Ceux-ci députèrent au Conseil du Roi qui se trouvait à Poitiers et le surintendant de La Vieuville envoya le 4 à « Monsieur Baltazard, intendant en la généralité de Poitiers », une belle semonce : « Rappelez-vous ce qui vous a été dit; ne faites aucune fonction d'intendant des finances, veillez seulement à ce que les officiers ordinaires exécutent les arrêts du Conseil et les ordres du Roy; vivez en bons termes avec les officiers. » Toutefois, il semble que les commis de l'Epargne aient encore séjourné en novembre 1651 comme commissaires dans les généralités[2].

1. Nos 166, Châlons, 5 avril 1650; 174, 3 mai; 178, 6 mai; 182, 10 mai; 183, Amiens, 14 mai 1650; 251, Châlons, 3 février 1652.

2. Nos 242, Limoges, 30 décembre 1651; 252-253-254, Limoges, 3 février, Poitiers, 4 février 1652; 262, 4 février 1652; 289, Moulins, 8 novembre 1651.

Mais la lassitude de tous, la rentrée du Roi à Paris le 21 octobre 1652, celle de Mazarin en février 1653, l'apaisement progressif des troubles, général depuis la chute de Bordeaux le 3 août 1653, rendirent au gouvernement une certaine liberté d'action. Au début d'août 1653, on parle à nouveau de l'envoi des maîtres des requêtes dans les généralités. Naturellement, c'était, disait-on, pour faire simplement leurs chevauchées, selon la déclaration de juillet 1648 et sans aucune commission scellée. Mais les trésoriers de France ne se faisaient pas d'illusions. Ils savaient bien que les maîtres des requêtes viendraient chargés d'instructions signées des principaux membres du Conseil, qu'ils entreprendraient de faire toutes les fonctions des charges de trésoriers de France, rendraient des ordonnances en finances, « à la poursuite et instigation des traitants ». Les trésoriers de France à Moulins proposaient l'offre d'argent au Roi pour éviter l'envoi des maîtres des requêtes. Le Conseil syndical multipliait les démarches auprès des ministres, mais ceux-ci invoquaient « le prompt recouvrement et l'accélération des deniers des tailles ». Le 27 août, l'on annonçait la venue à Rouen du conseiller d'Etat Miromesnil en qualité de commissaire pour travailler, comme les anciens intendants, au département de la subsistance. Le 5 septembre 1653, le Bureau des Finances de Tours annonçait l'arrivée « dans peu de jours » de « Monsieur d'Hure » *(sic)*, « Intendant pour cette généralité », « et qu'il a ordre du Conseil, aussitôt qu'il sera arrivé, de mettre ès mains de nostre greffier les arrêts et commissions pour l'imposition de ce que cette généralité doit porter de 5 millions 200 000 livres que le Roy prend par avance en l'année 1654 et des 3 millions 800 000 livres pour le prochain quartier d'hiver, avec ordre de nous avertir de nous assembler extraordinairement le mesme jour, ou au plus tard, le lendemain pour en ordonner l'enregistrement et en expédier nos attaches dont il doit faire procès-verbal, pour, en cas de reffus ou dellay, en aller luy-mesme faire l'imposition et département sans nos attaches, dans les Elections... ». C'était en revenir au règlement du 22 août 1642 et à la déclaration du 16 avril 1643, qui substituaient en matière de finances l'intendant aux compagnies d'officiers et faisaient de l'intendant l'administrateur des finances dans les provinces[1]. Cette lettre est la dernière du recueil. Les trésoriers de France étaient battus. Peu à peu, les intendants allaient être rétablis dans toutes les généralités et retrouver leurs anciens pouvoirs.

1. Nos 280, Moulins, 5 août 1653; 283, 9 août; 284, Limoges, 19 août; 287, Moulins, 9 septembre; 281, Rouen, 13 août; 282, Caen, *id.*; 286, Rouen, 27 août; 289, Tours, 5 septembre.
R. Mousnier, Recherches sur la création des intendants de provinces, *art. cit.*

L'échec des trésoriers de France a des raisons diverses. Tout d'abord leur situation était fausse. Ils ont fait de l'opposition et ont participé aux troubles. Ils ont contribué à déclencher la révolte et ont beaucoup aidé les révoltés, indirectement, en empêchant le gouvernement de se servir de son principal moyen d'action, les intendants, et en limitant l'activité des autres commissaires, notamment celle des maîtres des requêtes en chevauchée. Ainsi ils se sont attiré l'inimitié du gouvernement et ont éveillé chez celui-ci un désir de revanche. Le Roi et son Conseil ne pouvaient pas rester sur l'humiliation qui avait été infligée à l'autorité royale. Il leur était presque imposé de ruiner la tentative des trésoriers de France dès que les circonstances le permettraient. Il est dommage pour les trésoriers de France qu'ils aient lié leur mouvement de réforme à des mouvements de révolte. Mais, d'autre part, ils ne semblent pas participer activement à la révolution. Il y a doute sur ce point. Leur correspondance est syndicale et ils n'avaient pas à écrire à leurs députés d'autre chose que de questions professionnelles. Mais d'ailleurs il y a des lacunes dans cette correspondance, du 20 août au 25 décembre 1650, du 24 avril au 8 novembre 1652, cinquante-neuf lettres manquent. Cette disparition est-elle due au hasard ? Ces lettres étaient-elles compromettantes ? d'autres textes suggèrent qu'ils ont usé, au moins dans certains cas, de leur double autorité d'officiers du Roi et de seigneurs pour pousser paysans et citadins à la rébellion. Toutefois, dans l'état actuel de nos connaissances, nous ne distinguons pas chez eux d'envie de faire une révolution ni de participation directe aux révoltes à main armée. Les trésoriers généraux de France veulent servir le Roi même malgré lui, administrer les finances régionales, eux et pas d'autres, et, pour justifier leur opposition, ils font leur service avec plus d'exactitude. Ainsi, ils bénéficient de la tentative de révolution sans faire la révolution. Ils éveillent chez le Roi et son entourage une rancune inexpiable et les provoquent à une réaction sans tenter réellement, semble-t-il, d'imposer leur volonté.

Les trésoriers généraux de France n'ont pas réussi à convaincre le gouvernement de se passer des traitants qui devaient ramener les intendants. C'est d'abord que les trésoriers de France s'attaquaient à des gens qui avaient intéressé dans leurs entreprises bon nombre de courtisans. Les partisans, les Catelan, les Tabouret, les Lefebvre, les de La Rallière, avaient partie liée avec Guillaume Bautru, comte de Séran, avec François de Rochechouart, chevalier de Jars, avec François Annibal, maréchal-duc d'Estrées, avec le duc Henri de Senneterre ou avec son fils, le maréchal de La Ferté-Senneterre, avec d'autres encore, tous intéressés dans les prêts au Roi. D'ailleurs nombre de membres du Parlement de Paris révolté passaient pour être dans le même cas[1].

D'autre part, les trésoriers de France n'ont pas pu ou n'ont pas voulu suffire aux dépenses de l'Etat. Les membres du Conseil les ont accablés d'accusations. L'on trouve dans les papiers de Séguier un curieux *Estat sommaire des abus et malversations qui se commettent dans la généralité de Soissons pour la levée des deniers du Roy et autres affaires qui importent à son service*, rédigé en 1651[2]. C'est un bon échantillon de ces attaques. Le Bureau des Finances de Soissons y est pris comme exemple de ce que font tous les trésoriers de France du royaume. « Ils ont traversé toutes les bonnes intentions de ceux qui ont été envoyez de la part du Roy dans les généralités pour ordonner de la subsistance des troupes. » Ils méprisent les arrêts du Conseil. Ils ont levé 300 000 livres pour la subsistance des troupes, alors que l'arrêt du 21 janvier ne portait que 220 000 livres. Ils ont modifié la répartition de l'impôt, ramené La Ferté-Milon de 6 000 à 4 500 livres, porté Montmirail de 2 000 à 2 400. Ils ont refusé d'exécuter l'arrêt du 28 février et d'envoyer leurs ordonnances aux communautés pour qu'elles paient les sommes nécessaires à la solde. Ainsi les troupes ont dû vivre à discrétion sur les paysans et ont ruiné plusieurs villages. Par ordonnance du 16 avril, ils « ont permis aux habitants des bourgs et communautés de courir sus au son du tocsin et de la cloche, tant contre le sieur Combauld qui était de la part du Roy dans ladite généralité que contre lesdits gens de guerre ». Eux et les élus déchargent de taille les paroisses où ils ont des fermes. Une telle paroisse paie 500 livres, là où une paroisse égale doit verser 2 000 à 2 500 livres. Ils abusent des contraintes par les receveurs particuliers et des recouvrements par les prévôts des maréchaux et les archers avec saisies. « Le désordre est plus grand que jamais dans les levées quoy que, depuis trois ans, ils en aient l'entière disposition. »

Pourrons-nous jamais savoir ce qu'il y avait au juste de vrai dans les accusations que se renvoyaient commissaires et trésoriers généraux de France ? A prendre les affirmations de ce texte pour exactes, l'on pourrait aussi bien en conclure que les trésoriers de France montraient du zèle puisqu'ils usaient de contraintes et qu'ils remaniaient, selon leur meilleure connaissance des situations locales, les répartitions de taxes faites par le Conseil. Faire retomber sur eux la responsabilité de désordres dans les levées, étaient-ce de très bonne foi en pleine

1. *Mémoires* du cardinal de RETZ, éd. A. FEILLET, I, p. 324. *Journal* d'Olivier LEFÈVRE D'ORMESSON, éd. CHÉRUEL, « Documents inédits sur l'Histoire de France », I, p. 545-546, n. 2-555.
2. Ms. fr. 18479, f°s 43-48.

guerre civile ? Mais, dira-t-on, lorsque les impôts pour les troupes semblaient excéder la capacité des contribuables, les trésoriers de France cherchaient à protéger ceux-ci, même en autorisant la révolte. Propriétaires et parfois seigneurs, ils avaient des intérêts communs avec tous les habitants du pays, puisque l'excès des impôts royaux devait faire baisser les loyers et les fermages et compromettre la levée des redevances seigneuriales. Leurs intérêts locaux, c'était précisément ce que le Roi ne pouvait souffrir. Eh bien ! il n'est pas sûr qu'en autorisant la résistance des habitants aux commissaires royaux et aux gens de guerre les trésoriers de France n'aient pas eu en vue l'intérêt supérieur du Roi et la sauvegarde de l'autorité royale, car l'auteur de notre texte ajoute : « Il semble que la protection du Roy ne soit pas suffisante pour mettre à couvert ses subjects et les garantir des oppressions des gens de guerre. Quelques villages entiers, qui appartiennent aux ecclésiastiques, ont recherché la protection des gentilshommes et seigneurs du Soissonnais et s'advouent d'eux et se désadvouent de leurs légitimes seigneurs... tous les particuliers habitants desdits villages se soubmettent volontairement à une banalité du moulin dudit gentilhomme ou seigneur, et d'autres obligent toutes leurs maisons envers eux à des rentes foncières et, par diverses manières, ils sont contraints de s'obliger à perpétuité à des servitudes honteuses, pour rechercher une protection étrangère qui masque le dérèglement de l'Estat. » Ce texte capital reçoit une confirmation indirecte d'un article du règlement pour la levée des tailles de l'année 1642 (27 novembre 1641) : « Et de plus, il se trouve encore aucunes desdites paroisses protégées ou favorisées par aucuns ecclésiastiques, gentilshommes, seigneurs de Paroisses, officiers et autres personnes puissantes, les habitants desquelles trouvent leurs retraites et refuges en leurs Maisons et Châteaux, y portent et retirent leurs biens, bestiaux et meubles, et ne souffrent les Huissiers et porteurs des contraintes desdits Receveurs approcher de leurs demeures »[1]. A lire de tels textes, on se croirait en plein Moyen Age.

Dans ce type de société, la guerre civile ramenait le processus des IXe et Xe siècles, du temps des invasions normandes, hongroises et musulmanes, la recommandation généralisée, l'extension du régime seigneurial, les conditions d'une reviviscence du régime féodal, qui laissaient entrevoir la ruine possible de l'œuvre monarchique de restauration de l'Etat. En donnant aux habitants des villages et des villes la protection des officiers du Roi contre les gens de guerre, les

1. P. Néron et E. Girard, *Recueil d'édits et d'ordonnances royaux sur le fait de la justice*, éd. 1720, II, p. 663 sq.

trésoriers de France ne luttaient-ils pas pour la conservation de l'autorité royale ? Ou bien devons-nous admettre que, propriétaires de leurs charges et disposant de moyens pour les transmettre à leurs héritiers, les trésoriers de France agissent là aussi en seigneurs, prêts à user de leurs fonctions publiques comme d'une simple propriété privée, à les rendre définitivement et automatiquement héréditaires et à n'être plus que l'équivalent des comtes et des ducs des derniers temps carolingiens et des premiers temps capétiens, vassaux d'un roi suzerain ?

Mais, quelles qu'aient été les intentions des trésoriers de France, le plus urgent était d'assurer la subsistance des troupes et l'auteur du rapport conclut que ces officiers sont « assez peu nécessaires à l'Etat » et que : « Parmy tous ces désordres, les peuples commencent à gouster la nécessité des intendants dans les provinces et par la conférence du passé avec le temps présent les plus judicieux estiment qu'une province est sans âme sy elle est démunie d'un gouverneur et d'un intendant. » C'était tout au moins l'opinion de l'entourage royal.

Il ne semble pas, d'autre part, que les trésoriers de France et les élus aient été capables de jouer le rôle des traitants comme prêteurs au Roi et de mobiliser d'aussi grosses sommes d'argent. Il nous manque une étude sur leurs fortunes, leurs revenus, l'emploi de leurs capitaux. Mais il est certain que les trésoriers de France ne sont plus les grands personnages qu'ils ont été au XVIe siècle, avant l'institution des Bureaux de Finances en 1577. Ce sont des officiers régionaux, très préoccupés de leurs gages, de leurs droits et de la conservation de leurs offices. Ces préoccupations, qui les mettaient dans la dépendance du gouvernement, ne leur permettaient pas de pousser trop loin leur opposition.

Sans cesse, les trésoriers de France se plaignent des « retranchement de gages », c'est-à-dire des retenues opérées sur leur traitement. En 1652, leurs plaintes devinrent d'autant plus amères qu'ils étaient plus mal traités que les « compagnies souveraines », Parlements, Chambres des Comptes, Cours des Aides, et plus mal que les présidiaux, alors que les édits leur reconnaissaient la qualité de membres « du corps des Cours souveraines ». C'était une considération sociale insupportable, être ravalé « au rang des officiers des élections et des comptables ». En 1653, nouvelle alerte. Nouvelles démarches[1].

1. Nos 49, Caen, 7 décembre 1648; 50, Poitiers, 9 décembre; 245, Bourges, 10 janvier 1652; 246, Limoges, 6 janvier; 247, Grenoble, 16 janvier; 249, Caen, 15 janvier; 250, Montpellier, 16 janvier; 268, Soissons, 30 avril 1653; 269, Rouen, 23 avril; 272, Moulins, 30 avril; 279, Toulouse, 22 mai; 280, 283, Moulins, 5 et 9 août; 284, Limoges, 19 août 1653.

La dépendance des trésoriers de France à l'égard du gouvernement apparaît encore avec le droit annuel ou paulette. C'était la prime d'assurance, instituée en 1604, qui permettait aux officiers d'être certains que leur office ou sa valeur resterait à leur famille en cas de mort subite. Le droit annuel était renouvelé tous les neuf ans. Le Roi tenait ainsi les officiers par la crainte de n'en pas bénéficier. Chaque renouvellement donnait lieu à des discussions interminables sur les conditions financières[1]. A la fin de 1648, après bien des vicissitudes, l'on commença d'exécuter la déclaration du 13 mars 1648, renouvelant le droit annuel pour neuf ans. Les trésoriers de France étaient dispensés, comme les Cours souveraines, de prêter de l'argent au Roi pour avoir le droit de payer la prime d'assurance. Mais ils se plaignirent du montant élevé de la prime qui, augmentée d'un quart et portée de 275 à 500 livres, équivalait au seul trimestre de leur traitement que leur laissât le Roi. Ils protestèrent contre l'obligation que leur faisait le trésorier des Parties casuelles de verser le droit annuel, lorsqu'ils voulaient en jouir une année, pour toutes les années écoulées depuis et y compris 1648. La moitié des trésoriers de France, disait-on, préféraient ne pas verser la prime et courir le risque. Leur Conseil syndical obtint successivement que les trésoriers de France désireux de jouir de l'annuel pour 1650 ne le verseraient que pour 1649 et 1650, non pour 1648, et que ceux qui voudraient commencer d'acquitter la prime une quelconque des années suivantes ne paieraient que deux années consécutives et non toutes celles écoulées depuis et y compris 1648, ensuite qu'ils n'auraient à verser que l'année courante[2].

Mais surtout l'opposition des officiers au Roi se trouva affaiblie par leurs divisions. Un conflit grave opposa les Cours des Aides et les élus d'une part, les trésoriers de France de l'autre, et ceux-ci n'eurent pas toujours de très bonnes relations avec les Chambres des Comptes et les Parlements. Comme l'écrivaient les trésoriers de France de Dijon à leurs députés à Paris, Parlements, Chambres des Comptes, Cours des Aides, élus, maire et échevins rendaient illu-

1. R. MOUSNIER, *La vénalité des offices sous Henri IV et Louis XIII*, Rouen, Maugard, 1945.

2. Nos 45, Montpellier, 29 octobre 1648; 49, 52, Caen, 7 et 30 décembre; 53, Toulouse, 5 janvier 1649; 54, Moulins, 9 janvier; 135, Lyon, 21 décembre; 147, Orléans, 18 janvier 1650; 136, Châlons, 7 janvier; 138, Alençon, 4 janvier; 139, Montauban, 29 décembre 1649; 140, Riom, 4 janvier 1650; 141, Bordeaux, 6 janvier; 159, Moulins, 25 mars; 163, Riom, 29 mars; 204, Châlons, octobre 1650. Le revenu des parties casuelles royales de la généralité de Moulins était abandonné à la Reine et son trésorier général, M. de Bostillac, y avait un commis.

soires les fonctions des trésoriers de France qui avaient procès contre eux tous[1].

A peine eurent-ils fait capituler le gouvernement, en 1648, que les officiers vainqueurs se divisèrent. Les trésoriers de France se prétendaient les successeurs et héritiers du petit groupe des quatre trésoriers de France et des quatre généraux de finances qui, auprès du Roi, administraient les finances monarchiques avant les réformes de François Ier. La décision de 1552 qui avait accru le nombre des trésoriers généraux et les avaient envoyés résider en province, un au siège principal de chaque généralité, celle de 1577, qui avait porté leur nombre à cinq en chaque Bureau et leur avait fait une obligation d'agir en corps, tout en réduisant leur importance à celle de simples agents provinciaux du Conseil, leur avaient conservé les mêmes honneurs et les mêmes pouvoirs régionaux que détenaient les anciens trésoriers de France et les anciens généraux de finances. Les trésoriers généraux de France se considéraient donc comme les supérieurs des élus. Ceux-ci, pensaient-ils, leur devaient respect et obéissance « pour leurs gages et droits et pour tout ce qui regardera le fait et direction des finances ». Les élus devaient exécuter les ordonnances des trésoriers de France « pour l'accélération des deniers du Roy ». Les trésoriers de France devaient présider « aux assiettes et départements des tailles et subsistances dans toutes les Elections des Généralités du Royaume »[2].

Les élus, eux, n'avaient jamais pu se résigner, depuis 1552, à l'installation des trésoriers de France et généraux des finances dans les généralités, qui, en créant un échelon intermédiaire d'administrateurs régionaux des finances entre eux et le Conseil du Roi, avait réduit leur importance. Ils profitèrent des troubles pour essayer une réaction. Tout d'abord, ils nièrent que, malgré leur nom, les trésoriers généraux de France pussent constituer la même institution que les anciens trésoriers de France et les anciens généraux de finances. « Pour le regards desdits Trésoriers, ils ne sont autres que Provinciaux et ne peuvent prétendre le titre de Généraux que possédoient autrefois les Généraux des Finances establis seulement au nombre de quatre dans tout le Royaume pour en estre les Souverains ordonnateurs, ainsi que sont maintenant Nos seigneurs les Surintendants Directeur et Intendants; mais à présent leur pouvoir étant restreint et limité dans une province particulière, et leur principale fonction ne consistant

1. N° 101, 21 août 1649.
2. *Mémoires des Trésoriers de France contre les Elus et Messieurs de la Cour des Aides*, 1649, Papiers de Séguier, B.N., ms. fr. 18479, f°s 31-32.

qu'à servir de commis à nosdit Seigneurs dans l'estendue de leur Province seulement et estans multipliez en chaque Bureau jusques au nombre de vingt, il n'y a point d'apparence d'appeler générale leur fonction qui n'est que provinciale et particulière. » Les élus accusent les trésoriers généraux de France d'avoir voulu accroître leurs fonctions depuis 1635, pour compenser l'augmentation de leur nombre, et d'abuser d'un précédent, leur assistance au département des tailles dans quelques élections, depuis dix ou douze ans, mais comme commis des intendants. Les ordonnances ne leur donnent pas le droit de présider au département des tailles, mais seulement de s'informer si les élus l'ont fait et de redresser les erreurs si des paroisses tombent en non-valeurs ou s'il y a des réclamations. Les ordonnances attribuent l'assiette et le département des tailles aux élus seuls. Les trésoriers de France veulent perpétuer à leur profit l'état de fait créé par les commissions extraordinaires, mais celles-ci sont toutes supprimées depuis le 13 juillet 1648. « L'intérêt que quelques-uns des Trésoriers ont dans le party des tailles... est un des motifs qui les portent avec tant d'ardeur à vouloir devenir maistres des impositions. » Les élus dénient même aux trésoriers de France toute supériorité sur eux, car les trésoriers de France ne peuvent prétendre former un corps ni avoir une juridiction, après qu'ils ont été si souvent réduits à deux exerçant alternativement, privés de la qualité de juges et du pouvoir de décréter, exclus du corps des Cours souveraines, privés de souveraineté et soumis à l'appel aux Cours des Aides, aux Chambres des Comptes et aux Parlements.

Les élus, au contraire, se prétendent « des officiers portant le caractère de Juges » et donc supérieurs dans la fonction publique aux trésoriers de France, simples officiers de finances. Les élus se considèrent aussi comme socialement supérieurs aux trésoriers de France. « Quant à ce qu'ils objectent que la plupart des élus sont juges et avocats, procureurs, admodiateurs et hôteliers, c'est une calomnieuse supposition. Mais on peut reprocher aux Trésoriers avec vérité que quelques-uns sont commis de Partisans, fils de Procureurs, roturiers, et de si basse naissance que leurs parents sont encore taillables et cotisez par les officiers des Elections, qui peuvent justifier qu'il y a dans leur corps de gentilshommes, enfants d'officiers des Cours souveraines, d'autres officiers et des meilleures familles des villes où les Bureaux des Elections sont établis; qu'il y a un élu qui a mieux aimé garder sa charge d'Eleu de Paris que de se faire Trésorier de France par le décez de son oncle, dont le grand-père avait tellement considéré la charge d'Eleu, qu'il l'avait donnée à son fils aîné et celle de Trésorier à son cadet... » Enfin, les élus proclament la supériorité de leur culture générale et de leur formation professionnelle : « Après cela, la bile de nos adversaires eschauffée nous vomit une grosse injure avec autant d'ineptie que les précédentes : ils nous appellent ignares et non lettrez. Certainement, Messieurs, qui n'avez autre capacité qu'une connaissance confuse de quelques Ordonnances touchant la fonction de vos charges avec l'habitude du jeton, il vous sied bien de nous faire ce reproche... Il y a tels officiers des élections qui sont si scavants au-delà des Trésoriers provinciaux qu'il serait besoin pour eux qu'ils vinssent à leur école pour apprendre leurs charges et s'en trouvent le plus souvent de si ignorants qu'ils passent pour ridicules quand ils viennent aux Bureaux des Eslections, n'ayant pas la faculté de dire et exprimer le sujet de leur venue. » Et les élus d'émailler leurs pamphlets de citations des deux antiquités, la sacrée et la profane, et d'appeler au secours de leurs revendications : Aristophane, Plutarque, Théognis, Cicéron, les Psaumes, les Proverbes, saint Paul, qui tous viennent témoigner pour le « département » des tailles[1].

Les deux corps se combattirent. Le Conseil syndical des trésoriers de France obtint, en 1648, que le Conseil du Roi insérât dans les commissions envoyées aux Bureaux des Finances pour la levée des tailles en 1649 l'autorisation aux trésoriers de France de députer quelques-uns d'entre eux pour présider dans les Bureaux des Elections au département des tailles. Une déclaration d'octobre 1648 confirma ce pouvoir aux trésoriers de France. Le syndicat des élus la fit supprimer en décembre 1648. Des trésoriers de France n'en allèrent pas moins présider le département des tailles dans les élections et l' « Assemblée de Paris » fit rétablir leur pouvoir par déclaration en mars 1649.

Le syndicat des élus organisa la résistance dès novembre 1648 par circulaires, obtint l'appui de la Cour des Aides, conseilla aux élus de s'adresser à Messieurs Chesneau et Mauparty, respectivement avocat et procureur des élus à la Cour des Aides. Dans toute la France, les élus refusèrent l'entrée de leurs Bureaux aux trésoriers de France, s'opposèrent à l'exécution de leurs ordres, en appelèrent de leurs ordonnances à la Cour des Aides. Des Bureaux des Finances : Soissons, Caen, Limoges, Bourges, estimèrent qu'il valait mieux laisser les élus faire seuls le département des tailles et le Conseil finit

1. *Remontrances des Syndics des Elections de France au Roi et à Nosseigneurs de son Conseil*, 1649, B.N. LF 38-19, in-4°. *Réponses des Syndics généraux des Officiers des Elections du Royaume aux observations qui ont été faites par les Trésoriers provinciaux de France sur les remontrances desdits Syndics...*, 1649, LF 38-12, in-4°.

par en donner ordre aux trésoriers de France. Une entrevue entre les deux syndicats au cours de 1649, probablement vers mai ou juin, n'aboutit pas. Les trésoriers de France ne virent de solution que dans un règlement général en forme d'arrêt du Conseil qui préciserait les rapports entre trésoriers de France et élus. En avril et mai 1649, le Conseil syndical des trésoriers de France pressait le Conseil du Roi de donner ce règlement, d'interdire le syndicat des élus, de disperser dans les provinces les syndics assemblés à Paris, de défendre aux élus de solliciter à la Cour des Aides, de leur ordonner de s'adresser aux trésoriers de France pour leurs gages et droits et pour tout ce qui concerne les finances, et de ne se plaindre qu'au Conseil. Le Conseil syndical réclamait pour les ordonnances des trésoriers de France le pouvoir d'être exécutées par provision, malgré opposition ou appel, comme pour celles des intendants. Il exigeait la reconnaissance officielle de leur pouvoir de présider au département des tailles et subsistances dans les Bureaux des élus. Il voulait pour eux la police et discipline des gens de guerre, le pouvoir de réprimer les rébellions et désobéissances des seigneurs en finances, la direction et police des étapes des troupes, enfin la confirmation de leurs fonctions concernant le domaine, la voirie, les ponts et chaussées. Voilà tout ce que devait contenir ce règlement qui, en somme, n'aurait laissé que peu de différences entre les Bureaux de Finances et les intendants de provinces[1].

Est-ce à ce moment, ou en 1653, qu'ont été dressés les projets que l'on trouve dans les papiers de Séguier, la *Déclaration et règlement touchant les charges des Trésoriers de France et de leurs fonctions*, le *Sommaire du Règlement rapporté par Mr. de la Galissonnière chez Mr. le Président de Bellièvre pour les Trésoriers de France et les Elus*, textes qui auraient donné toute satisfaction aux trésoriers de France[2] ? Mais le Conseil se gardait bien de prendre nettement parti pour l'un ou pour l'autre. Tantôt, il donnait à chacune des deux parties une réponse satisfaisante mais que contredisait l'autre, tantôt il répondait de façon équivoque, par exemple que les Bureaux de Finances qui avaient accoutumé d'envoyer dans les élections pourraient continuer de le faire, ou bien comme l'arrêt du 7 avril 1650 : « Les Trésoriers généraux de France continûront ainsi qu'ils ont fait la fonction de leurs charges. » Le conflit des trésoriers généraux

1. *Mémoires des Trésoriers de France contre les Elus et Messieurs de la Cour des Aides*; 2e mémoire, Papiers de Séguier, ms. fr. 18479, fos 31-32; 1er mémoire, *ibid.*, fos 37-38. Réfutation de ce mémoire par les élus, B.N., LF 38-13, in-4o.

2. Ms. fr. 18479, fos 23 et suiv., fos 39 et suiv.

de France et des élus continua sans solution jusqu'en 1653[1].

Les trésoriers généraux de France attribuaient la hardiesse des élus aux excitations et à la protection de la Cour des Aides de Paris. Celle-ci ne pardonnait pas aux trésoriers généraux de France, ces officiers régionaux, de s'être fait maintenir dans la qualité de membres des Cours souveraines; encore moins de prétendre à ce titre relever seulement du Conseil, de ne pas reconnaître la juridiction de la Cour et de s'interposer entre elle et les élus comme une autorité, en principe différente, en fait concurrente. Les élus condamnés à l'amende par les trésoriers généraux de France se portèrent appelants de leurs ordonnances devant la Cour qui cassa en maintes occasions leurs ordonnances par ses arrêts, même celles rendues « pour l'accélération des deniers du Roi », et, au besoin, assigna personnellement des trésoriers de France à sa barre. La Cour des Aides accepta pour ses membres des commissions royales dans les généralités et, en les vérifiant, accrut les pouvoirs accordés aux commissaires, leur permettant de présider au département des tailles et de l'impôt du sel. En mai 1650, le conseiller à la Cour des Aides de Bragelonne était depuis plusieurs mois dans la généralité de Lyon et, à la place des trésoriers généraux de France, il assistait aux départements des impôts », « invité à cela par le traitant et par les Elus ». Le Conseil syndical des trésoriers de France obtint des surintendants des finances l'interdiction à ces commissaires de présider aux départements. Les trésoriers de France à Moulins écrivaient mélancoliquement : « Messieurs du Conseil... ne serons pas faschez de nous voir aux prises avec elle (la Cour des Aides) et de se rendre les juges de nos différends »[2].

Les Chambres des Comptes de Paris et de Rouen s'efforçaient de soumettre les trésoriers généraux de France à leur autorité et de réduire leur compétence. La Chambre des Comptes de Paris prit sur

1. Sur l'ensemble de ce conflit : n°s 46, Bourges, 31 novembre 1648; 51, Tours, 10 décembre; 58, Châlons, 30 avril 1649; 62, Limoges, *id.*; 63, Bourges, 1er mai; 72, Soissons, 12 mai; 73, Caen, *id.*; 74, 77, 79, 84, Montauban, 19 mai; 123, Châlons, 23 novembre; 130, Moulins, 1er décembre; 139, Montauban, 29 décembre; 163, Riom, 29 mars 1650; 167, Riom, 12 avril; 157, Tours, 23 mars; 160, Montauban, 4 avril; 162, Bordeaux, 26 mars; 160 *bis*, Grenoble, 5 avril; 180, Montauban, 12 mai; 216, Lyon, 28 mars 1651; 217, Moulins, 29 mars; 218, Alençon, 1er avril; 220, Châlons, 5 avril; 221, Orléans, *id.*; 223, Moulins, *id.*; 229, Limoges, 8 avril; 228, Bordeaux, 4 avril; 230, Lyon, 12 mai; 232, Dijon, 15 juillet; 233, Châlons, 14 juillet, etc.; 262, 263, Limoges, 9 décembre, 25 décembre 1652; 279, Lyon, 1er août 1653.

2. N°s 46, Bourges, 21 novembre 1648; 58, Châlons, 30 avril 1649; 68, *id.*, 11 mai; 75, Moulins, 13 mai; 85, Bourges, 20 juin; 181, Moulins, mai 1650; 175, Lyon, 6 mai 1650; 214, Rouen, 31 mai 1651; 230, Lyon, 12 mai; 234, Moulins, 2 juillet; 239, Moulins, 8 novembre 1651.

elle de transmettre les déclarations royales d'octobre 1648 et de mars 1649 pour la pacification des troubles aux trésoriers généraux de France de son ressort, comme le Parlement le faisait pour les baillis et sénéchaux, et, pour mieux marquer la dépendance des trésoriers, elle qualifiait les procureurs du Roi de leurs compagnies de substituts du procureur du Roi en la Chambre des Comptes. Les trésoriers généraux de France se refusèrent à laisser créer un précédent qui les faisait déchoir du rang de compagnies souveraines. Suivant l'avis de leur Conseil syndical, ils n'enregistrèrent pas les déclarations envoyées par la Chambre des Comptes et n'en ordonnèrent pas l'exécution. Ils attendirent de les recevoir du Conseil du Roi avec les lettres patentes à eux adressées pour les exécuter. La Chambre des Comptes alors entreprit quotidiennement sur leurs fonctions. Par exemple, elle cassa l'acte de réception d'hommage d'un gentilhomme d'Anjou, dressé par le Bureau des Finances de Tours, et ordonna que les hommages seraient désormais reçus dans la sénéchaussée du Maine par le procureur du Roi au siège présidial du Mans comme subdélégué de la Chambre. C'était, de l'avis des trésoriers de France, une triple illégalité, car la Chambre n'avait ni le droit de casser les ordonnances des trésoriers, ni celui de subdéléguer, ni celui de recevoir les hommages hors du lieu où elle était établie et les Bureaux des Finances avaient droit de recevoir les hommages chacun dans leur ressort privativement à la Chambre des Comptes. Celle de Rouen admettait les receveurs et commis à compter devant elle sans qu'ils eussent fait vérifier leurs états par le Bureau des Finances de Rouen, comme si celui-ci n'existait pas. Les trésoriers généraux de France à Rouen se résignèrent à porter, en 1650, le différend devant le Conseil, qui devint encore ici l'arbitre entre les officiers[1].

Les relations n'étaient pas toujours bonnes même avec les Parlements. Les trésoriers généraux de France à Montauban se plaignaient fort, en 1649, de celui de Toulouse qui les traitait en subalternes et les compromettait dans l'esprit des peuples. Par arrêt, le Parlement ordonnait au Bureau des Finances de réformer les commissions du Roi pour les tailles de 1649 et de les diminuer de 900 000 livres parce que le Roi s'était engagé à ne lever que 40 millions sur le royaume et que la généralité de Montauban ne devait porter qu'un dix-septième des charges. Les trésoriers de France résistèrent. Au contraire, dans plusieurs élections, les élus exécutèrent l'arrêt du Parlement. Le Parlement de Paris rendait, en 1649, arrêt en faveur des lieutenants géné-

1. Nos 60, 61, 62, Lyon, Tours, Limoges, 30 avril 1649; 63, Bourges, 1er mai; 155, Tours, 12 mars 1650; 88, 154, 211, Rouen, 18 juin 1649, 4 mars, 25 décembre 1650.

raux de bailliages et de sénéchaussées qui entreprenaient de recevoir les foi et hommages des vassaux mouvants du Roi, au détriment des trésoriers généraux de France[1].

Ainsi les officiers se trouvaient divisés par de profondes oppositions d'intérêts. Soit que leur objectif fût le retour à un état de choses ancien, comme pour les élus, soit au contraire qu'il fût de se substituer à de nouveaux agents du Roi, les intendants de province, comme pour les trésoriers de France, tous ces corps n'avaient qu'un but : développer leur compétence au détriment de celle des voisins. Ces appétits concurrents les contraignaient de s'adresser au Conseil du Roi, qui put ainsi faire reconnaître en principe son autorité supérieure, user de son rôle d'arbitre pour gagner du temps, et qui demeura finalement le maître. Déjà en 1651, le Bureau des Finances de Lyon écrivait tristement qu'il était urgent de « destruire une faction élevée contre nous de tous lesdits officiers (les élus) soubs l'appuy et protection de la Cour des Aides qui se prévault de la faiblesse du Conseil, lequel pourra bien reprendre son autorité et nous laisser abattus de ces fâcheuses attaques parce qu'il pourra nous comprendre au ressentiment qu'il se réserve d'exercer en cet estat contre tous les officiers du Royaume desquels il présume avoir reçu son abaissement... Il est expédient pour nous de ne point attendre ce temps là auquel l'on se promet de renvoyer les intendants pour y continuer leurs usurpations sur la fonction de nos charges... »[2].

Mais les officiers étaient paralysés par leurs dissensions et aucun corps ne put faire prévaloir ses désirs. La prophétie de Lyon fut confirmée par l'événement. Depuis le dernier trimestre de 1653, les intendants furent réinstallés dans les provinces. Pendant des années encore, il fallut de la prudence. La minute de l'instruction pour le conseiller d'Etat Le Febvre, envoyé comme intendant en Dauphiné le 19 novembre 1654, est caractéristique : la qualité d' « intendant de la justice, police et finances en ladite province » qui lui avait été attribuée est rayée et remplacée par celle d' « intendant de la justice, police et finances des troupes qui seront dans ladite province ». On lui avait donné pouvoir de faire les marchés des étapes et d'en arrêter les comptes, à la place donc des trésoriers de France. Ces expressions sont rayées et remplacées par celles d'assister aux marchés des étapes et de vérifier l'arrêté des dépenses. Mais, enfin, il est envoyé avec des pouvoirs étendus concernant les cabales, les rébellions des commu-

1. Nos 87, 95, Montauban, 23 juin, 15 juillet 1649; 123, Châlons, 23 novembre 1649.
2. No 230, 12 mai 1651.

nautés, l'exécution de tous les ordres envoyés par le Conseil dans la province et il est spécifié qu'il « ira toutes et quantes fois qu'il le jugera à propos pour le service de S.M. dans le bureau des finances de Grenoble pour y procéder et faire les fonctions de sa commission avecq les officiers dudit Bureau... Et généralement fera le sieur Le Febvre tout ce qu'il jugera nécessaire pour le bien et avantage du service de Sa Majesté »[1]. Les trésoriers généraux de France furent peu à peu remis sous l'autorité des intendants.

Le Conseil ayant maté les trésoriers de France, tout se passe comme s'il avait voulu leur donner des satisfactions. Un édit de 1653 supprima les élus. L'édit reçut un commencement d'exécution. Un des points de la commission de Le Febvre en Dauphiné était de tenir la main à la suppression des élus. Ceux-ci eurent bien du mal à éviter la catastrophe[2].

La présente étude est fort loin d'être exhaustive. Elle n'épuise pas, il s'en faut de beaucoup, les possibilités offertes par les documents parisiens. Elle ne touche pas aux documents provinciaux et cependant que de belles études locales et régionales pourraient être poussées sur ce sujet ! Outre les questions ici abordées, à reprendre pour chaque Bureau des Finances et pour chaque élection, ou au moins pour plusieurs d'entre eux selon les diverses régions géographiques, plusieurs points seraient à éclaircir. Il faudrait connaître les idées politiques et sociales des trésoriers de France et des élus. Dans l'immensité des Mazarinades, l'on pourra sans doute trouver des textes à leur attribuer. Leurs remontrances, les journaux, les lettres, les mémoires ne nous ont pas encore non plus tout livré. Il est nécessaire de préciser pourquoi ils n'ont pu, semble-t-il, se substituer aux traitants, et, pour cela, d'étudier la composition de leur fortune, le mouvement de leurs revenus, l'emploi de leur argent liquide, leurs opérations financières, leur crédit. Il faudrait savoir comment ils ont effectivement rempli leurs fonctions dans cette période troublée et s'ils méritaient vraiment les reproches qui leur ont été adressés. Il serait indispensable de discerner, là où ils sont seigneurs, leurs relations avec les hommes de leurs seigneuries. Enfin, il faudrait tenter de déterminer leur rôle réel dans les révoltes à main armée. Sur tous ces points l'on peut dire qu'à peu près tout est à faire, tant à Paris qu'en province. Archives des Parlements, des Chambres

1. B.N., K 891, minute d'arrêt du Conseil du Roi.
2. B.N., LF 38-17, in-4°.

des Comptes et des Cours des Aides, papiers des Bureaux des Finances et des élections, registres des bailliages et des sénéchaussées, minutes notariales, papiers des familles, livres publiés à l'époque en province ont des trésors à nous livrer. Ce n'est pas le lieu d'examiner comment les interroger.

RECHERCHES SUR LES SOULÈVEMENTS POPULAIRES

en France avant la Fronde

Sous les ministères de Richelieu et de Mazarin, la Fronde fut précédée, pendant environ vingt-cinq ans, d'une période de révoltes populaires presque ininterrompues, mouvements paysans dans les campagnes, soulèvements des artisans et des mendiants dans les villes. Il n'est pas d'année où l'on ne compte de ces révoltes, au moins dans une province, au moins dans quelques villes, parfois dans presque un tiers du royaume. Ces soulèvements avaient fait l'objet de nombreuses études de détail par les historiens français[1], et avaient donné lieu à des développements dans les manuels[2]. Mais aucune synthèse partielle n'avait été tentée et c'était une lacune de notre historiographie. Un historien russe, B. F. Porchnev, a essayé de la combler, dans un livre publié en russe, en 1948, par les Editions de l'Académie des Sciences de l'U.R.S.S., Institut d'Histoire, sous le titre *Les soulèvements populaires en France avant la Fronde (1623-1648)*. L'ignorance de la langue russe a empêché l'auteur du présent article d'en prendre connaissance. Mais l'ouvrage a été traduit en allemand et publié à Leipzig en 1954. Il est arrivé, après quelque délai, dans nos bibliothèques, et il est possible maintenant à presque tous les historiens français de s'en servir[3].

Publié dans la *Revue d'histoire moderne et contemporaine*, V, 1958.

1. Rappelons au moins celle de P. Boissonnade, L'administration royale et les soulèvements populaires en Angoumois, en Saintonge et en Poitou pendant le ministère de Richelieu (1624-1642), *Mémoires de la Société des Antiquaires de l'Ouest*, 2e série, t. XXVI, 1902; et celle de G. Pagès, Richelieu et Marillac, deux politiques, *Revue historique*, 1937, t. 179.

2. Mariéjol, *Histoire de France* de Lavisse, t. VI, 2e partie, p. 431-435 : « La politique financière du gouvernement provoqua tout le long du règne des émeutes et des insurrections. »

3. B. F. Porchnev, *Die Volkaufstände in Frankreich vor der Fronde (1623-1648)*, trad. Martin Brandt, Veb Bibliographisches Institut Leipzig, 1954, in-8°, 543 p., appendice de 79 textes, 2 cartes.

B. F. Porchnev a procédé à une étude approfondie des travaux sur les révoltes populaires de cette période dus à des historiens français, et il semble qu'il ne lui en soit pas échappé, ce qui est méritoire, car leur nombre dépasse la centaine. Il s'est procuré les textes imprimés à l'époque ou les documents publiés depuis qui contiennent des renseignements sur ces événements, relations diverses, *Mercure français*, lettres de Richelieu, de Mazarin, journaux et mémoires. Nous le croirons, lorsqu'il nous dit que ce n'a pas été sans mal. Mais il a lu, certainement de près, beaucoup de documents, il connaît bien des textes importants comme les *Œuvres* de Loyseau et le *Testament politique* de Richelieu. Enfin il a disposé d'une source exceptionnelle, des collections de lettres adressées au chancelier Séguier de 1633 à 1648, par des gouverneurs de provinces, comme le duc d'Epernon, des intendants, des magistrats, 2 500 à 3 000 documents venant des provinces et apportant au chancelier des informations sur l'état intérieur de la France. Les documents sont arrivés en Russie par hasard. Les lettres adressées à Séguier avaient été léguées en 1732, avec la bibliothèque du chancelier, par Henri de Cambout, duc de Coislin, à l'abbaye de Saint-Germain-des-Prés. En 1791, pendant les troubles de la Révolution, une partie de ces lettres fut volée et tomba entre les mains d'un secrétaire de l'ambassade russe à Paris, Pierre Dubrowski, ainsi que d'autres manuscrits de Saint-Germain-des-Prés. Dubrowski rapporta en 1800 les manuscrits en Russie et les céda en 1805 au gouvernement russe[1]. Les papiers ainsi recélés se trouvent aujourd'hui à Léningrad, à la Bibliothèque Saltykow-Stschedrin dans la collection Dubrowski. Porchnev, qui y a travaillé depuis 1933, en a utilisé 10 registres et publie en appendice 79 de ces lettres, en français[2].

Appuyé sur cette solide documentation, Porchnev s'est livré à trois tâches. Dans une première partie de son livre, il dresse des monographies des principaux mouvements ouvriers et paysans de 1623 à 1648, cherche ensuite à en dégager les caractères communs et l'attitude des autres classes sociales à leur égard sans se dissimuler la précarité des résultats, car sur tous ces mouvements les archives locales ont été insuffisamment utilisées.

Dans une seconde partie, il s'attache particulièrement à la révolte

1. Léopold Delisle, *Le Cabinet des Manuscrits de la Bibliothèque Nationale*, II, p. 52.

2. Citées sous l'abréviation : GPB Awt. G(osudarstwennaja) P(ualitschnaja) B(iblioteka) Awt(ografy). Certains de ces textes avaient déjà été publiés par H. de La Ferrière, *Deux années de mission à Saint-Pétersbourg. Manuscrits, Lettres et documents historiques sortis de France en 1789*, Paris, 1867; et par J. Hovyn de Tranchère, *Les dessous de l'histoire. Curiosités judiciaires, administratives, politiques et littéraires*, Paris, 1886, 2 vol.

des Nu-Pieds de Normandie, en 1639, parce que c'est celle que nous connaissons le moins mal, et dont nous pouvons entrevoir les concomitants économiques et sociaux. Enfin, dans une troisième partie, il essaie, à la lumière des résultats atteints, de résoudre l'énigme de la Fronde, de voir si elle est une réaction féodale ou une tentative de révolution bourgeoise, puis, cherchant le rôle de la bourgeoisie dans la société française du XVIIe siècle, il critique les théories de Pagès et celles que je formulais autrefois[1] et s'élève à une tentative d'explication de l'histoire intérieure de la France sous la monarchie absolue.

B. F. Porchnev se sert fréquemment de mon livre sur *La vénalité des offices sous Henri IV et Louis XIII*, déclare que beaucoup de mes observations et conclusions ont une grande valeur scientifique[2] et ne conteste en aucune manière la force des arguments avancés en faveur des thèses qu'il attaque[3]. Je peux, sans me forcer, lui rendre la politesse dans les mêmes termes. Porchnev connaît bien le XVIIe siècle français, dans la mesure où nous pouvons le connaître aujourd'hui, sauf peut-être sa situation économique. Beaucoup de ses observations et de ses conclusions ont une réelle valeur scientifique et plusieurs de ses arguments en faveur de ses thèses sont forts. Mais je ne puis adhérer à ces thèses parce qu'il me semble que Porchnev a voulu à tout prix faire entrer des faits exacts, des relations justement aperçues et appréciées, dans les cadres d'une théorie marxiste, que la matière fait éclater. J'ai donc une double tâche à remplir, d'abord exposer les thèses de Porchnev, ensuite les critiquer au moyen notamment du reste des *Lettres adressées au chancelier Séguier*, qui se trouve à la Bibliothèque Nationale de Paris, manuscrits français 17367 à 17412, 18 volumes in-folio de 1633 à 1649, dont j'ai assuré le dépouillement, 18 volumes de 1659 à 1669, avec une grande lacune de 1649 à 1659, période pendant laquelle Séguier se trouvait en disgrâce.

Pour Porchnev, la Fronde se trouve à la charnière de deux grands cycles de mouvements paysans et ouvriers, qui ont duré respectivement de 1623 à 1648 et de 1653 à 1675. La Fronde est le point culminant d'une attaque contre l'organisation sociale « féodalo-absolutiste »[4]. On ne peut comprendre la Fronde sans étudier les

1. Georges PAGÈS, La vénalité des offices dans l'ancienne France, *Revue historique*, 1932, t. 169. Roland MOUSNIER, *La vénalité des offices sous Henri IV et Louis XIII*, thèse de Lettres, Paris, 1945, Rouen, Ed. Maugard.
2. P. 23.
3. P. 479.
4. P. 25.

vingt-cinq années qui la précèdent, pour voir comment elle s'est formée. Il faut s'attacher aux soulèvements des paysans et à ceux des classes pauvres des villes. Ils forment le véritable fondement et la seule condition qui rendait possibles toutes les autres formes de l'opposition contre le régime absolutiste, jusqu'à l'opposition de l'aristocratie féodale. Ils sont le moteur de tout le reste, Etat, religion, pensée. L'histoire académique bourgeoise française les a négligés. Les historiens français les considèrent comme des épisodes locaux, ils ne les voient pas d'ensemble, dans leur importance et leur signification. Boissonnade avait commencé de les étudier, mais c'était un scandale aux yeux des cercles académiques, et il renonça[1].

Tous ces mouvements se produisent à l'occasion de l'introduction d'impôts nouveaux ou de nouvelles institutions financières qui rendraient les impôts plus lourds. Ils dépendent donc de l'aggravation de la fiscalité causée par le rôle croissant de la France dans la guerre de Trente ans. Ils sont purement spontanés. Les cercles gouvernementaux de l'époque et, après eux, les historiens bourgeois ont toujours cherché « le chef d'orchestre invisible », le grand noble, le gouverneur, le prince du sang, les magistrats, les officiers qui se trouvaient à l'origine de ces révoltes. Toutes ces conjectures n'ont aucun fondement solide. Elles n'en sont pas moins intéressantes parce qu'elles font connaître l'étroitesse de l'historiographie bourgeoise, aussi bien que le point de vue politique du XVIIe siècle, qui pouvait difficilement admettre que le simple peuple était capable de résister au Roi et à ses serviteurs[2]. C'est un « animisme aristocratico-féodal »[3]. Les soulèvements populaires sont toujours spontanés. Ensuite ils sont utilisés par les bourgeois et par les nobles.

Ces soulèvements sont le fait des classes les plus pauvres; dans les campagnes, les paysans; dans les villes, le « préprolétariat des manufactures et des ateliers », ensuite les petits maîtres de métier, les compagnons, les apprentis des métiers les plus pauvres, vignerons de Dijon, tonneliers de Bordeaux, les cordonniers, teinturiers, serruriers, maçons, portefaix, tisserands, charpentiers, horlogers, aubergistes, bouchers, etc.; enfin, les soldats licenciés, les vagabonds, les mendiants. Ainsi les révoltes sont le fait de toute une classe inférieure, dont le minimum vital était toujours menacé, le « peuple », « la populace », « la canaille », le « menu peuple », le « bas peuple », la « lie », les « infimes personnes », non plus telle ou telle corporation,

1. P. 8 et 9.
2. P. 104.
3. P. 125.

mais une couche sociale bigarrée et hétérogène, les « plébéiens »[1].

Ces soulèvements ne sont pas antimonarchiques. La pensée politique des révoltés ne va pas plus loin que l'idée exprimée par les cris de « Vive le Roi sans gabelle, vive le Roi sans impôts »[2]. Mais ils sont nettement antiféodaux. Dans les campagnes, les paysans révoltés commencent par s'attaquer aux personnes et aux biens de ceux qui peuvent sous-affermer les nouveaux impôts ou acheter les nouveaux offices d'élus qui les exempteraient d'impôt et feraient peser plus lourdement la taille sur les pauvres (tentatives pour introduire les élections au Quercy en 1624, en Bourgogne en 1630, en Provence en 1631). Les révoltés commencent à brûler des maisons, à couper des arbres, à arracher des vignes. Mais comme, au fond, tous les riches peuvent devenir des sous-fermiers ou des officiers, des « gabeleurs », comme disaient les révoltés, ceux-ci ne tardent pas à s'attaquer à toutes les maisons des riches. En même temps qu'ils protestent contre le poids des impôts, ils élèvent des réclamations contre les droits féodaux, contre les dîmes ecclésiastiques, contre la justice et l'administration, ils pillent et brûlent des châteaux (Angoumois, Saintonge, Poitou, 1636). Dans les villes, si les habitants des faubourgs peuvent pénétrer dans la ville même, ou si la topographie est telle que les plébéiens y aient des quartiers, les révoltés détruisent des maisons de « gabeleurs », maire et échevins, officiers de justice, fermiers d'impôts. Parfois, le portrait de Richelieu, le portrait de Louis XIII sont brûlés dans la rue (Dijon, 1630; Aix-en-Provence, 1631; Lyon, 1632, etc.); ce sont tous ceux qui bénéficient de la rente féodale, soit directement, comme seigneurs, soit indirectement, comme touchant un traitement d'Etat, ou obtenant des bénéfices sur l'impôt, qui sont menacés. C'est tout l' « ordre féodal » qui est attaqué.

En effet, la société française du XVIIe siècle est une société féodale, caractérisée par la prédominance des formes d'économie et des moyens de production féodaux. Les moyens de production capitaliste étaient seulement insinués dans cette masse féodale et concentrés dans un certain nombre de villes, mais pas dans toutes. Le plus pur Moyen Age féodal régnait dans l'ensemble dans l'économie féodale française du XVIIe siècle et, la première, la Révolution de 1789 lui porta le coup mortel[3]. Le « joug des impôts » n'est que « l'expression de la domination du féodalisme sur la ville et son industrie ».

1. P. 218-221.
2. P. 227.
3. P. 28.

Par l'impôt, l'Etat lève sur la ville une rente féodale centralisée[1]. La noblesse foncière féodale a la prépondérance économique et « l'Etat est avant tout l'instrument de puissance de la classe qui a la prépondérance économique, pour tenir en respect les classes exploitées ». L'Etat monarchique absolu joue d'ailleurs aussi le rôle d'exploiteur lorsqu'il lève pour les nobles de service à la Cour ou à l'armée la rente féodale centralisée qu'est l'impôt. La monarchie absolue est l'appareil pour tenir en respect la majorité exploitée[2]. L'Etat est féodal. Simplement le Roi a pris et centralisé le pouvoir politique et ainsi la rente seigneuriale. Mais il maintient l' « ordre féodal » dont il est le premier bénéficiaire, le premier seigneur. L'absolutisme, c'est « une espèce de grand bien foncier »[3]. En maintenant l'ordre féodal, l'Etat maintient la prépondérance de la noblesse féodale, c'est donc un « Etat de noblesse »[4], « l'Etat des nobles »[5], un « Etat gouverné aristocratiquement qui était créé pour la défense du féodalisme »[6]. « L'absolutisme français du XVIIe siècle était un Etat de noblesse et la société française du XVIIe siècle était une société féodale »[7].

Porchnev prend ici les mots « féodal », « féodalisme », « féodalité » au sens marxiste. Il fait entrer la France du XVIIe siècle dans le « mode de production féodal », qui, selon les marxistes, aurait existé en Chine plus de deux mille ans, en Europe occidentale, depuis la chute de l'Empire romain (Ve siècle) jusqu'aux révolutions bourgeoises des Pays-Bas au XVIe siècle, d'Angleterre au XVIIe siècle, et de France en 1789; en Russie, du IXe siècle à la réforme paysanne de 1861. Au XVIIe siècle en France, la base des rapports de production de la société féodale reste la propriété du seigneur sur la terre, plus rarement la propriété limitée du seigneur sur le producteur, le paysan serf. La loi économique fondamentale de la féodalité réside dans la production d'un « surproduit » pour la satisfaction des besoins des seigneurs féodaux qui exploitent leurs paysans. Les seigneurs laissent à leurs paysans la jouissance d'un lot de terre, à des conditions qui les asservissent, même s'ils ne sont plus des serfs. En échange de la jouissance héréditaire de son lot, le paysan doit au seigneur une rente foncière féodale. C'est-à-dire que, lorsqu'il a créé le produit nécessaire à sa subsistance et à celle de sa famille, le paysan doit au

1. P. 230.
2. P. 240.
3. P. 468.
4. P. 22.
5. P. 468.
6. P. 479.
7. P. 22.

seigneur soit un « surtravail » sous forme de corvées, soit un « surproduit » en nature ou en argent, sous forme de redevances. « L'exploitation des paysans dépendants par les seigneurs constitue le principal trait de la féodalité chez tous les peuples. » Bien qu'au XVIIe siècle, en France, le régime féodal soit en voie de désagrégation sous l'influence du développement des rapports capitalistes, le féodalisme est encore dominant[1].

Cette situation explique, pour Porchnev, la défaite des paysans et des plébéiens. Les révoltes paysannes ne peuvent réussir que si elles sont dirigées par les ouvriers. Or, au XVIIe siècle, la classe ouvrière est trop peu développée, trop faible et a trop peu d'idées politiques pour prendre la direction de la lutte ouverte contre l' « ordre féodalo-absolutiste ». D'autre part, paysans et plébéiens ont eu contre eux un « front de classes qui constituaient la base de l'absolutisme »[2], nobles, clergé, dans une large mesure bourgeoisie, alors qu'en 1789 la bourgeoisie a fait alliance avec les paysans et les plébéiens.

En effet, la noblesse, classe dominante et première bénéficiaire du régime, joue le rôle de gardien actif de l' « ordre féodalo-absolutiste ». A Bordeaux, en 1635, à Valence en 1644, elle a beaucoup contribué à la répression des mouvements. Ce n'est pas qu'elle ait toujours été d'accord avec le Roi. La levée de la rente féodale centralisée qu'était l'impôt nuisait à la perception de la rente féodale seigneuriale. Aussi, contre l'impôt, la noblesse soutenait parfois les mouvements paysans. Elle cherchait d'autre part à utiliser ces mouvements pour ses intérêts politiques réactionnaires. Mais, dans les moments décisifs, elle abandonnait les rebelles ou se mettait contre eux[3].

Le clergé est contre les révoltés. Il leur prêche l'obéissance. « Qui se soulève contre le Roi, se soulève contre Dieu, car celui-là est son oint, à nous donné par lui, pour être notre Dieu sur terre, à qui nous devons témoigner après Dieu toute véritable crainte, honneur et obéissance »[4]. Il cherche à couvrir les exactions des nobles, comme l'évêque de Clermont, en 1643[5]. Parfois même, il prend les armes contre les rebelles, comme à Dijon, en 1630, où les ecclésiastiques jusqu'aux moines s'armèrent de mousquets, piques et hallebardes démodés et même de « bâtons ferrés et non ferrés »[6].

1. Académie des Sciences de l'U.R.S.S., Institut d'Economie, *Manuel d'économie politique*, texte conforme à la 2e éd. (1955); trad. franç., 1956, Editions Sociales, p. 48-72.
2. P. 239.
3. P. 237.
4. P. 35, extrait d'une brochure officieuse sur la révolte des Croquants du Quercy.
5. App. n° 37, p. 513-514.
6. P. 109.

La situation de la bourgeoisie ressort bien, pour Porchnev, de l'analyse des œuvres de Loyseau, qui, non seulement a formulé l'idéal de la bourgeoisie, mais aussi fait l'anatomie de l' « ordre féodalo-absolutiste ». En France, il y a deux groupes, ceux qui commandent et ceux qui obéissent. Comme, dans un Etat gouverné par la noblesse, seule une classe noble peut commander, Loyseau cherche à rapprocher le plus possible la bourgeoisie de la noblesse. Le Roi, vassal de Dieu, est le premier seigneur du royaume, mais, premier officier de Dieu, il est aussi le premier officier du royaume. L'officier n'a qu'un transfert sur sa personne privée de la seigneurie publique ou souveraineté que seul détient le Roi. Mais le seigneur n'a plus que la seigneurie privée qui lui donne seulement puissance sur la terre. Donc, l'officier et le noble, au fond, sont très près l'un de l'autre. Et l'officier peut, par la possession d'un office anoblissant ou d'une terre noble, pendant trois générations l'un et l'autre, s'élever à la noblesse. La bourgeoisie est donc une espèce d'image, de double de la noblesse.

Mais, d'autre part, la bourgeoisie est nettement séparée du peuple. Pour Loyseau, le tiers état n'est pas un ordre véritable. Car les bourgeois ont une « dignité » et « une qualité d'honneur », qui leur donne part aux privilèges et aux prérogatives de l'Etat, aux offices de l'Etat, aux magistratures et aux assemblées des villes. Mais qui sont les bourgeois ? Tous ceux qui ne travaillent pas de leurs mains, qui ne sont pas des « mécaniques ». Les bourgeois, ce sont les gens de lettres, les financiers, les praticiens du droit, les marchands grossistes et négociants, auxquels on peut joindre les apothicaires, orfèvres, joailliers et marchands de modes, car le commerce l'emporte chez eux sur le travail manuel. Tous ceux-là font partie avec les nobles du groupe de ceux qui commandent[1].

Les nobles qui sont à la tête de l'Etat et dont le type est Richelieu se servent des bourgeois comme officiers et commissaires, dans les différents postes de l'appareil d'Etat, de la machine militaire et bureaucratique. Pour Richelieu, c'est un mal nécessaire. L'appareil de l'Etat ne peut se trouver dans les mains de nobles, car sa détention par un groupe de nobles éveille la résistance du reste des nobles. « En outre, dans la noblesse, les tendances séparatistes et particularistes étaient très fortes. On ne trouvait une solution que si l'on mettait l'appareil de force dans les mains d'officiers qui n'appartenaient pas eux-mêmes à la noblesse. Cette solution résulta d'elle-même du développement de l'absolutisme »[2]. D'autre part, au point de vue financier, pour ne

1. P. 447-452.
2. P. 468.

pas se mettre trop en opposition avec les nobles par le conflit de la rente féodale centralisée et de la rente féodale seigneuriale, l'Etat absolu était intéressé à avoir sous la main une richesse qui ne fût pas d'un caractère féodal, que le capital de la bourgeoisie s'accrût et qu'elle eût un gain à opposer à la rente. Pour éviter les conflits entre l'Etat gouverné aristocratiquement et les intérêts de classe des nobles, il fallait que le fisc demandât une contribution à la bourgeoisie. Aussi l'absolutisme essaya de promouvoir l'industrie et le commerce par le mercantilisme, l'octroi à des capitalistes de privilèges, de monopoles et de titres de noblesse. Ainsi l'Etat fut lié à la bourgeoisie.

« Le lien de l'Etat avec la bourgeoisie assura l'échec de la Révolution du peuple. » « Une humiliation à la bourgeoisie d'offices l'aurait jetée dans les bras du peuple et aurait signifié l'inévitable Révolution. » « L'ordre féodal et la monarchie aristocratique qui le protégeait dépendaient finalement en France au XVIIe siècle de la position politique de la bourgeoisie »[1]. En effet, la noblesse étant aux frontières dans l'armée, la seule force réelle qui reste à l'intérieur, c'est la milice bourgeoise. La bourgeoisie, seule contre la plèbe, a la décision en main. Elle a la force militaire. Elle peut, quand elle veut, laisser s'étendre l'insurrection ou l'arrêter à son gré[2]. En fait, elle a souvent laissé s'étendre les insurrections pour favoriser ses revendications propres, mais, menacée dans ses biens par les révoltes plébéiennes, elle a toujours fini par contribuer à leur écrasement.

Mais la bourgeoisie n'a pas pu devenir classe dirigeante par elle-même et comme bourgeoisie. Elle n'a pu entrer dans la classe dirigeante qu'en se rapprochant de la noblesse, en devenant analogue à elle, en s'anoblissant, en perdant ses caractères de classe. Politiquement, elle devient une bureaucratie; elle s'éloigne de l'industrie et du commerce; elle monte dans l' « ordre féodalo-absolutiste ». Socialement, elle cherche à vivre noblement et à pénétrer dans les rangs de la noblesse. Elle achète de la terre, vit de la rente seigneuriale, finalement abandonne les offices et les petits-fils de l'officier se confondent avec la noblesse. Economiquement, elle vit de l'usure, du crédit, des prêts qu'elle fait aux particuliers et au Roi. Par ses prêts au Roi, elle affranchit son capital de l'impôt et laisse la charge sur les épaules du peuple. Une partie de la bourgeoisie vit des manufactures et du commerce colonial. Mais la monarchie mercantiliste octroie à ces capitalistes des privilèges, des subsides, des monopoles,

1. P. 473-475.
2. P. 283.

des titres de noblesse, et ainsi elle fait rentrer les capitalistes dans l'« ordre féodalo-absolutiste ». Les grandes manufactures deviennent des organismes à demi féodaux, vivant aux dépens de la paysannerie et provoquant indirectement la réaction féodale et la régression vers l'économie naturelle. L'Etat « féodalo-absolutiste » freine l'essor du capitalisme, car le développement du capitalisme exige la suppression de tous les privilèges. Le capitalisme faisait deux pas en avant et un en arrière. Les trente armateurs de Saint-Malo s'apparentaient à la noblesse locale. La bourgeoisie se fondait dans la noblesse[1].

De là l'erreur de Pagès et de Mousnier. Pour eux, la vénalité et l'hérédité des offices ont porté la bourgeoisie au pouvoir et limité la monarchie par la volonté de la bourgeoisie. Erreur. La vénalité des offices n'a pas conduit à un embourgeoisement du pouvoir mais à une « féodalisation » d'une partie de la bourgeoisie. On ne peut juger le caractère de classe de l'Etat d'après la situation sociale de la fonction publique. La fonction publique de l'Etat organisé aristocratiquement défendit au XVIIe siècle objectivement la solidité du féodalisme contre les forces révolutionnaires du peuple. Devinrent officiers un grand nombre de bourgeois, mais non la bourgeoisie comme classe caractérisée par une place déterminée dans la production capitaliste. Au contraire chaque bourgeois cessait, dans la mesure où il devenait officier, d'être un porteur des moyens de production capitalistes. Il entrait dans une autre classe qui vivait de la rente féodale, changée en impôts royaux et en traitements royaux. « Est-ce que les paysans qui viennent travailler dans une fabrique restent des paysans ? Ne changent-ils pas en ouvriers ? Serait-il juste de parler d'une « paysannisation » de l'industrie, sur le fondement que l'industrie tire sa main-d'œuvre des rangs des paysans ? Quand les ouvriers restent en étroite liaison avec le village, cela exerce naturellement une certaine influence sur leur psychologie et sur leur conduite. Ainsi les officiers de la monarchie française du XVIIe siècle n'apportaient pas dans le service peu de sentiments et de vues du milieu dans lequel ils avaient grandi, sentiments et vues de la bourgeoisie. Ils conservaient avec elle la plus étroite liaison. Mais cependant l'influence était double : plus forte apparaît l'influence qui va « de haut en bas », c'est-à-dire de la monarchie aristocratique sur les bourgeois qui grimpaient l'échelle sociale, sur les bourgeois qui étaient restés en bas, la masse des simples bourgeois n'appartenant pas à la bourgeoisie d'offices. Par exemple et par l'influence des « frères haut placés », toute la masse de la bourgeoisie française du XVIIe siècle était entraînée

1. P. 457-468.

dans le courant politique de l'Etat gouverné aristocratiquement qui était créé pour la défense du féodalisme... En conséquence, la vénalité des offices fut un instrument qui ne contribua pas à l'assujettissement de la monarchie sous la bourgeoisie, mais à une soumission progressive de la bourgeoisie par la monarchie aristocratique. La vénalité des offices fut un moyen d'éloigner la bourgeoisie du combat révolutionnaire contre le féodalisme »[1]. Ainsi se développe la pensée de Porchnev.

Ces thèses, solidement construites, renferment beaucoup de vérités partielles. Mais l'on ne peut admettre leur ensemble, car celui-ci paraît faire entrer le réel dans des cadres qui le déforment et il ne paraît pas rendre compte de tout le réel.

Tout d'abord précisons que l'étude des révoltes des petites gens n'a jamais constitué un scandale aux yeux des cercles académiques français. Ernest Lavisse, professeur à la Sorbonne et membre de l'Académie française, dans son *Histoire de France*, t. VII, Ire Partie, publiée en 1911, a résumé les connaissances sur les soulèvements de 1662 à 1675, et est arrivé à une des plus importantes conclusions de Porchnev : « A peu près partout deux camps sont formés : d'un côté, les nobles, les officiers du Roi, ceux qui ont l'honneur de faire les « affaires de Sa Majesté », les « bons bourgeois »; de l'autre, les peuples, la « canaille ». » Son collaborateur, Mariéjol, dans la même entreprise (t. VI, IIe Partie), a examiné les mouvements populaires sous Richelieu et utilisé Boissonnade. Il est fâcheux que les historiens français n'aient pas davantage étudié ces révoltes, comme il est fâcheux qu'ils n'aient pas eu les moyens d'exécuter nombre de monographies et de synthèses partielles qui nous manquent sur plusieurs sujets importants, mais il n'y a certainement pas, chez eux, de dérobade due à leur caractère bourgeois. Porchnev a raison d'insister sur l'universalité des mouvements dans le temps et dans l'espace. Il a été rédigé des monographies sur les plus importants, ceux qui ont frappé les contemporains en faisant événement. Mais la rébellion avec attentats et voies de fait est endémique, quotidienne, dans la France de cette époque. Cette multitude de petites révoltes préparait les grands soulèvements. Or, sur la spontanéité des mouvements paysans et plébéiens, grands et petits, j'éprouve des doutes. Certes, il n'est pas question de contester qu'il y a eu des émeutes et même des révoltes spontanées de petites gens. Le problème, c'est de savoir si la majorité de ces mouvements, et les plus graves, portent ce caractère. Il ne

1. P. 478-479.

faut pas faire trop bon marché des inquiétudes et des soupçons du gouvernement sur le rôle des nobles et des magistrats dans ces soulèvements. Rappelons-nous le nombre des complots et des rébellions aristocratiques pendant les ministères de Richelieu et de Mazarin. Rappelons-nous les liens de fidélité qui unissaient ces nobles à toutes les classes sociales et aux paysans eux-mêmes, en général les liens qui unissaient les paysans à leurs seigneurs, même si ceux-ci étaient des officiers ou des bourgeois. Le paysan a souvent les sentiments du « fidèle », du « dévoué », à l'égard du seigneur. Certes, des seigneurs traitèrent leurs paysans avec cruauté et rapacité, mais il fallait que le seigneur fût bien mauvais pour que le paysan eût contre lui de la haine et un esprit de violence. Le seigneur, par ses officiers de justice et de police, pouvait rendre la vie insupportable ou acceptable à ses paysans. D'ailleurs, seigneur et paysan ont des intérêts communs contre le Roi. L'impôt royal oblige à diminuer le montant des fermages; il compromet, dans les mauvaises années, la rentrée des loyers, rentes et redevances. La plupart des seigneurs protégeaient donc leurs hommes contre le fisc ou contre les troupes de passage ou en quartiers. Ils intervenaient auprès des officiers royaux, faisaient alléger la taille de leurs paysans, les faisaient dispenser de péages, de corvées. Dans les moments de trouble, ils armaient leurs tenanciers et leurs fermiers, formaient des ligues d'assistance mutuelle et faisaient respecter le bétail et les moissons de leurs hommes[1]. Ils organisaient la résistance contre l'impôt, excitaient les paysans contre le fisc, et provoquaient des révoltes. Ils donnaient l'exemple de chasser à main armée les agents du fisc de leurs terres, incitaient leurs paysans à en faire autant, les y aidaient, semaient de faux bruits sur les remises ou les suppressions d'impôts, dissimulaient les révoltés, même coupables de meurtres, avec l'aide d'ailleurs des magistrats bourgeois. Les exemples en sont nombreux dans la correspondance du chancelier Séguier. L'intendant du Boulay-Fabvier envoie à Séguier, de Mortagne-au-Perche, le 6 novembre 1643, la « suite de mes procédures contre les rebelles, dont l'un estant tombé entre nos mains, il a esté condamné et exécuté à mort. J'espère fère pendre quelqu'un des autres, qui sera le plus grand exemple. Il était grand œuvre nécessaire de couper le chemin promptement à cette insigne rébellion qui allait prendre grand traict, y ayant six autres paroisses toutes contiguës qui étaient aux termes de faire de mesme... ». Il expose ensuite comment il ne peut faire répartir la taille entre les habitants et la faire payer

1. R. Mousnier, *La vénalité des offices sous Henri IV et Louis XIII*, p. 309-311, 532-542; *Les XVI*e *et XVII*e *siècles, Histoire générale des Civilisations*, t. IV, 2e éd., p. 160-163.

qu'en se déplaçant avec une compagnie de soldats; comment, dans un village, ils sont accueillis à coups d'arquebuse, doivent assiéger une tour et prendre huit révoltés : « Je puis vous dire que si je n'eusse pendus ces mutins, toute la province était en révolte... La plus grande partie de la noblesse fomente ces rébellions et empesche haultement que les huissiers n'entrent dans ses paroisses, si bien que tout l'argent du Roi demeure... »[1]. Du Boulay-Fabvier écrit encore de Normandie, le 10 janvier 1645 : « Des élections entières pourraient bien payer ce à quoy elles sont imposées si la protection des gentilshommes ne les mettaient pas dans une rébellion manifeste pour empescher que leurs fermiers, qui haussent leurs fonds, ne paient point ou fort peu de tailles. L'élection de Domfront continue... Le voyage de Mr. de Matignon et le mien ne les ont pas obligez à payer davantage... Les habitants de Mantilly... ont encore depuis quelque temps tué un archer... pour les tailles et quoy que l'on puisse faire, il est presque impossible d'avoir lumière des assassins, les juges et les gentilshommes gastent tout... »[2].

La Normandie n'était pas une exception. Les choses se passaient de même dans le Limousin. L'intendant de Vautorte rappelait, le 10 septembre 1643, à Séguier : « Je vous ay desjà mandé que tout estait en désordre en cette province pour le fait des tailles. Ce n'est pas d'aujourd'hui, car ce peuple n'est pas souple ni prompt à païer et les gentilshommes maintiennent leurs vassaux en ceste humeur et en tirent profit... Le Roy a escrit depuis peu aux principaux gentilshommes sur ce sujet... »[3]. De Corberon, intendant de Limousin et d'Angoumois, nous montre bien le mécanisme des rébellions, dans une lettre datée de Limoges, le 26 août 1644 : « ... Monsieur et Madame de Pompadour, plustost par l'induction de quelques-uns de leurs domestiques et officiers, et entre autres d'un certain procureur fiscal de la terre de Treignac, en laquelle est un des principaux bureaux de la récepte de l'eslection de Tulles, que par aucune adversion qu'ils ayent pour les affaires du Roy, ont traitté de sorte, dans les terres qui leur appartiennent en grand nombre, ceux qui se sont présentez pour le recouvrement de la taille et parlé si advantageusement de leur pouvoir et avec tant de mespris de l'auctorité de ceux qui sont dans la province qu'il n'a pas esté malaisé de faire croire aux peuples qu'estans à la protection de Messieurs et Dames de Pompadour, personne ne les auserait entreprendre. Soubz cette assurance, les

1. Bibliothèque Nationale de Paris, ms. fr. 17375, f° 45 r°-v°.
2. Ms. fr. 17383, f° 31 r°.
3. Ms. fr. 17376, f° 5 r°.

habitants desdictes terres ont si mal payé qu'il est vray que depuis l'année 1641, à peine ont-ils satisfait au tiers des sommes auxquelles ils estaient imposez... Si ces paroisses ne sont pas des plus aisées... du moins sont-elles beaucoup moins misérables et plus soulagées que les autres... 50 ou 60 paroisses leur appartenant se trouvent réduittes aux 2/3 et moins des sommes qu'elles portaient l'année dernière... J'aurais estimé que cette diminution concertée avec mad.(ite) dame et pour le bien des affaires de Sa Majesté dans la province et par les sentiments de respect et de déférence que j'ay et auray toute ma vie pour Monseigneur le Chancelier advancerait l'expédition des rolles pour l'advenir et ferait porter de l'argent aux recettes pour le passé. Mais... au contraire, l'on a publié dans les paroisses que si les gens de guerre se mettaient en devoir d'y entrer, et mesme l'on a fait entendre de la sorte à ceux qui les commandaient qu'on ne respondait pas de leurs personnes n'y que leurs vies feussent en seureté, la protection de Mr. de Pompadour s'étant mesmes estendue jusques aux terres qui ne luy appartenaient pas, ayant escrit des lettres aux officiers qui commandaient les fuzeliers[1] pour les faire desloger des maisons de ceux qui n'appartenaient que de loin à ses juges ou procureurs fiscaux... Mr. de Saint-Germain, à présent gendre de Mr. le Surintendant, qui possède beaucoup de biens dans le pays, ... m'a fait dire qu'ayant l'honneur d'appartenir maintenant à Monsieur le Surintendant, il ne prétendait pas estre traitté moins favorablement que mesdits sieur et dame de Pompadour. Jugez si en ce rencontre, on a besoin de courage et de force d'esprit... »[2]. Ensuite, les terres de Parvez et de Bugeat, appartenant à Mme de Pompadour, se révoltent contre les « fuseliers ».

De Corberon écrit encore de Brives, le 23 octobre 1644 : « Monsieur le Comte de Bonneval ayant non seulement souffert que l'on maltraitast des archers de la prévosté de l'Hostel qui estaient allés dans sa terre avec un seul sergent pour y faire payer la taille, mais encore ayant fait chasser une brigade de fuzelliers que j'y avais envoyé depuis pour faire exécuter les contraintes avec plus d'autorité et obliger sa dicte terre à satisfaire aux tailles qu'elle doibt et qu'elle n'a point payée depuis trois années, j'en remets à votre prudence d'en ordonner tel chastiment que vous jugerez à propos... »[3].

Les choses se passaient de même en Auvergne. L'intendant de Sève écrivait : « J'ay autant de payne pour les tailles à combattre les

1. Troupes spéciales recrutées pour contraindre les paroisses au paiement des impôts.
2. Ms. fr. 17380, f° 102 r°.
3. Ms. fr. 17382, f° 17 r°.

gentilshommes qui en traversent le payement que la mauvaise volonté ou l'impuissance des redevables et persiste que cette province est plus l'employ d'une Chambre des Grands Jours que d'un intendant de justice »[1].

De même en Touraine. L'intendant de Heere s'exprimait ainsi, à Saumur, le 18 juillet 1643 : « A mon arrivée en cette province, j'ay trouvé la pluspart des paroisses dans une résolution de ne point faire de rolles. Il est vray que la nécessité y est grande ny ayant que fort peu de blés et de vins, mais je puis dire qu'il y avait beaucoup d'opiniastreté parce que présentement les plus pauvres ont esgalé[2], il n'y a que les plus riches paroisses et celles qui appartiennent aux personnes de qualité qui sont dans la désobéissance. Joinct que plusieurs personnes de condition ont tellement imprimé dans l'esprit des peuples que l'on leur remetterait les tailles qu'ils l'espèrent toujours... » Et de Tours, le 19 octobre 1643 : « ... Les paroisses les plus rebelles sont dans l'obéissance. La punition exemplaire que j'ay fait faire des chefs des séditieux de Vernay a surpris tous les peuples. Ils ne se pouvaient imaginer que l'on ausa aller en cette paroisse parce qu'elle estait soutenue de plusieurs gentilshommes... »[3].

De même en Périgord. De Lauson écrit à Séguier, de Périgueux, le 13 décembre 1644, qu'il est « ... en Périgord, où la protection que les gentilshommes rendent à leurs métayers, à leurs paroisses et à leurs amis, apporte un grand retardement à la levée des deniers royaux. Ils s'assemblent, ils taschent de faire peur, ils menacent, ils fomentent des rébellions. Mais comme je n'ay pas voulu souffrir que la compagnie se séparast[4], comme elle marche en corps et faict bonne garde, on ne l'ose attaquer... »[5].

Dans ces années 1643 et 1644, les soulèvements des paysans sont perpétuels dans tout l'ouest, le centre et le sud de la France. Les limites septentrionales et orientales des soulèvements passent par la Normandie, le Berry, l'Auvergne, le Dauphiné. Les paysans refusent les impôts, chassent les agents du fisc, massacrent les commis à la levée des impôts, enlèvent quelques châteaux, menacent les villes. Porchnev écrit, à propos de l'Angoumois, du Poitou, de l'Aunis, de la Saintonge : « La marque particulière des mouvements dans ces provinces fut la tentative universelle de la noblesse locale pour soutenir le

1. De Sève à Séguier, à Calvinet, près d'Aurillac, 18 octobre 1643, PORCHNEV, *op. cit.*, app. nº 39, p. 515.
2. C'est-à-dire réparti l'impôt entre les contribuables en proportion de leurs facultés.
3. Ms. fr. 17377, fº 29 rº, fº 196 rº.
4. Des carabins, qui assuraient la levée des tailles.
5. Ms. fr. 17382, fº 80 rº.

mouvement et l'utiliser pour son profit[1] ». Nous pouvons dire plus : dans les diverses paroisses la noblesse n'a pas soutenu le mouvement, elle l'a provoqué. Ces mouvements paysans ne sont pas spontanés. Les paysans sont ici les agents de la noblesse.

Nous avons eu jusqu'ici des cas nets : rébellions directes des nobles chassant agents du Roi et troupes à main armée, utilisation de leurs hommes dans ce dessein, incitation à leurs paysans à en faire autant, promesse de protection aux révoltés auprès de l'appareil d'Etat, faux bruits, dissimulation de rebelles meurtriers. Il y a des cas moins nets où les mouvements paysans semblent spontanés. Mais c'est sans doute souvent une apparence. Une lettre de l'intendant Villemontée à Letellier des Sables-d'Olonne, le 1er novembre 1643, nous en montre les dessous. Il a fait emprisonner et exécuter plusieurs séditieux qui refusaient de payer les tailles, « ... mais cela... n'est pas capable de prévenir un plus grand mal qui nous menace de la révolte de la noblesse et des ecclésiastiques à cause de l'inventaire qu'on veut faire dans leurs caves pour le nouvel impost de vingt sols sur muyd de vin que l'on appelle l'escu pour tonneau... Je receux hyer advis que toute la noblesse de Saintonge et d'Angoulmois s'est assemblée à ce subject et qu'il se tient des discours très dangereux et préjudiciable au service de Sa Majesté, car si quelque gentilhomme avait commencé soubs main à faire tuer les commis de cette ferme la suite ira pour les tailles... »[2]. Ce qui frappe, c'est que, en parlant de l'éventualité de ce meurtre commis par des hommes au service d'un noble et qui déclencherait la révolte contre tous les impôts, l'intendant a l'air d'envisager une possibilité qui n'a rien d'extraordinaire, toute naturelle, un événement qui se produisait souvent, une coutume. Ces mouvements populaires qui semblent spontanés et qui commençaient d'ordinaire par le massacre de quelques agents du fisc, combien de fois proviennent-ils de l'initiative des nobles ?

Ceci nous incite à réfléchir sur d'autres soulèvements populaires, spontanés en apparence, comme ceux des Croquants de 1636-1637, guerre de paysans qui, pour Porchnev, a été encore plus grave que la jacquerie du XIVe siècle. Les contemporains y ont vu la main des gentilshommes et des grands. Porchnev qualifie cette opinion de « conjectures » sans fondement. Cependant il y a des textes où leur auteur ne suppose pas, mais affirme. Voici par exemple un *Mémoire touchant les émotions arrivées depuis 1629 jusques à 1643*, rédigé à la fin de décembre 1643 pour le surintendant des finances et qui étudie le

1. *Op. cit.*, p. 70.
2. PORCHNEV, *op. cit.*, app. n° 41, p. 516.

problème de la conduite à tenir devant l'agitation des nobles d'Aunis, de Saintonge, de Poitou et d'Angoumois. Parlant de l'insurrection des Croquants de 1636, l'auteur affirme : « Ces Croquants faisaient lors des Assemblées politiques auxquelles les ecclésiastiques et gentilshommes connivaient... » En 1637, « ... Villemontée faist punir les principaux autheurs et coupables de ce soulèvement et encore qu'il fust assez évident que plusieurs[1] ecclésiastiques et gentilshommes y avaient participé, néantmoins, parce que la conviction en était difficile et qu'il importait au service de S. M. de mettre le calme dans ces deux provinces, led.(it) Sr. de Villemontée cessa les poursuites... »[2]. L'auteur affirme catégoriquement que l'on savait, mais qu'il était difficile d'apporter une preuve valable selon les formes de la justice. Or, rappelons-nous que les Croquants de Périgord, à la même époque, avaient ouvertement un gentilhomme pour général, La Mothe La Forêt, et comme officiers d'autres gentilshommes, pour qui la conviction ne fut pas difficile. Ce pouvaient être des déclassés. Mais voici plus curieux. La Mothe La Forêt avait parmi ses principaux lieutenants un gentilhomme, Madaillan, qui s'échappa après la défaite. Or, quelques années plus tard, en 1641, le chef de bande Pierre Greletti, un ancien paysan, qui tenait toujours la campagne avec deux cents hommes entre Périgueux et Bergerac, et qui était populaire, reçoit la visite de ce même Madaillan qui vient lui proposer de la part d'un prince de sang, le comte de Soissons, de participer à un soulèvement contre Richelieu. Les historiens connaissent ce détail car Greletti, soucieux d'obtenir sa grâce, a tout révélé au gouvernement royal. Mais, agent des princes en 1641 pour soulever les paysans, à quel titre le gentilhomme Madaillan commandait-il une troupe de Croquants du Périgord en 1637 ?

Les officiers qui, quoique considérés comme bourgeois, étaient assez souvent en même temps des seigneurs, « connivaient » aussi aux révoltes des paysans. Tout d'abord, comme les gentilshommes, les officiers résistent au fisc royal et provoquent la rébellion des paysans. L'intendant de La Potherye écrit de Caen, le 8 juin 1643 : « Les officiers de Bayeux... ont été condamnés chacun en cent livres d'amende et interdits pour un mois et ceux qui avaient suscité ce désordre chacun en cent livres et à un an... Les pauvres ont payé partout. Il n'y a que les riches et les officiers qui font ces difficultés[3]. Dans d'autres cas, sans provoquer directement la révolte, semble-t-il,

1. C'est-à-dire « un grand nombre » dans la langue du temps.
2. Ms. fr. 15621, f°s 259 v°-260 r°.
3. Ms. fr. 17378, f° 108 r°.

au moins les officiers contribuent-ils à en créer les conditions d'explosion et de durée, par leurs attaques contre les impôts et contre le pouvoir absolu et par leurs tentatives pour favoriser les rebelles au cours des poursuites judiciaires et leur assurer l'impunité. Dans un rapport, on parle à Séguier, en 1643, « ... d'un arrêt du Parlement de Tolose... Les esprits brouillons en ont pris prétexte d'animer le peuple en divers endroits et de le porter à refuser le payement des impositions, principalement en Haut-Languedoc d'où ceux qui ont les levées des deniers imposés en vertu des commissions extraordinaires, surcises par cet arrêt, se sont retirés, m'ont porté leurs plaintes et m'ont demandé sauvegarde et protection pour leurs personnes... Les bruits courans ont amplifié l'arrest au-delà de ses termes et l'on ne sçaurait tirer de l'esprit du peuple qu'en vertu de cet arrest il n'est obligé qu'à payer l'ancienne taille royale, que les commissions extraordinaires, même celles des intendants, sont révoquées et que dorénavant il ne leur faudra reconnaistre autre ordres que ceux du Parlement... J'ay veu les commencements des séditions de la Guiène... Il est très certain que, si les deux compagnies souveraines[1] de la province ne sont retenues dans l'ordre et si les prélats ne sont exhortés à tenir la main à l'exécution des ordres du Conseil, l'on verra en peu de temps le peuple esmeu, non point de soy-mesme, car il en est incapable en cète province, mais par le mauvais exemple qui leur sera donné... »[2].

Les officiers de justice s'efforçaient d'assurer l'impunité des rebelles. Nous avons vu plus haut du Boulay-Fabvier se plaindre de ne pouvoir mettre la main sur les paysans révoltés, coupables de meurtre, à cause des juges[3]. De La Potherye a jugé avec le présidial de Caen l'affaire de Bayeux. Le Parlement de Rouen casse le jugement, quoique, dans ce cas, l'intendant jugeant en présidial fût souverain. De La Potherye est contraint de demander au chancelier de préserver les officiers du présidial de Caen de l'oppression du Parlement de Rouen pour avoir assisté l'intendant, autrement celui-ci ne trouvera plus de juges dans la généralité. Le Parlement de Rouen a fait défense aux lieutenants criminels de décréter, et il est impossible d'arrêter aucun coupable[4].

Je ne vois donc pas de « front de classes » contre les paysans. Il me paraît non moins impossible d'affirmer l'existence d'un bloc paysan contre les seigneurs.

1. Parlement et Chambre des Comptes.
2. PORCHNEV, *op. cit.*, app. nº 31, p. 510. Bosquet à Séguier, Montpellier, 22 juin 1643.
3. *Supra*, p. 347.
4. Ms. fr. 17378, f°s 106 rº, 120 rº, 139 rº; 5, 15, 26 juin 1643.

Nous sommes particulièrement mal renseignés sur les différents groupes de paysans et sur leur participation effective aux révoltes. L'on peut cependant entrevoir que les révoltes paysannes ont été quelque chose de très complexe et parfois le fait de groupes proportionnellement assez réduits. L'on sait que si la taille était répartie entre les élections par le Conseil du Roi et entre les paroisses par les élus sous l'autorité des trésoriers généraux de France, elle était répartie entre les contribuables par des habitants du village élus par les autres, et qui étaient aussi chargés de la collecte de l'impôt. Est-ce d'eux qu'il s'agit dans cette lettre de l'intendant de Sève à Séguier, datée du 18 octobre 1643, de Calvinet près d'Aurillac : « ... Nombre de collecteurs qui se chargent de faire les levées pour les consuls ont aydé à leur ruine (des villages) par leurs exactions et ces sortes de gens se rendent sous main les principaux instruments de sédition pour cependant empêcher les poursuites des receveurs et s'ayder des deniers qu'ils reçoivent. J'ay attaqué le principal d'entre eux et un des plus séditieux d'Aurillac qui avait commis diverses malversations dans un village dont il a la collecte et j'espère d'un même coup satisfaire le peuple en fesant un exemple de ceux qui le pillent et par le châtiment d'un de ces espritz de sédition faire appréhension à ses semblables de continuer dans une pareille vie... »[1] ? S'agit-il d'asséeurs-collecteurs qui abuseraient de leurs fonctions pour prélever plus que les cotes sur les contribuables, qui garderaient ce qu'ils ont perçu sans le verser aux officiers de finances, et qui pousseraient les paysans à la révolte afin d'empêcher les poursuites contre eux ? Ce serait alors les paysans capables d'influence et de pression, des paysans aisés, des « coqs de paroisses ». Mais ceux-ci se dérobaient devant ces fonctions. S'agit-il d'un autre type de collecteur pour une autre sorte d'impôt, puisque le principal de ceux qui opèrent dans les villages habite la ville d'Aurillac ? et puisqu'ils agissent pour les consuls, de gens levant, par exemple, une taxe sur les aisés ? De toute façon, étant donné leurs exactions, pouvaient-ils entraîner plus que des groupes restreints ?

Des textes nous montrent, dans certains troubles, les fermiers de gentilshommes montant la garde pour défendre les châteaux de leurs propriétaires. Cette question de l'attaque des châteaux par les rebelles appelle d'ailleurs quelques observations. Même au cours des soulèvements de 1643, que nous avons vus indubitablement provoqués par la noblesse, les paysans d'Angoumois, de Poitou, d'Aunis, de Saintonge enlèvent quelques châteaux. Leurs raisons sont de tactique.

1. PORCHNEV, *op. cit.*, app. n° 39, p. 515.

Il s'agit pour eux d'avoir des points d'appui en rase campagne, non d'attaquer les seigneurs ni l'ordre seigneurial. L'intendant Charreton communique au surintendant Bullion, le 14 septembre 1643, sur les soulèvements du Rouergue : « Il y a quatre jours que quelques paysans des paroisses de Saint-André et de Saint-Salvadour appartenans aud.(it) Sr. Raynaldi et La Fouliade, près de Villefranche, s'assemblèrent de nuit au nombre d'environ 400, dont il n'y avait que 111 portant des armes à feu, parmi lesquels il y avait 10 bons fuzeliers de Nagac et quelques soldats des environs dudit Nagac et Salvaterre, tous lesquels couchèrent sur les armes et le lendemain au matin se saisirent du château de Salvadour où ils mirent une vingtaine de soldats en garnison qui doibt estre entretenue aux despens desdites paroisses. Lesdits séditieux ont aussi tasché de surprendre le chasteau de Roumergon, qui est au Sr. marquis de Malante, par les fermiers duquel il est conservé jusques à présent[1]. Des nobles d'ailleurs mettaient leurs châteaux à la disposition des paysans. En 1643, des révoltes paysannes duraient depuis 1640 dans le marais de Rié et de Monts, à sept lieues de Nantes, et les cercles gouvernementaux déploraient « ... l'audace (des paysans), laquelle est venue à l'extrémité, par la permission qu'ils disent que Mademoiselle la duchesse de Rohan leur a fait donner de s'armer contre la prétendue incursion des Espagnols et se fait garde exacte dans deux châteaux appartenans à Mad.(ite) Damoiselle qui autorise cette rébellion à laquelle il est besoin de pourvoir... »[2].

Même quand il y a pillage et destruction de châteaux, il nous faudrait pouvoir distinguer les cas, savoir si les châteaux n'appartenaient pas à des financiers ou officiers de finance, ou à des seigneurs dissidents, partisans du Roi, ou à des seigneurs durs et avides, comme il s'en trouvait. Il nous faudrait savoir qui étaient les assaillants. Une fois les mouvements déclenchés, toutes sortes de gens se mettaient en branle et beaucoup de vagabonds accouraient, qui n'avaient rien de commun avec les paysans révoltés ni d'autre objectif que le pillage.

Il n'est donc pas certain que les révoltés en voulaient le plus souvent à l'ordre seigneurial. Certes, ils ont parfois fait rédiger des articles sur les impôts, sur le paiement des droits féodaux, sur le paiement des dîmes à l'église, sur la justice et l'administration, comme en Angoumois, Poitou et Saintonge, au cours de l'année 1636. Ils ont réclamé la suppression des impôts indirects, se sont plaints du poids des droits « féodaux », ont montré l'injustice d'exempter les

1. Ms. fr. 15621, f° 247 r°.
2. Ms. fr. 15621, f° 260 v°.

nobles des tailles. Il y a loin de là à une révolution. En réalité, dans une période de disette et d'aggravation des impôts, les paysans crient contre tout ce qui les oblige à payer. Leurs révoltes, même celles qui ne seraient pas organisées par les seigneurs, ne sont sans doute pas plus dirigées contre l'ordre seigneurial que les mouvements de leurs descendants, entre 1815 et 1848, dans les périodes de disette, alors que l'ordre seigneurial et les droits « féodaux » n'existaient plus[1]. Peut-être est-ce l'essor des voies de communication et les progrès de la technique agricole qui ont raréfié progressivement les mouvements paysans au XIXe siècle, non moins que la disparition de leurs meneurs seigneuriaux, plutôt que la suppression des droits « féodaux ».

Il n'est pas certain non plus que, lorsque les « communes » du Périgord, rassemblées avant la prise de Bergerac, déclarent que, sans la permission de leur général, aucun d'eux n'attaquera les personnes ni les propriétés privées, il s'agisse d'une déviation de leur mouvement, due à un chef qui n'était pas de leur classe, un seigneur foncier « féodal », le gentilhomme La Mothe La Forêt. Il y avait probablement une majorité de propriétaires parmi les paysans révoltés et qui avaient intérêt à la protection des propriétés, celles-ci fussent-elles réduites à la maison et au jardin. Ces révoltés étaient loin, en général, d'être des miséreux. Ils étaient obligés de s'approvisionner à leurs frais, de s'armer à leurs frais. L'intendant Charreton note en 1643 dans le Rouergue : « ... les paysans de plusieurs paroisses ont depuis quelque temps acheté des fuzils et se sont mis en état de marcher... »[2]. Et ces mouvements des campagnes ne sont pas unis. Cinq mille « paysans » se révoltent en Périgord, en 1637, contre la majorité conduite par La Mothe La Forêt, et il faut les battre avant d'affronter les troupes royales. Mais qui étaient-ils, ces rebelles aux révoltés ?

Il est certain que l'étude de tous ces mouvements doit être reprise avant de vouloir les faire entrer dans une théorie générale.

Dans les villes, souvent, ce sont des officiers royaux, des magistrats municipaux, de riches bourgeois qui ont fomenté les révoltes, en ont pris la tête et les ont dirigées ouvertement, lorsque les privilèges de la province ou de la ville étaient en jeu, ou simplement lorsque les impôts semblaient trop lourds. A Aix-en-Provence, en 1630 et 1631, lorsque le gouvernement royal veut transformer la province, pays d'Etats, en pays d'élections, c'est le président du Parlement Coriolis, avec d'autres officiers et bourgeois, qui dirige la révolte, et leur parti, les Cascavéoux, où agissent nombre de gens

1. Henri Sée, *Histoire économique de la France*, t. II, 1942, p. 142-143.
2. 14 septembre 1643, ms. fr. 15621, fos 247-248.

en haillons qui jurent de se faire couper le cou plutôt que de souffrir les élus, brûlent les maisons des financiers, pendant que la garde bourgeoise refuse de marcher contre eux.

A Lyon, en 1633, la présence du maître des requêtes Moric, envoyé comme intendant de justice, empêche seule la reprise des soulèvements de 1632, car, dit-il, dans la préparation du nouveau mouvement, « ... le présidial y trempait ou du moins la plus grande partie et les principaux de la ville... »[1].

Lors des troubles de Montauban, en 1633, de Villeneufve, avocat du Roi au présidial, informe Séguier que « ... les Consuls s'y sont trouvés avec la livrée... et nous avons veu une sédition pareille avx rébellions dernières contre les officiers du Roy exerçans la justice... »[2]. En 1641, d'Angers, l'intendant de Héer communique : « ... je viens de recevoir d'Issoire la lettre de Monsieur le Maréchal de Boissé par laquelle il me mande qu'Angers n'obéit jamais, sauf gens de guerre. Ils vont en épées et me conseille de me rendre auprès de vous, ... puis revenir avec des troupes... Plusieurs marchans fomentent la sédition... Ce peuple[3] est un si haut point d'insolence qui va menasser ceux qui peuvent (?) de brûler leurs maisons et ne se soucie en façon du monde des magistrats... »[4].

A Sablé, en 1646, c'est le bailli qui prend l'initiative : « ... le fermier des trente sols par pipe de vin et des vingt sols pour muid de l'élection de La Flèche m'a apporté un procès-verbal de rébellion et violence qui luy a esté faicte par le bailli de Cellé, attesté par les huissiers et archers que j'ai fait répéter, lequel je vous envoie... ledit fermier, Monseigneur, s'en voulait aller au Conseil déclarer qu'il abandonnait la ferme et vous faire ses plaintes de toutes les violences dudit bailli. Je l'en ay dissuadé et fait connaître qu'il ne devait vous rompre la tête de ces choses-là et que j'y apporterai les ordres nécessaires... »[5].

Dans d'autres cas, si les bourgeois ne semblent pas, jusqu'à plus ample informé, avoir organisé et déclenché la révolte, au moins en ont-ils créé les conditions par leurs dénonciations de l'impôt comme excessif et inutile, par leurs critiques du gouvernement royal, par leurs exemples, par l'espoir qu'ils ont donné de l'impunité, et lorsque le mouvement plébéien est déclenché la garde bourgeoise refuse de s'y opposer et le laisse se développer. C'est ce qui s'est passé à Dijon

1. PORCHNEV, *op. cit.*, p. 120.
2. Ms. fr. 17367, f° 170 r°, 20 avril 1633.
3. Sens du XVIIe siècle : tout ce qui n'est pas seigneur ou officier.
4. Ms. fr. 17374, f° 92 r°, 25 octobre 1641.
5. De Héer à Séguier, 3 juin 1646, ms. fr. 17385, f° 68 r°.

en 1630, où le Parlement de Bourgogne et la Chambre des Comptes ont une lourde responsabilité dans les débuts du soulèvement ; à Bordeaux, en 1635, où, après les excitations du Parlement, la garde bourgeoise laissa faire, et où, jusqu'au bout, la majorité des bourgeois refusa son concours au duc d'Epernon, car ils voyaient dans les séditieux leurs libérateurs. Ce fut le cas à Rouen en 1639, où l'attitude du Parlement fut telle que le Roi l'interdit de ses fonctions. Ce fut le cas, encore, à Moulins, en 1640, où le gouverneur Saint-Géran fut obligé de faire emprisonner un échevin, Tridon[1]. Le gouverneur accuse positivement le lieutenant général, qui était en même temps maire, de l'avoir abandonné au moment de la révolte. Il exprime sa défiance des juges, favorables aux révoltés. Il demande des commissaires « pour ce que je crains toute chose de la justice de Moulins »[2]. Pour le châtiment des coupables, il ne croit pas « que le Présidial soit capable de le faire parce que la pluspart sont touchés ou d'intérest ou de crainte... »[3]. L'intendant de Chaponay, envoyé à Moulins pour le châtiment des révoltés, supplie Séguier « ... de me permettre de juger le procés de la sédition hors de cette ville... » à cause des « ... faveurs et protections assurées que tous ces meurtriers et voleurs reçoivent de la part des principaux officiers et magistrats de cette ville qui favorisent ouvertement leurs crimes contre les volontés du Roi à eulx connues... Depuis trois mois que je suis arrivé en ceste ville, j'ay demandé audit lieutenant général les procès-verbaux qu'il a fait en qualité de maire, contenant les noms et surnoms des officiers, capitaines des quartiers, bourgeois et habitants de la ville et faux-bourgs qui n'ont voulu prendre les armes... et ont refusé de le suivre pour s'opposer aux violences des meurtriers et voleurs... », il y a décret de prise de corps « ... qu'on ne peut exécuter par l'intelligence et connivence des officiers et habitants de ladite ville... »[4].

Quand ce ne sont pas les bourgeois, ce sont les gentilshommes qui provoquent le déclenchement des révoltes plébéiennes par leurs exemples et en assurent la durée par leur inaction. Selon le témoignage de l'intendant de Chaulnes, à Issoire, en 1643 « ... à l'exemple de la noblesse qui a scandaleusement et illicitement levé les armes pour leurs intérêts et querèles particulières, le menu peuple croit qu'il luy est aussy permis de se dispenser de son devoir. Je ne parle pas de ce qu'ils ont fait contre les commis dudit sol pour livre dans la Ville d'Issoire appartenante à Monsieur l'Evesque de Clermont

1. 29 août 1640, ms. fr. 17374, f° 37 r°.
2. 11 août 1640, ms. fr. 17374, f° 35 r°.
3. PORCHNEV, *op. cit.*, app. 23, p. 503, 21 juillet 1640.
4. 23 janvier 1641, ms. fr. 17374, f°s 72 r°-73 r°.

et ou Messieurs de Canillac sont tout puissants, où ils jettèrent un commis dans une chaudière pleine de chaux vive où les courroyeurs jettent les peaux de bœuf en poil pour les peler et dont ce pauvre commis sortit à demi bouilly. Je ne parle point aussy d'une rébellion faite dans la mesme ville dans laquelle un exempt de Monsieur le Grand Prévost nommé La Noue a reçu plus de vingt coups d'espées, pierres ou pistolets dont il a esté en grand danger de sa vye en exécutant les arrêts du Conseil. Mais je vous diray que le mal empire... L'on publie hautement dans les paroisses de la montagne de l'eslection de Clermont, Brioude, Aurillac et autres, que le Roy a fait remise de la subsistance[1] et d'une partie des tailles... L'on fait des rébellions de toutes parts... Il y a mesme des Curéz qui ont publié en plaines foires et dans leurs prosnes que l'on ne paye plus de subsistances ni d'arrérages des tailles, dont un est entre les mains de Messieurs de la Cour des Aides qui court fortune d'estre traitté trop doucement, Monsieur l'évesque de Clermont s'estant déclaré son protecteur et ayant fait solliciter pour luy... En l'estat où je suis, où Messieurs de Canillac et d'Estaing m'ont réduit, je n'ay plus d'autre passion que de retourner à Paris... Je n'ose sortir les murailles de ceste ville, où je suis le prisonnier de ces messieurs depuis plus de deux mois, depuis lequel temps ils se prévalent de ce que je n'aye eu aucun recours du Conseil pas mesmes une lettre que je puisse opposer à leurs faux-bruits et suppositions... »[2]. La même année, après plusieurs assemblées, des nobles d'Angoumois, d'Aunis, de Saintonge projettent une assemblée avec ceux de Poitou pour le 15 décembre. « On proposerait les moïens de soulaiger les provinces, entre autres de se défaire du ministère de l'intendant d'avoir réduction des tailles et autres impositions. Enfin, ces Messieurs n'obmettaient aucun prétexte pour le soulagement du peuple et assuraient que toute la France s'intéresserait en leur parti... Le murmure est grand dans Poitiers et apparemment ailleurs de l'utilité du procédé de la noblesse qui pourra attirer le reste du peuple, s'il n'y est promptement pourvu... »[3].

La spontanéité des mouvements plébéiens apparaît comme aussi douteuse que celle des mouvements paysans. De même, « les fronts de classes » semblent très douteux. Je ne vois pas un « front » des classes nobles et bourgeoises contre les plébéiens, pas davantage un « front » de classes plébéiennes contre les bourgeois et les nobles. A Moulins, il y a « fort peu d'honnestes personnes » participant

1. Impôt spécial pour l'entretien des troupes.
2. Décembre 1643, ms. fr. 17375, f°s 161 r°-162 r°.
3. Ms. fr. 15621, f° 264 r°.

ouvertement à la révolte, avec les révoltés. Mais il y en a. Quant à la « plèbe » des faubourgs, elle ne se révolte pas tout entière, une partie donne la main pour l'arrestation des principaux séditieux et l'on peut se demander si ceux-ci ont été autre chose qu'une forte minorité, même dans les faubourgs.

Mais, nous dit-on, noblesse et bourgeoisie ont fini par se mettre contre le peuple, et par contribuer à la répression. Il faut distinguer. Les interventions de la noblesse contre le peuple, paysans ou plébéiens semblent avoir été rares. Lorsque des nobles marchent, comme à Bordeaux en 1635, à Valence en 1644, c'est parce qu'un grand noble, au service du Roi, un personnage qui a du prestige et de l'influence et envers qui ils ont des devoirs de fidélité, les entraîne, à Bordeaux le duc d'Epernon, à Valence, le duc de Lesdiguières. A Angoulême, en 1636, Villemontée attend avec impatience M. de La Rochefoucauld, « ... lequel a une telle réputation dans toutes les provinces de deça... qu'il pourra mettre à cheval beaucoup de gentilshommes volontaires... »[1]. Mais même de La Rochefoucauld eut le plus grand mal à obtenir le service volontaire de quelques gentilshommes. Au cours des troubles de Moulins, la noblesse abandonne le gouverneur. « Je ne crois pas qu'il soit venu six gentilshommes s'offrir à Mr. de Saint-Géran en cette occasion, et, si ce qu'on m'a rapporté est véritable, tous ceux de cette généralité témoignent contentement de la mort du sieur Puesche et de ceux de sa suitte[2], à cause des grandes concuscions qu'on dit s'estre faittes en la recherche des taxes des aisez, qui ont été changées sur des aides de soubsaisés, suivant le pouvoir qu'il disait en avoir... » La noblesse n'assistant pas Saint-Géran, il faudrait permettre à ce dernier de se servir du premier régiment qui viendra à passer[3]. En général, les gentilshommes ne marchent pas contre les révoltés. Porchnev pense que l'absence de réaction des nobles vient de ce que la plupart était à l'armée, en campagne. Mais, certainement, il en restait encore bien davantage, en état de porter les armes contre les rebelles, dans les provinces. D'Epernon, Lesdiguières en ont trouvé. Lorsque le prince de Condé s'approcha de Moulins pour mettre fin à la révolte, il blâma beaucoup Saint-Géran de n'avoir pas fait assembler la noblesse[4]. Saint-Géran n'avait pas envoyé une convocation à laquelle les nobles n'auraient probablement pas répondu. Mais il est clair que Condé estimait qu'il y avait assez de noblesse dans la province pour servir efficacement.

1. Lafosse à Séguier, 28 août 1636, ms. fr. 17372, f° 194 r°.
2. Leur assassinat avait commencé la révolte.
3. Riy, maire de Moulins, à Séguier, 31 juin et 4 juillet 1640, ms. fr. 17374, f°s 5-9.
4. PORCHNEV, *op. cit.*, app., p. n° 24 503, 4 août 1640.

C'était l'opinion du maire de Moulins. Si la noblesse était, comme le pense Porchnev, le gardien actif de l' « ordre féodalo-absolutiste », il faudrait reconnaître qu'elle a très mal joué son rôle.

Quant aux bourgeois, ils sont intervenus moins rarement. Plusieurs fois, lorsque des émeutiers commencèrent à s'attaquer aux maisons des bourgeois, alors le feu de la milice bourgeoise en coucha un certain nombre sur le carreau, et les bourgeois à partir de cet instant participèrent à la répression. En général, la bourgeoisie ferme les portes de la ville au peuple des faubourgs et l'empêche d'entrer, au besoin les armes à la main. Il n'est pas douteux que parfois il y ait eu vraiment lutte de classes. Le plus souvent, contre qui les bourgeois dirigent-ils leurs armes ? Contre le peuple en tant que peuple, en tant que classe ou couche sociale inférieure, ou bien contre des groupes populaires mêlés de soldats licenciés, de mendiants et de vagabonds, en tant que rassemblements armés ? Les bourgeois manifestaient la même agressivité contre les troupes royales. Tenter de faire pénétrer des troupes dans une ville close, en parler seulement, c'était risquer une révolte, comme il se vit à Paris en 1588, ou la rallumer comme à Paris encore en 1648[1]. C'est ce qu'on voit encore à Montpellier en 1645, où, sur l'ordre du maréchal de Schomberg, les officiers et les bourgeois avaient vaincu le peuple révolté. « Monsieur le Maréchal de Schomberg combat de sa tête et de son bras depuis quatre jours contre la sédition la plus acharnée et la plus opiniâtre que j'aye jamais veue... Il tâche à ramener au devoir ce peuple irrité contre les partis et les partisans. Les ordres qu'il a donnés aujourd'hui ont eu telle efficace que l'on voit un autre visage dans la ville. Les officiers de toutes les compagnies ont pris les armes avec les bourgeois principaux de l'une et l'autre religion et se sont rendus maistre de la ville. Mr. le Maréchal a été obligé de donner une ordonnance fulminante contre les partis et les partisans, afin d'acheminer les affaires à une paix publique... » Voilà qui va bien, mais l'intendant propose de faire entrer un régiment dans la ville et un magistrat avertit Séguier que la troupe va faire contre elle l'union des habitants. M. Baltazar, l'intendant, « porte l'esprit de Mr. le Maréchal à des conseils très violents... et si ses conseils eussent été suivis, la sédition était rallumée plus que jamais, car il voulait faire entrer le régiment de Normandie, contre lequel les habitants de haute et de basse condition étaient résolus de s'armer... »[2]. La troupe dans la ville, c'était en effet la

1. R. Mousnier, Quelques raisons de la Fronde. Les causes des journées révolutionnaires parisiennes de 1648, *Bull. de la Soc. d'Etudes du XVIIe siècle*, nº 2, 1949, p. 71.
2. 3 et 4 juillet 1645, ms. fr. 17384, fos 146 rº et 148 rº.

perspective des pillages et des viols. Mais tout rassemblement armé inspirait par lui-même des craintes identiques. Et, enfin, toute révolte libérait les instincts de quantité de mendiants et de vagabonds. Il faudrait mieux connaître les mouvements pour pouvoir apprécier l'action des bourgeois, quand elle se produit.

Les ecclésiastiques, eux, sont loin d'être uniformément contre les révoltés. Nous avons déjà vu le cas d'Issoire[1]. Au cours des révoltes de 1636, le 6 juin, les habitants de la châtellenie de Blanzac se mettent en marche, au nombre de « quatre mil hommes, armées d'arquebuses et de piques et distribués en 12 ou 15 compagnies conduites par leurs curés... »[2]. Bon, dira-t-on, c'est le bas clergé ! Mais voici les évêques : en Languedoc, « sous prétexte du bien public, les évêques de quelques diocèses dont ils sont les mestres absolus, n'apportent pas tout ce qui est en leur pouvoir pour confirmer le peuple dans le devoir... si les prélats ne sont exhortés à tenir la main à l'exécution des ordres du Conseil... » leur mauvais exemple poussera le peuple à la révolte[3].

Que devient donc ce « front de classes » contre le peuple dont nous parle Porchnev ? Il disparaît. L'examen des relations entre nobles et paysans dans ces années troublées suggère bien plutôt l'existence de groupes sociaux, qui intègrent des cultivateurs, des praticiens, des officiers, des prêtres, des seigneurs, groupes sociaux dont les membres sont unis par des relations mutuelles de protection et de service, une division verticale de la société, plus importante que la stratification horizontale. Porchnev nous dit que seigneurs, prêtres, praticiens, officiers exploitent le cultivateur parce que celui-ci ne garde pas tout ce qu'il produit et en donne une partie aux autres membres du groupe, directement sous forme de redevances, fermages, dîmes, honoraires, ou, indirectement, sous forme de traitements distribués par les seigneurs. C'est vrai si l'on admet que ces hommes n'avaient à satisfaire que des besoins en nourriture, vêtement et logement, et que le cultivateur aurait pu, dans n'importe quelles circonstances, continuer paisiblement sa culture. Si l'on admet au contraire que l'homme n'a pas seulement besoin de pain, qu'il a par exemple des besoins religieux, qui semblent n'avoir pas été médiocres chez ces paysans, si l'on en juge par le nombre de mystiques trouvés dans leurs rangs; si l'on admet d'autre part qu'un groupe social doit être protégé contre les agressions, que les contestations entre ses membres doivent être jugées, les relations entre eux réglées, et que,

1. *Supra*, p. 357.
2. PORCHNEV, *op. cit.*, app. nº 10, p. 494. 9 juin 1636, Lafosse à Séguier d'Angoulême.
3. *Ibid.*, app. nº 31, p. 510, 22 juin 1643.

la division du travail étant avantageuse, il vaut mieux confier ces opérations à des spécialistes, dispensés des travaux du producteur, mais sans lesquels la production serait impossible, que devient la notion d'exploitation ? Naturellement, un homme peut négliger ses devoirs ou abuser des pouvoirs qui découlent de ses fonctions, et les exemples d'abus de la part des nobles ne manquent pas.

Tous ces faits contribuent pour leur part à détourner de voir dans la monarchie absolue un « état de noblesse », défenseur d'un régime « féodal », et dans l' « ordre » français du XVIIe siècle, un « ordre féodalo-absolutiste », puisque nous voyons continuellement l'Etat en lutte contre les nobles et contre les groupes sociaux unis par des liens de fidélité. Mais il y a d'autres motifs. Ce n'est pas sans raisons que Porchnev emploie de tels termes puisque la noblesse est le premier ordre de l'Etat et que le rêve de tout Français roturier est de devenir noble; qu'il y a toujours des fiefs et une hiérarchie de terres liées par des relations de service; qu'il se rend toujours des hommages dont nous trouvons les procès-verbaux dans les archives. J'avoue cependant éprouver une extrême répugnance à considérer le XVIIe siècle comme une époque « féodale » et, même si l'on s'en tient aux rapports de production, à admettre que « le plus pur Moyen Age féodal régnait dans l'ensemble dans l'économie féodale française du XVIIe siècle ». Si l'on prend les expressions à la lettre, et comme notre auteur sans distinguer régime seigneurial et système féodal, « le plus pur Moyen Age féodal », ce serait celui réalisé du VIIIe au XIe siècle, entre la Loire et la Meuse, le régime des grands domaines, cultivés par des serfs tenanciers, astreints à acquitter des redevances seigneuriales illimitées surtout sous forme de travail, des domaines vivant en économie presque fermée, avec leurs ateliers de serfs artisans; tous ces serfs soumis au seigneur dont ils sont les « hommes », et qui exerce sur eux la plupart des pouvoirs de l'Etat. Il est certain que ce régime n'est plus celui de la France du XVIIe siècle, où la plupart des paysans sont libres et considérés comme propriétaires de leurs tenures, où les seigneurs ont perdu les plus importants pouvoirs repris par l'Etat, où non seulement domine une économie d'échanges avec la production marchande simple des petits propriétaires et des maîtres artisans, mais encore où le capitalisme commercial a profondément pénétré le pays. Le capitalisme commercial n'est pas cantonné dans les villes, comme le pense Porchnev. Dans de vastes régions de la France, il influence profondément les campagnes et y modifie les rapports de production. De nombreux paysans y consacrent une partie de leur temps à travailler pour les grands marchands-fabricants qui vendent les produits au loin, dans les Pays-Bas espagnols avant 1635, en Hollande, en Angleterre, dans les pays de la Baltique, en Moscovie, au Portugal, en Espagne, dans l'Empire espagnol d'Amérique. A côté de la concentration commerciale de l'industrie, dans les villes un capitalisme industriel a fait son apparition. Il ne s'agit pas seulement des grandes « manufactures ». Dans les textiles, par exemple, il s'est répandu le type du « fabricant », qui peut réunir dans un local une vingtaine de métiers, dont il est propriétaire, et qui donne à travailler non plus à des « compagnons », mais à des « ouvriers », le terme est dans les textes. Bien que ce fabricant dépende économiquement du grand marchand et bien que ses moyens soient souvent médiocres, la propriété de moyens de production qu'il ne met pas en œuvre lui-même mais confie à des ouvriers en fait bien un capitaliste. Dans les campagnes comme dans les villes, des seigneurs, des hommes de loi, des officiers, des « filles anciennes » mettent de l'argent dans les entreprises de ces marchands, sous des formes qui jouent le rôle de nos obligations, et participent ainsi aux profits du capitalisme commercial. Il est certain que les Français s'intéressent à la possession du sol plus qu'à tout le reste. La caractéristique d'une fortune « ancienne », consolidée, d'officier ou de bourgeois vivant noblement, c'est que la plus grande partie en est constituée par des terres. Mais ce sont aussi le plus souvent dans ce cas des terres louées à des fermiers, ou encore concédées à des métayers par un contrat d'association, et si le propriétaire perçoit toujours une rente foncière, ce n'est plus alors une rente foncière « féodale ». Les monopoles et privilèges octroyés aux grands marchands-fabricants ne freinent pas l'essor du capitalisme. Ils sont une condition de son développement à ce stade, et sans laquelle les prix auraient été trop bas pour être rémunérateurs[1]. Il me paraît difficile, même à s'en tenir à l'aspect économique des choses, de comprendre la France du XVIIe siècle sous la même rubrique que celle du XIe. Que dire alors si nous voulons englober dans la même catégorie et, en faisant abstraction de tout l'immense reste de la réalité, dans les mêmes rapports de production et sous la même loi économique fondamentale, des pays aussi différents que la France et l'Angleterre des Stuarts, où la possession paysanne est restée essentiellement précaire, que la France et la Russie, où le grand domaine seigneurial se développe et dévore ou « saigne » les tenures. Il me semble qu'il ne faut pas méconnaître à ce point de vue les

1. De même en Angleterre et aux Provinces-Unies les grandes compagnies maritimes à monopoles ont été imposées par l'effondrement des prix causé par la concurrence de trop nombreux marchands libres.

profondes différences entre l'Europe à l'est de l'Elbe et l'Europe à l'ouest de l'Elbe[1]. Au reste l'on peut se demander si Porchnev ne projette pas souvent sur la France du XVIIe siècle des notions valables surtout pour la Russie. Faire de la Chine un pays « féodal » pendant deux mille ans ne va-t-il pas nous jeter dans un monde de difficultés ? Par exemple, s'il était vrai que la société chinoise du XVIIe siècle fût encore fondée sur la grande famille analogue à la *gens* romaine, alors nous aurions un mode de production « féodal », « infrastructure » d'une organisation sociale qui est liée d'après les marxistes à ce qu'ils appellent le mode de production de la communauté primitive. Ce serait incohérent. Etendre pareillement le sens du mot « féodal », sans distinguer d'ailleurs féodalité et régime seigneurial, considérer des civilisations aussi fortement individualisées et aussi diverses comme de simples « superstructures » du même mode de production « féodal », en admettant que ce soit le même mode, sans qu'on puisse discerner comment la même cause a produit des effets aussi différents, admettre que de telles civilisations, la chinoise, la française, n'aient pour rôle que de ralentir ou d'accélérer l'évolution du mode de production, tout cela ne semble guère pouvoir donner satisfaction à un historien.

Que l'Etat soit l' « Etat des nobles » et qu'il existe un « ordre féodalo-absolutiste » est fort douteux. En fait, l'Etat de monarchie absolue disloquait le groupe seigneurial, rompait ou affaiblissait les liens d'homme à homme qui en étaient l'essence, en insinuant à chaque instant sa justice, ses lois, son fisc, son armée, entre les nobles et leurs hommes. Quel est l'objectif des grandes révoltes de la haute noblesse ? Ce n'est pas de consolider une monarchie absolue qui défendrait l' « ordre féodal », c'est de revenir aux institutions d'Hugues Capet « et meilleures encore s'il se pourrait », c'est-à-dire ruiner toute l'œuvre monarchique, revenir vraiment à l'ordre féodal qui, en fait, n'existait plus. Les plus modérés voulaient tout au moins ramener la monarchie à ce qu'elle était avant Louis XI. Les gentilshommes avaient donc bien le sentiment que l'absolutisme ne faisait pas leurs affaires, que l'Etat absolu n'était pas le leur. Et, de ce fait, la gentilhommerie était hors de l'Etat. Il est donc impossible de souscrire aux conclusions de Porchnev qui fait de l'Etat monarchique absolu l'instrument de puissance de la noblesse foncière féodale.

Un officier de quelque importance est juridiquement un noble.

1. Fritz HARTUNG et Roland MOUSNIER, Quelques problèmes concernant la monarchie absolue, Comitato internazionale di Scienze storiche. X Congresso internazionale di Scienze Storiche, Roma, 4-11 settembre 1955, *Relazioni*, IV, *Storia moderna*, p. 46-47.

Un noble, mais non un gentilhomme ni un féodal. Porchnev ne distingue jamais. Ferons-nous de la noblesse vénitienne, de ces grands négociants, un corps de féodaux ? En France, le public imposait des distinctions. Un officier, anobli par sa fonction, c'était un bourgeois[1]. L'on déplorait que la noblesse, la vraie, celle des gentilshommes, fût sans emploi dans l'Etat et que les fonctions publiques fussent l'apanage de ceux que l'on appelait avec ironie les « gentilshommes de plume et d'encre ». Bourgeois, voilà ce qu'on est, quand on est officier ou commissaire, même assis sur les fleurs de lis et portant la pourpre, même affublé d'un titre de chevalier, même baron, même président de Parlement ou membre du Conseil du Roi. Porchnev ne veut pas reconnaître que tous ces officiers ont un caractère bourgeois. Il affirme qu'ils ont perdu leur caractère de classe en devenant officiers, parce qu'ils se sont éloignés de l'industrie et du commerce, qu'ils ne sont plus porteurs de moyens de production. C'est ce qui arrive généralement aux officiers, commissaires et fonctionnaires dans la plupart des régimes. C'est également le fait des fonctionnaires français du XIXe siècle. Leurs fonctions les obligeaient à s'éloigner de l'industrie et du commerce. Je ne pense pas tout de même qu'il soit question pour autant de leur contester la qualité de bourgeois. En fait, les officiers du XVIIe siècle avaient des mœurs et des coutumes qui les différenciaient nettement des gentilshommes, même quand ils agissaient comme seigneurs. Que signifie l'effort de Loyseau sinon que les officiers n'étaient pas considérés comme de vrais nobles ? L'absolutisme est probablement résulté d'abord des nécessités de la défense du royaume, des guerres contre l'étranger. L'absolutisme est d'abord le fait d'un gouvernement de guerre. Mais, en outre, je ne vois rien à changer à la théorie suivant laquelle les progrès de l'Etat monarchique absolu ont été facilités par la possibilité d'opposer bourgeois à gentilshommes, d'utiliser les bourgeois dans l'appareil d'Etat. La monarchie est certainement quelque chose de différent lorsque le Conseil du Roi est composé d'une majorité de nobles d'épée, et lorsque, au XVIIe siècle, il est composé d'une majorité de robins.

Ni Georges Pagès ni moi n'avons jamais dit que la bourgeoisie avait assujetti la monarchie. C'est la monarchie qui a assujetti toutes les classes en reconstituant l'Etat. Mais dans cette œuvre elle s'est aidée de la bourgeoisie et je maintiens qu'elle lui a laissé une participation au pouvoir politique et administratif. Porchnev pense que peu importe l'origine sociale des officiers puisqu'ils passaient au

1. R. MOUSNIER, *Vénalités des offices...*, p. 505.

service de la monarchie absolue dont ils devaient adopter l'idéologie et exécuter les volontés. C'est méconnaître le caractère de la dignité d'officier, le rôle des corps et compagnies d'officiers, les conséquences de la vénalité des offices, la force propre qu'en tiraient les officiers. Cette erreur provient de la négligence dans l'étude des institutions politiques qu'engendre une attention concentrée de façon excessive sur les rapports de production et l'habitude néfaste de considérer tout le reste comme « superstructure » d'importance secondaire et dont on méconnaît en tout cas au moins la puissance de réponse, d'action en retour, et la forte influence. Je maintiens les conclusions de mon livre sur *La vénalité des offices sous Henri IV et Louis XIII.*

La bourgeoisie d'offices participait si bien au pouvoir politique et administratif qu'il fallut lui en reprendre. La lutte menée par l'Etat monarchique absolu français à l'extérieur, pour la liberté de la France contre les prétentions des Habsbourgs à la domination universelle et à l'intérieur pour l'intérêt général contre les intérêts particuliers, l'a mis en opposition aussi avec la bourgeoisie d'offices. Tout le monde connaît les doléances et l'opposition des Parlements. Celle-ci rythme les révoltes. C'est elle souvent qui a créé les situations révolutionnaires[1]. L'on connaît moins sans doute celle des officiers de finances, trésoriers de France et élus. Ces derniers se plaignent amèrement d'être pressurés sans merci par le roi. Les élus estimaient avoir payé au Roi de 1624 à 1654 plus de 200 millions de livres pour confirmation de droits imaginaires ou attributions de suppléments fictifs qu'on ne leur versait pas, sans compter les emprunts forcés dont ils ne voyaient jamais les intérêts. Pour rassembler ces sommes, ils avaient dû s'endetter en empruntant à leurs parents et à leurs amis. En outre, le Roi attentait à la valeur de leurs charges. D'une part, entre 1640 et 1648, il leur avait progressivement supprimé presque tous leurs gages et droits. De l'autre, la création de nouveaux offices réduisait l'importance et les profits de chaque office d'élu. Les trésoriers de France émettaient des plaintes semblables[2]. S'imaginer que les officiers ne contribuaient pas aux dépenses de l'Etat parce que bon nombre d'entre eux étaient exempts de taille est une illusion. Penser que par les prêts au Roi ils affranchissaient leur

1. R. MOUSNIER, *Quelques raisons de la Fronde*, *op. cit.*; Comment les Français voyaient la France aux XVIIe siècle, *Bulletin de la Société d'Etudes du XVIIe siècle*, n°s 25-26, 1955; *La vénalité des offices*, p. 609.

2. Bibliothèque Nationale, Imprimés, Lf 38-9, Lf 38-17, Lf 38-31, in-4°. Voir R. MOUSNIER, Recherches sur les syndicats d'officiers pendant la Fronde, art. à paraître dans le *Bull. de la Société d'Etude du XVIIe siècle.*

capital de l'impôt en est une autre[1]. Cette atteinte à ce que les officiers pensaient être leurs intérêts fut pour beaucoup dans l'opposition croissante qu'ils firent au Roi au cours du XVIIe siècle et les incita à utiliser les pouvoirs que leur donnaient leur dignité d'officiers, leur organisation corporative et la vénalité des offices pour résister à la monarchie absolue. Le Roi dut recourir sans cesse davantage aux commissaires, et spécialement au Conseil et aux intendants, pour les contraindre à l'obéissance et même pour les déposséder d'une partie de leurs pouvoirs et de leurs fonctions. La lutte entre le Conseil et les intendants d'une part, les officiers de l'autre, éclaire ce point[2].

Voir, par conséquent, dans l'Etat monarchique absolu, le représentant d'une classe économiquement prépondérante, dont il assure les intérêts par l'oppression des autres classes, me paraît erroné. Ici encore, les faits me semblent déborder la théorie.

La synthèse marxiste de Porchnev ne me paraît pas confirmée par les faits. Porchnev n'obtient ses résultats qu'en faisant abstraction de beaucoup de faits caractéristiques. Or, il semble qu'une théorie ne puisse être admise par un historien que lorsqu'elle intègre toutes les catégories de faits concernés, non lorsqu'elle en abstrait seulement un certain nombre. Il est certain qu'il subsiste bien des obscurités. Notre connaissance de l'économie, de la société et des institutions du XVIIe siècle est encore tout à fait insuffisante. Reprendre l'étude des soulèvements dits populaires dans la France du XVIIe siècle est un des principaux moyens de progrès. Il serait d'abord d'un haut intérêt de publier les rapports des intendants qui se trouvent à la Bibliothèque Nationale de Paris dans les *Lettres adressées au chancelier Séguier*. J'espère trouver un éditeur. Il faudrait d'autre part faire une monographie de chaque soulèvement en utilisant les archives locales. Outre les relations, les lettres, les journaux, les mémoires, sans doute les séries B (archives des bailliages, sénéchaussées et sièges présidiaux), C (papiers des trésoriers généraux de France), E (fonds des familles) pourraient nous apprendre beaucoup, sans compter, bien entendu, les archives des Cours des Aides. L'étude de chaque soulèvement ne pourrait d'ailleurs pas se séparer d'une enquête sur la société et l'économie locales. Pourquoi les révoltes des campagnes

1. L'Etat, remettant en circulation tout l'argent des impôts, sous forme de traitements, soldes, salaires, achats, provoquait un circuit vivifiant de l'argent, qui activait partout la production. Voir R. MOUSNIER, *Les XVIe et XVIIe siècles*, *op. cit.*, p. 249-256.

2. R. MOUSNIER, Recherches sur la création des intendants de 1635 à 1648, art. à paraître dans les *Forschungen zu Staat und Verfassung*, en l'honneur de Fritz Hartung, Berlin; *Vénalité des offices*, p. 604-622; Le Conseil du Roi de la mort de Henri IV au gouvernement personnel de Louis XIV, *Etudes p. p. la Société d'Histoire moderne*, 1947, I, p. 60-67.

se produisent-elles surtout dans l'Ouest, le Centre et le Sud-Ouest ? N'y a-t-il pas une possibilité de classer les villes selon le degré de développement qu'y a atteint le capitalisme et d'examiner s'il ne correspondrait pas à chaque degré des constantes dans les révoltes ? Il faudrait déterminer la conjoncture, tenir compte du mouvement général des prix. A voir les choses d'ensemble, les mouvements dits populaires auraient été particulièrement nombreux et graves de 1623 à 1675, c'est-à-dire dans la période où le mouvement séculaire en hausse du XVIe siècle s'arrête, se transforme en palier, puis en baisse dont l'étiage se place vers 1675, baisse de longue durée compliquée par des mouvements de hausse et de baisse cycliques vertigineux. Ce mouvement des prix n'aurait-il pas joué un rôle plus important que la structure même de la société, alors que les gens étaient excédés par la nourriture rare, les prix élevés, les impôts lourds, ou au contraire par des prix trop bas qui ne permettaient pas de réunir assez d'argent pour s'acquitter ? Il faudrait tenir compte de crises agricoles atmosphériques, des « mortalités » qui en résultent, et qui désorganisent pour longtemps l'économie. La « mortalité » de 1629-1630 a certainement contribué aux insurrections paysannes et plébéiennes de ces années et des années postérieures. Mais, outre les grandes « mortalités » générales, n'y en avait-il pas de régionales ou de locales à peu près chaque année[1] ? Tout ceci exige la collaboration de plusieurs chercheurs. Des crédits ont été demandés pour faciliter les dépouillements nécessaires. Il serait instructif de comparer les soulèvements français à ceux des autres Etats européens. C'est une coopération internationale à organiser. Enfin, il serait bon de reconsidérer le problème des caractères et de l'extension des régimes seigneurial et féodal. Au Xe Congrès international d'Histoire à Rome, en 1955, l'historien russe S. D. Scaskin et moi n'avions pu nous entendre sur ce point, sans pouvoir bénéficier d'un échange de vues suffisant, faute de temps[2]. Ne faudrait-il pas poser le problème de la valeur à attribuer à la notion de classe sociale au XVIIe siècle ? Réfléchir pour cette époque sur les concepts de bourgeoisie, de noblesse, de peuple, de paysan, etc., et sur les différents sens de ces mots ? Nos concepts orientent nos enquêtes. Le Pr R. M. Joukov, de Moscou, nous annonce un rapport sur *La périodisation de l'histoire universelle*, pour le XIe Congrès international des Sciences historiques, à Stockholm, en 1960. Sans doute toutes ces questions y seront-elles débattues.

1. R. MOUSNIER, Etudes sur la population de la France au XVIIe siècle, *Bull. de la Société d'Etude du XVIIe siècle*, no 16, 1952, p. 527-542; *Les XVIe et XVIIe siècles*, p. 145-149.

2. Comitato internazionale di Scienze storiche, *Atti del X Congresso internazionale, Roma, 4-11 settembre 1955*, p. 436-439.

LES MOUVEMENTS POPULAIRES EN FRANCE

avant les traités de Westphalie et leur incidence sur ces traités

Il m'a été demandé un rapport sur les mouvements populaires en France avant la signature des traités de Westphalie, le 24 octobre 1648. Il s'agit d'apporter des éléments de réponse à cette question : qu'est-ce qui a poussé les gouvernements à conclure finalement les traités de Westphalie, alors que les négociations traînaient depuis 1644, après que les belligérants fussent convenus de négocier à Münster et à Osnabrück en 1641. Ne seraient-ce pas les révoltes qui sévissaient dans de nombreux Etats européens ? Révoltes de Catalogne (1640-1652), de Portugal (1640-1668), de Naples (Masaniello est tué le 16 juillet 1647, mais ses partisans sont vaincus seulement le 2 février 1648), mouvements de paysans et d'artisans en Allemagne, en Suisse, événements d'Angleterre, enfin, car si l'Angleterre se tenait à l'écart de la guerre de Trente ans, sa Révolution pouvait paraître un exemple dangereux pour les peuples contre les rois.

Cette question en a appelé une autre : les gouvernements n'auraient-ils pas été mus par des intérêts de classe ? N'y aurait-il pas eu une sorte d'entente tacite des gouvernements pour faire la paix afin de pouvoir employer leurs forces à l'intérieur pour la défense des classes privilégiées contre les classes populaires ?

Il nous faut donc examiner plusieurs points. D'abord, si les révoltes ont été assez nombreuses et assez graves pour épuiser les royaumes et paralyser les gouvernements au point de pouvoir leur faire souhaiter de se débarrasser d'abord et à tout prix des séditions. Ensuite, il nous faut nous demander s'il y a eu aggravation en 1648 et une aggravation suffisante pour pousser les gouvernements à conclure. Il nous faut chercher si les révoltes étaient bien l'expression

Publié dans *Forschungen und Studien zur Geschichte des Westfälischen Friedens* (Schriftenreihe der Vereinigung zur Erforschung der Neueren Geschichte, 1), Münster, Verlag Aschendorff, 1965.

de la lutte des classes et si les gouvernements étaient bien l'instrument d'une ou de plusieurs classes. Et, si tout cela s'est trouvé réalisé, surtout l'un des deux premiers cas, épuisement ou aggravation, dont chacun aurait été suffisant pour justifier de traiter, il nous faut voir si réellement les gouvernements ont été influencés par ces faits, si ceux-ci ont été effectivement des facteurs de sa décision, car l'on peut concevoir que les hommes d'Etat n'aient pas tenu compte de raisons importantes en elles-mêmes pour faire la paix. Je ne dirai d'ailleurs que peu de choses sur ce dernier point, que je n'ai pas étudié spécialement. Je n'ai à traiter ici que de la France.

Tout d'abord, il faut constater que la révolte est endémique en France, depuis la mort de Henri IV, mais que, depuis 1630-1632 environ, elle se généralise et que les classes populaires, j'entends les paysans et les artisans, y participent de façon toujours plus active. Il n'est pas d'année où, en quelque lieu du royaume, il n'y ait un soulèvement et que des paysans ou des artisans y soient mêlés. Mais nous remarquons, par moment, des flambées de révoltes dans plusieurs provinces en même temps. Au cours des années 1630-1632, lorsque, pour la guerre, le Roi voulut supprimer le consentement de l'impôt par les Etats provinciaux dans plusieurs provinces, changer le mode de répartition, de perception et de contentieux, et remplacer les officiers et commissaires des Etats par des officiers royaux, les élus, ce qui allait alourdir les impôts et aggraver la rigueur de leur levée, alors des villes se soulèvent, Dijon et Aix-en-Provence en 1630, Lyon en 1632, d'autres encore. De 1635 à 1640, lorsque l'entrée de la France en « guerre ouverte », dans la guerre de Trente ans, exigea un effort fiscal démesuré, nous trouvons une épidémie de soulèvements ruraux et urbains, villes et campagnes de Guyenne en 1635, Croquants du Limousin, de l'Angoumois, de la Saintonge, du Quercy, du Périgord, du Poitou, en 1636-1637, soulèvement de Saintes en 1638, insurrection des Nu-Pieds de Normandie en 1639, grande révolte de Moulins en 1640. Après la mort de Louis XIII, lorsque l'autorité royale s'affaiblit au cours de la Régence, de 1643-1645, les soulèvements, urbains et ruraux, pullulent, Lyonnais, Auvergne, Rouergue, Poitou, Saintonge, Angoumois, villes de Tours en 1643, de Marseille, de Valence, en 1644, villes de Languedoc, notamment Montpellier, en 1645. Puis il y a une accalmie. Enfin les troubles reprennent en 1648, à Paris et à Rouen, notamment.

Ces troubles sont souvent très graves. Ils mettent en mouvement les populations de villes, capitales provinciales, et celles de provinces entières. Ce sont des armées qu'il faut retirer des fronts de guerre pour les envoyer contre les insurgés, Croquants, Va-Nu-Pieds ou autres. Le gouvernement vit dans la hantise de ces révoltes. La correspondance du chancelier Séguier nous montre intendants des provinces, chancelier, Conseil préoccupés par le souci d'éviter les soulèvements. C'est en grande partie pour tâcher d'empêcher les révoltes par une meilleure répartition des impôts que Richelieu a multiplié les intendants des provinces, alors qu'il n'aimait pas cette institution[1]. Les conséquences des soulèvements sont graves. Ils contribuent à désorganiser les économies régionales, contraignent à renoncer à des ressources fiscales nécessaires, soit en abrogeant des taxes nouvelles, soit en remettant des arriérés d'impôts. L'on conçoit donc très bien que les gouvernements aient pu être poussés à la paix par de telles situations. Bien mieux, la chronologie suggère qu'il a dû en être ainsi. Richelieu a fait un grand effort de paix en 1637 et 1638. Son entourage escomptait la paix pour 1638. Or, c'est le moment de l'insurrection des Croquants, entre autres. Après qu'en 1641 le principe des négociations à Münster et à Osnabrück ait été posé, les gouvernements ne se sont pas pressés d'envoyer des négociateurs. Les plénipotentiaires français ne partent qu'en 1643 pour arriver en 1644, année où les envoyés d'autres gouvernements commencent aussi à se rassembler. Ce sont des années de grandes révoltes en France. Mais, en 1645, l'intensité des soulèvements diminue et, depuis 1645, un calme relatif se rétablit. Or, les négociations traînent à Münster. En 1648, les séditions reparaissent et elles sont particulièrement graves puisqu'elles sont menées par les Parlements, gardiens de l'autorité. Alors, l'on conclut en Westphalie. Comme il serait séduisant d'établir entre les révoltes intérieures d'une part, la marche des négociations et la conclusion des traités de l'autre, un lien de cause à effet ! Mais ceci impliquerait au moins une de deux conditions. Ou que la France ait si bien dominé la situation qu'elle ait pu, en fait, régler la marche des négociations à son gré et imposer la conclusion à son heure. Ou que la succession et l'intensité des révoltes aient été la même chez tous les belligérants et qu'ils aient été ainsi poussés à agir de même au même moment. Le lien de cause à effet ne pourrait être montré que par une étude comparative des soulèvements chez les différents belligérants et d'abord par l'examen des papiers des hommes d'Etat révélant que le rythme de ces soulèvements les a bien effectivement décidés tantôt à traîner en longueur, tantôt à précipiter les décisions.

1. Roland Mousnier, Etat et commissaire. Recherches sur la création des intendants des provinces (1634-1648), *Forschungen zu Staat und Verfassung. Festgabe für Fritz Hartung*, Berlin, 1958.

Si les gouvernements ont été déterminés à traiter pour retourner leurs forces contre des révoltés, est-ce parce que ces révoltés nuisaient au bien commun, qui devrait être l'objectif d'un gouvernement, ou seulement parce que les révoltés attaquaient les intérêts particuliers de groupes sociaux dont le gouvernement était l'instrument et qu'il voulait défendre ? Dans ce dernier sens, deux explications d'ensemble ont été cherchées, une anglaise, une soviétique.

Pour le professeur anglais Trevor-Roper, c'est le poids croissant de la bureaucratie qui a dépassé les forces des contribuables et provoqué les révoltes[1]. Pour le professeur russe Porchnev, les révoltes sont causées par le choc de deux « fronts de classes ». Pour lui, la société française est coupée en deux : d'un côté, ceux qui travaillent de leurs mains, ouvriers et paysans, les exploités; de l'autre, ceux qui ont l'aptitude au commandement, nobles, officiers, ecclésiastiques, bourgeois, marchands ou rentiers, les exploiteurs, unis, sous la protection de la monarchie absolue, contre les exploités, qui s'insurgent[2].

Ces deux explications n'ont pas paru satisfaisantes. Le terme de bureaucratie a été jugé contestable. Le poids de la fonction publique n'a pas paru assez lourd pour rendre raison de tels mouvements. Surtout M. Trevor-Roper n'a pas tenu compte du fait qu'en France ce sont souvent les officiers du Roi, la prétendue « bureaucratie » elle-même, qui mènent l'opposition et déclenchent les révoltes[3]. Quand à l'explication par la lutte des classes, elle se heurte aux textes, aux événements qu'on en peut dégager, qui ne nous laissent voir que bien rarement quelque chose de semblable au « front de classes » dont nous parle M. Porchnev[4].

L'explication reste donc à trouver. Nous allons essayer, non de la donner, mais de mieux poser le problème.

Le caractère commun aux tentatives pour comprendre les révoltes,

1. H. R. Trevor-Roper, The general crisis of the seventeenth century, *Past and Present*, 16 novembre 1959, p. 31-64.

2. B. Porchnev, *Die Volkaufstände in Frankreich vor der Fronde*, trad. allemande, parue en 1954 (Leipzig, VEB), d'un ouvrage russe publié en 1947. Trad. française, Paris, S.E.V.P.E.N., 1963.

3. Discussion des thèses de Trevor-Roper, par E. H. Kossmann, E. J. Hobsbawm, J. H. Hexter, R. Mousnier, J. H. Elliott, L. Stone, in *Past and Present*, 18 novembre 1960, p. 8-42. Voir aussi R. Mousnier, Recherches sur les syndicats d'officiers pendant la Fronde. Trésoriers généraux de France et élus pendant la Révolution, *XVIIe siècle*, *Rev. du XVIIe siècle*, n° 42, 1959.

4. Roland Mousnier, Recherches sur les soulèvements populaires en France avant la Fronde, *Revue d'Histoire moderne et contemporaine*, V, 1958, p. 81-113. Roland Mousnier, *Lettres et Mémoires adressés au chancelier Séguier*, 2 vol., Publications de la Faculté des Lettres et Sciences humaines de Paris, Presses Universitaires de France, 1964.

c'est d'essayer d'en rendre raison par la structure sociale, par la composition des sociétés en groupes sociaux et par les relations des groupes sociaux entre eux. Je voudrais montrer qu'il faut tenir compte de la conjoncture au sens le plus large et que les circonstances suffiraient presque à expliquer convenablement les révoltes de France, sinon les révolutions d'Angleterre. Je crois tout de même que les structures ont joué leur rôle. Mais je souhaiterais faire voir qu'il faut chercher des raisons dans les structures réelles de cette société, étudiées en elles-mêmes, et non en transposant des théories, valables peut-être pour une autre époque et pour un autre type de société, sans valeur pour la société française du XVIIe siècle.

La plupart des révoltes ont eu lieu pendant les guerres. Cependant l'on ne considère jamais assez l'effort immense qu'à dû accomplir la France, au cours de guerres européennes, où elle s'est trouvée plus d'une fois dans la situation de « grande place forte assiégée ». Ces guerres ont d'abord eu pour conséquence un accroissement démesuré des impôts. Prenons l'exemple de la généralité de Bordeaux. La taille, qui retombe toute sur le plat pays et sur des villes secondaires, car la capitale de la province est exempte, se monte à un peu plus d'un million de 1610 à 1632; elle dépasse deux millions en 1635, trois en 1644 et, en 1648, elle atteint près de quatre millions, ayant presque quadruplé en seize ans, en période de stagnation puis de baisse des prix. Mais il s'ajoute à la taille d'autres charges, presque toutes pour l'armée, le taillon pour la gendarmerie, les étapes pour le passage des troupes allant vers la frontière espagnole, l'entretien des garnisons, les quartiers d'hiver, les subsistances. Les soldats logent et vivent chez l'habitant. Celui-ci doit « l'ustensile », c'est-à-dire « le lit, le linge de table, le pot, l'écuelle, le verre, place à son feu et à sa chandelle ». Il doit fournir des provisions que le soldat paie, en principe, mais au moyen de l'argent fourni par un impôt spécial que lève la province ou la municipalité. On calculait qu'étapes et subsistances équivalaient à une seconde taille. Mais comme, en fait, le soldat vivait à discrétion, la charge était beaucoup plus lourde. Il s'y ajoutait des aides diverses et des droits domaniaux, taxes sur un nombre grandissant de denrées et d'objets nécessaires à la vie courante. Certaines années, c'est par dizaines que se comptent les taxes nouvelles. Il faut y ajouter les levées d'hommes. Les milices fournissent chaque année, dès le temps de Richelieu, un contingent de soldats, équipés et armés aux frais de la communauté. C'est une charge supplémentaire et un risque de réduire la production car l'armée enlève ainsi des bras à l'agriculture et à l'artisanat, dans un état de la technique où les opérations productives exigent un grand nombre d'heures de travail manuel. Comptons encore la démolition des châteaux forts ordonnée par Richelieu, et qui resta à la charge des communautés. L'on a calculé que, dans certaines paroisses, les frais se montèrent à deux ou trois fois la taille. Enfin, les officiers de finance prélevaient officiellement des droits sur les sommes payées par les contribuables. Ces droits, leurs « taxations », s'élevaient parfois jusqu'à 47 % du total versé, c'est-à-dire majoraient des deux tiers les sommes initiales.

Or, cette avalanche d'impôts tombe sur les Français au moment où leur capacité contributive se réduit dans la longue récession économique du XVIIe siècle. Rappelons d'un mot d'abord des faits connus depuis longtemps. La réduction progressive du commerce avec l'Amérique espagnole, le ralentissement des arrivées de métaux précieux, qui tombent à peu de chose vers 1650; en conséquence, probablement, le ralentissement de la hausse séculaire des prix jusqu'en 1630, la stagnation de l'ensemble des prix de 1630 à 1640, la baisse ensuite, vers l'étiage entre 1675 et 1685, les difficultés pour le producteur, pour le paysan, pour l'artisan, qui vendent à des prix de moins en moins rémunérateurs et ont du mal à se procurer la monnaie nécessaire pour s'acquitter des impôts. Mais je voudrais insister surtout sur des phénomènes plus récemment étudiés, les grandes calamités atmosphériques et leurs conséquences, mauvaises récoltes, chertés, disettes, épidémies, les « mortalités », comme on disait alors, et la désorganisation de l'économie. Les « mortalités » ont été si fréquentes en ce siècle que certains historiens ont pensé à un changement de climat, d'ailleurs improbable : il doit plutôt s'agir de phénomènes périodiques. Les grandes « mortalités » sont celles de 1630-1632, celles de 1648-1653, qui coïncident avec la Fronde, celles de 1661-1663, celles de 1693-1694, celles de 1709-1710. Prenons un exemple en Guyenne, où, là comme ailleurs, la plus grande partie de la nourriture à cette époque, c'est le pain. En 1627, il y eut des inondations; en 1628, un froid anormal. Il en résulta une gêne. L'hiver de 1629 fut rude. En mars 1630, des pluies torrentielles noyèrent les céréales. Il n'y eut pas de récoltes en 1630. En 1631, ce fut la famine. Elle fut d'autant plus grave dans la basse vallée de la Garonne que la culture de la vigne y prédominait déjà. Les céréales, les légumes étaient relégués sur les prairies inondables. Dans le Bazadais, il n'y avait presque pas de terres emblavées. Le pays ne s'en remit pas, car, de 1629 à 1639, des orages de grêle ruinèrent aussi les vignes, sur la moyenne Garonne et dans les Charentes. Des averses de printemps ruinèrent les terres et dévastèrent les sols en

Armagnac, en Lomagne, dans le Condomois, les habitants furent, pour la moitié, transformés en miséreux.

Cette population affamée était une proie facile pour les épidémies. Vers 1625, une très grave « peste » courut l'Europe. Elle arriva en Bourgogne en 1626. De là, elle gagna la vallée de la Loire, le Centre, le Languedoc en 1628, Agen et la vallée de la Garonne en 1629, La Rochelle, puis toute la Saintonge. La période la plus meurtrière fut l'été de 1631. Ensuite, la maladie diminua de virulence mais dura, avec de brusques sursauts, et, en 1652-1653, il y eut une nouvelle épidémie, aussi grave que celle de 1631. La première conséquence des épidémies, c'est la destruction des producteurs, car les artisans et les paysans sont frappés plus que les autres groupes sociaux. A Moissac, la mortalité moyenne était de 23 décès par an. Il y en eut 55 dans l'été de 1629. A Caprais-de-l'Herme, l'on comptait 4 morts dans les années normales : il y en eut 118 en 1631; il n'est pas rare qu'un tiers de la population disparaisse au cours d'une « mortalité ». La seconde conséquence, c'est l'interruption du commerce. Les gens aisés fuient dans leurs maisons des champs. Les municipalités interdisent l'entrée aux étrangers, suspendent les foires et marchés, refusent les marchandises du dehors. C'est la crise économique.

L'effet conjugué des famines et des épidémies est un appauvrissement durable. En deux ou trois mauvaises récoltes, la moitié des habitants des paroisses rurales, les tout petits propriétaires, sont transformés en miséreux. Ils deviennent vagabonds, des mendiants. Les maisons sont abandonnées, les villages désertés. Au village d'Espaignet, il restait, en 1634, six habitants. C'est alors que des populations entières, déracinées, vont du Limousin et de l'Auvergne vers l'Angoumois et le Périgord, du Quercy et du Rouergue vers la Garonne. En 1628, 6 000 pauvres venant du Limousin s'entassent aux portes de Périgueux, encombrent les faubourgs de la ville. Les terres restent incultes. Leur prix s'effondre. Les petits propriétaires vendent à des prix dérisoires. En Guyenne les cadastres et compoix, dressés de 1598 à 1612, ont dû être refondus, quelquefois à plusieurs reprises, de 1632 à 1648. Les communautés s'endettent sans remèdes pour soigner les malades et nourrir les affamés. Et tous ces phénomènes sont d'autant plus graves qu'ils ont des effets cumulatifs, une mortalité survenant alors que les effets de la précédente ne sont pas réparés, de sorte que, depuis 1630, la France a été sans cesse en difficulté économique et que, depuis 1662, pendant une période dont la plus grande partie coïncide avec le ministère de Colbert, ç'a été une véritable détresse avec un véritable manque d'hommes.

Il résulte de tous ces malheurs un état endémique de troubles, où se préparent les révoltes. Ce sont des cas isolés avant 1635. Depuis 1635, on trouve des procès en nombre croissant pour attaques à main armée, attaques des taillables contre les collecteurs d'impôts, attaques des taillables contre les exempts de l'impôt, attaques de villages entiers contre d'autres accusés de prendre insuffisamment leur part du fardeau, ou contre les huissiers et sergents. Des gentilshommes, des barons, des seigneurs sont décrétés de prise de corps pour de tels faits et pour avoir mené les paysans révoltés contre le fisc. Ailleurs, ce sont des émeutes frumentaires classiques, pour empêcher la sortie des grains, ou parce que le pain est cher, ou pour piller les réserves de grains des ecclésiastiques. D'autres fois, l'on trouve des émeutes spontanées contre les gens de guerre, des échauffourées avec les soldats. Le 8 juillet 1640, une compagnie de chevau-légers passe à la tombée de la nuit près du village des Granges. Persuadés qu'elle vient loger chez eux, les paysans s'arment de piques et de mousquets et l'attaquent. On voit très bien comment les circonstances provoquaient ces troubles et comment, des rixes et des bagarres, l'on pouvait passer facilement à la révolte organisée. Peut-être donc, les circonstances suffiraient-elles à expliquer les révoltes. Peut-être, de semblables conditions en auraient-elles provoqué dans n'importe quel type de société. Peut-être n'est-il pas nécessaire de recourir à de profondes considérations sur la structure[1].

Cependant, je crois que les structures sociales ont joué un rôle important, que la conjoncture a influé par l'intermédiaire de structures déterminées. Ceci apparaîtra peut-être si nous examinons quelques révoltes. On nous dit : les révoltes populaires sont des mouvements spontanés. Ils sont dirigés soit contre la « bureaucratie », soit contre l'ordre féodal et seigneurial, garanti par l'absolutisme. Les documents ne sont pas favorables à ces vues. Le plus souvent, nous trouvons des unions complexes de groupes sociaux divers, où se mêlent officiers, nobles, bourgeois, seigneurs, paysans, artisans, contre le fisc, contre les ministres, contre le Roi. Il nous faut constater que, le plus souvent, là où la noblesse ne se soulève pas, il n'y a pas de mouvements paysans et ouvriers. Voici le Beauvaisis. Cette région semble très favorable aux « émotions populaires ». C'est la pointe sud de la grande région manufacturière Flandre-Picardie, de gros

1. Sur ces problèmes, R. Mousnier, Etudes sur la population de la France, *XVIIe siècle*, *Revue du XVIIe siècle*, nº 16, 1952. Yves-Marie Bercé, *Recherches sur les mouvements populaires dans le Sud-Ouest avant la Fronde*, thèse dactylographiée de l'Ecole des Chartes. Je souhaite que ce travail soit imprimé.

bourgs peuplés de paysans mi-cultivateurs, mi-ouvriers, très affectés par le resserrement du commerce. Or, nous n'y voyons pas de révoltes, ni de participation à la Fronde. C'est peut-être une coïncidence, mais la noblesse y est appauvrie par les guerres de religion, décimée, partiellement renouvelée par des éléments venus de la robe, animés d'un autre esprit. Elle reste calme et le pays ne bouge pas[1].

Il est évidemment indispensable d'analyser la composition effective des groupes de révoltés et son rapport à la structure sociale. Esquissons cette enquête dans quelques cas, car la France du XVIIe siècle est infiniment variée.

Un premier cas, fréquent, c'est celui de l'union de toutes les catégories sociales contre le gouvernement pour la défense des privilèges provinciaux. Par exemple, en Languedoc, depuis 1628 et le soulèvement huguenot conduit par le prince de Rohan, le Roi multiplie les efforts de centralisation, qui constituent autant de violations des privilèges de la province : envoi d'un commissaire, le prince de Condé, avec des pouvoirs discrétionnaires, même sur le gouverneur, le duc de Montmorency; augmentation des impôts de la province de la seule autorité du Roi; répartition et levée de l'impôt par les officiers royaux, les trésoriers de France de Toulouse et de Béziers; enfin, en juillet 1629, par l'édit de Nîmes, établissement des élus dans la province. Il en résulte, d'une part, une résistance légale, l'opposition des Etats provinciaux et du Parlement de Toulouse, d'autre part une rébellion, fomentée par quelques évêques et par quelques seigneurs languedociens, qui entraînent des artisans et des laboureurs. La sédition était grave. Elle risqua de le devenir davantage, lorsque la révolte de Gaston d'Orléans, de la Reine mère et du duc de Montmorency contre le Roi éclata en 1632. L'Assemblée des Etats se prononça pour Montmorency, gouverneur de la province. Mais Montmorency fut vaincu et pris au combat de Castelnaudary, le 1er septembre 1632, et, avant même le combat, son équipée avait compromis la levée provinciale contre la centralisation. Les grandes villes, les protestants eux-mêmes ne voulurent pas intervenir dans une affaire de famille royale et de courtisans, redevinrent fidèles au Roi, et, comme celui-ci eut la sagesse de renoncer aux élus, les Languedociens le laissèrent amoindrir à son gré les privilèges de la province. Ici, nous trouvons donc, pendant un moment, union des groupes sociaux contre le Roi[2].

Il en est de même dans la révolte dite des Cascavéoux, à Aix-en-

1. P. GOUBERT, *Le Beauvaisis au XVIIe siècle. Etude sociale*, Paris, S.E.V.P.E.N., 1961.
2. P. GACHON, *Les Etats de Languedoc et l'Edit de Béziers (1632)*, Paris, 1887.

Provence, de septembre à décembre 1630. Ici encore, le Roi veut établir les élus. C'est une violation des privilèges de la province et de son contrat de rattachement à la Couronne. Les Etats de Provence repoussent la décision royale en avril 1630, appuyés par une grève des consuls, une grève des officiers royaux, une grève des artisans, qui ferment les boutiques. Il se forme un front de toute la population contre le Roi. Le Parlement, irrité d'ailleurs de ce que le Roi fait difficulté de renouveler la paulette ou droit annuel, et par la présence d'un intendant de province, pousse à la révolte une population excitée par la disette et la cherté des vivres, car la peste vient de finir. Ce sont les hautes classes qui déclenchent la sédition. Les officiers, les avocats, les bourgeois descendent dans la rue en armes, le 19 septembre 1630. Les artisans suivent. Le gouverneur, le duc de Guise, que Richelieu veut déposséder de l'amiralat de Provence, laisse faire. La noblesse et le tiers état décident des armements pour la sauvegarde des « libertés du pays », pour la défense de la « patrie ».

Mais le Parlement est divisé en groupes rivaux. L'un d'eux, mené par le président de Coriolis et par son neveu Châteauneuf, forme un parti, les Cascavéoux, du nom de leur insigne, un grelot supporté par un ruban blanc. Il leur faut une force. Alors, ils font de la démagogie. Ils excitent les artisans les plus pauvres contre les élus et contre tous ceux qui peuvent le devenir, les riches. Ils provoquent une marche des villageois sur Aix, les 3 et 4 novembre 1630, l'union des ouvriers agricoles avec les artisans urbains. Ils organisent le pillage des maisons de leurs adversaires.

Alors, ceux-ci profitent de la peur des bourgeois et des artisans aisés. Un autre clan du Parlement et le premier consul, le baron de Bras, créent un autre parti de Cascavéoux, « le ruban bleu ». Les deux partis se combattent en décembre. Les Blancs sont expulsés, Coriolis et Châteauneuf. Puis, ils rentrent, expulsent les Bleus, et, cherchant des alliés hors de la province, se rallient à la Reine mère. Mais tout le monde en a assez. Les autres villes ne suivent pas. Le prince de Condé arrive avec des troupes. Il fait exécuter pour le principe quelques pauvres diables. Le Roi abandonne les élus, moyennant une forte somme, et rétablit le droit annuel. Le calme revient. Où voit-on ici une révolte spontanée du petit peuple ? Il y a d'abord une révolte de toute la population déclenchée et menée par les classes supérieures, puis une lutte de clans rivaux d'officiers et de nobles, dont l'un utilise la partie la plus pauvre de la population[1].

1. J'utilise ici un mémoire d'un de mes élèves, M. René Pillorget. Ce travail sera bientôt publié dans *XVII*e *siècle, Revue du XVII*e *siècle*.

Dans d'autres cas, nous trouvons une union de groupes sociaux à la fois contre le gouvernement et contre une région voisine, ainsi qu'une lutte des campagnes contre les villes. Par exemple, c'est le cas en Saintonge en 1629, et en 1636-1637. Les châtellenies du sud de la Saintonge et de l'Angoumois, voisines du pays bordelais, ont le sentiment d'être défavorisées. Les droits sur le tonneau de vin par la rivière de Charente montaient à 13 livres 10 sols pour une valeur de 20 à 24 livres le tonneau, alors qu'en Bordelais pour un tonneau transporté sur la Garonne, plus grand et qui se vendait 100 à 120 livres, les droits étaient seulement de 6 livres 10 sols. Saintonge et Angoumois faisaient, par rapport au Bordelais, un complexe psychologique de région sous-développée.

Or les vignes bordelaises appartenaient à des bourgeois, marchands et officier royaux; les vignes saintongeaises et angoumoises à de petits nobles et à des paysans. L'affaire devenait une opposition du pays rural au pays urbain.

La question du vin était toujours grave pour la noblesse de Saintonge et d'Angoumois, qui tirait de sa vente, par elle ou par ses paysans, sa principale ressource. En 1628 et 1629, le Roi fait des tentatives pour augmenter les droits sur les vins. Immédiatement, les nobles tiennent des assemblées et provoquent des émeutes paysannes, en excitant les paysans contre les collecteurs d'impôts, contre les commis des taxes et contre les officiers des villes qui avaient des propriétés dans la région. Les chefs des émeutiers étaient généralement des hobereaux, des barbiers, des notaires, les « principaux des bourgs ».

En 1636, les émeutes recommencent car, cette fois, c'est la taille, le taillon, la crue qui sont doublés par un impôt destiné à remplacer pour les officiers les droits aliénés. La population fait bloc contre les officiers royaux, surtout contre les élus. Au cri de « Au gabeleur », il se forme des assemblées de paysans armés, avec la connivence des curés et des gentilshommes. On voit même des curés à la tête des communes soulevées. Les insurgés députent au Roi des nobles et des officiers de justice.

Nous avons les demandes des révoltés. Elles consistent en aménagements fiscaux, diminution des tailles, abolition des droits sur les denrées et sur le fer, l'acier, le papier, la toile, réduction des droits sur le vin et sur le sel. Il n'y a pas d'attaques contre les dîmes et les droits seigneuriaux, rien contre le système féodal et seigneurial, rien qui ressemble à une lutte de classes[1].

1. Bibliothèque Nationale, ms. fr. 15530, f°s 670-672, 675-681, 666-669, etc.

La noblesse de ces provinces se rendait parfaitement compte de ses intérêts communs avec les paysans. Un de mes élèves, M. Labatut, a retrouvé le cahier de la noblesse d'Angoumois, rédigé en février 1649, pour les Etats généraux qui ne se réunirent jamais. La noblesse s'y définit comme un corps, dont la fonction sociale est d'aller à la guerre, de se battre, et où l'on entre par la naissance, comme une race, et, dans l'idéal, comme une caste. Mais elle affirme sa solidarité avec le peuple des paysans. La noblesse doit avoir une alliance étroite avec les paysans, soulager la misère de ce peuple, parce que la noblesse en tire ses revenus, sa subsistance. Si le peuple est opprimé, la noblesse ne pourra plus avoir ses rentes. Si la taille est levée sur les fermiers des nobles ou sur leurs censitaires, ils ne pourront plus payer aux nobles leurs loyers et redevances. Les nobles ne pourront plus se mettre en équipage; ils ne pourront plus aller à la guerre et le Roi sera mal servi. Ce sont des sentiments égoïstes. Il ne s'agit pas de notre justice sociale, de notre progrès social. Mais, telle quelle, cette froide évaluation constatait une solidarité de groupes sociaux et l'attitude des paysans montre qu'ils appréciaient cette solidarité. Nous ne voyons pas non plus ici de luttes de classes[1].

Enfin, nous trouvons des unions de révoltés contre le gouvernement pour le maintien de la constitution ancienne, telle que se la représentaient les séditieux. C'est le cas, à Paris, en 1648, lors des barricades des 26, 27 et 28 août. Toutes les catégories de la population parisienne ont lutté ensemble pour que le gouvernement fût exercé par le Roi seul, non par un ministre d'Etat, et, qui pis est, un favori étranger; pour que le Roi gouvernât avec le Conseil traditionnel, dont les Cours souveraines, et principalement le Parlement, formaient les pièces principales et essentielles, non avec un Conseil restreint, composé de favoris, et qui imposait sa volonté aux corps anciens, consacrés par la coutume; pour que les ordres fussent exécutés partout par les officiers ordinaires, selon les ordonnances, règlements, coutumes et privilèges, non par des commissaires, tels que les intendants des provinces, chargés de tout soumettre à la raison d'Etat. C'est le Parlement de Paris qui a donné l'exemple de l'opposition poussée jusqu'à la révolte, lorsque le 13 mai 1648 il convoqua à la Chambre Saint-Louis les députés des Cours souveraines de Paris pour connaître des affaires de l'Etat et le réformer, alors que seul le Roi pouvait convoquer ses vassaux pour leur demander service de conseil quand il le jugeait bon, ou lorsque le Parlement prétendait

1. Archives Départementales d'Angoulême, papiers de la famille Galard de Béarn, J. 1061.

que la présence du Roi en lit de justice violait la liberté des suffrages et voulait voter édits et ordonnances seul, sans le Roi, alors que la présence du Roi, avec les pairs, les grands officiers de la Couronne et les conseillers d'Etat reconstituait la *Curia Regis*, raccourci du royaume. C'est le Parlement qui a excité toute la population contre la fiscalité, contre les partisans, qui a mis dans la tête des Parisiens qu'ils étaient exploités d'une façon insupportable, ce qui est fort douteux. C'est le Parlement qui s'est présenté comme le défenseur du peuple, et la défense s'est incarnée dans le conseiller Broussel, un pauvre homme, mais devenu un symbole, un fétiche. Lorsque la Reine le fit arrêter, le 26 août, Paris se souleva. J'avais cru et dit, autrefois, dans un article : « C'est le menu peuple de Paris, bateliers, crocheteurs, petits artisans, qui s'est soulevé le premier en faveur de Broussel », et j'avais cru les bourgeois plus réservés, armés surtout par peur du petit peuple, des vagabonds, puis des soldats[1]. Eh bien, j'avais été dupe de la façon officielle de présenter les choses. Le gouvernement et les autorités essaient toujours de rejeter la responsabilité des séditions sur le menu peuple, la « canaille », la « populace », tant il semblait scandaleux, dans cette société hiérarchisée, que les hautes classes, nobles, officiers, « bons bourgeois », se soient insurgées, et aussi pour ne pas être obligés de prendre des sanctions graves, comme des suppressions de privilèges provinciaux ou locaux, génératrices de nouvelles révoltes. Une étude sociale et topographique du quartier de la Cité[2] a montré que ce sont les bourgeois qui ont commencé et qui ont entraîné le menu peuple. Le mouvement est parti de l'île du Palais, de la rue Neuve-Saint-Louis, de la place Dauphine. C'est là que les boutiques ont commencé de se fermer et que les habitants ont pris les armes. Or, c'est un monde de bourgeois et de seigneurs, officiers du Palais, riches marchands, artisans aisés, orfèvres, horlogers, artisans de luxe. Les crocheteurs et les bateliers ont suivi. Dans l'île de la Cité, la révolte de 1648 est un mouvement d'officiers et de bourgeois, avec une participation populaire. La révolte de Paris assura la victoire du Parlement. Elle obligea la Cour à quitter Paris, le 13 septembre, pour Rueil, à commencer un simulacre de guerre, et finalement à capituler par la déclaration du 21 octobre 1648, vérifiée le 24 par le Parlement, le jour même de la signature du traité de Münster.

1. R. Mousnier, Quelques raisons de la Fronde. Les causes des journées révolutionnaires parisiennes de 1648, *XVII*e *siècle, Revue du XVII*e *siècle*, n° 2, 1949.

2. Effectuée par un de mes élèves, M. Jean-Louis Bourgeon. Son mémoire est publié dans les *Mémoires de la Fédération des Sociétés Historiques et Archéologiques de Paris et de l'Ile-de-France*, XIII, 1962, p. 23-144.

Que me semble-t-il ressortir de l'analyse sociale des groupes de révoltés ? D'abord que nos théoriciens se sont probablement trompés dans leurs explications de ces révoltes. La charge financière de la bureaucratie ne semble pas avoir joué un rôle essentiel. Les mouvements des paysans et des artisans sont rarement spontanés, plus souvent provoqués par les gentilshommes, les officiers, les seigneurs. Nos théoriciens se sont trompés, non pas seulement parce qu'ils ont voulu trop réduire au simple des mouvements très complexes, mais encore et surtout parce qu'ils ont voulu traduire les réalités sociales du XVIIe siècle selon les catégories mentales du XIXe et du XXe siècle. Leurs explications, et bien d'autres, me paraissent anachroniques, la projection du mode de pensée, de réalités d'un autre temps et d'un autre type social sur des époques et sur des sociétés tout à fait différentes, un anachronisme perpétuel, le péché mortel en histoire.

Ensuite, c'est que si nous voulons absolument trouver dans les structures des facteurs communs à toutes ces révoltes, nous constaterons, entre plusieurs autres raisons mais d'abord, l'horreur, au sens propre du terme, qu'inspire le Conseil du Roi, en voulant imposer des édits, des arrêts, c'est-à-dire des lois, des règlements, des décisions générales, qui tendent à réduire le royaume à l'uniformité, les sujets du Roi à l'égalité dans le service de l'Etat, en passant outre aux privilèges locaux, aux libertés traditionnelles, aux droits acquis dans les hiérarchies existantes; l'horreur encore plus grande qui hérisse toute une population devant la froideur de la loi, la glace de ces décisions impersonnelles, venues de loin, de gens inconnus ou qui ne sont qu'un nom, présentées au mieux par un étranger, le commissaire royal, et qui viennent s'insinuer entre les hommes, entre le fidèle et son protecteur, le client et son patron, le vassal et son seigneur, rompre ces liens traditionnels, où entraient souvent de l'affection réciproque et du dévouement, et qui étaient en tout cas des liens personnels, d'homme à homme, quelque chose de chaud, de vivant, d'humain. Sans le vouloir, probablement, mais poussé par des légistes imbus des idées d'égalité, de loi universelle et de raison d'Etat, contraint par les nécessités de la guerre, le Roi en son Conseil poursuivait une lente révolution qui faisait sentir à beaucoup comme le froid de la mort. De là ces réactions violentes, ces rébellions, où l'on trouve rarement une idée neuve et qui ne visaient presque toutes qu'au maintien des situations existantes ou à un retour au passé, à ce qu'était l'organisation politique et sociale au temps de Louis XI, quand ce n'était pas au temps d'Hugues Capet. C'était le Roi en son Conseil qui était alors le véritable révolutionnaire. Les choses changèrent au XVIIIe siècle.

Nous ajouterons que dans le royaume de France au XVIIe siècle nous trouvons en fait des types de société très différents les uns des autres, que nous ne pouvons pas espérer rendre compte de leur vie par une formule unique, que nous ne pouvons pas espérer les comprendre, et comprendre les révoltes qui s'y sont produites, sans commencer vraiment l'analyse des structures sociales qui, à la bien prendre, a été rarement et presque toujours insuffisamment faite. Il s'agit d'écarter d'abord toutes les théories inspirées par la politique ou par une philosophie et d'analyser les sociétés existant dans le royaume au XVIIe siècle, de discerner les groupes sociaux réels dont elles sont composées, les relations effectives de ces groupes, leurs rapports dans les moments de calme et dans les moments violents. Alors pourrons-nous peut-être réellement commencer à comprendre l'équilibre de ces sociétés, leurs mouvements périodiques et leur devenir.

Le dernier point serait celui-ci : ces révoltes ont-elles réellement contraint le gouvernement français à traiter. Ce n'est pas sûr. Déjà, en 1630, la question s'était posée. Fallait-il participer plus activement à la guerre de Trente ans ou faire la paix ? Déjà, la situation était grave dans le royaume, au cours de cette première grande « mortalité ». Le garde des Sceaux de Marillac écrivait, le 15 juillet 1630 : « Tout est plein de séditions en France : les Parlements n'en châtient aucune. Le Roi a donné des juges pour ces procès-là. Le Parlement arrête l'exécution des jugements et, par conséquent, les séditions sont autorisées. Je ne sais ce qu'il faut espérer ou appréhender de celà veu-mesme la fréquence de ces émotions dont tous les jours quasi nous avons un nouvel avis »[1]. Malgré tout, Richelieu et le Roi se décidèrent pour la guerre. C'est qu'émeutes et révoltes n'épouvantaient pas les gouvernements tant qu'elles restaient dispersées. Ils estimaient qu'elles ne devenaient vraiment dangereuses que lorsqu'il y avait conjonction des princes du sang, des grands et des Parlements. Ce n'était pas encore le cas en 1648. Mais seuls les textes permettraient de répondre sûrement à la question. L'un d'eux suggérerait l'influence profonde des révoltes sur les efforts des diplomates. C'est un mémoire envoyé par M. de Longueville, le chef de la délégation française, de Münster à la Cour, en août 1645. Il insiste sur les motifs que l'Empereur et le Roi d'Espagne peuvent avoir de conclure la paix. Parmi ceux-ci, Longueville trouve : « Les grandes misères que

1. Archives des Affaires Etrangères, France, Mémoires et Documents, 795 *bis*, f°s 288 r°-290 r°.

souffrent les peuples durant tant d'années de guerre, (qui) obligent enfin leur Prince à leur donner quelque soulagement, à ce qu'ils ne viennent au désespoir et ne se révoltent. » Longueville rappelle aussi les guerres civiles, à qui il attribue des causes religieuses, et la « république » puritaine d'Angleterre : « Durant la division de ces Princes, ceux de la Religion Prétendue Réformée y profitent au péril et dommage de tous les Princes Catholiques et se forment de plus en plus en république en Angleterre et autre part, où ils étouffent les Exercices de la Religion catholique tant qu'ils peuvent, et ce fut l'une des causes pourquoy l'Empereur Charles V, Philippe II, Roy d'Espagne, son fils et les Rois François I et Henry II furent d'autant portez à traiter de paix entre eux comme il appert des traittez de Madrid, Cambray, Crespy et Casteau en Cambrésis. » Enfin, Longueville dit un mot des révoltes de Catalogne et de Portugal, en liaison avec la France, contre l'Espagne : « Le Roy d'Espagne d'autre part est devenu nécessiteux et endebté et a la guerre trop proche de luy du costé de Portugal et de la Catalogne et les Hollandais sont tellement puissants aux Indes orientales et occidentales et en Affrique qu'ils luy font dommage tous les ans de plus de vingt millions de livres »[1]. Le tout est de savoir si les révoltes nationales et les séditions ou menaces de sédition des « peuples » ont réellement impressionné l'Empereur et le Roi d'Espagne. Il est caractéristique, en tout cas, que le négociateur français y songe comme à des arguments valables. Qu'il me soit permis de laisser à d'autres le soin de présenter davantage de textes.

1. Bibliothèque Mazarine, ms. 2233, Recueil des lettres de MM. d'Avaux et Servien, 1644. Registre non folioté. Texte communiqué par M. Yves Durand, assistant d'Histoire en Sorbonne.

CONCLUSION

Vers l'histoire comparative

LE TRAFIC DES OFFICES A VENISE

Les définitions étant libres, il est peut-être possible de prendre ici, pour des raisons de clarté et de commodité, les expressions « commerce des offices » et « vénalité des offices » en un sens un peu plus précis qu'on ne le fait d'ordinaire. « Commerce des offices », ce sera donc le trafic entre les particuliers; « vénalité des offices » signifiera le commerce organisé en système par l'Etat. Le mot « office » doit être pris au sens le plus large. Il comprend ce que nous désignons aujourd'hui par fonction publique, office public et office ministériel, catégories qui ont souvent d'ailleurs un caractère mixte.

Le trafic des offices est un phénomène mondial, qui désigne un stade de civilisation. Il a été très répandu en Europe, surtout du XIIe au XIXe siècle. Il n'est encore bien étudié qu'en France à la fin du XVIe siècle et dans la première moitié du XVIIe[1]. Or, son influence a été immense sur le fonctionnement des institutions et sur toute la vie économique, sociale et politique. Les différentes sociétés où il s'est développé ne pourront être pleinement comprises que lorsque nous aurons une connaissance suffisante de tout ce qui le touche. Ses caractères et ses causes ne seront bien distingués que par la comparaison. Après la France, grand royaume surtout agricole mais d'esprit mercantiliste et de commerce et industrie en plein développement, de société aristocratique mais où la bourgeoisie joue un rôle croissant, de monarchie absolue et sans cesse plus administrative, il fallait donc examiner commerce et vénalité des offices dans un Etat tout différent, et Venise, petit Etat urbain, république aristocratique, où le grand commerce maritime et la banque furent longtemps les activités essentielles, offre un très bon exemple. Je me suis limité à peu près aux trois derniers siècles avant l'époque contemporaine (1450-1800), où les documents sont le plus abondants et donc le phénomène le mieux saisissable.

Le trafic des offices a été signalé à Venise, mais non étudié. Tout

Publié dans la *Revue historique de Droit français et étranger*, 1952.

1. Roland MOUSNIER, *La vénalité des offices sous Henri IV et Louis XIII*, Rouen, Maugard, in-8°, 1945.

est à faire en puisant aux sources. Le présent article est fondé sur une documentation faite de coups de sonde dans les fonds de l'Archivio di Stato et dans les manuscrits de la Marciana[1].

Il faut distinguer à Venise les magistrats et les offices de *ministero*.

Les magistrats sont, pour Venise, des collèges, généralement de trois officiers, et, pour les possessions, des individus. Ils sont élus exclusivement dans la noblesse vénitienne pour une durée assez courte, 6 à 36 mois, le plus souvent 12 à 16 mois, sauf le Doge, le grand chancelier et le procurateur de Saint-Marc, élus à vie. L'assemblée des nobles ou Grand Conseil en élisait la plupart, mais le Conseil des Dix aussi pour la police générale, et le Sénat, en assez grand nombre, pour doubler et surveiller les élus du Grand Conseil. Les patriciens de Venise prenaient ainsi dans leurs rangs 668 officiers, sans compter les ambassadeurs, les résidents, les chefs militaires, le Doge et les membres élus des principaux conseils. Au XVIIe siècle, les nobles en état d'exercer les fonctions étaient environ 2 000[2]. Vers 1770, probablement 1 603[3].

1. I. — *Archivio di Stato :*

a) Compilazione Leggi : Busta 17 (Ambito dal 1396 al 1520) et 18 (Ambito dal 1521 al 1782); rapports des censeurs et décisions sur la brigue; Busta 113, 114, 115, Cariche di ministero, accords entre particuliers, requêtes au Conseil de la Quarantia criminale, décisions de ce Conseil sur l'attribution des offices, la cession, l'exercice par substitut, XVe à XVIIIe siècle.

b) Consiglio de Dieci : décisions sur l'attribution des offices; commune. Registri : 24 (anno 1559-1560); 35 (1580); 37 (1583-1584); 75 (1625); 80 (1630); 100 (1650); 200 (1750).

c) Senato : confirmations aux offices de *ministero*; direction de la vénalité des offices; *terra.* Registri : 150-151 (1655); 166 (1663); 167 (1663-1664); 230-231 (1695); 289-290 (1725); 368-369 (1765).

d) Quarantia criminale : nominations aux offices de *ministero*; décisions sur la possession et l'exercice de ces offices. Registri : 199, Costituti di deposito per cariche (1587-1729); 216, Parti e istrumenti di vender cariche (1607-1724); 221, Cattastico delle cariche (2e moitié du XVIIe siècle); 222, Registro di tariffe degli uffici (1491-1555); 223, Registro di tariffe degli uffici (XVIIe siècle); 432, Denuzi e processeti per cariche (1491-1742); 437, Cattastico delle cariche fatto nel 1636.

e) Savio Cassière : Busta 161, Cariche in vendita (1782-1795).

f) Notarii-Venezia : étude Girolamo Brinis, n°s 762 (1602); 763 (1603); 860 (1638); étude Bartolomes Beaciani, n°s 697-698 (1660); 722 (1667); 712 (1669); 738 (1676); 739 (1677).

II. — *Marciana (bibliothèque de Saint-Marc)* : CL. XII. Cod. CLI, Magistrature della Republica del 1597 al 1630; CL. XII, Cod. 2495, Magistrature e reggimenti dello Stato Veneto; CL. VII, Cod. 2424, Officii e Magistrati da esser fatti per il Maggior Consilio; CL. VII, Cod. MDXXVII, MEMMO (Andrea), *Discorso della perpetuita delle cariche*.

Pour raccourcir et alléger l'article, je supprime les références précises aux documents sur lesquels est fondée chacune de mes affirmations. Mais je tiens ces références à la disposition des chercheurs qu'elles intéresseraient.

2. Sur l'effectif du Grand Conseil, cf. H. KRETSCHMAYR, *Geschichte von Venedig*, t. III, *Der Niedergang*, Stuttgart, 1934, in-8°, p. 84.

3. L. DAL PANE, *Storia del lavoro in Italia dagli Inizi del secolo XVIII al 1815*, Milano, 1944, gr. in-8°, app. IV, p. 477.

La vénalité des offices des magistrats semble toujours avoir été réduite. A plusieurs reprises, en 1528, en 1645, le Sénat et le Grand Conseil, à court d'argent, firent créer et vendre des charges de procurateur de Saint-Marc[1] contre 20 000 ducats. En 1524, le Conseil des Dix vendit pour 8 000 ducats deux offices de *signori di notte*[2]. Sans doute s'agit-il de cas rares.

Le commerce de ces offices ne semble pas avoir existé. Il n'était pas nécessaire en raison du petit nombre des électeurs et éligibles, du grand nombre relatif des charges, de la durée fixe et réduite des fonctions. Chacun pouvait acquérir, exercer à son tour sa part des offices. Il était d'ailleurs facile de s'assurer des voix, soit en achetant celles des nobles pauvres, soit en promettant son vote et celui de ses amis pour une prochaine occasion. Des lois se succèdent presque chaque année, depuis 1396, pour éviter le *broglio*, la quête des voix aux élections, sans aucun succès. Le versement d'une somme d'argent au magistrat sortant était ainsi inutile.

Il y a donc ici avec la France, et en général avec les monarchies absolues, une grande différence due au principe même du gouvernement républicain aristocratique : les offices, qui ont essentiellement, par délégation du souverain, une portion de la puissance publique et concourent à la gestion de la chose publique avec un pouvoir de décision, échappent totalement au commerce et en grande partie à la vénalité des offices. C'est par contre le même cas que celui des Provinces-Unies et, en général, celui des républiques aristocratiques ou bourgeoises.

Les officiers de *ministero* sont les serviteurs des magistrats, les agents d'exécution, les gens de bureau aux titres modestes : secrétaire, notaire, écrivain, contrôleur, comptable, valet. Les uns étaient de simples huissiers ou garçons de bureau, mais d'autres étaient de vrais chefs de service. Ceux-ci, en fait, exerçaient parfois l'autorité pour les magistrats qui entérinaient leurs décisions et certains avaient des fonctions vitales pour l'Etat. Le *massaro dall' officio delle Biave in terra nuova* a en mains une partie du ravitaillement de Venise en blé et en pain. Le *scontro* du provéditeur de l'or et de l'argent à la monnaie détient toute la force du Trésor public; il manie toutes les ressources des personnes privées, il reçoit les dépôts des particuliers, il les avance aux marchands, etc.

1. Dignité viagère très estimée; outre leurs fonctions, ils siégeaient au Sénat et parmi eux étaient pris de préférence les ambassadeurs, les généraux, les amiraux.

2. Ces officiers, au nombre de six, avaient la police nocturne et la justice criminelle à Venise.

Tous ces offices, strictement réservés aux Vénitiens, étaient accessibles aux bourgeois comme aux patriciens. Depuis 1444, il devait y être pourvu par élection tous les quatre ans. Le Conseil de la Quarantia criminale élisait, le Sénat confirmait, le Doge, après consultation de son Conseil, signait le décret de nomination. Lorsque le Conseil des dix prenait la prépondérance, il nommait à bon nombre d'offices. Certains offices étaient pourvus par les magistrats dont ils dépendaient ou bien ces magistrats nommaient aux Conseils le candidat qu'ils choisissaient.

Le nombre de ces offices est incertain. Vers 1660-1680, ils étaient peut-être 2 500 pour la Cité et la Terre-Ferme. Venise avait peut-être 125 000 habitants vers cette date, et Venise avec la Terre-Ferme, 1 800 000 habitants. Les officiers de *ministero* auraient donc constitué 2 % de la population de la ville et 0,13 % de la population de la ville et de la Terre-Ferme[1].

La conception que les Vénitiens avaient de ces offices devait entraîner le commerce et la vénalité. Au lieu de se faire élire pour quatre ans, une foule de citoyens, dès la fin du XVe siècle et probablement beaucoup plus tôt, sollicitaient en grâce des Conseils le don d'un ou plusieurs offices pour un temps beaucoup plus long ou même à vie. Les Conseils accordaient largement ces grâces. Ils le faisaient pour permettre de marier des filles, des sœurs, de soutenir une mère, une famille, comme récompense de fatigues supportées au service de l'Etat. S'il n'y avait pas d'offices vacants, les Conseils donnaient des expectatives d'offices et indiquaient le chiffre approximatif du revenu de l'office attendu. Les Conseils multipliaient aussi les autorisations de vendre ces offices, de les mettre au nom d'un fils, d'une fille, d'un petit-fils, à qui ils devaient rester après la mort du bénéficiaire, ou de les faire mettre au nom d'un tel, avec qui le bénéficiaire pouvait donc en traiter. Des familles possédaient de nombreux offices de *ministero*, car il n'était pas nécessaire de les exercer en personne : le titulaire les affermait. Les Conseils cherchaient à empêcher le cumul, mais seulement parce que, dans l'esprit des lois de Venise, le plus grand nombre possible de citoyens devait pouvoir participer aux grâces de l'Etat. Ainsi les citoyens et les Conseils considéraient dans les offices de *ministero* moins le service public que le revenu, la jouissance d'une partie du domaine de l'Etat ; dans l'Etat, ils voyaient une exploitation collective dont les membres se

1. D'après Julius BELOCH, *Bevölkerungegeschichte der Republik Venedig* (Abdruck aus den Jahrhüchern für National ökonomie und Statistik von B. HILDEBRAND), Iéna, 1899, in-8°.

partagent les bénéfices. Les offices de *ministero* prirent ainsi des caractères qui les rapprochèrent des offices domaniaux français, sans qu'on puisse les confondre avec ceux-ci, car il leur manqua toujours l'hérédité légale inhérente à l'office[1].

Cependant l'Etat combattit toujours le commerce des offices, qui resta en principe interdit, sauf avec autorisation donnée dans des cas spéciaux. Tout un luxe de lois est destiné à empêcher les ventes par les magistrats et par les particuliers. La loi de 1534 contient des précautions contre la possibilité d'obtenir des offices par grâce, mais sous condition de paiement occulte, avec des paroles adroitement introduites, sans condition expresse de vente. La loi du 9 novembre 1611 défend à nouveau la vente des offices, surtout par les magistrats. Des lois de 1494, 1534, 1543, 1549, 1558, 1614, 1632 contiennent des mesures pour limiter le nombre des grâces et des expectatives, empêcher le cumul, et donc diminuer le trafic. Des mesures sont prises en 1539, 1543, 1560, 1571, 1579, 1632, 1667, 1708 pour connaître les offices vacants par mort et gardés indûment par les héritiers, qui en traitaient : déclarations par les substituts, certificat de vie annuel remis par les possesseurs d'offices, dénonciations récompensées par le don de l'office. D'autres décisions sont prises en 1560, 1632, 1678, 1723, 1765, 1781, pour excepter du commerce et des grâces les offices d'une importance particulière : secrétaires des collèges et magistrats, offices de la Caméra della Fiscalità, *scontro* du provéditeur de l'or et de l'argent à la monnaie, *masser* à l'Arsenal, *massaro e contador al magistro delle Biave*.

Ces efforts furent vains. La tendance était trop forte à traiter l'office comme un patrimoine. Une hérédité de fait s'établit dans des cas nombreux. Les offices restaient dans les familles grâce à des manœuvres illégales, fréquentes surtout au XVIe siècle. Le père de famille achetait la protection d'un magistrat influent, démissionnait ensuite, et le magistrat faisait élire en l'office celui que le père avait désigné. Les héritiers dissimulaient le décès du titulaire et gardaient ou vendaient l'office. Mais il y avait aussi des moyens légaux de s'assurer une quasi-hérédité. On pouvait obtenir en grâce des Conseils que l'office fût mis sous le nom d'un fils, d'une fille, d'un petit-fils, d'un neveu, d'un membre quelconque de la famille, ou de deux d'entre eux. A la mort du titulaire, la charge restait à celui qui était nommé, pour sa vie, et s'ils étaient deux, le plus jeune le gardait. Rien n'empêchait ceux qui avait ainsi l'office d'obtenir la même grâce pour leurs descendants. Peut-être même, à la fin du XVIIIe siècle,

1. Cf. R. MOUSNIER, *op. cit.*, p. 158.

les Conseils admettaient-ils qu'un acquéreur d'office pût le transmettre à ses descendants sans que la charge eût été mise au nom d'un de ceux-ci. Mais, dans la pratique, il semble que l'office fut possédé rarement par plus de deux générations.

L'office, dans ces conditions, représentait une part de l'héritage. Il y figure d'ailleurs officiellement. Il tenait lieu de dot et des gendres l'acceptaient pour tel. Inversement, des filles renoncent à toutes prétentions sur l'office du père en raison des sommes en numéraires reçues pour leur dot. Des maris mettent leur office sous le nom de leur femme pour sûreté de ses deniers dotaux.

L'office était objet de commerce. Il existe de nombreux contrats entre particuliers pour la vente d'offices obtenus par grâce, même sans autorisation d'en disposer : de nombreux actes d'obligations d'offices pour dettes, une multiplicité de procurations pour céder, vendre, aliéner l'office à n'importe qui, en recevoir le traité, faire toutes les démarches nécessaires, agir auprès de tout notaire, comparaître devant quelque magistrat que ce soit. Les contrats de vente sont tous du même type, avec des variantes de détail. Le titulaire renonce à la charge en faveur d'un tel, avec son traitement et tous ses revenus ordinaires et casuels. L'acquéreur peut en jouir, l'exercer ou la faire exercer, la vendre, céder, donner, aliéner, en disposer à sa volonté, « comme de chose propre ». Le vendeur constitue l'acheteur son procureur irrévocable et promet de défendre l'office contre quiconque, car l'Etat semble ne vouloir connaître que celui qui tenait l'office de lui. La vente était faite pour le temps dont celui qui l'avait eu de l'Etat aurait dû en jouir, dix ans, vingt ans, sa vie, ou la vie de celui sous le nom duquel il avait été mis, ou même pour une partie de ce temps, quelques années. C'était donc plutôt le droit à l'exercice et aux profits de l'office lui-même qui était vendu. Si la vente était autorisée par la grâce et si l'acquéreur était plus jeune que le vendeur, il pouvait obtenir par grâce des Conseils que l'office fût mis sous son nom s'il n'y avait que peu d'années d'écart, et même, s'il y en avait beaucoup, pourvu que sa famille eût fait de longs services à l'Etat.

Souvent les possesseurs d'offices ne les exerçaient pas eux-mêmes. Ils les donnaient à ferme. Le fermier ou substitut de l'officier gardait le traitement et les revenus casuels et payait au possesseur ou patron de l'office, d'avance tous les six mois, un loyer convenu. L'accord était rompu si le paiement n'était pas fait aux termes prévus. La location était d'ordinaire pour six, cinq ou trois ans. Elle pouvait comporter le dépôt d'un cautionnement. Suivant les conventions, les impôts (décimes et annates) dus pour office restaient à la charge du patron, ou, plus souvent, étaient dus par le fermier. Les conflits n'étaient pas rares entre patrons et substituts. Il n'était pas rare non plus qu'un substitut finît par acquérir l'office de son patron. Pour réduire le nombre des cumuls, l'Etat essaya de limiter l'exercice des offices par substitut. En juillet 1568, les officiers de la Chancellerie reçoivent l'ordre d'exercer eux-mêmes. D'autres lois imposèrent la même obligation aux titulaires des différents offices. Celle du 16 mai 1632 prescrivit généralement à tous les élus d'exercer personnellement et de posséder un seul office. Le droit d'avoir un substitut pouvait être accordé pour impotence, vieillesse ou maladie. La loi du 27 mai 1632 faisait de l'exercice personnel une obligation pour tous les secrétaires des collèges et des magistrats. Mais il semble que ces lois, contraires à la conception de l'office de *ministero*, aient été peu respectées et qu'avec les grandes ventes d'Etat au XVIIe siècle il ait bien fallu admettre les substituts.

Le commerce des offices entre particuliers était facilité par le commerce entre les particuliers et les magistrats. Dans la pratique, le Conseil de la Quarantia criminale suivait, pour élire aux offices, l'avis d'un de ses trois *capi* ou d'un de ses *présidenti sopra gl'officii.* Ceux-ci ne se privaient pas de recevoir secrètement des résignations contre argent comptant ou contre une participation aux bénéfices, et faisaient élire celui que le résignant leur nommait. Il arrivait à des citoyens de se faire élire et de renoncer immédiatement à la charge en désignant une autre personne à qui ils vendaient leur désignation, c'est-à-dire l'office. Ils jouaient un rôle fructueux d'intermédiaires.

Des magistrats vendaient purement et simplement leur nomination aux offices dont ils pouvaient disposer, soit argent comptant, soit contre pension annuelle.

Toutes ces pratiques furent vainement interdites à plusieurs reprises. Elles ont peut-être suggéré la vénalité des offices. C'est une tendance générale des aristocrates comme des bourgeois, des magistrats comme des simples citoyens, qui poussait au trafic des offices de *ministero*. Les patriciens qui peuplaient les Conseils et les magistratures furent ainsi entraînés à organiser la vente de ces offices par l'Etat devant les nécessités financières publiques.

La vénalité des offices semble avoir été permanente aux XVIe, XVIIe et XVIIIe siècles, avec de grandes poussées au moment des guerres. La première grande vente, à ma connaissance, est celle votée par le Grand Conseil le 10 mars 1510, après la catastrophe d'Agnadel. Elle offre en raccourci les principaux aspects de la vénalité, vente d'offices, vente d'hérédités, vente d'expectatives, et elle est comme le modèle des ventes suivantes. Tous les offices de *ministero* disponibles devaient être vendus, sauf ceux de la Chancellerie ducale. Ceux qui étaient déjà pourvus étaient distingués en deux catégories : pour ceux qui avaient été donnés à vie, les possesseurs, en versant un capital égal à dix fois la valeur de leur salaire et du casuel, assuraient après leur mort la possession de l'office à leurs enfants, leurs neveux ou un frère, qui garderaient l'office leur vie durant. Pour les offices donnés à temps, le possesseur, en payant un capital égal à huit fois le salaire et le casuel, pourrait les garder à vie.

Si le fils, le neveu ou le frère désigné mourait avant l'officier, celui-ci pourrait désigner une autre personne, qui serait tenue de rendre l'argent aux héritiers de l'officier avant d'entrer en possession.

Si des officiers se refusaient à payer les sommes demandées et à jouir de la faveur offerte, tout citoyen pouvait se faire inscrire à leur place, consigner la somme demandée, et le Conseil des Dix élirait un des consignataires qui aurait l'expectative de l'office. Si l'élu mourait avant d'entrer en fonctions, son héritier aurait l'office ou la seigneurie lui restituerait l'argent.

D'autres grandes ventes suivirent au XVIe siècle, mais c'est surtout avec les grandes guerres du XVIIe siècle que la vénalité déborda. Le 1er juillet 1636, le Grand Conseil décida la vente universelle des charges, au fur et à mesure qu'elles viendraient à vaquer. La continuation de la vente fut ordonnée en 1648, 1651, 1672, 1674, 1676, 1686. Depuis 1709, l'Etat chercha à revenir au régime normal des élections. Au XVIIIe siècle, le souci du service public et de l'autorité de l'Etat semble devenir plus grand. Certes, la guerre de Succession d'Autriche obligea encore la République à vendre les charges, par décret du 26 juillet 1748. L'application de la loi fut suspendue le 26 août 1765 et la décision prise d'en revenir à l'élection, mais le 17 décembre 1780 le Grand Conseil dut à nouveau prescrire la vente générale de tous les offices. Toutefois, les Conseils cherchent davantage à excepter de la vente en public les charges particulièrement importantes ; ils suppriment des offices inutiles ; la loi de 1743 précisa que le capital des ventes serait toujours sujet au rachat public.

C'est le Sénat qui dirige la vente des offices, reçoit les propositions, les rapports des officiers responsables, prend les décisions, confère les offices aux acquéreurs aux deux tiers des voix. Les décrets du Sénat étaient transmis aux *présidenti sopra gl'officii deputati dal Consiglio di Quarantia al criminal*, chargés normalement des rapports avec les candidats aux élections, aux dons, aux expectatives et aux hérédités. Ces *presidenti* donnaient mandat aux *presidenti all'esezione del danaro publico deputati alla vendita* de procéder à la vente aux enchères. Les deux catégories de *presidenti* recevaient ensemble les propositions sur les ventes, faisaient ensemble le recensement des offices, s'informaient de ceux qui vaquaient, taxaient les offices, etc. Les projets de ventes d'offices émanaient souvent de particuliers, de donneurs d'avis, comme en France et en Espagne, et, comme en ces deux pays, la vente était souvent faite pour le compte de l'Etat par des partisans qui avançaient des sommes considérables. La vente était valable à certaines conditions : paiement dans les quinze jours, « vie » sous laquelle l'office était mis ; présentation chaque année d'un certificat de vie de celui sous le nom duquel l'office était placé ; paiement des décimes et autres charges.

Beaucoup d'offices étaient détenus indûment ; d'autres étaient trop chargés d'impôts. Les ventes s'en ressentaient, elles étaient souvent lentes, et lorsque de nombreux offices furent jetés sur le marché, surtout depuis 1680, des dizaines, puis des centaines de charges restèrent invendues pendant des années. La vente des offices décrétée en 1743 alla très mal. Souvent les fonctions durent être exercées par des commissaires.

Le Sénat fit donc établir des statistiques des offices, avec la description de tous les offices, les noms des possesseurs, la durée de la possession, le mode d'obtention, grâce, élection, continuation dans la même charge, vente par l'Etat. Décrétée le 16 mai 1632, la réalisation du *Cattastico* s'avéra imparfaite en 1636. Un nouvel essai fut décidé le 25 septembre 1641 ; le travail, dirigé par les deux sortes de *presidenti*, surveillé de près par le Sénat, fut effectué par le fiscal de la Quarantia, Bruti. En 1669, la statistique était faite, mais fut améliorée jusqu'en 1680, date à laquelle le *Cattastico* en deux gros volumes fut considéré comme terminé. Après l'interruption de 1765, lorsque la vente repris en 1780, un nouveau catalogue fut fait.

Le Sénat, d'autre part, alléchait le chaland par des offres toujours plus belles. Le 21 juillet 1660, il décida de vendre cent offices en fief, dans la lignée des acheteurs, tant masculins que féminins, avec les conditions et les formes accoutumées en matière de fiefs. Il envisagea sérieusement en 1663, de vendre les offices à toujours, en hérédité, moyen « habile a far confluire in cassa publica summa copiosa d'oro ». Il renonça à ce projet ruineux pour l'avenir, mais désormais demanda une somme d'argent pour que l'office fût mis sous le nom d'une personne plus jeune que l'acquéreur.

Le Sénat augmenta le nombre des offices à vendre en réduisant le nombre des grâces. Dès 1662, puis en 1672, il fut décidé de choisir cent offices pour les donner en grâce. Tous les autres devaient être vendus, à l'avenir. Le 22 juin 1715, les cent offices étaient devenus 194, mais en somme le nombre des offices donnés en grâce avait beaucoup diminué. Au cours du XVIIIe siècle, l'habitude se prit d'accorder en grâce des rentes de 10 à 15 écus par mois plutôt que des offices.

Le décret du 23 décembre 1672 établissait trois *inquisition sopra le grazie e officii*, pour la recherche des offices possédés sans titre suffisant, celle des offices dont la valeur excédait le montant de la grâce que les Conseils avaient voulu faire, et des officiers qui avaient en grâce plus de deux offices. En janvier 1673, les inquisiteurs reçurent la faculté de faire torturer les témoins.

Beaucoup d'offices furent ainsi revendus, le montant de la grâce donné par l'acheteur au titulaire, le reste versé aux caisses publiques. Beaucoup d'offices vendus par l'Etat à un prix insuffisant furent repris et remis aux enchères.

En cas de manque d'offices à vendre, le Sénat vendit des expectatives, dont les acquéreurs touchaient, en attendant l'entrée en possession, un intérêt de 14 % à la Monnaie. Mais s'ils mouraient avant d'entrer en fonctions, leur capital restait acquis à l'Etat.

Les offices désignaient à l'Etat une catégorie de citoyens qui disposaient de capitaux et que l'Etat pouvait frapper. A chacune de ces grandes ventes, les officiers déjà en possession étaient contraints au versement de grosses sommes. S'ils s'y refusaient, n'importe qui pouvait payer à leur place et être mis en possession de l'office.

Les officiers de *ministero* devaient aussi des impôts réguliers. Depuis le 13 janvier 1573, ils doivent la dîme des salaires et casuels, qui fut doublée après 1616 et finit par atteindre 25 %, puis, vers 1680, 33 % avec un agio de 25 %, donc plus de 40 % des revenus déclarés de l'office. La loi du 28 mai 1650 permit de s'en affranchir par le paiement en une fois d'une somme déterminée, avec jouissance en viager d'une rente de 14 %. Aux décimes s'ajoutèrent à plusieurs reprises des annates, versement d'une année de revenus de l'office. A partir de 1629, l'annate fut due tous les six, cinq ou quatre ans, suivant la catégorie de l'office, pendant une période de vingt ans. De 1671 à 1675, en cinq ans, tout officier dut payer une annate pour l'armée.

Néanmoins, la vénalité eut du succès. D'après un *Cattastico* (Quarantia criminale, n° 221), entre 1650 et 1700, 55,5 % des offices auraient été obtenus par achat direct à l'Etat, 13,5 % par l'achat d'une expectative, 26 % par grâce, 5 % par élection, 0,08 % par héritage ou achat à un particulier. Ces proportions ne s'accordent pas avec l'ensemble des documents de la période sur le commerce des offices et leur rôle patrimonial. Mais il ne faut pas oublier que l'Etat voulait connaître seulement celui qui avait l'office sous son nom, sans souci des tractations ultérieures, sauf autorisations de vente, rares dans cette période où l'Etat avait de grands besoins, et que bon nombre d'accords entre particuliers donnaient ensuite lieu à une grâce de l'Etat.

Les offices étaient d'un bon rapport pour les particuliers. En 1601, une *ragionaria de oglio*, achetée 150 ducats, est affermée 40 ducats, soit un revenu de 27 %. En 1660, une *colateraria* à Zara est louée 300 ducats, soit 1 820 lires, soit 6 631 grammes d'argent, qui auraient permis d'acquérir 18 330 litres de farine blanche de Lussia, ou 9 765 litres de vin de Torre di Mosto, ou 1 593 litres d'huile[1].

Pour l'Etat, les chiffres manquent. Au XVIIe siècle, l'on accordait de l'importance aux recettes provenant des offices. En 1661, la vente des offices est qualifiée de « nerf principal » dans les moments difficiles de l'Etat ; en 1660, les offices sont considérés comme un « patrimoine public très important ». Au XVIIIe siècle, les recettes provenant des offices ne nous sont connues que pour quelques années. Elles étonnent par leur minceur. Elles ne constituent qu'une part infime des revenus de l'Etat. En 1736, 7 536 ducats sur un total de 7 562 246 ; en 1742, 56 760 ducats sur 8 457 312 ; en 1746, 32 206 ducats sur 8 471 860[2]. Les charges vendues de février 1781 à juillet 1787 rapportèrent 408 014 lires seulement[3]. Il est vrai qu'en 1746 le Sénat s'étonnait de ce que les recettes n'avaient pas correspondu à son attente et rappelait les magistrats à l'observation des décrets sur les offices. Peut-être y a-t-il eu effondrement du système de la vénalité au XVIIIe siècle, dans le déclin général de Venise. Peut-être, dans la décadence du commerce, alors que ce qui restait de capitaux s'orientait vers la terre, n'y a-t-il plus eu de disponibilités suffisantes pour les offices, qui pouvaient aussi moins attirer en raison du changement d'idéal et du changement des idées sur les fonctionnaires publics.

La vénalité apparaît ainsi à Venise différer sensiblement de celle de la France. A cause du principe même du gouvernement, elle ne touche dans chaque service public que les offices subordonnés. Pour ces offices mêmes, l'Etat a, en somme, pu limiter les effets de la vénalité, et empêcher l'office de devenir entièrement et légalement héréditaire et patrimonial.

Il apparaît qu'il reste beaucoup à faire. Je n'ai qu'écrémé les archives. Il y aurait lieu de mieux établir l'évolution chronologique. Il faudrait traiter des prix des offices, de leur part dans la fortune des officiers, du rôle des offices dans le classement social des individus. Il faudrait élucider l'activité des partisans et donneurs d'avis, leurs

1. D'après Nicole PAPADOPOLI, *Le monete di Venezia*, t. III, p. 1004, et Archivio di Stato, Mense patriarcale, Registri di Cassa, n° 81, f°s 72, 76, v° 80, 133.

2. *Bilanci generali*, vol. III, *Recettes des offices de 1736 à 1755*, p. 263.

3. Savio Cassière, Busta 161, fasc. 1.

liens avec les magistrats et avec les membres des Conseils ; préciser l'action du Sénat et des *presidenti*, etc. Il serait surtout nécessaire d'approfondir les causes du commerce des offices et de la vénalité et chercher à discerner s'ils n'ont pas leur cycle d'évolution.

Une grande cause de la vénalité à Venise est la détresse financière de l'Etat. L'Etat manque de ressources parce que Venise reste un petit Etat urbain au milieu de vastes Etats territoriaux, et que les dépenses croissantes des armées de métier, qui accablaient déjà ces grands Etats, sont encore plus écrasantes pour le petit Etat vénitien. L'Etat manque de ressources à cause de l'évolution de son économie et du principe de ses impôts. Son système financier reposait avant tout sur les douanes et les impôts indirects. Or, bien qu'au XVIe siècle le commerce de Venise se maintienne encore, déjà il y a des moments difficiles où les recettes fléchissent et où le crédit se resserre, comme en 1510 où les marchands allemands repartirent sans une provision de poivre suffisante et allèrent la chercher à Lisbonne. Peu à peu, la concurrence commerciale et industrielle des grands royaumes à tendances militaires et absolutistes et à politique économique mercantiliste cause le recul de Venise. Aux XVIIe et XVIIIe siècles, le déclin est net. Les recettes des douanes s'effondrent. Il faut faire appel à toutes les ressources et même aux offices[1],

Mais l'Etat n'a pu songer à tirer argent des offices que parce que, depuis longtemps, il existait un commerce des offices, parce que l'esprit public, la conception de l'office le permettaient. Les besoins financiers de l'Etat ne suffisent pas à expliquer la vénalité. Bien des Etats ont été dans la détresse financière sans recourir à la vente des offices, parce que, si l'on y avait pensé, le sentiment public aurait opposé une invincible résistance. Commerce et vénalité ont d'abord pour cause une idée de l'office, une représentation mentale collective.

Si à Venise, comme dans toutes les républiques aristocratiques ou bourgeoises, le système n'a pas été aussi complet que dans les grandes monarchies militaires, il y a cependant chez les unes et chez les autres des tendances communes et un esprit analogue.

A Venise, les offices de *ministero*, comme dans les monarchies tous les offices, sont considérés ou tendent à être considérés par les particuliers comme pouvant être appropriés, comme pouvant devenir propriété privée et objets de commerce. Il y a confusion dans les esprits de la puissance publique et de la propriété privée. Or, c'est une conception médiévale. Commerce et vénalité des offices appa-

1. Voir A. NORSA, Il fattore economico sulla grandezza e nella decadenza della Republica di Venezia, *Nuova Rivista storica*, 1924, t. VIII, p. 156-172.

raissent d'abord comme dérivant de la survivance de sentiments et de représentations médiévaux en pleine époque moderne. Aux XVIe et XVIIIe siècles, ces survivances furent nombreuses et importantes[1].

A Venise, comme ailleurs, commerce et vénalité des offices n'ont pu se développer qu'avec l'économie monétaire et ensuite le capitalisme, avec l'appétit d'argent, l'esprit de gain pour le gain, le souci constant chez les individus comme dans les Etats d'acquérir le plus possible de métaux monnayés, et avec la constitution d'une classe bourgeoise disposant de capitaux.

Les sociétés où se sont développés commerce et vénalité des offices sont très hiérarchisées, encore féodales ou ensuite aristocratiques, avec une noblesse prédominante dans laquelle cherchent à se fondre les bourgeois dont l'esprit de classe est encore faible, et avec une échelle de titres dont la collation dépend du souverain. Or, l'office est une dignité, et certains confèrent la noblesse. Cette représentation mentale de la hiérarchie sociale devait assurer le succès de la vénalité des principaux offices dans les monarchies. Dans celles où le capitalisme était encore réduit, les offices constituaient un placement souvent plus avantageux que les entreprises commerciales ou industrielles.

Le phénomène apparaît ainsi comme causé partout par la rencontre d'un esprit médiéval avec des conditions économiques et sociales modernes. L'origine, à Venise comme ailleurs en Italie, en déborde de beaucoup la simple imitation de la monarchie espagnole, sa cause essentielle pour la plupart des juristes et historiens italiens[2].

Le problème des causes ne pourra donc être complètement résolu que par l'étude du phénomène dans les différents pays d'Europe, depuis ses origines dans le Moyen Age jusqu'à sa disparition à la fin du XVIIIe siècle et au cours du XIXe. Si je ne suis pas remonté jusqu'au début pour Venise, c'est que tout y était à faire, et qu'il était de bonne méthode de commencer par le phénomène pleinement développé. Cette étude comparative, des origines à l'extinction de la vénalité, pourrait peut-être s'appuyer sur l'hypothèse de recherches suivante, qui pourrait être commode, non seulement pour l'Europe, mais pour l'Empire ottoman, l'Inde, la Chine, etc.[3].

A/ Le commerce des offices apparaîtrait partout au déclin du Moyen Age, lorsque le système féodal se cristallise juridiquement,

1. R. Mousnier, *op. cit.*, p. 495-506.
2. Pertile, *Storia del diritto publico*, II, p. 759-768; Solmi, *Diritto italiano*, p. 674 et 616. Voir aussi K. W. Swart, *Sale of offices in the seventeenth century*, The Hauge, Martinus Nijhoff, 1949, in-8°, p. 82.
3. Cf. K. W. Swart, *op. cit.*

qu'il y a une première reconstitution de l'Etat, que les échanges économiques à distance reprennent, lorsque l'usage de la monnaie se développe à nouveau et qu'il y a une première réapparition très sporadique du capitalisme, une renaissance urbaine, une première renaissance intellectuelle. En Europe occidentale, ce serait donc à partir du XIIe siècle. Le commerce commencerait surtout par les offices domaniaux, c'est-à-dire ceux qui sont réputés du domaine de l'Etat, sont normalement affermés par l'Etat, et dont l'exercice consiste en une exploitation du domaine public. Mais, déjà, il s'étendrait dans certains cas à d'importants offices, et, parfois, là où le prince domine suffisamment les féodaux, il y aurait vénalité dans les nécessités urgentes.

B/ Au fur et à mesure de l'extension du pouvoir monarchique, du développement du capitalisme et de l'essor de la bourgeoisie, le commerce gagne peu à peu tous les offices. Plus l'Etat développe sa puissance, plus l'argent circule, plus les offices, qui ont peu de traitement mais beaucoup d'honoraires et d'autres profits casuels, sont souhaitables.

Plus il y a d'officiers qui ont acheté leurs charges, plus il y a d'hommes qui multiplient les interventions au nom du Roi et plus le pouvoir monarchique s'accroît. Grands bourgeois devenus les conseillers et les secrétaires du prince, grands officiers, courtisans s'emploient contre argent à faire obtenir les offices, les chefs de service vendent les offices dépendant de leurs charges. C'est la phase aristocratique de la vénalité. En Europe occidentale, elle se placerait aux XIVe et XVe siècles.

C/ Avec le plus grand essor du capitalisme commercial et des classes bourgeoises faisant équilibre à la noblesse, qui a remplacé la féodalité, mais sans souhaiter la détruire ni la surclasser, ayant seulement le désir de se fondre en elle; avec le développement des monarchies absolues qui correspond à cet état social, le commerce et la vénalité des offices atteignent leur apogée. La vénalité devient un système monarchique, car les Etats ont des besoins modernes avec des systèmes financiers encore pleins des traces du Moyen Age et un défaut d'institutions de crédit. Les offices y suppléent. D'autre part, le Roi utilise la vénalité pour accroître son pouvoir. Lorsqu'il érige des fonctions en titre d'office pour les vendre et qu'il vend des offices déjà existants, il en retire la disposition aux grands et aux courtisans. Le système de la vénalité correspond à peu près à l'essor des idées et pratiques mercantilistes, en Europe occidentale de 1450 à 1750 environ. Elle constitue un des caractères de l'époque mercantiliste.

D/ Mais déjà, dans la dernière partie de cette période, le trafic des offices décline. L'Etat monarchique absolu, une fois développé, trouve dans la vénalité, dont il s'est servi, un obstacle. L'Etat a tendance à employer les citoyens, sans autres distinctions que la vertu et les talents, en vue du bien public, c'est-à-dire en vue de la plus grande force de l'Etat. Il développe la notion du service public et a tendance à combattre la vénalité. D'ailleurs, avec l'essor du crédit, il a moins besoin de l'expédient des offices.

Pour les particuliers, la croissance continuelle du capitalisme rend les profits du commerce, de la banque et de l'industrie plus intéressants que ceux des offices. Enfin, à cause de l'importance grandissante de la bourgeoisie, l'idéal de vie bourgeois envahit les idées et la littérature et tend à remplacer l'idéal noble. Peu à peu la bourgeoisie prend conscience d'elle-même. Très lentement, les bourgeois songent moins à se confondre avec les nobles, mais plus à se substituer aux nobles comme classe dirigeante et modèle. Or, l'office est une dignité qui a sa place dans la hiérarchie aristocratique. Le déclin de celle-ci dans les esprits entraîne le déclin de l'office qui est moins recherché.

Ainsi, au fur et à mesure que l'on progresse vers des sociétés où ont tendance à dominer l'idée moderne de l'Etat, la bourgeoisie ou des aristocraties embourgeoisées, le libéralisme économique et politique, l'office perd en importance. Au commerce et à la vénalité des offices tend à se substituer le régime des fonctions publiques, souvent avec des sortes de régression transitoires en phase B.

Il faudrait naturellement distinguer soigneusement le cas des Etats urbains de celui des grands Etats territoriaux ; le cas des républiques bourgeoises de celui des monarchies; le cas des différents types de monarchies; les sociétés où la noblesse est fréquente et celles où elle est rare, etc., car toutes ces différences sont causes d'espèces dans le grand genre du trafic des offices.

Outre la vérification de l'existence de ce cycle, il y aurait lieu d'étudier si, dans les pays où il y a un passage rapide d'un régime seigneurial et féodal à un régime capitaliste, comme dans le Japon du XIXe siècle, il n'y a pas eu un certain temps commerce des fonctions publiques, et si, inversement, le commerce et la vénalité n'ont pas existé chaque fois que dans un Etat organisé, avec une économie au moins monétaire, une société a lentement évolué vers l'économie naturelle et un régime féodal, comme il se voit dans le Bas-Empire romain.

Nous voici devant un océan de recherches.

TABLE DES MATIÈRES

INTRODUCTION

OBJECTIFS ET MÉTHODES

PREMIÈRE PARTIE

VALEURS DE LA SOCIÉTÉ

DEUXIÈME PARTIE

LE DÉVELOPPEMENT DE L'ÉTAT MODERNE

TROISIÈME PARTIE

LES RÉACTIONS DU CORPS SOCIAL AU DÉVELOPPEMENT DE L'ÉTAT

Pages

CONCLUSION

VERS L'HISTOIRE COMPARATIVE

OUVRAGES RÉCENTS DU MÊME AUTEUR

Lettres et mémoires adressés au chancelier Séguier, Paris, Presses Universitaires de France, 1964, 2 vol.

L'assassinat d'Henri IV, Paris, Gallimard, 1964, coll. « Trente journées qui ont fait la France ».

Fureurs paysannes. Les paysans dans les révoltes du XVIIe *siècle : France, Russie, Chine*, Paris, Calmann-Lévy, 1968, coll. « Les grandes vagues révolutionnaires ».

Les hiérarchies sociales de 1450 à nos jours, Paris, Presses Universitaires de France, 1969, coll. « SUP, l'Historien ».

Le Conseil du Roi de Louis XII à la Révolution. Recherches sur sa composition sociale, Paris, Presses Universitaires de France *(sous presse)*.

Imprimé en France, à Vendôme

Imprimerie des Presses Universitaires de France

Édit. n° 30 865 — Imp. n° 21 710

1970